香港武俠名家名作大展

下

黃易／前濤後浪

陳墨——著

香港武俠名家名作大展（下）——目錄

張夢還小說述評 15

牟松庭小說述評 93

溫瑞安小說述評 119

香港武俠名家名作大展 (下) —— 目錄

香港武俠名家名作大展（下）——目錄

香港武俠名家名作大展（下）——目錄

香港武俠名家名作大展（下）——目錄

童庚金小說述評 405

高天亮小說述評 413

西門丁小說述評 421

黃易小說述評

香港武俠名家名作大展（下）

目錄

◆張夢還小說述評◆

張夢還，原名張擴強，一九二九年生，四川人。中央軍校二十二期炮科畢業，因故留港寫作為生，曾任《明報》編輯。一九五七年在《武俠小說週報》發表《沉劍飛龍記》。後有《青靈八女俠》、《玉女七煞劍》、《十二女金剛》等多部作品。

《沉劍飛龍記》

《沉劍飛龍記》是張夢還的第一部武俠小說，一九五七年在《武俠小說週報》發表，其時金庸的《射鵰英雄傳》正在連載，有「龍鵰大戰」之說，「龍」即張夢還的《沉劍飛龍傳》，「鵰」即金庸的《射鵰英雄傳》。此說形成，當是因為當時有的讀者喜歡金庸的小說，而有的讀者則更喜歡張夢還的小說，有的讀者則很可能兩部小說都很喜歡。時過境遷之後，「龍鵰大戰」已成傳奇往事。

《沉劍飛龍記》大陸有盜版書，書名為《天龍玉嬌》，署名居然是金庸，號稱是由群眾出版社出版。這一盜版品質很差，書名更是莫名其妙。

《沉劍飛龍記》講述的是明朝早期故事。燕王朱棣發動靖難之役，方孝孺為惠帝（俗稱建文帝）

起草詔書及討伐燕王檄文，且拒絕為燕王起草即位詔書，被燕王（後來的明成祖）下令滅十族，死八百七十三人，方孝孺仍然不屈，最後被凌遲而死。小說虛構了方孝孺同宗（書中寫得含糊不清）方繼祖逃過此劫，在南海稱王，號稱南海島主，想要發動反叛，為方孝孺報仇。南海島主方繼祖的心腹吳璧、吳璞兄弟聽信了神手華佗侯仲永的說法，勸方繼祖不要興兵反叛，島主大怒出手攻擊吳璧，吳璞發毒金環，方繼祖自殺，吳氏兄弟逃亡。方繼祖夫人林詠秋其時身懷六甲，追殺吳氏兄弟，抓捕了吳璧，吳璞再發毒環傷林詠秋。

小說的《楔子》，即從這裡開始，林詠秋在杭州吉安客棧生產，恰好崑崙派赤陽子帶弟子徐霜眉在客棧中，知道她是南海島主夫人，即將她的新生兒帶走。吳氏兄弟其時也在客棧附近，委託鏢師陶春圃照顧方夫人。

小說正文是在十六七年後（這也是一個很恰當的模糊時間）。小說可分為三個敘事段落，第一大段落是方氏姐弟復仇。此時吳氏兄弟在貴州苗疆大蛇嶺營造了碧雲莊，而方繼祖的女兒方靈潔、兒子方龍竹也下山報仇。由於方氏姐弟的武功極高，在吳氏兄弟家賀壽的各派高手難以抵擋，尤其是因為吳璧、吳璞兄弟的想法和做法不同，以至於方氏姐弟殺了吳璧，無意間炸毀了碧雲莊。

第二大段落是插入另一個故事，即大同卞家和衛家合營安達鏢局龍鳳雙幡主人卞玉龍、衛飛鳳天下知名。衛飛鳳師兄沙一鳴（後改名沙九公並成立螳螂派）因衛飛鳳拒婚而報復，第一次被卞鼎文、衛鼎武及沈璿、沈璣、楊英烈、徐士奇等師兄弟打退。沙一鳴投入長白山奇元老人門下，邀請大師兄伏虎上人助陣，終於報復大仇，使得卞、衛兩家從此衰敗。

伏虎上人奪得金鳳幡到藏邊創立門派，鳳幡即門派之寶。沙九公創立螳螂門，一心要奪取金龍幡。伏虎門下雷迅來峨嵋找靜因師太，說呂曼音打殺其六弟子、奪金鳳幡事，衛飛鳳是峨嵋靜因師太的師姐，靜因知道卞、衛兩家事，派弟子呂曼音前往紹興找楊英烈、黃岩找徐士奇，呂曼音幫助卞氏後人卞家駿、衛氏後人衛芝、衛蘭（這對雙胞胎被崑崙女俠徐霜眉收養）打殺沙九公，勸退雷迅。呂曼音與徐霜眉也成為好友。

這段故事與方、吳兩家復仇故事沒有直接關聯，只是呂曼音是吳璧、吳璞的九妹吳玉燕的師姐，而徐霜眉則是方靈潔、方龍竹姐弟的師姐而已。

小說的第三大段回到方、吳兩家仇恨主線上來。吳璧之子吳戒惡被金葉丐帶到武當山，武當掌門臥雲子不願收他為徒，其大弟子白鶴俞一清和三弟子謝青峰設法讓五師叔董凌霄將吳戒惡收入門下學藝。一年後，吳戒惡的武功飛躍進步。吳玉燕來武當山找侄子吳戒惡下山，其時，吳氏兄弟的好友李揚已求得泰山萬竹山莊莊主夏一尊出面召集武林大會，為方、吳兩家仇怨評理。吳戒惡回碧雲莊祭奠父親之後，前往泰山，甘明提醒說方氏姐弟來了，吳玉燕、吳戒惡當晚就去找方氏姐弟報仇，吳玉燕對方靈潔，吳戒惡對方龍竹，打了三個多時辰仍不分勝負，天已大亮。金葉丐請來神手華佗侯仲永、鏢師陶春圃等知情人，解說吳氏兄弟與方島主結仇的經過。方氏姐弟也知吳氏兄弟並非十惡不赦，方靈潔的飛龍劍墜下懸崖，瀑布中出現飛龍，方繼祖夫婦、吳璧都在飛龍上，方夫人的侍女彩鳳說他們在天上都已經和好，但其子女在人間卻還糾纏不休，於是雙方放下仇恨。

小說的故事相當吸引人，一是因為作者文筆較好，敘事清晰；二是因為作者善於講故事，細節尤其生動；三是作者對善於描寫人物的即時心理。

小說中最突出的人物形象，是吳璧、吳璞兄弟。兩人在《楔子》中就出現了，他們關心方夫人的生命安危，表明他們並非有意要背叛方島主夫婦，更非故意要趕盡殺絕，而是確有不得已的苦衷。仔細分析事情的起源，即不難明白，吳氏兄弟毫無反叛之心，只是提出一種選擇性建議，假如方繼祖島主認真聽取他們的建議，哪怕是不同意他們，只要批評或喝斥即可，吳氏兄弟最多是合則留、不合則去，不至於有生死衝突。但方繼祖卻勃然大怒，斥責吳氏兄弟是叛徒，而且立即動手要將他們處死，在這樣的生死關頭，吳璞為保護哥哥的生命而打傷島主，實在也是情有可原。

退一步說，若方夫人不對吳氏兄弟趕盡殺絕，方夫人也就不會因失血、中毒、生產而死，方、吳兩家也就不存在如此不共戴天的仇恨。問題是，島主方繼祖領導興兵造反事容不得不同意見，方夫人為丈夫之死也容不得三思，結果是：島主自殺、夫人中毒而死，這筆賬就記在了吳氏兄弟名下。

事情發生以後，吳氏兄弟對此有不同的認知。哥哥吳璧覺得逼死島主夫婦罪孽深重，以至於常年懺悔，聽說方氏姐弟要來報仇，吳璧的想法是講出當年的事實，然後聽憑方氏姐弟（也就是吳氏兄弟的少主人）處置。弟弟吳璞卻不這樣想，他覺得自己沒有錯，因為侯仲永所說，實際上是有道理的，應該採納的。方孝孺蒙難，方繼祖興兵報仇，看似合情合理，實際上卻有不忠、不孝、不仁的嫌疑。惠帝不見蹤影，方繼祖造反成功若是自己取而代之，那是對惠帝及明王朝不忠；方孝孺為自己的信念而死，若方繼祖違背方孝孺的信念（公開與明王朝及明成組為敵）那是不孝；更重要的是，天下難得太平，若興兵造反，勢必使得天下生靈塗炭，那是不仁。

在吳璞看來，吳氏兄弟向方繼祖提出建議，方繼祖即便不贊同，也不該不分青紅皂白地要殺他們，他保護自己哥哥的生命而出手還擊，並無大錯。同理，在方夫人抓住吳璧時，吳璞再次出手，仍然沒有大錯。問題是，哥哥吳璧並不這樣看，即並不認同弟弟的看法，所以，在方氏姐弟前來復仇之際，哥哥和弟弟雖然兄弟情深，但卻有完全不同的選擇。哥哥選擇了等待復仇者處置，而弟弟選擇了與復仇者方氏姐弟周旋、與命運抗爭。誰能說他這樣做不對呢？

換個角度說，方氏姐弟為父母報仇，誰也不能說他們不對。因為在父母被害時，姐姐方靈潔年僅三歲，弟弟剛剛出生，他們不知道在方繼祖和吳氏兄弟之間究竟發生了什麼，他們只知道母親留下血書，要他們為父母報仇。母親林詠秋的立場和觀點早已形成，把吳氏兄弟當作背主叛徒、十惡不赦的仇人，他們的兒子女兒當然也就只能相信母親的說法，繼承母親的復仇遺志。

再換個角度說，方氏姐弟復仇是必然的，吳戒惡再復仇也是必然的、而且是天經地義的。因為他的父親吳璧確實是死於方氏姐弟之手。吳戒惡為復仇而吃盡苦頭，最終學成絕技，當然要找方氏姐弟復仇。

復仇與再復仇，就成了這部小說的邏輯，實際上也是差不多所有武俠小說的邏輯，所謂「父母之仇，不共戴天」，這一倫理原則，實際上是建立在叢林法則基礎之上。方氏姐弟要復仇，吳戒惡則要為方氏姐弟的復仇而復仇，最終就看誰的本領大，看哪一方能將另一方完全消滅，或者完全壓倒。作者似乎沒想到過別的什麼路子可以解決問題，於是在小說最後出現所謂「還珠式結局」，即出現魔幻情景以警示世人：飛龍從瀑布中升起，方繼祖夫婦與吳璧言歸於好，警示在世的方氏姐弟與吳家後人即吳玉燕、吳戒惡不必為這一仇恨而互相殘殺。這是象徵性的結局，這一結局有兩個妙處，一是具有神話傳奇性，而是寓言警示意義。

換個角度說，這一結局也是一種無奈。人類創造神話的真正原因，就是他們自己在自己的生活中無力解決問題，只能借助神話來解決。

於是出現了下一個問題：書中的吳氏兄弟的苦衷到底是否能夠解決？赤陽子作為一派宗師，為什麼允許兩個弟子肆意復仇？原因或許是，其一，他相信方夫人的血書的真實性，即認同方夫人的立場。其二，正因為方夫人是方孝孺的後人，凡是與方孝孺的遺孤作對者，當然不是好人，於是支持弟子去復仇。

下一個問題是，吳氏兄弟為什麼不將自己的苦衷公諸於眾？吳璧認為自己罪該萬死，自然不願再說當年情況，否則可能會洩露方家後人的秘密，那就更是死有餘辜了。真正的問題是：吳璞為什麼也不願向主動幫忙者說明情況？假如他在聽到方氏姐弟前來報仇的消息後，立即向前來賀壽的群雄說明當年的實情，說明自己的苦衷，會不會有可能改變此事的結局？例如，將神手華佗侯仲永請來，或是讓侯仲永寫信向各大門派掌門人說明情況，會不會改變事情的結局？結果如何，我們不知道。作者似乎就沒有朝這方面想，也可能是要塑造這樣的吳璞形象，即不願透露太多的內情，卻希望別人為他出力乃至賣命。如果是這樣，吳璞的形象就要下降一個等級了，他的可同情價值也會隨之大大降低。

這部書中最鮮明的形象，並不是書中的重要人物即吳氏兄弟、方氏姐弟，或吳、方兩邊的助拳者，而是天臺派盧吟楓的弟子甘明，這個少年從一出場就形象鮮明，長得像猴子，個性也近乎猴子，生性活潑好動，同時又非常敏感，自高自大而且衝動偏激。他人的一言一行都可能引起他的相關反應，他的反應可能出人意料，卻又很符合少年人心理與行為邏輯。

甘明在書中的作用不小，其一，方氏姐弟前來復仇的消息就是由他送信給碧雲莊主的。其二，他與碧雲莊少莊主吳戒惡結拜兄弟。其三，碧雲莊二莊主吳璞是由他拯救的。其四，在泰山，又是他發現方氏姐弟的住處，並告訴吳戒惡前去復仇。在方、吳復仇故事中，甘明的重要性不言而喻，他幾乎是每個段落的重要引線，只可惜作者沒有把他當作主人公。

書中的呂曼音形象也很鮮明，此人是峨嵋紫雲庵靜因師太的大弟子，因為武功超人、美貌出眾，養成了她驕傲自大、肆意妄為的性格。在江湖上，幾乎人見人怕，而在紫雲庵中，她又以掌門弟子自許，處處模仿靜因師太。在卞、衛故事即龍鳳雙幡故事中，她是真正的主角，對付藏邊掌門人雷迅、對付螳螂派掌門人沙九公，她都是名副其實的領袖人物，居然把事情辦成了，只可惜，她的故事也就到此為止，她並沒有參與方、吳兩家仇恨，最後甚至也沒有出現在泰山。

呂曼音的性格的實際成因，很可能與她的個性與環境衝突有關，即她實際上是一個喜歡熱鬧、喜歡奉承、喜歡張揚、喜歡轟轟烈烈的生活的人，而她所處的環境卻是一所尼姑庵，青春發育後的女性欲望、情感、天性受到限制和壓抑，使得她在紫雲庵的表現與在江湖上的表現天差地遠。即在紫雲庵越是裝得中規中矩（在紫雲庵其實也不是中規中矩，例如她抓了一隻小豹子當貓養），到江湖上去就越是肆無忌憚，甚至滿懷憤懣需要發洩。只可惜，作者可能並不把此人的身心作為一體加以思索和表現，而是模仿前人（例如環珠樓主）對辣手女俠的寫法。

書中的崑崙徐霜眉的形象，與呂曼音非常相似。只不過，徐霜眉並沒有被正面描述，只是讓她在方氏姐弟復仇、收養衛氏兄妹兩處露面。

書中的點蒼派高手柳復、泰山派高手七龍陳雲龍、華山派高手裴敬亭等人的形象略具特點，他們都心高氣傲，都覺得自己的武功足可以對付方氏姐弟。這當然是許多江湖人的共同特點，尤其是年輕人，大多覺得自己是超人。問題是，將這幾個人集中在一起寫，驕傲一號、驕傲二號、驕傲三號，也就誰也無法突出了。

書中的盧吟楓、金葉丐、彩鳳三人的形象也值得一說。盧吟楓的外號是「鬧天宮」，而他的弟子甘明的長相像猴子（孫悟空？），且師徒相處的情形與一般人明顯不同。且盧吟楓既是正派中人，卻又與「太行四凶」交厚，說明他是個有個性、有見識之人。只可惜此人在開頭、結尾出現，沒有更多表現機會。

金葉丐的形象也很出彩，尤其是他出場與甘明逗趣、帶吳戒惡去武當求情，以至於要以在武當自殺要脅臥雲子等等，都表明此人有非凡的熱心腸和硬骨頭。只可惜此人在後面就再也沒有出現了。

彩鳳的形象和故事也有傳奇性。作為方夫人的侍女或奶媽（方靈潔就是她帶的），她當然要忠誠於主母；但與此同時，她又與吳璞有情，吳氏兄弟與方繼祖夫婦發生衝突，以至於生死仇恨，最難過的應該是彩鳳。她在短短數年中就成了「白頭婆」，足以表現她內心的煎熬。她在碧雲莊的表現，在後來幾次出面的表現，以及在泰山上的表現，也都很出彩。只可惜，作者在寫她和方靈潔、方龍竹相處時，沒有寫出她對方、吳兩家仇恨衝突真相的認知與分析。

《沉劍飛龍記》的不足也很明顯。最大的不足，是只顧講故事，卻沒有設計主人公——誰是這部小說的主人公？恐怕很難回答這個問題。吳璧、吳璞雖然是復仇的對象，小說的故事也從他這邊寫起，但這兩個人顯然說不上是小說的主人公。吳璧早死且不用說，吳璞未死，也算不上是這部小說的主人公。

吳戒惡是碧雲莊少主，最後也是由他和姑姑吳玉燕出面為父報仇，但他也並不是這部小說的主人公。按理說，小說的主要故事情節既然是寫方氏姐弟為父母報仇，那麼方靈潔、方龍竹應該是小說的主人公，但小說作者顯然沒有作這方面的設計和安排。且不說方氏姐弟在崑崙學藝的過程被完全省略，從〈楔子〉到第一章他們下山復仇，一晃就是十六七年過去；更重要的是，他們下山之後，作者也沒有把他們倆的行動路線和經歷作為小說的故事情節主線，作者很少正面講述這對姐弟的故事。即使是講述他們的經歷，也只是講述他們處理具體的問題，而不涉及他們的心理活動。

簡單說，這兩個人在小說中，差不多就是一對復仇打手。復仇雙方既然都不是小說的主人公，吳家人不是，方家人也不是，只能說，小說沒有主人公。

小說的另一個不足，是方、吳復仇故事主線之中，增加了一段龍鳳雙幡故事。而龍鳳雙幡故事與方、吳復仇故事主線可以說完全沒有關係，如果把這段故事全部拿掉，肯定不會影響這部小說的故事主線。由此可以說，這段故事是作者硬性拼湊鋪張出來的。雖然這段故事也很好看，沙九公及螳螂派與卞、衛兩家的仇恨，藏邊伏虎派掌門雷迅的佛家子弟的態度寫得都還算生動，但這段故事畢竟占了不少篇幅，無形中影響了方、吳仇恨主線的深度開掘——方、吳仇恨不僅含有家與國、忠孝與仁義的矛盾，含有情與理的矛盾，還含有真相與假象的矛盾，有可開掘的深度和廣度空間。

遺憾的是，作者並沒有認真思索深度路線。在龍鳳雙幡故事中，還引發了不少附帶問題，諸如，靜因師太究竟有多大年紀？在書中就出現自相矛盾的情況，前面說靜因師太年過八十，後面又說她年近百歲。這還不算，問題是，書中說靜因師太是衛飛鳳的師妹，也就是說，靜因比衛飛鳳的年齡要小些，那麼，衛飛鳳夫婦究竟有多大年紀？這又成了問題。書中說，衛飛鳳的年齡似乎超過百歲，但暗戀衛飛鳳的沙一鳴即沙九公似乎不過七八十歲而已——七八十歲的老人還為當年的一段戀情而苦戰不休，這個沙翁實在沒多大出息——這三個關鍵人物的年齡無法自洽，更無法他洽，從而形成問題。

書中還有一些更小的問題，例如吳戒惡師從武當怪傑董凌霄學藝，僅僅一年就可以與武功超人、勢不可擋的方龍竹戰成平手，未免有些誇張。尤其是，在甘明訪問碧雲莊時，這個吳戒惡不過十二三歲，最多不過十三四歲，一年之後的年齡怎麼說也不過十五歲，一個十五歲少年的武功能如此高超，太像神話了。

總之，《沉劍飛龍記》與《射鵰英雄傳》的所謂「龍鵰大戰」，恐怕很難匹敵。在思想境界、人物性格、情感深度、文化風貌等各方面說，都相差甚遠。

《青靈八女俠》

本書連載時書名《華山劍俠傳》，出單行本時易名《青靈八女俠》。我看的是大陸台聲出版社盜印本，書名《華山八美》，署名居然是臥龍生。

此後又看到另一臺灣版本，書名《青靈八女俠》，是臺灣南天出版社出版，共五集，每集三回，每集九十八頁左右。有插圖。每集定價台幣八元。

《青靈八女俠》是張夢還的第二部小說，作者講故事的技術有所發展。突出的例證是書中所有人物和故事有了統一性，與《沉劍飛龍記》中出現卞、衛兩家族的龍鳳雙幡故事與方、吳兩家復仇故事不搭的情況有明顯的改進。

小說開頭寫川中才子梅歸邀請出雲手李遇吉同行，到江陵探親，在巫山神女峰附近吹簫，結識徐春山。徐春山邀請梅、李去神女峰家中做客，發現父親巫山俠隱徐全白被殺。徐春山為尋找殺父仇人，去找父親的好友周英。在周英處遇到華山董飄香刺殺周英事，刺殺未成，反而丟了玉佩。董飄香回到紅心套，遇淫賊趙妙仙糾纏，差點中了迷香，只得打出紅心套，丟了佩劍和包袱，獨自前往江陵。在江陵準備偷點銀兩吃飯，又遇徐家鬧飛賊，抓飛賊時發現李遇吉並非飛賊，而是一起綁架事件，梅歸和李遇吉到江陵探親，被紅鷹林士霸的弟子查小玉兄妹綁架。

李遇吉逃出，梅歸仍然下落不明。董飄香敵不過徐家打手，恰好遇到三師姐張凌雲，將李遇吉和董飄香帶到青女宮，見到四師姐卞宛青。張凌雲約李遇吉翌日到徐家要人，李遇吉出門時恰好遇到徐春山和周英。在徐家，徐春山發現用鷹爪暗器的查小玉，認定她是殺父仇人，與之拼命時受傷，查小玉約張凌雲當晚三更在南門外見面。

接著是董飄香找徐春山要回玉佩，遇到在客棧中的五師姐薛絳樹和七師妹林紅梅、八師妹袁孤鳳，帶她們一起去青女宮，發現二師姐賈墨羽也到了江陵。張凌雲與查小玉之約又有一番曲折，最後結果出人意料，岷山龍渾找同門陳四姑，打傷查小玉的下屬，讓梅歸逃出。查小玉糾纏梅歸，又遇烏尤寺秋月上人的弟子孫不邪救了梅歸，並與梅歸同行。這樣，書中的主要人物差不多都出現了，接下來，這些人物還都在雲南會合。

華山巫靈觀七女俠在賈墨羽率領下前往雲南，是因為雲南金蠍教通天教主吳天風盜竊了華山太乙宮的武學秘笈《天罡三十六參總樞》十二卷，太乙宮、巫靈觀弟子前往雲南找吳天風索書，此事不僅牽涉到華山與金蠍教，而且涉及玄門如武當、崑崙等派。總之，本書故事是由謀殺案——刺殺案——綁架案——奪寶（秘笈）故事組成，結構很巧。

進而，本書的另一特點，是借奪寶故事，讓當時武林中主要派系的人物出場，形成一次非常規的武林聚會。當年泰山大會有「六雄」之說，即岷山謝超凡、川南嘉定烏尤寺秋月上人、華山赤靈羽士、武當神英道長、蒙古阿拉善紅鷹林士霸、雲南苗區通天教主吳文風，在這部小說中，「六雄」門下都有代表出場。岷山謝超凡的弟子盛威公、易敏公、陳容君（四姑）、龍渾；烏尤寺秋月上人的弟子孫不邪；華山赤靈羽士的弟子夏靈風、岳定一、甘季鷹，華山巫靈觀更是傾巢出動；武當神英道長已去世，但他的師弟神通及其弟子有多人出場；蒙古神鷹林士霸及其弟子鄧士第、查璞、查瑞、查小玉出場；通天教主吳文風更是本書反派第一號人物，他的十八名弟子及其金蠍教徒全部出場。

此外，崑崙派的九尾神龍陳放詩，蒼山三老靈鷲上人、妙香居士房集票、玉局上人，點蒼派蒼洱七劍白雲道人王浩然、天生劍客謝春雷、謝千萼、謝蕊珠、滄琅劍客朱存古、靈泉劍客文笑星、凝雲劍柳溪山，南詔國主龍再興、阿育王孫張繼帝等雲南武林頂尖人物悉數出場。

難得的是，作者對書中人物的處理並沒有簡單化。例如岷山門下，大師兄盛威公行為卑劣，三師弟易敏公嚴謹正派，陳四姑風流放浪，六師弟龍渾則力量巨大而頭腦簡單。林士霸的弟子查氏三兄妹中，查璞殘酷（要殺梅歸），查瑞謹慎（要釋放梅歸），查小玉任性而為（因為看上梅歸而綁架梅歸）。蒼山三老中，靈鷲上人自高自大，妙香居士偏激衝動，玉居上人則謹慎謙和。崑崙派九尾神龍陳放詩傲慢倔強，烏尤寺弟子九州行者孫不邪則言行放浪、心懷慈悲。

本書最大亮點，是對華山巫靈觀女弟子個性的描繪和展示。首先出場的是六師妹董飄香，這個姑娘年齡小，經驗少、定力差而心腸熱，容易上當受騙，為行俠仗義而不慎墮入算計者的圈套中。刺殺周英就是典型例證，結果不但目標無法達成，反而丟了玉佩。更可怕的是回到紅心套還受淫賊的糾纏，差點中了迷香。好在她運氣不錯，在緊要關頭逃脫。此後的經歷就有些喜劇味道了，大姑娘拿首飾去當銀子，當地人將她當飛賊追趕；大姑娘肚子餓得發慌，不得不去偷大戶，結果卻變成了為大戶抓飛賊。

董飄香的形象非常鮮明，後來差點為自己的冒失而被師父逐出師門，好在她心地善良，悉心照顧受傷的周英，為自己贖罪，也為自己找到了歸宿，成了徐春山的未婚妻。巫靈觀的二師姐賈墨羽，性格溫和，態度端莊，心理寬容，行為謹慎，對同門師妹情感深厚，不僅武功不俗，對玄門經典也造詣最高。

與賈墨羽不同的是，三師姐張凌雲號稱屠龍仙子，武功超群而性格火爆，很像是《沉劍飛龍記》中峨嵋派呂曼音和崑崙派徐霜眉的合體，對敵絕不留情，而對自己的師姐們則情篤且深。四師姐卞宛青與賈墨羽、張凌雲又不同，她聰明伶俐而多愁善感，行為端正而內心複雜，內心是林黛玉，外表卻是薛寶釵。對未婚夫梅歸明明有深深感動且逐漸生情，但卻始終回避而裝作若無其事。在不觸及內心情感秘密時，她有女諸葛的智慧；但在對待情感問題時，則如驚弓之鳥。

五師妹薛絳樹是八姐妹中最出彩的人物之一，她是師姐妹中的女諸葛，有薛寶釵的心智，卻又有史湘雲的個性，總是忍不住要直話直說，有時候甚至會不合時宜而引起同門不滿。此人有無法遮蓋的鋒芒，但內心卻同樣柔軟，突出的例證是她對八師妹袁孤鳳似乎格外嚴苛，以至於袁孤鳳常常對她產生不滿，但在薛絳樹委屈大哭時，袁孤鳳突然想到在山上時對她照顧最多的正是這個五師姐薛絳樹。

點蒼派天生劍客謝春雷看中薛絳樹，可謂是慧眼識珍珠。七師妹林紅梅在書中顯露個性的機會最少，但她有「七木頭」的外號，足以讓人想到此人心智不夠發達但心地善良醇厚，學習能力或許不夠好，但卻穩重可靠。典型的例證，是她自願提出照顧岷山派的傷者陳四姑，並與陳四姑結下了深厚友情。

八師妹袁孤鳳年齡最小，性格尚未成型，從她的名字看，她雖孤弱卻是非同凡響，因為最小，難免受所有師姐的教訓；也因為最小，又同樣受到所有師姐的關照。所以，她的心理與性格有雙重性，即嬌俏與孤苦同在。

典型的例證是，正是與五師姐薛絳樹嘔氣，差點掉下天生橋，且被蠍子刺傷中毒，她對薛絳樹心懷不滿，但當薛絳樹痛哭時，卻想起薛絳樹的種種好處，從而徹底融化消解對師姐的怨氣。這一細節，充分表現出這個十五六歲小姑娘的心地品質。袁孤鳳正處於情竇初開的年齡，因而在書中她對太乙宮的三師兄甘季英的好感和偏愛也十分明顯，既是情不自禁，也是不懂得掩飾自己。只可惜甘季英愛上了謝千萼，到小說最後，她仍是一隻孤鳳。

書中寫巫靈觀八女俠在一起的場景，有不少精彩篇章和段落。八姐妹相處，固然是尊卑有序，卻並不拘泥刻板，更不限制或影響各自個性的表達與發揮。既像還珠樓主小說中的峨嵋女俠，更像《紅樓夢》中大觀園中的群芳聚會。有時候相互調侃嬉笑，相互打趣或嘔氣，充滿生活情趣，形成動人的景觀。

這部書算不上是武俠小說佳作，因為書中弱點也很明顯。最突出的弱點，是故事雖然好看誘人，但卻不大周全，有些重大關節甚至經不住推敲。

例如，書中的徐全白謀殺案，凶手應該是岷山派大弟子盛威公——這是紅鷹林士霸調查及推理出來的——徐春山先後兩次找盛威公報仇，即使明知武功不如對方，也要找他拼命，就是證明。問題是：盛威公為什麼要謀殺徐全白？殺了徐全白之後，為什麼要將鷹爪留在他身上嫁禍於林士霸？對這兩點，即殺人動機、嫁禍目的，書中到最後也沒有做出任何可信的說明。

又如，通天教主吳天風偷盜了華山的《天罡三十六參總樞》秘笈，如果奪不回這一秘笈，華山派將顏面盡失，無法向祖師爺交代，更無法面對武林。但華山派掌門人赤靈羽士李玄清卻只派出自己的三個弟子即夏靈風、岳定一、甘季英前往雲南，自己卻不去領導奪秘笈。這是什麼道理？他明知道吳文風是與他齊名的武林六雄之一，且是雲南地頭蛇，且有聲勢浩大的金蠍教作為後盾，他為什麼不去雲南，也不聯絡武林同道？書中沒有作出解釋，以至於形成一個情節漏洞。

進而，赤靈羽士與巫靈師兄們於二十年前吵架，至今未和好，吵架的原因是什麼？書中也沒有明確解釋，似乎是為了那部《天罡三十六參總樞》，巫靈要看，赤靈不讓她看。如今秘笈被盜，赤靈又派人通知巫靈，請求幫助，自己卻不去，若說赤靈是故意要讓巫靈奪取此書，那就該對自己的弟子說明；若不是這個原因，讓巫靈前往雲南奪書，豈不是把秘笈送給巫靈？——巫靈及其弟子確實有要將此書占為己有的打算，書中多次明確說及此事——赤靈怎麼想？書中也沒有交代。進而，最不可思議的是，奪書成為小說的核心情節，占了全書總篇幅四分之三，秘笈下落最後竟不了了之。吳文風死，鐵玉谷帶書逃離，結局如何？書中竟沒有交代。這在講故事而言，是無法原諒的大缺陷、大漏洞。

又如，惡扁鵲狄健是個性格怪癖且自私自利之徒，無論貧富，找他治病者都要受他要脅和盤剝。點蒼派弟子謝春雷對此有清楚明白的介紹，所以，在袁孤鳳中毒受傷後，謝春雷等人寧可去找敵方吳文風討解藥，也不建議華山八女俠去找狄健療毒治傷。也正因為如此，薛絳樹在袁孤鳳的傷毒被治癒之後，還要報復這個狄健，不僅要偷他的藥，而且要偷他的倚天劍。這些情節都沒有問題，有問題的是，在石林之戰中，狄健卻扮演了救死扶傷的角色，這與他的個性明顯不符。是什麼改變了狄健的價值觀念和行為方式？書中沒有任何交代。好像狄健原本就是這樣的人，以救死扶傷為己任，不惜將自己的技能和傷藥做無償奉獻。

有意思的是，點蒼派大弟子王浩然為報狄健為師弟療傷之恩，將自己抄錄的《天遁劍譜》借給他看，狄健又重回原先的老路，再次變成不顧情義而貪戀武功的人。小說中的狄健形象出現了多次「斷裂」，作者似乎沒有注意到。不是說不能寫人物的變化，小說中的人物個性與行為變化才能顯示作者的功力，問題是，人物的變化不能沒有因由，不能前面是F，後面變成E，最後又變回F。

又如，巫靈觀大師姐沈翠屏參與石林之戰，卻沒有起到多大作用。巫靈觀弟子參與雲南奪寶之役，開始只有賈墨羽以下七人，因為她們的大師姐沈翠屏在赤城山單獨修練武功，巫靈大師沒有通知大弟子前來。沈翠屏還是來了，她來，顯示了她對師妹、對師門的關心，這當然好。問題是，這位巫靈觀的大弟子來了以後，不僅沒有顯示出過人的領導才幹，也沒有顯示出超人的心智水準，甚至也沒有顯示出她過人的武功。——應該說，是作者沒有安排沈翠屏顯示過人武功的機會。

按理說，沈翠屏的武功應該與靈鷲上人差不多才對（**因為張凌雲也與靈鷲上人打鬥過多時**），但我們沒有看到這個大師姐有發揮武功才幹的機會。可以說，在華山八女俠中，論形象光彩度，沈翠屏可能是光彩度最低的一個。順便說一句，巫靈大師陳玄貞暗自前來，作為「灰衣人」在書中神出鬼沒，固然增添了書中傳奇色彩，她和扮演女丐的徐妙嫦，穿黑衣的阿育王孫張繼帝，成為書中三大神秘身影（**若加上崑崙派的陳放詩，那就有四個神秘身影**）。問題是：巫靈大師陳玄貞如此神秘地跑來跑去，除了增加神秘感、傳奇性之外，有什麼實際意義？答案是：沒有。因為她並沒有找到《天罡三十六參總樞》，也沒有抓住張繼帝。

作為全場武功最高的人——甚至可能是當世武林中武功最高的人——巫靈大師陳玄貞苦心孤詣，在奪寶故事中卻沒有任何實際效用，這是什麼寫法？陳玄貞不告訴賈墨羽等人她也會南下，目的是讓弟子們得到實際鍛煉，當然不難理解。問題是，到雲南奪秘笈，明知吳文風武功高、計謀精、嘍囉多、且是地頭蛇，若無精心策劃，知己知彼，很難取得奪經戰役的成功。陳玄貞應該知道這一點，應該有更好的策劃，應該對弟子作出明確指示或與弟子商量才對。但她什麼也沒做，只顧自己跑來跑去，增加神秘感和傳奇性，作者在意的是「開打」，而非敘事邏輯性。

最後，書中的謀殺案凶手動機不明，奪寶案結果不了了之，綁架案——即查小玉綁架梅歸案，亦即查小玉對梅歸片面的愛情——也同樣莫名其妙地無疾而終。按理說，林士霸率弟子來雲南，固然是要找陷害紅鷹門下的岷山弟子盛威公，同時也應該是查小玉對梅歸難以忘情，纏著師父林士霸南來，那樣，這個綁架案／片面愛情的故事才得真正圓滿。但作者對此並無專門設計與安排，查小玉對梅歸固然仍有情感，但卻沒有進一步的追求或糾纏。究其原因，除了講故事照應不周的原因之外，可能還有一個原因，那就是作者不善於講述愛情故事，或者說，作者此時還沒打算書寫愛情故事。

梅歸對卞宛青的追求算不算愛情故事？恐怕不是，只能說是一種癡情傳奇而已，因為梅歸並不認識卞宛青，甚至一度把張凌雲當作卞宛青，人都不識，談何愛情？真相是：梅歸重視的不是情感，而是婚約。書中的其他幾對，即甘季英與謝千萼、徐春山與董飄香、謝春雷與薛絳樹，也都只有婚約關係，而沒有愛情故事。袁孤鳳對甘季英有好感，查小玉對梅歸單相思，都只是點到為止，沒有展開愛情故事。作者不會寫愛情？還是要遵守——模擬古人遵守——「父母之命、媒灼之言」的古代倫理？看起來，很可能是後者。作者可能忘記了，他的小說的讀者並非古代人，而是二十世紀五十年代末的香港現代人。

《名劍深情》

我看到的版本是臺灣萬象圖書股份有限公司一九九九年初版，書名《名劍情深》，與《血刃柔情》有類似之處，很可能是臺灣版的專屬書名，原書名待考。

《名劍深情》肯定寫於《青靈八女俠》之後，因為《青靈八女俠》中的一些人物，如華山青靈八女俠中的大姐沈翠屏、七妹林紅梅，岷山六狸中的老二東方玉儀（掌門人）、老三易敏恭、老五朱靈師，以及南詔二友中的阿育王孫張繼帝及其弟子等等，都在這部書中出現，只是這個故事並不是前者的續書。

《名劍深情》講述的是峨嵋旁支小火神王秀明的弟子楚泓的江湖歷險故事，他和女主角宋采仙、高瑤的共同歷險貫穿全書。從楚泓在籌筆驛仗義幫助孫元度，到幫助源通鏢局的鏢師毛俊傑、杜根討鏢，在高家莊歷險；到他來到浙江天臺山採藥，遇師弟文飛、雲頂山藍袍僧及其師侄合塔，在樹林爭鬥中受傷，被天臺派俘獲囚禁；到他被釋並在新昌縣客棧與宋采仙成親；與妻子宋采仙一起陪伴岳父宋雲禮在杭州隱居，遭遇高大娘和高應庭的襲擊並脫險；直到最後與妻子一起前往四川雲頂山奪取玉女七煞劍，再度回到岳父隱居地杭州。

書名《名劍深情》，其中「名劍」當然是指尤翠鳳、盧紅楓兩位武林前輩煉製的「玉女七煞劍」（還有專門的劍譜）；「情深」則是指楚泓夫婦之間的感情。但這部小說的故事主線，卻並不是奪寶即江湖中人爭奪玉女七煞劍的故事——奪劍故事只是小說的一條支線，藍袍僧一夥是專門來此奪劍（他們是如何知道此處有這柄寶劍則不得而知，因為作者沒有費心交代），其餘的人，包括青靈女俠沈翠屏和林紅梅，以及天臺派掌門公孫神奕等人，都不知道這柄劍。直到小說最後，天臺派的蘇亢炎、闈公珊才前往雲頂山討還寶劍，名劍線索才再度顯現。

深情部分也同樣如此，書中對楚泓、宋采仙夫婦的情感並沒有作專門講述，只是宋雲禮為了女兒宋采仙的幸福，一心尋找合適的女婿，見到楚泓後，一心想讓女兒嫁給此人，後來在浙江新昌客棧裡託岷山派易敏恭做媒，讓楚泓和宋采仙成親。成親之後，小說中對這兩個人的婚後生活和情感也沒有專門敘述，只是說夫妻和諧而已。

小說沒有核心情節，也不是按照某一特定的故事套路講述，所以很難猜測後面發生的故事，這是好的一面；不好的一面，是小說的情節發展多少有些隨意，且到後來小說也不是寫楚泓的人生遭遇，而是拼貼傳奇故事而已。小說的可看性一般，或許有人會喜歡這部小說相對悠然而與眾不同的風貌。張夢還的小說常常不依常規，可以說是獨出心裁，也可以說是隨性而作。

小說的看點之一，是主人公楚泓的俠義形象。尤其是小說開頭部分，楚泓奉師父之命出差前往華山、天臺山等地採藥（書中曾提及楚泓有乘機回鄉探親之意，但後來又說楚泓是個孤兒，既然如此，當然也就無親可探，遂作罷論），路經籌筆驛客棧時，見黃衣兒吳世玉邀約河北馬俊亭、馬順亭兄弟和單鞭鎮太原武長昆等圍攻孫元度，楚泓雖然並不認識孫元度，但路見不平拔刀相助，在孫元度受傷之後，將他救出包圍圈，並答應幫他送信到洛陽。這一行為即典型的俠義行為。

接下來，當楚泓辦完事再次經過西安城時，小小飯店裡遇高璉欺負店小二，毅然幫助店小二，出手與高璉打鬥。這是對楚泓俠義心腸的進一步鋪墊。進而與源通鏢局的毛俊傑、杜根相識，當高應召、高大娘等攔劫鏢車時，楚泓義不容辭地幫助鏢師護鏢。雖然不是高應召對手，但卻也戰鬥到底。當宋雲禮說要幫助討鏢時，楚泓再一次跟隨毛俊傑、杜根前往不啻虎穴龍潭的高家莊。當南詔高手阿育王孫張繼帝入侵高家莊時，楚泓也及時出手，幫助高家莊趕走強敵。而當高家莊對他不以禮相待時，他又毅然翻臉，即便明知自己不是高大娘敵手，也不肯輸掉自己的尊嚴。這就是楚泓的一面，即衝動而又自尊的一面。

楚泓還有另一面，那就是天性醇厚，重視倫理與友情。主要體現在他與師弟文飛的關係中。文飛比他年輕，是他師弟，他並不喜歡文飛的性格，也知道文飛嬌寵自大而天性涼薄，自私自利且詭計多端，但他還是對這個師弟關愛有加，寧可耽誤時間也要幫助師弟療傷。在師弟不顧一切地投射火焰彈時，他還因提醒師弟而被藍袍僧打成重傷，文飛獨自逃走而不顧他死活，後來又將他的療傷藥盜走，這些他或許知道，或許不知道，但無論是否知道都不會影響他對師弟的友愛。

小說中有一個很特別的設計，是其師父小火神王秀明顯然更喜歡師弟文飛——否則文飛也不會如此自我中心——卻顯然不大喜歡楚泓。王秀明為什麼不喜歡楚泓？這是一個值得追究的問題。莫非是因為楚泓老實，不像文飛那樣懂得刻意討好師父？又或許是因為文飛經常在師父面前說楚泓的壞話，以至於王秀明不喜歡？這兩者都有可能。但無論如何，都不會影響楚泓的形象，他是個真正的厚道人。

楚泓的厚道，也表現在他與宋采仙結婚後，不僅對妻子百般體貼，差不多可以說是千依百順，妻子要他一起去雲頂山，他就去雲頂山；要他不與父親當面打招呼而是留書告別，他就留書告別；妻子說要偷偷進入雲頂山，就偷偷進入。

小說中的另一值得一說的人物，並不是楚泓的妻子宋采仙，而是高家女兒高瑤。小說中的另一重要設計，是高家人物良莠不齊，高家老輩三兄弟為高應荃、高應召、高應庭，唯高應荃俠義豪邁，使得宋雲禮願意與他結交，且願意將自己的獨生女兒許配給對方的大兒子。不幸的是，高應荃父子患病而逝，妻子高大娘脾氣火爆且唯我獨尊、重利疏義到有些心理變態。老三高應庭更是唯利是圖，動輒殺戮，血債累累。老二高應召雖然也很貪財，但卻相對理性，高瑤就是高應召的女兒。高應召為人相對好些，但他也不敢得罪大嫂高大娘。由於是強盜世家，自然會重男輕女，所以高瑤雖然也幫助高家搶劫，但卻很少得到與哥哥們的同等待遇，從小可能就受了不少委屈，以至於成為高家的一個另類或異類。

高瑤給人留下的第一個印象，就是獨自送楚泓離開，她明知道高家人不喜歡楚泓，甚至隨時都可能殺害楚泓，卻義無反顧地要送楚泓離開。一方面，是要保護楚泓不在高家勢力範圍內被害；另一方面則是因為楚泓光明溫厚的性格對她有莫名的吸引力。此時高瑤的年齡還不大，可能還沒有到情竇初開的年紀——至少小說中沒有這樣寫，即她並不是偷偷愛上了楚泓，而只是被楚泓所吸引——所以她首先提議與楚泓結拜兄弟。這不僅是一種情感需求的表現，其實也是求救訊號。

當高瑤與宋采仙一起（奉命？）到浙江天臺山，與楚泓再次相遇，當是命運和作者合夥安排。當楚泓和宋采仙成親，高瑤拜岷山高手易敏恭為師，可能是她最快樂的一段日子。然而宋雲禮勸高瑤回家，則是命運對她的進一步考驗。當她再次出現在杭州西湖宋雲禮的住處，說自己回家後被囚禁於石窟，高瑤的情感和自尊肯定受到了巨大傷害。

高瑤的個性還沒有真正形成，但卻已能看出這個小姑娘心性善良，如渾金璞玉，有話實說，悲哭喜樂，一切順乎天然。最令人感動的是，她已拜宋雲禮為義父，決心脫離高家，且在高家打手入侵宋宅時她也憤而抗敵，甚至在高應庭要殺宋雲禮時挺身維護宋雲禮。但在杜源通痛罵高大娘時，她卻大聲責備對方不應該罵她伯母；更出人意料的是，當高應庭受傷時，即便宋采仙提醒她不要上當，她還是義無反顧地衝向高應庭，照看他的傷情，結果卻被高應庭抓為人質。這一細節，固然突出了高應庭的無情，卻也刻畫了高瑤情真且厚。

小說中當然也有問題，主要是有些情節或細節安排不十分妥當。

例如，小說開頭不久，即主人公楚泓在西安初見高家一夥人，其時高應召、高大娘、高琅、高璉、宋采仙、高瑤等都在街頭賣藝。他們怎麼會在街頭賣藝？為何要公開賣藝？當時看了感覺新鮮，但再回過頭來看，就會覺得這一安排不妥當。理由很簡單，高應召、高大娘等人來西安並不是賣藝，而是來作案，來盜竊或搶劫，既然如此，按理說，他們就應該設法隱匿，儘量不惹人注意才是。小說中後來高家人的行動也正是如此，但在小說開頭，作者可能沒有想那麼多，為了讓楚泓見到高家的人，就讓他們在街頭公開賣藝。實際上，街頭賣藝既不符合他們的身分，也不符合高大娘等人的性格，更不符合偷盜者的行為邏輯。

又如，宋雲禮怎麼可能在第一次見楚泓時就相中他為女婿？他與楚泓第一次見面，是楚泓跟蹤劫持鏢車的高家人，在大雨中迷路，由於天色已晚，不得不在有燈火處借宿。恰好宋雲禮隱居於此，於是宋雲禮第一次見到楚泓。問題是，他對楚泓幾乎完全不瞭解，小說中卻安排他詢問楚泓的婚姻狀況，也就是說，他第一眼就看中了楚泓。宋雲禮不是年輕人，做事不該如此。仔細思量，對宋雲禮要為女兒謀幸福，要為女兒儘快找到一個女婿、找到一個幸福的歸宿，這樣的心情當然可以理解。但再著急，也不能不講行事邏輯吧？即便是第一次見面，楚泓的人品心地也可能被宋雲禮認知，只不過，小說中對此沒有認真鋪墊，幾乎是剛見面不一會，即一頓晚餐還沒有吃完，宋雲禮就要與楚泓談婚論嫁，這不合常情。

又如，文飛為什麼要與楚泓為敵，甚至必欲置楚泓於死地而後快？小說中的文飛，似乎是個天生的壞蛋。這小子自私自利、自高自大、自我中心、目中無人，更主要的是涼薄無情。這都沒有問題。他心機靈活，善於裝扮自己向師父討好賣乖，從而深得師父王秀明歡心，又因一貫得寵而更加自我中心，這也沒有問題。有問題的是，他與楚泓究竟有什麼深仇大恨？以至於不但要請藍袍僧去殺宋采仙、高瑤，對楚泓不利；甚至還要借師父之手「清理門戶」，究竟為什麼？讀者很難找到充分理由。

總不能說他為壞而壞吧？楚泓對文飛可謂關愛有加。在文飛受傷時，是楚泓照顧他，幫助他，與他同行。而當楚泓受傷時，是文飛只顧逃命，變相地將師兄楚泓置於死地。事後，楚泓並沒有任何責備，更沒有追究。只是宋采仙、高瑤兩個少女發現文飛見死不救，對他沒有絲毫好感，要將他趕走而已。莫非文飛是嫉妒師兄楚泓得到美女的關愛而懷恨在心？無論是因為什麼，作者都應該把他的心理動機說清楚才好。如果說清楚文飛為何一定要將師兄楚泓置於死地，則文飛的形象就可能是一個值得關注的藝術形象，非如此，則讓人難以接受。

又如，小說最後寫東方玉儀到雲頂山幫助宋采仙、楚泓奪回玉女七煞劍，在傳奇故事裡，這一情節安排本身並沒有問題。有問題的是，東方玉儀為什麼要讓宋采仙放火燒掉藍袍僧的寺廟？不是說東方玉儀是個正派人物嗎？這樣做是否符合正派人物的行為邏輯？既然她只點了這些人穴道，表明她下手有分寸，不願意多有殺戮，為什麼又要燒掉他們的存身之地呢？寺廟何罪？

總之，這部小說的弱點，是對「人物」所下功夫不足。其實，說楚泓是這部小說的主人公，也只是在前半部（準確地說只有前三分之一），後面的故事中，當楚泓受傷、被俘、被結婚、被安排、被妻子指示……一切都是被動，失去了一個主人公應有的主動性，他就不再是合格的小說故事主人公了。同理，小說中的宋采仙雖然出場很早，且直到小說結尾仍在場，她也算不上是合格的女主人公，理由是她缺乏女主人公應有的主動性。實際上，小說對這個人物極少有正面描寫，即便是婚姻大事，小說中也是暗場處理，讀者甚至不知道她是否愛楚泓。

張夢還是否善於描寫情愛心理？是一個值得關注的問題。

《豔女飛環》

我看的版本仍然是臺灣萬象圖書股份有限公司版「張夢還作品集」第十一卷，共一冊，二五五頁。《豔女飛環》是否這部作品的原名？同樣不得而知。

本書與此前的《青靈八女俠》關係密切，青靈八女俠中的主要人物，除了大師姐沈翠屏、六師妹外，其餘六位，即二師姐兼掌門人賈墨羽、三師姐張靈芸、四師姐卞宛青，五師妹薛絳樹、七師妹林紅梅、八師妹袁孤鳳，以及卞宛青的丈夫梅歸、薛絳樹的丈夫謝春雷等，全都出現在這部書中。而且，梅歸、袁孤鳳等還是這部小說中的主要人物。尤其是梅歸，這個人物貫穿小說始終。但梅歸算不上這部小說的主人公，小說的「疑似主人公」當是冰環神拐豔羅剎閻綠衫，即閻翠。臺灣版將此書名為《豔女飛環》，大抵靠譜，所指正是美麗而煞氣不小的閻綠衫。

小說篇幅不長，只有一冊。故事也相對簡單，分為前後兩部分，前一部分是四川歸元莊莊主梅歸幫助洛陽雙槍鏢局東主周敬復興鏢局，並聘請岷山派高手陳四姑即陳容君為總鏢頭，保鏢去西北張掖的故事。梅歸之所以要幫助周敬，原因雖然有些出人意料，卻也說得過去，即因為周敬的獨生女兒周小燕被張靈芸發現並推薦給二師姐、青靈觀掌門人賈墨羽，青靈觀「老神仙」青靈師太也非常喜歡周小燕，得知周小燕父親的鏢局遭遇災難，下令讓眾弟子幫助周敬復業，這也說得過去。

至於鏢局聘請陳四姑當總鏢頭，則是由於兩個原因，一是東主兼總鏢頭周敬本人年紀已高，且又斷了一臂，無法勝任總鏢頭職位，只能外聘。二是陳四姑與青靈八女俠交好，與林紅梅尤其莫逆，差不多可以算是青靈八女俠團隊的一分子，更何況陳四姑對梅歸向來有好印象，由梅歸出面聘請她當雙槍鏢局的總鏢頭不但合情合理，而且水到渠成。

此外還有一個值得注意的原因，那就是作者特別強調，此時世上出現了女將軍左良玉、紅娘子，女捕頭兼女強盜豔羅剎，即閻翠閻綠衫，再出一個女總鏢頭不僅合乎情理，而且可謂錦上添花。在前半部故事中，陳四姑率領鏢隊從洛陽向張掖進發的過程，一路上驚險重重，既要面對同業競爭；更要面對劫匪攔截，好在陳四姑有紅梅紫鳳即林紅梅、袁孤鳳的幫助，尤其是有梅歸的幫助，使得這趟鏢終於安全抵達張掖。

讀者可能以為這部書是專門講述雙槍鏢局復業的故事，沒想到在復業第一鏢完成之後，作者筆峰一轉，讓岷山派掌門人東方玉儀、青靈觀掌門人賈墨羽連袂出現，改變了小說的故事情節發展方向。這兩位掌門人都關心國家大事即明王朝的命運，決定應朝廷廠衛主管倪少華之邀進京做貢獻。結果是隨東廠、錦衣衛抽調出的一千援軍去了寧武關，幫助寧武關總兵周遇吉將軍抗擊闖軍。結果寧武關終於被闖軍攻陷，周遇吉、周遇春等寧武關守將全部戰死，而賈墨羽、梅歸、袁孤鳳、閻翠以及援軍統帥之一、東廠都提調向強等人則安全撤離。

小說的故事情節算不上十分精彩，但小說的可看性卻不低，應該是張夢還的一部比較重要、也比較成功的小說之一。

小說的看點之一，是塑造了豔羅剎即閻綠衫，亦即閻翠這一人物形象。此人在小說開頭部分並未出場，而是存在於傳說中，主要是兩點，一是她原來是漢中府的女捕頭，在這一崗位上破案不少，令匪徒罪犯聞風喪膽。二是，由於李自成攻陷漢中時殺害了漢中知府林文宗，閻綠衫無枝可依，變身劫匪，專門與李自成作對，殺害了李自成屬下十幾名闖軍將領，是闖軍的最重要的對頭。與此同時，閻綠衫武功高強，殺氣極重，對保鏢行業威脅極大，成為鏢行畏懼的魔頭。

閻綠衫正式露面，是在搶劫振武鏢局所保的軍餉時，她一個人面對鏢局的九大鏢頭，毫無畏懼，連殺三人，讓人膽寒氣餒。有意思的是，當陳四姑和梅歸出面，讓她退一步，即只劫走軍餉而不要繼續殺人，她竟然答應了。更有意思的是，當她劫走軍餉之後，竟派人找梅歸夜談，得知梅歸不僅認識林文宗，是林文宗的同鄉、同窗、好友，竟然接受梅歸的勸告，主動交還劫來的軍餉，並保證將軍餉運到目的地。

也正因為她有這一改變，陳四姑才對她刮目相看，在閻翠的師父岷山六狸之老三易敏恭率人來清理門戶，即要殺害違背門規做強盜且殺戮極多的閻翠時，陳四姑挺身而出，不惜與易敏恭一戰，又向岷山派掌門人東方玉儀求情，使得東方玉儀和易敏恭改變了對閻翠的看法，自然也就改變了讀者的看法。

進而，閻翠的故事更有驚人且精彩的發展，那就是袁孤鳳發現，閻翠與已故漢中知府林文宗的關係，不僅是有知遇之恩，同時可能還有男女情愛關係。這一發現意義重大，不僅能解釋在李自成殺害林文宗之後，閻翠為什麼有如此劇烈的反應，即要將參與殺害林文宗的所有闖軍將領全都殺害；同時也解釋了，閻翠在情郎林文宗死後了無生趣，決心求死。其他人到寧武關參與守關之戰，很可能是為了保衛國家、保衛明王朝；而閻翠來此殺敵，則是一心追求戰死沙場，以便儘快與林文宗在陰間相會。

更驚人的是，袁孤鳳還發現，閻翠對梅歸有特殊的情感，不僅因為梅歸是林文宗的同鄉同學和好友，而是因為梅歸與林文宗是同一類人，有著吸引閻翠的文人氣質和溫厚情懷。簡單說，就是發現閻翠愛上了梅歸，否則，在搶劫軍餉時不會那麼容易就甘休，更不會將搶來的軍餉送還。如今，唯一能拯救閻翠的人就是梅歸，只有梅歸的情感才能給閻翠一個繼續活下去的理由。

這也是袁孤鳳勸說梅歸的重大理由，梅歸當然不能不照辦。其結果，果然如袁孤鳳所料，閻翠為梅歸活了下來，並且毫不猶豫地留在受傷的梅歸身邊，幫他療傷洗澡，無微不至，而她也獲得了最好的結果，即梅歸妻子卞宛青非但沒有責怪梅歸，反而主動幫助梅歸將閻翠娶回家。閻翠的形象很少見，魅力不小。

有意思的問題是，袁孤鳳是如何發現閻翠愛上梅歸的？表面的理由，是袁孤鳳已是成熟少女，對男女間的情感十分敏感；真正深入的理由是，袁孤鳳對姐夫梅歸早已情有所鍾——小說中閻翠曾直接就這一問題詢問了袁孤鳳，而袁孤鳳也沒有掩飾，反而和閻翠一起討論了這種可能性——袁孤鳳若僅僅是卞宛青的師妹，或許還有可能嫁給梅歸，二女共侍一夫；問題是，她其實是卞宛青的弟子（《青靈八女俠》中曾說及，青靈師太只親自教授了前面的四個弟子，後面的四個弟子則是由前四大弟子教授的，卞宛青恰恰是袁孤鳳的授業師姐），她嫁給姐夫梅歸的可能性微乎其微。袁孤鳳對梅歸的情感，小說中有多處表現，小說中的這一片面的沒有功利目的的情感顯得格外動人。所以，她幫助閻翠替自己完成心願。

小說的另一看點，是將普通的武林故事與明王朝末期的歷史緊密地縫合在一起。這在新派武俠小說中雖然並不罕見，值得注意的是，作者對明朝和闖軍衝突雙方的立場及其歷史人物的客觀態度，不像一般武俠小說那樣，要麼明確地站在起義者立場上，即闖王李自成的堅決擁護者——例如梁羽生的小說《白髮魔女傳》中，就對李自成讚譽有加（左派作家大多如此）——要麼是站在明王朝正統的立場上，將李自成視為草寇土匪、作亂賊子（例如蹄風的小說）。

張夢還在情感上是站在正統的明王朝一邊的，證據是，他讓賈墨羽、東方玉儀這兩位掌門人親自前往北京為明王朝服務，進而隨東廠和錦衣衛聯合援軍前往寧武關作戰。但在客觀上，卻又利用書中人物，如武威監軍張樂福、廠衛首領倪少華等人，對明王朝皇帝昏庸無能、首鼠兩端、用人不信，官員貪污腐敗、自私自利、鼠目寸光等等大加揭露。與之相對應的，是在政治立場上雖然不支持李自成，甚至也不支持起義者，但在具體人物描繪上，卻又客觀如實地敘述紅娘子、李信即李岩等人的正面形象。

正是由於李信即李岩和紅娘子等人的加入，改變了李自成的政策和策略，使得闖王的軍隊受到更廣泛的歡迎，李自成的軍隊才能夠從失敗走向勝利。小說中的李自成也並不是反面形象（當然也算不上是正面形象，例如他對沈翠屏的畏懼就算不上英雄氣概），至少在進入北京之前他能虛心納諫，只是在進入北京之後才自我膨脹，迅速腐敗變質。書中對李自成的書寫，有金庸《碧血劍》的味道。

其餘的看點是，書中對明王朝官府中人物，並沒有一筆抹煞，而是寫出了好幾個值得注意的人物。一是武威監軍張樂福，此人是明白且幹練之人，但對明王朝卻談不上忠心耿耿，因為他是白蓮教徒，甚至還曾勸說陳四姑、梅歸加入白蓮教。書中另一人物是倪少華，此人同樣明白幹練，他不是白蓮教徒，對明王朝顯然有更大的忠心，但卻也不是願意為明王朝獻身之人。

他之所作作為，是盡人力而從天願——在明末，這樣的人物應該不少——他動員東廠、西廠、錦衣衛派人支援寧武關的那場戲有不小的感染力，尤其是他的演講，說世人都把東廠、西廠、錦衣衛當作罪惡淵藪，殊不知在這幾個機關中也有血性之人。這一筆表現了作者客觀求實態度，值得稱道。書中最感人的人物，當然還是寧武關總兵周遇吉、周遇春及其家人，他們全都為守衛寧武關獻身，從軍人職業倫理言，這些人的行為值得欽佩，他們的犧牲也可歌可泣。

《玉手補金甌》

我看的版本是臺灣萬象圖書股份有限公司出版的（二〇〇〇年五月初版）「張夢還作品集」第十二卷，共一冊，二九九頁。

本書同樣是《青靈八女俠》的衍生作品，主人公是「青靈八女俠」中的五師妹薛絳樹（點蒼劍客謝春雷的妻子），此人心智過人，早就給讀者留下了印象。

明朝滅亡後第七年，滿清入主漢地，江山漸漸趨於穩固，漢人做何選擇？大有傳奇想像的空間，作者即以此為前提，展開自己的傳奇故事。小說選取的第一個場景，是漢地武林人物在武當山聚會，商議結盟之事。此時一部分漢人奉永曆皇帝為旗幟，在南方建立了基地。有許多漢人投降了滿清，並成了滿清的大官（滿清開國之前，洪承疇就勸說滿清領導人重用漢人，因為馬上征戰得天下，可不能在馬上治理天下，必須有懂得政治的漢人參與，才能有長治久安的可能）。另一部分人則選擇了跟隨永曆皇帝，支持永曆皇帝，幫助永曆皇帝反清復明。

武林中人也分為幾種不同的立場。雲南獅林觀主微塵道人因為是明朝宗室，而五湖幫主何誠是抗清名將何騰蛟之子，這兩個人反清復明的立場最為鮮明，也最為堅定。其餘人物，如點蒼劍派的謝春雷、四川歸元莊主梅歸等人，雖然也支持反清復明的立場，但卻沒有微塵、何誠那樣熱衷和樂觀。武當掌教耿明光當然也是反清復明的中堅人物，但他老成持重。具體表現是，在武林聚會前，邀請部分信得過的人開小會——相當於武林聚會籌備委員會，或武林同盟的常務理事會——確定聯盟的名稱即「日月盟」（日月為「明」），準備選青靈師太為盟主。

開頭部分不僅是介紹本書的歷史背景，同時也介紹武林江湖與朝廷江山裡各種各樣不同的人物。正開會間，睿親王世子（實際上是豫親王之子）多爾博帶兩名隨從上山送信，一番關於揚州十日、嘉定三屠的辯論，讓漢族俠士見識了滿清貴族的立場、觀點和才智，此人將會成為反清復明最難對付的敵手。緊接著，鄭親王府總管辛木來訪，聚會俠士莫名其妙，而賈墨羽和陳四姑則熱烈歡迎。原來這個王府總管不是別人，而是青靈觀五師妹、謝春雷的妻子薛絳樹。薛絳樹為了幫助永曆皇帝穩固南方基地，贏得反清復明的時間和空間，居然混入滿清顧命大臣鄭親王濟爾哈朗的家中，成為鄭親王最信任的王府總管兼鑲藍旗武術教頭。

從小說的故事情節看，這部小說與其說是武俠小說，不如說是一部間諜小說。薛絳樹混入鄭親王府，目的當然是充當永曆皇帝的間諜。其目的有三，一是瞭解滿清王朝內部消息，以便永曆皇帝及其支持者知己知彼。二是在清朝內部盡可能製造混亂，以便滿清王朝窮於應付，抽不出時間和人力去南方征戰，確保永曆皇帝及其支持者有更多的立足建基和準備征戰的時間。三是盡可能在投降滿清的漢族將領中尋找和策反願意反清復明的人，從而為反清復明積蓄更大的勢力，並在內部製造更大的混亂。小說的主幹是間諜＋武俠，主人公薛絳樹冒種種風險，但卻遊刃有餘，完成了「玉手補金甌」這一敘事主題。

小說的主體，包括三個部分。一是在北京策劃鑲藍旗士兵換裝事件，引發其餘旗士兵不滿，憤怒燒毀糧台，類似於嘩變，進而又準確地判斷不可能有真正的嘩變，迅速平定軍心，從而得到年輕的順治皇帝的賞識。此事的成功，主要是利用了鄭親王濟爾哈朗與睿親王多爾袞之間的矛盾，同時利用多爾袞與順治皇帝之間的微妙矛盾，在滿清內部矛盾縫隙中挑撥事端，以四兩撥千斤的方式引發旗兵內亂。結果是讓多爾袞所控制的糧台官被免職，顯示了薛絳樹的聰明才幹。

第二部分是薛絳樹隨鄭親王前往西安勞軍，見識了平西王吳三桂的強大軍勢，薛絳樹等人在吳三桂部屬乃至家庭中做了大量策反工作，雖然沒有明顯的成績，但至少播下了反清復明的種子，也熟悉了滿清第一漢將的內情。

第三段，是講述薛絳樹被鄭親王派往南方即金陵、江西等地視察軍情，主要是觀察巴顏梅、石廷柱、金礪、吳守進等幾位漢軍旗主的政治立場和軍事實力。在這一段故事中，薛絳樹成功地策反了江西水師提督朱才（鼓勵朱才衝出鄱陽湖，從長江東下入海建立反清復明基地），利用並製造了幾位漢軍旗主的矛盾，同時還成功地挫敗了葉華、布爾格兩次暗殺（這兩次暗殺顯示了武俠小說的特徵）。

小說的尾聲，是多爾袞之死（在遠征喀爾喀時），薛絳樹成功地策反了刺客／清宮侍衛布爾格揭露多爾袞的罪行，導致翌年順治剝奪多爾袞的爵位，並嚴厲處罰了多爾袞的追隨者。總之，由於薛絳樹的卓越工作，成功地拖住了滿清南征的步伐，為永曆皇帝反清復明事業贏得了時間和空間，後事如何，已經超出了本書敘事範圍。小說到此結束。

這部小說的突出特點，是將歷史與傳奇無縫連綴。書中出現的人物，從順治皇帝、睿親王多爾袞、鄭親王濟爾哈朗、平西王吳三桂到漢軍鑲紅旗主金礪等，全都是歷史人物，武俠或間諜主人公薛絳樹活動在歷史人物之間，利用歷史人物之間的矛盾縫隙，做成讓人驚訝的間諜事業，使得這部武俠小說、間諜小說有歷史小說的味道，然而，小說的歷史背景是實，歷史人物亦是實，但書中的故事情節卻虛實相生，是傳奇性歷史即歷史外衣包裹的傳奇故事，而不是歷史傳奇。例如多爾袞之死，小說中渲染他是因為淫欲過度而死，就並非歷史，而是作者虛構。

小說的另一特點，是武俠與間諜相結合，同時讓薛絳樹的形象有很大的提升。例如她一直在為滿清鄭親王濟爾哈朗工作，她對濟爾哈朗似乎也忠心耿耿，所做工作也都對鄭親王有利；但實際上每一工作都在幫助永曆皇帝反清復明事業。進而，因為她的身分是鄭親王府總管及鑲藍旗軍的協辦，所以她的行為與尋常的武俠人物明顯不一樣。她不能像武俠人物那樣愛恨分明、睚眥必報，而是要顧全大局，儘量利用一切有利條件創造出更大的戰果。

例證之一，是葉華率人暗殺她，她將葉華所帶來的十一人殺了八人，卻將剩下的三人釋放，且讓受重傷的葉華從容逃離，這就不是武俠人物的做法，而是間諜的做法，其中有政治因素的考量。更好的例證，是她對另一次更大規模的刺殺行動的指揮官布爾格的態度，表面上一直採取隱忍與合作態度，最終也在重重懲罰了布爾格部屬的同時，卻沒有對布爾格施加任何處罰，而是與他分析多爾袞死後的政治形勢，勸他看清形勢，選擇立場，揭發多爾袞，遠離多爾博。結果布爾格果然如此，這對布爾格有利，但對鄭親王更有利，而對遠在雲南的永曆皇帝也同樣有利。

小說的不足之處，一是小說從薛絳樹以鄭親王府總管辛木的身分訪問武當開始寫起，而對辛木的「前史」即薛絳樹如何變身辛木，如何獲得鄭親王濟爾哈朗的信任，如何當上鄭親王府總管等等，卻始終沒有交代。這多少有些讓人遺憾，因為薛絳樹畢竟是個女性，雖然心智過人，但要女扮男裝，長期在鄭親王府工作，恐怕並非易事。薛絳樹化身辛木，究竟是以漢人的身分還是以滿人的身分獲得鄭親王的信任的？書中也沒有交代，鄭親王府總管是一個十分重要的職位，按常理說，鄭親王要任命一個王府總管，必然要做身分背景調查，至少要任命一個他信得過的人才是。那麼，薛絳樹是如何獲得鄭親王的信任，就顯得尤為重要。

實際上，薛絳樹化身辛木，還有必要追溯到更遠的源頭：她是在什麼樣的情況下與永曆皇帝接觸的？是什麼原因讓她願意冒極大風險前往北京為永曆皇帝當間諜？僅僅是因為她住在雲南，與永曆皇帝有所接觸？還是因為什麼具體原因使得她認識了永曆皇帝，並甘願為反清復明事業作出貢獻？

因為在此前的書中，薛絳樹雖然才智過人，但卻沒有多少政治熱情，對明王朝沒有多大好感，對反清復明也並不是那麼熱衷。實際上，即便是她為永曆皇帝工作，化身辛木之後，也不像其他人那樣對永曆王朝忠心耿耿，更像是為朋友幫忙，只是在盡力而為。書中若對薛絳樹前往北京當間諜的初衷作出更具體精細的補充敘述，則這一人物的形象與心思肯定會更加鮮活而感人。只可惜作者對此未加注意，只是忙於講述傳奇故事。

小說的不足之二，是沒有為辛木即薛絳樹配備一個勢均力敵的敵手，即書中沒有反派一號人物——書中似乎把睿親王多爾袞視為一號反派，但多爾袞只是鄭親王濟爾哈朗的政敵，而不是辛木即薛絳樹的敵手——小說開頭出現的多爾博，不僅武功出眾，心智和辯才也十分出眾，當是薛絳樹的頭號大敵，只可惜作者對這一人物沒有作進一步的敘述，此人只是在小說開頭驚鴻一瞥，此後就很少見到他的蹤影，他也沒有成為辛木即薛絳樹的真正敵手，多少有些讓人遺憾。

小說的不足之三，是小說篇幅較短，辛木即薛絳樹似乎未盡其才，她的間諜工作也沒有更驚險的經歷和更出色的工作。小說在多爾袞死後被剝奪爵位處即結束，但多爾袞之死與薛絳樹即辛木完全無關，只是一個偶然事件而已。這對鄭親王濟爾哈朗或許有利，對永曆皇帝反清復明事業有多大利益？書中並沒有寫清楚。小說可能還有更好的寫法。但張夢還小說的最大特點，就是不按常規出牌，好處是讀者難以預測結局——有不少小說都能看頭而知尾——另一面則是有些信天游。小說結尾並沒有說是「全書完」，而是說「本篇完」，薛絳樹化身辛木當間諜故事是否還有續篇？則不得而知，需要作進一步的調查。

《魔湖天女》

我讀的版本是香港武林出版社一九六一年至一九六二年陸續出版的。本書的前傳是《玉女七煞劍》，後傳是《血手恩仇》（寫白骨天王裴康兒子復仇故事）。

《魔湖天女》是一部很特別的小說，在張夢還的創作歷程中有特別的意義，即這部小說有一個固定的敘事主人公，即史青衫。此前的幾部小說《沉劍飛龍記》、《青靈八女俠》和《玉女七煞劍》等小說都沒有單一的敘事主人公。

小說的故事性、傳奇性、武打、俠義要素齊備，主人公史青衫的經歷，包括三個段落，第一個段落是歷險與成長，第二個段落是奪寶，第三個段落是反抗滿清異族統治，再加上張夢還小說的一貫特點即細節生動，所以很好看。其中最生動的例證，是曾救助過主人公史青衫，並將他送到成都萬勝門掌門陸歸元門下的紀平和尚處，在岳陽樓上與史青衫再次相遇，紀平和尚與史青衫的那番對話，讓人怦然心動，印象深刻，既有啟迪心靈的精妙禪機，更有生動可感的人間溫情。

本故事發生在康熙初年，歷史背景仍屬明末清初，書中不少人物都有其歷史背景。涉及前明、李自成、史可法、雲南沐王府、山海關總督及平西王及「天下兵馬都招討大元帥」等各個方面。例如主人公史青衫是史可法的義子，周傑、白健是史可法的部將；鮑俊山等人則是李自成的部將，又投奔史可法；巫山神姥則是大名鼎鼎的紅娘子；王白石的父親是明總兵耿紀如；木春華的先祖則是前明的雲南王；邢夫人和高傑夫婦則先是李自成部屬，後來成為史可法部屬，最後邢夫人又生活在吳三桂的平西王府中……這些人物共同構成本書的歷史——當然是民間傳奇「野史」——背景，使得小說中的虛構傳奇頭緒多且複雜。

史青衫的身分很特殊，在很長時間內，讀者都以為他是歷史上的抗清英雄史可法的遺孤，後來才知道他只是史可法的義子，實際身分是高傑和邢夫人的兒子高文忠。其父親高傑原是李自成麾下悍將，後投降朝廷，成為史可法麾下的一個總兵；其母親是李自成的妻子，後與高傑私奔，在揚州城破時，帶小兒子逃出，後來被吳三桂收留，一直住在吳三桂的平西王府中，與吳三桂關係曖昧。邢夫人見識過人，稱得上是女中豪傑，她臨死前的一席話，足以證明她的英明。作者設計史青衫的這一複雜而隱秘的身分，固然是為了傳奇，同時也是要書寫亂世人生。在明末清初的動盪歲月中，肯定有不少類似的人生故事，史青衫即其一也。

史青衫的人生可用「身不由己」四個字概括。前半部分十分明顯，即揚州城破之際，他才三歲，完全沒有掌握自己人生的能力，全靠史可法的部將周傑將他帶到四川綿竹鄉下隱居，度過了幾年安靜的童年歲月。後來因為周傑妻子出賣，被當地捕頭搜捕，開始逃亡，周傑戰死，史青衫被俘。幸遇紀平和尚搭救，將他送到成都萬勝門掌門陸歸元家，再次遭遇搜捕，陸歸元將他送到青城山，才終於擺脫了厄運，正式拜師學藝，經過十二年刻苦訓練，終於成了萬勝刀的傳人。

其後，也就是本書的故事主線，史青衫奉師命下山去找白石翁，即周傑的好友白健，不料在虎牢關遺址發現白頭翁的遺體（後來才知道是被白骨天王裴康所殺），旁邊插了洞庭湖躍鯉旗，他想找出殺害白頭翁的凶手，為白頭翁報仇。除了在古廟中救了木春華（應該是沐春華）的行為是出於他的俠義心腸，此後的經歷和抉擇都是身不由己——也可以說是此人缺乏經驗、缺乏主見、亦無定見——只能隨波逐流。這部書所講述的，也就是敘事主人公史青衫隨波逐流的故事。

這樣說的證據是：

一，在五里坡突圍後，師侄李紅玫說不能去找辛九霄，他就不去找辛九霄，而是和李紅玫千里同行，前往洞庭湖岳陽樓。

二，前往岳陽樓，是因洞庭湖主岳碧春之約。

三，在前往江陵途中被捕，又被耶律寒蓮釋放，他就隨耶律寒蓮一起行動（理由是要為耶律寒蓮找一個安身之所）。

四，在江陵見到大師兄，雖然不支持大師兄、二師兄為師父找傷藥而與耶律英哥合作，但還是與師兄在一起。

五，青女宮突圍後，他不幸被俘，雖然他一直堅持反滿抗清的立場（因為他以為自己是抗清英雄史可法的兒子），但卻感木春華之恩，留在了清軍營中。

六，他不但與木春華交好，而且還與滿清公主孔四貞的丈夫孫延齡結拜兄弟；而且還在袁孤鳳等人營救謝千萼時護衛了孔四貞，以至於引起袁孤鳳的嚴重誤解（以為他是自覺自願地投向了滿清陣營）。

七，在與袁孤鳳約戰後，中毒昏迷又被紅衣尊者所救，原本有機會離開清軍營，但卻應呼倫克之請再次回到了清軍營，並隨木春華、孫延齡一起前往廣西。

八，孫延齡、孔四貞夫妻爭權，各自為政，史青衫是孫延齡的結義兄弟，按理說應該全心全意地支持孫延齡，但他卻又被孔四貞脅迫，為她送信到北京、昆明——這樣做明顯是對孫延齡不利，但岳碧春早已看明白，史青衫是喜歡上了孔四貞，從而願意為她效命。

九，他一直愛慕岳碧春，但當岳碧春說耶律寒蓮為他害相思病，而且病入膏肓，命不久長時，他又接受了岳碧春的安排，同意與耶律寒蓮結婚（這可是人生中的頭等大事）。

十，接著是去雲南昆明為孔四貞送信，見到平西王吳三桂；同時又與新巡撫木春華聯絡，雖然不以師兄做木春華的保鏢為然，但在昆明「民變」中卻又再次拯救了木春華。

十一，雖然他不喜歡吳三桂（因為吳三桂是引清軍入關的民族罪人），但卻跟隨馬寶再次進入平西王府認母，從而成為吳三桂的幹將，為吳三桂前往廣西桂林誅殺王永年（這也再次拯救了孫延齡）。

十二，在沙坪洲事件後，他和群雄一起，又接受了耶律英哥的建議，從廣西入海到海南島隱居。

從以上這些關鍵事件看，史青衫每到人生關鍵處，所有重要決定都不是自己獨立做出判斷和選擇，而是按照他人的意見行事，顯示出他沒有自己的主見，也沒什麼個性可言。

說史青衫沒有什麼個性，也許有些冤枉。他至少有兩點值得肯定，一是始終堅持反清立場，二是在男女關係方面應該算得上是個正人君子。只不過，因為他心地善良且缺乏主見，所以即使在這兩方面也顯得面目模糊。他雖然反清，但卻與巡按御史木春華、滿清駙馬孫延齡、滿清公主孔四貞關係密切，最後還與滿清鷹爪的頭子耶律英哥的女兒耶律寒蓮結婚，如此一來，誰還敢相信他是立場鮮明的抗清之士？

進而，在男女關係方面，他雖一直潔身自好，但卻與血花會主任伯元的妻子謝飛娘密室飲酒，又與美貌的李紅玫千里同行，又與美貌驚人的岳碧春關係曖昧，最後還與大內鷹爪耶律英哥的女兒耶律寒蓮「私奔」，這就難怪他的師弟陸曉安要向大師兄告密，更難怪大師兄印修因此對這個師弟印象不佳。

總之，本書的敘事主人公史青衫的個性相當特殊，與通常的武學小說俠義主人公很不一樣。問題是：作者是有意要把這個主人公塑造成這個樣子？還是為了講述傳奇故事而不得不讓敘事主人公成為這個樣子？這一問題，是理解和評價這部小說的一大關鍵。史青衫與一般武俠小說主人公的形象有明顯不同，一般武俠小說主人公當是英雄人物，立場鮮明、個性突出、行為果敢、意志堅定、始終如一，便於讀者隨時「移情」並「投入」，即符合武俠小說的「英雄」標準。相比之下，史青衫顯然還有一定的差距。

另一面，在實際生活中，史青衫這樣的人卻更多——生活中的大多數人其實是缺乏知識、缺乏經驗、缺乏主見、尤其缺乏定見，從而只能隨波逐流的人——即更具真實性，也更具複雜性。在文學作品中，具有真實性和複雜性的形象當然更有藝術價值。只不過，若這樣的形象並非作者刻意為之，而只是為了傳奇故事的發展而作出如此處置，那就是另一回事了。從書中的種種跡象看，作者的主要目的是要講傳奇故事，無力兼顧主人公的個性，只能忽略主人公的主觀意願而安排情節。

這樣說的依據，是這部書的書名是《魔湖天女》，主人公應該是洞庭湖主岳碧春，因為魔湖天女是洞庭湖主岳碧春的外號。但，從本書的主要故事情節看，岳碧春算不算這部小說的主人公，甚至算不算這部小說的第二主人公？都還是一個問題。

史青衫毫無疑問是這部小說的敘事主人公——之所以這樣說，是因為史青衫始終佔據了這部小說情節敘事的主導地位，即故事情節都是圍繞他的經歷和遭遇展開——第二主人公是誰？恐怕還需要作些論證和分析才能確定。很可能有不少讀者不假思索地將耶律寒蓮當作這部小說的第二主人公，理由很簡單，因為她是第一主人公史青衫的妻子。岳碧春在小說中固然有重要地位，但她的地位和影響，其實與史青衫的師侄李紅玫乃至魯仇的女兒魯儀差不多。

認真閱讀這部書，當然明白岳碧春在書中的地位應該更重要。如前所述，她應該是這部小說的第一主人公，證據是，她在本書《楔子》中就已經現身，阻截強盜汪英、汪傑的那個小女孩就是岳碧春（書中提及了她的師父是巫山神姥）。按照作者的設計，這部書應該是岳碧春的人生故事——書名《魔湖天女》即是證明——她的故事分為兩個重要部分，一部分是她的事業奮鬥史，另一部分是她的愛情生活史。

她的事業奮鬥史，是說她有遠大理想和志向，即以洞庭湖為根據地做反滿抗清的奮鬥（她的師父巫山神姥是歷史人物紅娘子，即李岩的妻子，有助於理解岳碧春的政治立場和理想目標）；她之所以對李自成的寶藏感興趣，並且前往鄭州爭奪藏寶圖，又去廣西、雲南等地奔波，目的都應該是動員並支持天下英雄反滿抗清。

在愛情生活史方面，她也有故事可說：

一是萬勝門三弟子辛九霄對她一往情深，而她則對史青衫一見鍾情，從而形成了辛九霄與史青衫兩人情感矛盾焦點。

二是她對史青衫一往情深，或許是由於史青衫怯於表達，或許是看出史青衫對孔四貞有愛慕之心，或許是同情或要拉攏耶律寒蓮，總之她做出了一個出人意料的決定，即讓史青衫與耶律寒蓮結婚。這就增加了岳碧春愛情生活史的變數——書中為此設置了一個伏筆，即耶律寒蓮患有不治重症，最多只有半年可活，甚至只有三個月生命。

三是，她的師父巫山神姥突然出現，要她嫁給假扮同心盟盟主袁四海的袁順白（此人是白骨天王裴康的弟子），這就讓岳碧春的愛情生活蒙上了更加厚重的陰影。誰也想不到，岳碧春這樣一個特立獨行的女俠，竟然也會屈服於「父母之命，媒妁之言」的古老傳統（岳碧春的遭遇並非父母之命，而是師父之命）。

這三個重大變數，都大有文章可作，但書中並沒有就此大做文章——只有巫山神姥逼婚成了書中的重要情節，最後若干回的故事就是圍繞這一情節展開——而是輕描淡寫。

令人驚訝的是，耶律寒蓮嫁給史青衫後，並沒有像岳碧春所預料的那樣很快就逝世，而是一直活著（從吳三桂起兵造反到吳三桂在衡陽稱帝，歷經五年時間，當然小說中的時間與歷史時間並不一致）。從而岳碧春與史青衫的愛情只能是有花而無果（小說最後說岳碧春和史青衫只是終生為友，顯然沒有讓有情人成為眷屬）；辛九霄愛慕岳碧春，並死在岳碧春面前，但他並沒有因為岳碧春與師弟史青衫有任何矛盾衝突。

之所以如此，一方面可能是因為作者此時尚不善於寫情感——有人說張夢還與梁羽生的水準相當，在描寫人物情感關係及情感心理方面，張夢還小說與梁羽生小說的差異和差距很大——耶律寒蓮是什麼時候愛上史青衫？她為什麼要釋放史青衫？她如何決定要與史青衫「私奔」？書中都沒有正面講述。

岳碧春對史青衫的好感和愛慕，雖然曾有過一些蛛絲馬跡，但從未有過正面的、具有深度的敘述，更沒有生動的描寫刻畫。另一方面，則可能是作者在寫作過程中改變了主意，即覺得史青衫的故事更有吸引力，從而將岳碧春的故事置於相對次要的位置。假如作者要完成《魔湖天女》這一主題，其實也還有補救的機會，那就是讓耶律寒蓮按時逝世，而讓岳碧春與史青衫成為眷屬。只要岳碧春與史青衫成為一對，岳碧春在小說中的地位肯定會大大提升。可是，作者並沒有這樣做。

這就足以證明，作者的主要創作目標是講傳奇故事，而且還被自己所構想的傳奇故事牽著鼻子走，史青衫的身分和人生選擇更具傳奇性，也更具戲劇性；而岳碧春的人生、事業、愛情故事則需要更多的虛構加工。所以，作者選擇史青衫作為第一敘事主人公，而讓本該是首選的「魔湖天女」退居其次。

《魔湖天女》的篇幅很長，有十七集、六十八回之多。其中難免有若干缺陷與不足之處。小處諸如：其一，王白石即耿志如的名字，一度變成了耿明光，中間一度「失蹤」，再度出現時，卻又用了王白石這個名字，容易引起混亂。其二，木春華既然是雲南沐王府的後裔，應該始終是「沐春華」才是，但書中大多寫作「木春華」，而他的官職，有時是四省巡按御史，有時是三省巡按御史，有時是二省巡按御史。

其三，七省遊龍魯仇的妻子是岷山派創始人謝超凡的師妹陳素素，這一說法可能有時間上的問題，在《青靈八女俠》中，謝超凡早已成名，他的弟子盛威公、易敏公都已人到中年，魯仇更是他們的後輩，如何能娶得謝超凡的師妹？謝超凡怎麼可能有那麼小的師妹？其中可能有時間計算不準確的問題。其四，書中曾出現過毒手陰陽劍客裴宗昌、紅衣尊者薩天羅這兩個人物，前者以有毒暗器打傷了史青衫和袁孤鳳，後者則救了他們倆，實際上也是俘虜了他們倆，這兩位絕世高手後來都不見蹤影。那麼，作者為什麼要寫這兩個人呢？

還有更大的問題。首先，是史青衫被俘，耶律寒蓮將他放走，並與他「私奔」，實際上是兩回事。放走他是一回事，私奔是另一回事。書中對此並沒有現場正面講述，也沒有交代任何細節，只是從耶律英哥口中說出此事，讓人感到突兀。耶律寒蓮同情史青衫、愛史青衫都沒有問題，但是否願意與史青衫一起離開父親、離開優越的生活而亡命江湖？這是另一回事，更何況，從書中史青衫的態度看，他感激耶律寒蓮，卻並不愛耶律寒蓮，若沒有兩情相悅的鼓勵，耶律寒蓮如何會私奔？這樣一來，耶律寒蓮就不是為了自己的感情，而是為了要脫離官府鷹爪生涯，她為什麼要這樣做？對此關鍵問題，書中卻沒有作出任何解釋，是一大缺陷。

其次，更大的問題是，史青衫本來就要回四川見師父。在江陵聽說師父被白骨天王裴康打傷中毒，按理說更應該立即趕回四川去見師父才對。但作者卻忽略了主人公的這一意願，居然讓史青衫跟隨木春華、孫延齡一路到廣西，而且還住了一段時間，似乎把師父的傷病完全忘記了。直到見了大師兄印修等人，才再次提出要回四川見師父，得到大師兄的同意。

史青衫是怎樣第一個人？他應該是一個重情且重義的人，對紀平和尚救助之恩且難以忘懷，對師父陸歸元的養育和教誨之德豈能不關心？如果他是發自內心的關心師父、熱愛師父，那就應該早去見師父了，何至於拖到廣西去發呆——他在廣西其實沒有什麼事，每日只是徘徊於酒樓與官府之間而已——這段情節有點讓人看不懂。史青衫對師父真有感情嗎？

再次，李紅玫夜探董長沙住地後再次出現，竟拜靈鷲上人為義父，這一情節也被作者放在「留白」中，當李紅玫隨靈鷲老人再次出現時，書中也沒有作任何補充介紹，讓人莫名其妙，從而難以接受。進而，李紅玫對師叔史青衫有情，後來又覺得木春華可愛，書中說是情竇初開的少女心態，但她如何放下對師叔史青衫的情感？至少應該作些交代和說明才好，但作者也沒有這樣做。

又次，史青衫受傷昏迷後再次出現，居然與白骨天王裴康結拜兄弟——後來我們知道，這個人並不是真正的裴康，而是岳碧春的叔叔岳康——問題一，史青衫是如何被救的？岳康為什麼要救史青衫？書中沒有任何解釋和說明，史青衫再度出現時，就莫名其妙地成了岳康的結義兄弟。

問題二，假如岳康說自己是白骨天王裴康，史青衫是否會與他結拜？照理肯定不會，因為史青衫曾砍斷過裴康之子裴人龍的胳膊；更嚴重的是裴康曾打傷了史青衫的師父陸歸元，史青衫怎麼可能與自己是師門第一仇人結拜兄弟？

問題三，岳康是否有可能對史青衫實話實說，說明自己並非裴康，而是岳康？當然有這種可能，問題是，作者在介紹此人時，始終稱他為裴康，只有耶律寒蓮曾說：此人未必是裴康。問題是：即使岳康對史青衫這樣說了，他既然是岳碧春的叔叔，如何能與岳碧春的心上人史青衫結拜兄弟？這兩個人的年齡應該有很大的距離吧？岳康為何要與史青衫結拜兄弟？

最後，辛九霄臨死前向史青衫交代，說師父陸歸元臨終前讓他做掌門人，三年後讓位於史青衫，且要辛九霄和史青衫清理門戶，將大師兄印修、二師兄宿神羽、五師弟陸曉安、六師弟徐全全部殺掉，這不僅讓史青衫感到驚訝和難以接受，讀者可能也會震驚且難以接受。

書中有關萬勝門的故事，實際上有很多漏洞。諸如，一，宿神羽擔心史青衫奉師父之命來懲罰他，但書中卻始終沒有交代宿神羽究竟犯過哪些罪過？僅僅是宿神羽與滿清官府如耶律英哥等人交往密切嗎？

二，印修為給師父療毒療傷，不得不讓宿神羽與耶律英哥簽訂協議，以大內金果換取印修師兄弟為朝廷辦幾件事。這一協議實際上有明顯漏洞，耶律英哥有什麼權力取得金果？他怎麼敢拿大內金果去救朝廷通緝犯陸歸元的命？另一方面，印修等人明知自己的師父是堅定且刻板的反滿抗清義士，又如何能答應為滿清官府辦事、成為滿清官府的打手？那豈不是明顯地背叛師門？

三，印修等人與耶律英哥簽訂協議，為何後來成了木春華的侍衛保鏢？是耶律英哥推薦他們為木春華服務嗎？書中並沒有交代。

四，五師弟陸曉安曾出現在吳三桂府中，是藍帶衛士，曾阻止過岳碧春和吳三桂侄女吳玲兒出府，但後來卻有出現在木春華身邊，與印修等幾位師兄一樣做木春華的侍衛。吳三桂府邸豈是那麼容易混入的？既然混入了吳三桂府，為何以及何時離開？書中此沒有做任何交代說明，明顯有漏洞。

五，陸歸元要辛九霄誅殺同門四弟子，但書中並沒有說這四個弟子究竟有什麼罪過，唯一的罪過似乎是充當答應與耶律英哥合作、在青女宮做官府內應，進而做木春華的保鏢，如果這樣就要被誅殺，那麼辛九霄也參與了部分行動，為何不被誅殺？更嚴重的是，史青衫與滿清官府的瓜葛更深也更複雜，他是木春華、孫延齡的義兄，而且還娶了耶律英哥的女兒耶律寒蓮，豈不是更加罪該萬死？難得陸歸元對史青衫的行為蹤跡毫無耳聞？若如是，他又怎麼知道印修等人的行為呢？

《血刃柔情》

我看的版本是臺灣萬象圖書股份有限公司（發行人林維青）一九九九年三月初版，此書為「張夢還作品集」之第一至四冊。臺灣版將《沉劍飛龍記》改名為《碧雲恩仇記》，這部《血刃柔情》很可能也已改名。此書原名是什麼？尚需求證。

這是一部很特別的小說。

小說的特別之處首先在於，我們無法簡單地介紹說這是一個怎樣的故事，也無法簡單地提煉並介紹這部小說的主題是什麼。

從小說的開頭看，這是一個俠義故事，即鐵衣會二當家花惜春和他的副手張富阻截十二鐵機堡的強人搶劫的銀兩，並對他們實施懲罰，進而又將截獲的銀兩交還給被害人（當然有三成的抽成）。這似乎是典型的俠義故事，即花惜春及其鐵衣會是俠義的一方，而十二鐵機堡是邪惡的一方——十二鐵機堡在奸相和珅的庇護下，在江湖上為所欲為，肆意搶劫平民，作惡累累——花惜春的行為是典型的俠義行為。最多不過是與理想中的俠士有些許不同而已。

但很快，這個故事的下一段就變成了復仇故事。即花惜春劫奪了十二鐵機會堡的財物並殺了他們的人，十二鐵機堡發起復仇，一是參與陷害鐵衣會總瓢把子冷雲飄，二是綁架了冷雲飄的妹妹冷雲美主僕，三是試圖借官兵力量攔截甚至消滅鐵衣會的骨幹力量。在這一復仇過程中，又產生了新的仇恨，即紅粉秀士梅凌波殺害了火騎會的二當家鍾克非，火騎會剩下的九位當家發起復仇運動，一定要殺了梅凌波為鍾克非報仇。由此造成了復仇連環，即火騎會傷害了梅凌波和周玉，惹出青園雙玉、鐵衣會、白玉珍等多種勢力聯合找火騎會復仇。

復仇故事並不是這部小說的全部內容，甚至也不能說是這部小說的主要內容。因為這部小說的後半段，主要是寫奪寶故事，也就是在乾隆皇帝死後，嘉慶皇帝立即發起了整肅和珅運動，不僅抓捕和珅，且抄了他的家，且對他的家產進行全面追查。這也引起了江湖中人的覬覦。首先是關東大豪陸劍魂的女兒陸慧劍（**即陸敏娟**）將和珅秘藏在密雲的資產劫走了一大半（**劫走銀票和黃金，留下了相對笨重的銀兩**）；其次是鐵衣會冷雲飄集團劫走了和珅秘藏在宛平的數千萬兩金銀；再次是陸劍魂率領紅心會、鐵船幫和白刃堂等多個組織，試圖劫奪和珅的保定秘藏，甚至不惜與官兵對抗，後因白玉珍、石語情等人護衛，陸慧劍、刁素梅等人勸說，陸劍魂才改弦更張，決定去劫奪鐵衣會冷雲飄所得金銀，即江湖中常見的所謂見者有份，亦即典型的「黑吃黑」。奪寶故事也只是這部作品的一部分。

作品中還有愛情故事或婚戀故事線索。例如鐵衣會二當家花惜春來到北京之後，首先是成全了北京分舵負責人舒棟樑與其相好小桂花秦玉珠的婚事，進而又遭遇薛靜柔對花惜春的愛情。進而是洛陽雙槍鏢局東主周玉對師姐白玉珍的愛情，紅粉秀士與冷雲飄的愛情，以及白玉珍對三師兄陸雲亭的片面愛情。

在小說的情感地圖中，最重要的人物是梅凌波和白玉珍。梅凌波的情感，構成了小說的基本懸疑，當她與花惜春相遇時，讀者以為或期待她與花惜春之間會有愛情火花（**很可能作者的最早構想就是如此**）。但很快，我們發現，花惜春的出場機會大大減少，梅凌波又與洛陽雙槍鏢局少東家周玉連袂出現在青柳鏢局東家柳若華的壽宴上，此後梅凌波與周玉出雙入對，兩人並騎遊覽，很像是一對戀人，讓讀者有了新的猜測和懸念。卻不料，最後的結果卻是周玉要把梅凌波介紹給鐵衣會大當家冷雲飄。結果是梅凌波與冷雲飄成了一對。

書中情感故事的另一核心人物是白玉珍，此人先是愛戀女扮男裝的師姐賈燕飛，繼而與賈燕飛的男友、同門師兄弟陸雲亭發生性關係並生下女兒；繼而又嫁給自己的第二個師父；在師父死後又與一等侍衛歐陽雲從有染，最後認同了師弟周玉的愛，卻又對陸雲亭藕斷絲連。

在這些故事背後，是反清故事或是反官府故事。因為書中有奸相和珅作為第一大反派，有白蓮教主王聰兒（齊王氏）作為反清起義的領導人；而鐵衣會恰好都是被官府迫害並通緝的亡命之徒，這些人是典型的反清、反官府的生力軍。在以梁羽生為代表的新武俠小說世界中，江湖義士反清（反對異族入侵）是最重要且最具代表性的故事類型，反官府、反霸權的極端形式就是與異族官府勢不兩立。

然而，這個故事並沒有成為小說的主要故事情節線索，白蓮教主王聰兒甚至沒有正式露面，只有她的外交或公關負責人岳秀環出沒在小說中，在京城開設妓院聯絡點，又在江湖戲班中扮演重要角色，更明顯的表現是動員鐵衣社大當家冷雲飄參與反清起義。但到小說結束，冷雲飄也沒有參與反清起義。乾隆死後，和珅倒臺，白蓮教起義也很快就被嘉慶皇帝所撲滅。作者沒有以反清起義作為主線，一方面可能是因為歷史事實就是如此，另一方面也可能是作者對這一故事興趣不大，或者說，根本就沒有想到要在這部小說中講述反官府、反滿清的故事。

綜觀這部小說，不難發現作者將武俠小說中幾乎所有元素都雜糅在其故事中，卻並不突出哪一條故事線索。正因如此，讀者也就完全無法猜測故事情節的發展。

小說的另一個特別之處，是小說的主題也不能、甚至無法簡單地一言以蔽之。

進而，與上述故事雜糅相聯繫，這部小說避開了簡單鮮明的政治立場，同時也避開的簡單鮮明的道德判斷。最突出的一點是，小說中人與其他武俠小說中人大不一樣，即並不拘泥於某種既定立場，甚至對仇恨也似乎並不堅持。證據是，鐵衣會花惜春劫奪了十二鐵機堡的運銀車、殺了多個十二鐵機堡的嘍囉，但香堡主卻並沒有把鐵衣會及冷雲飄當作不共戴天的仇敵，在抓獲又放棄冷雲美等人之後，冷雲飄決定放棄對十二鐵機堡的報復，而十二鐵機堡也同時放棄對鐵衣會為敵。實際上，在十二鐵機堡主香浩然與火騎會十當家席小慧結婚時，冷雲飄還派人送了厚禮。雖然十二鐵機堡作惡多端，堡主香浩然也不是什麼正人君子，但小說作者並沒有把他當作絕對的邪惡代表，此人的結局不僅令人同情，甚至還令人欽佩。

另一個典型的例證，是黑鷲幫幫主被大內侍衛盧君義收買、青柳鏢局東家柳若華也受官府所迫，聯合制造了圍捕冷雲飄的陷阱。但在冷雲飄脫險之後，非但沒有責怪柳若華，甚至對背叛他的黑鷲幫幫主方陽也既往不咎——冷雲飄說，他理解方陽試圖投奔官府、圖謀正途的選擇。火騎會作惡多端，為武林黑白兩道所痛恨，且打傷了梅凌波和周玉，正方的報復也沒有斬盡殺絕，而是適可而止，終於放過了已經殘廢的羅世禮和鄧高翔。而羅、鄧表示從此安分做人。他們對於火騎會的十當家席小慧非但沒有追究，甚至還派人去參加她與香浩然的婚禮。

所有這些，都與通常的武俠小說不同，似乎在這部小說的武林中，沒有永恆的敵人，也沒有永恆的朋友，在故事進程中敵我關係在不斷轉換。這種寫法，更接近於人性與生活真實，也更具有人性質感，從而更加耐人尋味。

與故事線索的雜糅性相關，小說的另一個特別之處，是說不清小說的主人公到底是誰。這當然可以得出不同的評價結論，可以說是作者構想不完整，寫作有些信天游（這很可能是真實情況）；但也可以說作者寫得很聰明，如同司馬遷《史記》中的《人物列傳》，從而保證小說故事的靈活性，保障讀者的新鮮感。

小說的主人公，至少有三次重大改變。從第一冊看，小說的主人公應該是鐵衣會的二當家毒心血刃玉郎君花惜春——小說以《血刃柔情》為書名，似乎也保留了以血刃花惜春為主人公的痕跡——小說開頭就是寫花惜春和副手張富截殺十二鐵機堡的強盜，並對他們實施處罰，這一形象具有典型的正面價值（**值得注意的是，花惜春也確實是鐵衣會眾位當家中唯一出身白道的人**）。進而，寫花惜春來到北京，將銀兩兌換成銀票，派張富和夏雲將銀票交還給受害人。這也同樣是有正面效應。

進而，書中寫花惜春關心部屬，具體是關心北京分舵負責人舒棟樑的情感與婚事，堅持讓舒棟樑與相好小桂花即秦玉珠成為正式合法夫妻，並抽空去拜訪小桂花，出席小桂花的宴會，這段情節與一般武俠小說有很大區別，充滿了生活氣息，有很濃郁的世情小說味道。進而，寫花惜春與惜花樓主人、著名歌女薛靜柔的邂逅，既具有傳奇性，更具有人情味。早在五年前，花惜春就曾冒險救助過薛靜柔母女，不僅將她們從強人的圍攻中拯救出來，而且還贈金二十兩；不僅將她們安排好，且在事後還專門派人去關心她們的下落。

妙的是，花惜春完全不認識美女薛靜柔了，原因之一，是薛靜柔五年前還是一個十三四歲的少女，如今已是十足的美人；另一原因則是，花惜春對自己做過的救人好事並沒有記在心裡，更沒有掛在嘴上，如此就更表明此人是個真正的俠客和英雄。最後，當花惜春與薛靜柔約會時，再次與紅粉秀士梅凌波邂逅，為花惜春的愛情故事留下了大大的懸念：他會與薛靜柔成為戀人，還是會與紅粉秀士成為戀人？這一懸念成了花惜春故事的最大看點。至此，花惜春的形象已經完成，他的故事則在繼續。

在完成花惜春的形象之後，小說出現的第二位主人公，即鐵衣會的大當家冷雲飄。此人在第一冊最後出現，在第二冊中成為絕對的主角。第二冊書中的故事，就是講述冷雲飄這位鐵衣會大當家的方方面面。

首先，是他十分重情，一是關心花惜春等部屬，讓花惜春喝人參湯即是典型例證。二是關愛妹妹冷雲美，雖然冷雲美將見不得光的翡翠觀音、星石墨菊（分別來自皇觀寶庫與和珅女婿的寶庫）送給白寡婦，知道肯定會給鐵衣會帶來巨大的麻煩，但他還是叮囑花惜春不要告訴冷雲美，怕傷害妹妹，更怕影響妹妹冷雲美的俠義情懷。三是重視友情和江湖道義，證據是他不顧蒲延慶的堅決反對，堅持親自去參加柳若華的壽宴。結果在壽宴上被柳若華欺騙（柳是被大內侍衛盧君義所迫），進而在黑鷲幫受方陽所欺，並被大批官府高手圍攻，九死一生。

其次，是刻畫冷雲飄講理、重義。證據是，他並沒有痛恨背叛他的方陽，也沒有追究柳若華的欺騙行為，而是充分理解這兩個人的苦衷。進而，在十二鐵機堡綁架了冷雲美和小媚等後，他雖然率部攻打十二鐵機堡，但在白玉珍釋放了小媚和冷雲美之後，他答應對十二鐵機堡既往不咎。這一出人意料的決策背後，正凸顯冷雲飄這一江湖領袖的氣度胸懷和遠見卓識。一是他不願意讓更多的兄弟為此事犧牲，二是不願意為私家仇怨影響鐵衣會的生存環境，三是不願意與十二鐵機堡主香浩然成為不共戴天的死敵。再次，是刻畫冷雲飄的超群的智慧與卓識。有以下四件事可以證明。

一件是在他的策劃和領導下，鐵衣社雖為黑道綠林，但卻並不打家劫舍，而是在北京、密雲等地開設多家商鋪，合法經營商業牟利，以便養活五龍山燕子崖的鐵衣會眾。進而，他不僅不做不法之事，實際上還成為維護江湖正義的重要力量（小說開頭寫花惜春劫持十二鐵機堡的銀兩並懲罰搶劫者，即是出於冷雲飄的命令），這樣，為鐵衣會的生存帶來了機會、贏得了空間，使得官兵對近在咫尺的五龍山燕子崖不輕易發動圍剿。

第二件事，是利用他調查所得，將奸相和珅的秘藏家產資料告訴大內侍衛曹孝，並讓曹孝交給嘉慶皇帝，不僅是贏得了曹孝的充分合作，更重要的是為鐵衣會的存在贏得了時間和空間。因為只要乾隆去世，嘉慶肯定要收拾和珅，不僅是為了政治，同時也是為了金錢，正所謂「和珅跌倒，嘉慶吃飽」。

第三件事是他與白蓮教的使者岳秀環的幾番談話，表明他對自己所處政治環境和社會空間乃至民眾心意有足夠的瞭解和理解。要白蓮教跳出宗教層次廣攬人才，要王聰兒率部過黃河——說如果王聰兒率部過黃河，他就起義聲援——同時決定若王聰兒當真過黃河，他將願意成為對方的副手。這樣的智慧和胸襟，讓岳秀環十分敬佩。此後他還派自己深諳兵法的下屬唐子奇去協助王聰兒，使得王聰兒的白蓮教連戰連捷。

第四件事，是他沒有將鐵衣會的命運押寶在嘉慶身上，也沒有把寶押在造反起義的王聰兒那裡，而是未雨綢繆，將和珅在宛平的金銀秘藏取了，運往南方，要在海島、海南島等地建立新的根據地。此人高瞻遠矚的領袖才幹讓人欽佩。

最後，也是很重要的一點，是對冷雲飄情感與婚姻的設計。

小說中，冷雲飄已經四五十歲年紀，在不惑與知天命之間，此前之所以沒有成家，主要原因肯定是因為他是朝廷之敵、是罪人、是通緝犯。次要原因是他要領導鐵衣會眾，要為這些受苦受難無家可歸的弟兄謀生，恐怕也沒有時間去考慮個人婚事。當青園雙玉要給他介紹紅粉秀士梅凌波時，他二話沒說就答應了，主要原因是，他可能確實喜歡梅凌波的美貌、武藝和個性。次要原因是，梅凌波是歸雲莊莊主，有萬貫家財，冷雲飄並非貪財之人，但考慮到一千多兄弟的消費，他不能沒有經濟頭腦。

總之，小說中的冷雲飄形象，不僅十分扎實，而且非常生動，是大英雄，光芒閃爍。

小說的後兩冊，主人公卻又換了人，不再是花惜春，也不再是冷雲飄（雖然冷雲飄一直活動在故事線索中，直到最後），而是漢軍旗公爵白仲明的女兒白玉珍。白玉珍在第一冊就出現了，那個假裝受困的窮寡婦白氏即是此人（她是寡婦，但卻非窮寡婦），但此人的真實身分，要在此後很晚才揭露出來。

白玉珍形象的最大特點，是在小說中有驚人的「反轉」。在她故事的開始，她像是十足的邪惡之人，一是假裝窮人欺騙天真善良的冷雲美，二是作為大內一等侍衛歐陽雲從的姘婦，三是與奸相和珅勾勾搭搭，四是出於某種原因一定要消滅鐵衣會而後快。因為上述四點，誰都會以為此人是典型的惡人胚子。但到小說第三冊中，情況發生了漸變，作者正式介紹了此人的身分和個性，讓讀者對此人有更多的瞭解。即她並不是來歷不明的人，而是公爵白仲明的獨生女兒。

因為從小嬌慣而多少有些失落——這是小說中最微妙的部分，因為她是女兒，而非兒子，不能繼承父親的爵位，父親對女兒一面是嬌寵，另一面肯定是失望，總希望有兒子——所以她十三歲就去雲南青苔關獅林觀學藝，獅林觀中都是立志反清復明義士，她是滿清的公爵之女，當然不能持久。只好離開，而她先是愛上女扮男裝的師姐賈燕飛，繼而與三師兄陸雲亭私通生女（這是她任性衝動的證明，同時也是對獅林觀的變相報復），繼而又嫁給西河劍派的大師，成為周玉的「小師母」；後來才勾搭歐陽雲從、和珅。

再後來，小說中的白玉珍形象發生了更大的逆轉，作者說她性格任性衝動但卻心性善良醇厚，她之所以要消滅鐵衣會而後快，是因為鐵衣會的頭目即她的師兄陸雲亭不願接納她，在得知陸雲亭實際上愛她，只因不願將她家人置於滅族風險而故意疏遠她，她對陸雲亭的情感立即有重大轉變。

白玉珍心性善良的進一步證據是，師弟周玉頂撞他，破壞了他圍捕冷雲飄的計畫，但她非但沒有怪罪於周玉，反而託曹孝警告周玉；周玉託曹孝傳回許多不中聽的話，她非但沒有生氣，反而很是感激。進一步的證據是，歐陽雲從等人抓獲了冷雲美和小媚，她非但堅決不同意用冷雲飄去脅迫冷雲飄，且還主動將冷雲美等人釋放（**其中有一個很重要的原因是她懷疑小媚是她的女兒，她當然不願讓女兒小媚冒生命風險**）。從而解了十二鐵機堡的重圍，也解開了她與冷雲飄之間的仇怨。

更典型的例證，是她與和珅的關係，她與和珅交往雖然有曖昧勾搭利用之嫌，但和珅對她確實信任欣賞有加，所以當和珅被捕後，她仍然不忘和珅的知遇恩德，成了唯一去監獄中探訪和珅的人。和珅在與她的最後幾次見面中，也充分證明了這一點。和珅閱人無數，富有生活經驗與智慧，他對白玉珍的評價值得參考。

總之，白玉珍的形象，從出現到最後有幾乎一百八十度大轉彎，而這一轉彎還具有很高的可信度。使得這一人物具有極大的可信性、可欣賞性。白玉珍雖然聰慧，但她的計謀卻遠不如歐陽雲從的妻子陸慧劍；她雖然武功不俗，但她的劍術比青園雙玉中的石語情可能還有差距；她雖然美貌，但不見得比得上青園雙玉中的燕明珠，但白玉珍的形象氣質與個性的光芒，卻比上述所有人都更加璀璨。

小說臺灣版取名《血刃柔情》，這個書名很有意思，血刃與柔情是相互矛盾的兩個方面。血刃可能是指花惜春，也可能是指冷雲飄，還可能是指所有的江湖中人；柔情可能是指薛靜柔，也可能是指梅凌波，還可能指書中所有的男女。進而，血刃與柔情，也可能是指白玉珍一個人。此人既有血刃的一面，也有柔情的一面。她對周玉的柔情故不必說，對陸雲亭的柔情也讓人感動。

書中還有一些人物值得一說。例如鍾情於白玉珍的周玉，例如紈褲子弟兼大男子主義者歐陽雲從——當然還有他的伯父兼岳父陸劍魂，例如陸劍魂的小妾血鳳凰刁素梅，例如陸劍魂的女兒、歐陽雲從的妻子陸慧劍，還有舒棟樑等相對次要的人物，以及香浩然、席小慧、封建成、方陽等各色人物。

書中還有一點值得注意，那就是有若隱若現的女同性戀內容。例如陸慧劍與她的四個徒弟，白玉珍與陸慧劍，燕明珠與石語情，白玉珍與陸慧劍的弟子等。她們之間動輒擁抱，甚至親吻，且白玉珍還曾對周玉明確說她也愛女人。陸慧劍與白玉珍迅速建立起友情，很可能與女同性戀的訊息有關。只不過，對此情形，也不宜作太多的闡釋和引申，因為書中寫得朦朧曖昧。

總之，小說很有特色，是非常規的武俠，主題沒有那麼鮮明，故事情節也不那麼緊張，小說的節奏也沒有那麼快，但具體閱讀過程卻很愉悅，有骨有肉，滋滋有味。

如果說有不足的話，那就是對人物的情感描寫還是相對簡單，深度不足。花惜春與薛靜柔的情感來自感恩；冷雲飄與梅凌波的婚約來自媒妁之言；白玉珍與周玉、凌雲一劍黃志丹、陸雲亭等人的感情具有傳奇性，但卻寫得過於簡單，甚至有些想當然（**例如她為什麼年紀輕輕就願意嫁給黃志丹做妾？**）

《霹靂雙姝》

我讀的版本是臺灣萬象圖書股份有限公司二〇〇〇年八月初版，共四冊。這部作品仍然與《青靈八女俠》故事有關，且八女俠中有多人及其夫婿，如謝春雷與薛絳樹、梅歸與卞宛青等都出現在本故事中。可以說屬於「八女俠」故事譜系。

《霹靂雙姝》當是指戴羽的女兒戴春花，和藏邊大草地小茅庵朝陽師太的弟子冷鳳，後來這兩個人都嫁給了男主人公屈春華。

小說的故事主線，是屈春華江湖歷險記，包括情感糾葛、師門矛盾、江湖恩怨、武林衝突和歷史風暴。作者只有一個大致的目標，而沒有固定的敘事模式，也沒有既定的敘事路線，多少有些信天游，這樣的寫法，有弱點卻也有其好處。其主要的好處是，讀者很難猜測故事情節的發展，只能堅持往下看。好在，作者張夢還的筆力不凡，故事有其可看性，甚至可以說很吸引人。

屈春華獨自到北方遊蕩，是因為他在師門學藝八年，師父戴羽不僅是襄陽武學名家，也被認為是當時武林四大高手之一。戴羽只有一個女兒戴春花，戴春花和二師兄屈春華從小在一起長大，可謂青梅竹馬，關係十分密切，但戴春花自幼失去母親，一直被父親嬌寵，向來自我中心，有口無心，開口就會得罪人而自己卻懵懂無知。正是因為她的一段「語言暴力」讓屈春華無法忍受，所以才離家出走，獨自到北方遊蕩。原本準備過幾天等自己消了氣就回去，卻不料越走越遠，一直走到了北方，走到了北京。這一走，就走出了書中的故事情節，卻也符合「游俠」故事的基本規範與特徵。屈春華的身世神神秘秘，頗具吸引力。

這部作品與通常武俠小說的不同之處，是主人公屈春華對清宮侍衛並沒有特別的反感，沒有刻意與他們保持社交距離，更沒有主動與他們為敵。實際上恰恰相反，屈春華到北方不久，就與大內三等侍衛萬詩（此人實際上是當世著名高手追風劍客厲俊）和四等侍衛吳耀交上了朋友。吳耀帶屈春華逛妓院的故事段落，不僅有日常生活的真實性，且非常生動有趣，對屈春華的形象刻畫頗為生動。

這樣寫，當然還有更重要的作用，那就是可以連綴上官府／歷史與江湖／民間等不同的社會階層和敘事線索。例如，屈春華在客棧中遭遇前師門的師兄梁惠民、胡惠玉夫婦及其他同門，他們正是要來找屈春華的麻煩，說是要清理門戶。原因是，屈春華在拜戴羽為師之前，曾在武當旁支胡遠舉門下學藝，與梁惠民、胡惠玉等同門，當時的名字是屈惠敏；因為胡惠玉對屈惠敏（即屈春華）有明顯好感，而讓覬覦胡惠玉的梁惠民妒火攻心，於是設計陷阱，讓屈惠敏失去師父胡遠舉的歡心，進而被胡遠舉逐出師門。屈惠敏走投無路，準備自殺時，被高人戴羽所救，戴羽聽說了屈惠敏的遭遇，出於同情心，將他收入門下學藝，改名屈春華。

也正是由於這一原因，讓梁惠民等氣憤不已，反說屈春華是背叛師門，所以要趕來清理門戶。侍衛朋友萬師、吳耀等雖然同情屈春華的遭遇，也想幫助他，但無奈官身不由己，他們另有任務，即追捕盜竊太后珍珠帳和玉觀音的冰原冷鳳（冷鳳在盜取寶物後在牆上留名，說是自己盜走了珍珠帳和玉觀音），這就將江湖恩怨和皇家事務兩條線連接了起來。

進而，梁惠民通過在皇宮當侍衛的師弟秦惠崑請來皇宮二等侍衛藍文奎和大內供奉苗應宇助拳，使得皇宮侍衛介入江湖恩怨衝突中。進而，當藍文奎、苗應宇等圍攻屈春華時，冷鳳出現，幫助屈春華脫險，並殺死了梁惠民（這樣一來，胡遠舉師徒對屈春華的仇怨就更深了）。有意思的是，秦惠崑參與圍攻屈春華，被屈春華打入永定河中，冷鳳的馬卻又救了秦惠崑，使得秦惠崑從此改變立場。這說明師門恩怨的複雜性，並不是每個人都有固定立場。

冷鳳不僅會殺人，同時也會救人。她在救了屈春華後，又救了身負重傷的孟中，冷鳳並不知道孟中的底細，只是不能見死不救。誰知道孟中竟是皇家間諜，奉命到昆明專門監視平西王吳三桂，這次回京，是帶來了雲南巡撫朱國治給皇帝的奏摺，其中有吳三桂不軌行為的種種證據。所以，吳三桂屬下武士褚季倫、林祺等不斷追殺孟中，而吳允文、藍文奎等大內侍衛則是前來迎接孟中、保護孟中。

冷鳳和屈春華在此事中處於十分尷尬的地位，但此事卻又為後面的故事情節做了十分扎實的鋪墊。一是，當冷鳳被抓捕，屈春華一心要救自己的救命恩人冷鳳，追蹤到保定府展開劫獄行動，並演變為武林人與官府的公開對抗；更重要的是，本書後面的故事情節主線，恰恰是厲俊（即萬詩）要屈春華幫忙將他抄錄的雲南巡撫朱國治的奏摺送給吳三桂，勸說吳三桂起兵造反——這可能是當時漢族武林人的共同願望，雖然武林人反清復明的理想與吳三桂起兵造反的目的不見得完全一致，但有吳三桂領頭造反總勝於甘當毫無希望的亡國奴。——本書的故事高潮之一，也正是吳三桂起兵造反這一重大歷史事件（書中對吳三桂起兵造反的敘述基本上符合歷史事實）。

本書的最後一個高潮，則是戴羽、勞端、厲俊、屈春華、戴春花以及梅歸和卞宛青夫婦、謝春雷與薛絳樹夫婦連袂為馬寶的軍餉保鏢，並且演出當世四位絕頂高手互相衝突（四位高手是戴羽、勞端、厲俊和高異）。在高異自殺後，本書故事也就迅速結束了。由此可見，張夢還的這部小說，仍然是將江湖傳奇與歷史事件縫合在一起，主人公屈春華的遊蕩過程，一邊是參與江湖恩怨，一邊是參與歷史事件。與梁羽生小說不同的是，這部小說並沒有把歷史事件作為小說的唯一核心，甚至也沒有把民族衝突當作小說的根本主題，小說的主人公既是歷史中人，更是現實的江湖中人，反滿抗清，或反清復明並不是屈春華、戴羽等人的唯一生活目標，更不是他們唯一的生活內容。這就比梁羽生筆下的那種理想化的民族英雄更富有生活氣息，也更加真實可信。

小說中最具可看性的，是書中戴春花、戴羽這兩個人物。

首先是戴春花，她從小失去母親（**也就失去教養**），父親對沒有母親的女兒多半會加倍溺愛，而溺愛的結果往往導致這個獨生女兒自我中心、嬌寵無度、恃寵而驕、目中無人，簡單說，其實也就是缺乏教養、心智發育不全、社會化不充分。戴春花可謂這類心智發育不全者的典型。她的最突出的個性特點，是隨時要彰顯自己的存在，而不顧及他人的存在及感受，總是語出傷人而不自知。她無法感受他人的感受，更無法理解他人的理解，其言其行全看她當時的一己感受。

她顯然沒有自我反思能力，更沒有自審習慣，更可怕的是她完全聽不進別人的逆耳之言，哪怕說話者是她的父親；哪怕是她父親說話的目的是為了她好。最典型的例證是，戴羽詢問屈春華為什麼離家出走？問他是不是因為師父對他不好？屈春華說不是。戴羽又問：那麼是不是因為師妹戴春花的言語不端？——這只是一句很平常的詢問，竟然惹怒了戴春花，她質問父親：她有什麼不端？她怎麼會不端？結果是她覺得受了天大的委屈，立即轉身就走，離開屈春華，也離開父親。她完全不顧及父親和師兄的感受，只知道父親或師兄屈春華肯定會去追她。

戴春花心智發育不全的確切證據是，她很喜歡師兄屈春華，但卻不知道如何去喜歡，更不知道如何去愛。如果說得刻薄些，她可能甚至不知道自己愛上了師兄屈春華。只知道在屈春華離開後，她覺得不爽，於是便要父親陪她遊蕩江湖，長達一年時間。誰都看得出，戴春花遊蕩江湖的目的，是要找到師兄屈春華。但真正與屈春華見面之後，她卻不知道如何與屈春華相處，更不知道如何去表達自己的情感（**或許她對自己的情感沒有真正的認知**），直到屈春華向她道歉，她才找回自己習慣的舒適感。在與屈春華同行的過程中，她仍然不斷出語傷人，不斷發送「語言霹靂彈」，讓屈春華莫名其妙，難以忍受卻又不得不忍受。

說戴春花這一人物形象刻畫得好，一是因為十分生動地展示了這樣一個典型。另一方面則是同時刻畫了這個心智不全的少女所擁有的單純和善良。她是單純的，單純近乎無知，或者說，單純也就是無知的另一面。但她是善良的，明明嫉妒屈春華對冷鳳的記掛，更嫉妒冷鳳的獨立、成熟和美貌，但她還是毫不猶豫地帶著父親和師兄向北行走（因為她知道師兄一心想去救冷鳳）；進而，她甚至獨立地將冷鳳從保定監獄中救了出來。進而，她竟然與冷鳳成了交流通暢的知己好友。進而，她甚至主動提出讓冷鳳嫁給屈春華，亦即讓屈春華娶冷鳳。

這也就是說，戴春花是個嬌寵過度的可怕女孩，但卻不是個壞女孩，而是一個心思簡單、還沒有長大的女孩。與正派人為伍，或許很快就會長大。

張夢還的小說中，尤其是這部小說中，婚姻中多為女強男弱，薛絳樹強於謝春雷，卞宛青也強於梅歸，武功方面是如此，性格方面更是如此。謝春雷、梅歸性格成熟，具有包容性，懂得謙退禮讓，逆反男尊女卑的夫婦倫理，屬於現代表徵。或許是作者思想觀念如此，或許是實際生活中觀察所得，或許是傳奇之需。

戴羽的形象生動感人，不是因為他武功過人，為當時天下武功最高的四大高手之一，而是因為他愛自己的女兒，但卻不知道如何去愛，只是一味嬌寵。雖然他也不習慣女兒在社交活動中說話帶刺、動輒得罪人，卻不知道這不過是他女兒在從小的日常生活中養成的習慣表現而已。

這位父親在未出場之前，就有江湖傳言，說他帶著女兒在江湖中遊蕩，尋找自己的弟子屈春華，其行為是典型的「女兒奴」，當然更多的卻是感人的一面。畢竟，溢於言表的正是他的愛心。在他正式出場後，遇到屈春華時，有多個細節讓人感動。

一是，他回顧往事，說他在屈春華自殺時救了他並收他為徒，表明這位武學高人的俠義之心，實質上是一種人道情懷。

二是，他要屈春華另投名師，原因是他對屈春華突然離家出走大為不滿，是以這種方式表達（這種形式與屈春華的另一個師父胡遠舉相比可謂仁義可風）；另一原因是他的私心是希望女兒嫁給屈春華，所以希望屈春華離開自己的生活。可是，當屈春華以為師父要將他逐出師門而表露受傷情感時，他又立即改變了主意。

三是，當他發現女兒戴春花深深地愛上了屈春華（女兒本人還未必十分清楚）時，就當機立斷，改變自己的觀念，決定成全女兒的愛情，主動詢問屈春華是否願意娶師妹戴春花為妻，徵得同意後，立即宣布為他們訂婚。

四是，剛剛宣布為女兒訂婚的消息後，得知厲俊要屈春華去雲南給吳三桂送信，勸說吳三桂起兵反清，立即讓屈春華和戴春花一起前往雲南，為國族效力，這是把國家和民族大事置於個人私事之上，充分表現了戴羽的思想境界和俠義胸懷。

五是，更為難得的是，為了女兒的幸福，他心細如髮，居然注意到冷鳳對屈春華的情感（或許同時也注意到屈春華對冷鳳的情感），他卻不像戴春花那樣一味嫉妒或生氣，而是設法接近冷鳳、認冷鳳為義女，成全冷鳳與屈春華的感情，他之所以幫助冷鳳和屈春華，實質上當然是為女兒戴春花的幸福鋪墊。

除了上述人物之外，書中的三絕郎君高異這個人物也讓人印象深刻。此人聞名已久，在第一冊書中趙天奇就要尋找這個三絕郎君；進而，人們在議論武林四大高手時，前三位都沒有異議，即戴羽、勞端、追風劍客厲俊，第四位卻有不同說法，其中一種說法是三絕郎君高異，這是對此人的鋪墊。

書中對此人的最後一次鋪墊，是馬寶說高異和蘇圖佔據了洞庭湖，成立洞庭幫，專門與吳三桂軍隊為敵，劫奪吳三桂的船隻，勞端說高異是英雄好漢，戴羽說人都會變化，高異究竟是怎樣的一個人？高異到底是怎樣的一個人？書中留下了極大懸念。

高異直到最後出場，此時勞端和戴羽才知，他是玄燁（康熙）的武術師父，個人情感超越並替代了民族立場，所以他和蘇圖一起與反清的吳三桂作對。最後，他盡力而為卻歸於失敗，向友人勞端和戴羽表達了自己沒有說出真實身分的歉意，可見他在內心深處是把這兩個人都當作自己的朋友，然後自殺身亡，如厲俊所說，不管立場如何，此人都算得上是一個大英雄。勞端也說，無論生前怎樣，在他死後，仍然是勞端的好友。這一特殊的人物形象，給人留下了十分深刻的印象。

本書的不足之處也很明顯。

一是，書中的一些故事情節經不住仔細推敲。例一，梁惠民邀請大內侍衛在盧溝橋上圍攻屈春華，冷鳳出現，幫助屈春華，殺了梁惠民。問題是，冷鳳為什麼要幫助屈春華？也許有人說，冷鳳本身就是一個善良的人，雖然殺氣很重，但也會幫助那些陷入困境的人，她不僅幫助了屈春華，後來也幫助過孟中——她並不知道孟中是誰，只看到孟中被多人圍攻，負傷較重，就不假思索地幫助他——這一理由是成立的。

進一步的問題是，冷鳳為什麼半夜三更出現在盧溝橋上？如果沒有特別的原因，誰會半夜三更跑到盧溝橋上去呢？作者對此沒作任何說明，顯然是一個失誤，或者是說冷鳳住在盧溝橋附近的客棧裡，半夜被打鬥聲吵醒，從而來到盧溝橋；或者是冷鳳此前見過屈春華，對屈春華有好感，且聽到梁惠民要找屈春華的麻煩，從而悄悄來到盧溝橋。只要說明原因，這段情節才算圓滿，否則，就只能看作是作者對人物招之即來、來之能戰，缺乏說服力。

例二，梁惠民、胡惠玉夫婦為什麼要帶師兄弟來北方找屈春華的麻煩？梁惠民說他是前來「清理門戶」，當真有正當理由嗎？從書中交代的屈春華生活前史看，屈春華（即當年的屈惠敏）當年並沒有違背師門規範，是被梁惠民冤枉陷害的，導致無辜的屈惠敏被師父胡遠舉逐出師門。既然被逐出了師門，從此也就與師門沒有關係，而屈春華也沒有做任何對原來的師門不利或有害的事，那麼梁惠民有什麼理由要專門率人長途跋涉來北方清理門戶呢？

實際上，屈惠敏當年被逐出師門，小說中所交代的線索就很模糊，理由更不充分。按照現有的故事情節看，梁惠民的行為就顯得主觀隨意，近乎荒唐了。除非出現一種情況，即梁惠民愛胡惠玉，而胡惠玉喜歡屈惠敏，師父胡遠舉也不希望女兒嫁給屈惠敏，從而與梁惠民合謀將屈惠敏逐出師門，斷絕胡惠玉的念想。進而，胡惠玉在與梁惠民成親後，心裡對屈惠敏仍然有情，以至於梁惠民在嫉妒心的驅動下，率師兄弟來找屈惠敏即屈春華的麻煩。只不過，若是如此，胡惠玉的情感態度就要重新寫過。

例三，屈春華和戴春花到昆明見過吳三桂後，很快被胡國柱下屬誘騙到胡氏別墅，並被關在胡國柱的堡壘監房中。這一情節本身沒有問題，有問題的是，他們明明很快就弄壞了窗柱，隨時可以逃出，但他們倆卻並沒有及時逃出，而是等了很長時間，為什麼？即：為什麼一直沒有逃出，直到吳三桂起兵、戴羽和厲俊來才逃出？從欽差大臣折爾肯、傅達禮來到昆明，到吳三桂正式起兵，期間有數月時間。就算小說的時間表不按歷史的時間表走，吳三桂祭奠永曆皇帝陵到他正式宣布起兵，總也有數日時間吧？為什麼屈春華和戴春花不及時逃出呢？

原因其實很簡單，是作者的敘事需要，即在交代了吳三桂造反這件大事之後，才有時間和精力來處理戴羽找女兒這件事，此時讓屈春華和戴春花逃獄才合適。進一步的原因是，若屈春華和戴春花提前逃出，勢必引起對胡國柱的控告或報復，那會引起不必要的枝節問題，所以作者就只能讓這兩個人在牢獄裡多待些日之。

若作進一步思索推理，胡國柱誘騙屈春華和戴春花這一情節，本身就有問題。作者要把胡國柱刻畫成貪淫好色之徒，見到美女就想霸佔，卻沒有想到，假如他僅僅是一個草包淫棍如何能獲得吳三桂的歡心（**雖然吳三桂也曾衝冠一怒為紅顏**）？尤其是吳三桂面臨起兵大事，而他又知道吳三桂剛剛見過屈春華和戴春花，且對這兩個人很有好感，希望網羅這兩個人為他效力，他也知道戴春花武功不俗、脾氣很大，在這樣的情形之下，胡國柱還會誘捕屈春華和戴春花嗎？

例四，屈春華曾答應東主于振威擔任振威鏢局的副總鏢頭，接受了他的聘書，且支取了一年的薪水，答應少則三個月、多則六個月就會正式上任。但後來，屈春華或作者似乎把這件事忘了，屈春華去雲南數月，又隨馬寶從雲南運送餉銀到湖南數月，然後還要回到襄陽結婚，什麼時候去北京鏢局報到上任？為國辦事固然值得讚揚，結婚也是人生大事，可是言而有信的職業倫理卻也不可輕視、更不可忽視，尤其是對現代人而言，這一份合同若不履行，會影響屈春華的形象價值。

二是，小說中人物的情感描寫和性格及心理刻畫不足。例一，是對女主人公冷鳳的情感態度描寫不足，冷鳳是什麼時候愛上屈春華的？她對屈春華的愛情有多深？她如何處置屈春華與戴春花的情感關係？對此，書中都沒有明確敘述或說明，只是用暗示法，即從戴羽的眼裡看出冷鳳對屈春華的愛情；接著從戴春花的妒火、言辭中看出冷鳳對屈春華的愛情。實際上，書中竟沒有任何一筆提及冷鳳本人的情感態度。

冷鳳與屈春華的婚事，其實是戴羽、戴春花父女一手安排的，戴羽認冷鳳為義女，而戴春花主動為冷鳳做媒，主動說冷鳳將會嫁給屈春華，甚至也沒有徵求屈春華的意見。如此一來，所謂「霹靂雙姝」是否真正成立？就成了一個重大疑問。因為書中的冷鳳這一角色，實在缺乏主動性，更缺乏「霹靂性」，除了她在皇宮盜寶留下自己的姓名字號之外，此人就像是個影子，而不像是一個真實的人物。作為小說的女二號，作者對此人物的刻畫顯然算不上成功。

例二，不僅冷鳳的形象刻畫不成功，主人公屈春華的個性刻畫其實也算不上成功。實際上，書中對屈春華的內心世界、情感態度也沒有做真正有說服力的敘述、描寫、刻畫。他是因為受師妹戴春花的語言傷害而離家出走的，他愛戴春花嗎？他知道戴春花愛他嗎？如果答案為「是」，那麼他有能力消化戴春花隨時隨地都會傷人的「霹靂言語彈」嗎？他的自尊心受得了嗎？他想維護自己的自尊嗎？他有自己的自尊嗎？

在書中，他曾對戴春花說自己願意一生都與她在一起，這是真話嗎？有一個反證，那就是他曾說自己對冷鳳不敢有非分之想，這看起來是真話，但實際上卻又接受戴羽、戴春花的安排，將娶冷鳳（為妻還是為妾？）在這部書中，我們看不到屈春華有什麼主體性。他似乎像那些沒有個性的古代男子一樣，將婚姻與情感大事都交由長輩去安排，在小說中，這樣的人物可謂煞風景。而作為小說的頭號主人公，則更是有些不稱職。具體原因，或許是因為作者不善於寫愛情，甚或是因為作者不懂得愛情。

《烈火旗》

《烈火旗》是一個中篇小說，發表在《武俠與歷史》第四四九期（一九六九年八月十五日出刊）。

《烈火旗》講述一個倫理悲劇故事：女俠萬里飛虹狄綠華武功超群，多年來一直尋找自己失蹤的弟弟狄翼峰（弟弟為何失蹤，書中沒有解釋），與弟弟──改名高振飛──多次相遇卻不知道是自己的弟弟，狄翼峰似乎也不知道自己還有個姐姐；在殺死了弟弟之後才知道這人就是自己的弟弟，姐弟兩人先後亡故。

從這一核心情節看，這個故事是個倫理悲劇故事，亦即命運悲劇故事。姐弟倆非但相逢不相識，而且相互對敵，相互傷害，等到真相大白時已無法改變死亡的結局。如果要繼續探討，那就要涉及這兩個人物的性格，尤其是弟弟高振飛即狄翼峰的性格：此人肯定是從小流落江湖，養成了自私自利的習慣，但他又有極強的欲望和極大的野心，類似梟雄一類。所以，在與狄綠華第一次遭遇中，他看狄綠華美貌，就下藥迷倒對方，試圖猥褻玷污狄綠華。也正因如此，才有小說開頭的一幕，即狄綠華將他困在樹林中四日四夜，幾乎餓死。

烈火旗主吳昭然出於俠義心腸，要拯救這個受難的青年，不僅要求狄綠華放過他，還將他帶到神手徐彬家裡，幫他治療，讓他拜師學藝。高振飛只有勃勃野心，而沒有任何倫理觀念和道德感，金神教主金海殺死了師父徐彬全家，高振飛非但不為師父兼恩人徐彬報仇，反而投向金海的懷抱中，成為金海的弟子。進而，在狄綠華攻入金海家，將金海打傷，他又一次背叛了師父金海。

他射向金海的五枚毒針也許並不是讓金海致命的原因，但這一行為本身已經說明此人全無倫理觀和道德感。高振飛發射毒針的真正原因，並不是要為徐彬報仇，而是要設法成為烈火旗主吳玉霞的丈夫——吳玉霞曾公開發誓，誰殺了她的殺父仇人金海她就嫁給誰，並且會將烈火旗傳給對方（**未嫁傳弟，已嫁傳夫**）。同理，他下令改變金神教規條，即禁止淫亂，也不是出自道德感和俠義心，而是要利用這一做法收買人心，讓自己成為武林中的成功人物。進而，他為了實現自己的目標，居然陷害吳玉霞和吳儀姐弟，讓他們陷入亂倫困局之中，這就更進一步表明此人的梟獍之心。

書中，高振飛與其忠心下屬丁萬的對話，讓高振飛的狼子野心暴露無遺。總之，高振飛是一個徹頭徹尾的壞蛋——這個壞蛋當然是環境和命運的產物，假如他不是離開父母或姐姐，他的個性和心理、行為肯定會與現在有所區別——可謂死有餘辜。

值得注意的是，高振飛並不是在做壞事的時候被殺，而是他人性覺醒、情感復蘇、決心追尋姐姐的時候被殺，而且還是被自己的姐姐親手所殺。這就帶來兩個問題，一是如高振飛本人所說，在他決心改邪歸正時反而沒有人認同；這是對他所處的江湖環境即人類社會的一種控訴（**莫非作者張夢還本人也有類似的經歷和感觸？**）二是，狄綠華親手殺害自己的弟弟（**用的是弟弟的毒暗器**），是否也發人深思呢？狄綠華一直在尋找弟弟，但一直對高振飛的罪惡行為看在眼裡，記在心裡，最終殺害弟弟，可以說是一種必然，然而這種必然中顯露了命運的殘酷，是否也顯露了狄綠華過於自信乃至盲目？這才是本書中值得深思的問題。

本書具有可讀性，作為一個中篇故事，其傳奇性讓人印象深刻。書中倫理悲劇讓人震撼，而狄綠華、高振飛的個性也形象生動且有寓言價值。

小說的不足之處，是開頭所寫有關烈火旗與金神教情節過於簡單乃至隨意。例如金神教主金海、金山兄弟殺人和被殺，都顯得過於簡單：他們殺死吳昭然、殺徐彬全家、殺馬雲、殺雲南獅林觀青陽道長都太容易了；而他們被狄綠華、吳儀殺害，也同樣過於容易，以至於讓人難以置信，金神教有教徒上萬，而金海的老巢中卻沒有高手護衛，這本身就是一個不小的漏洞。

直到小說的後半段，即狄綠華與吳儀前往玉門關外，至狄綠華親手殺死弟弟高振飛（狄翼峰），才能看出，這部小說的真正核心情節並非烈火旗與金神教的衝突，而是狄綠華姐弟的命運悲劇。所以，前面有關烈火旗與金神教的衝突就只能作簡單化處理，以至於金神教總護法李輝率眾背叛高振飛的情節甚至沒有正面書寫，而只是由丁萬簡單交代一句話了事。高振飛似乎也沒有想要奪回教主之位（**書中說明了他不那樣做的理由，但這一理由只是一種說法，並不見得符合江湖人物的行為邏輯**）。

《龍門京華》

《龍門京華》是在《武俠與歷史》雜誌第四五〇、四五一、四五二、四五三期（**一九六九年八月廿二日、廿九日、九月五日、十二日出刊**）。

《龍門京華》這一書名看起來很像梁羽生的處女作《龍虎鬥京華》，但張夢還的這部作品名副其實，是田興的八個兒子——八條龍——在京城發起復仇戰鬥。

本書的背景是，田興是朱元璋的結義兄弟，也是江湖領袖，他的八個兒子個個武功高強，在武林中具有崇高地位和極大的號召力。朱元璋害怕他造反，便強迫他入京，並將他殺害。八龍為報殺父之仇，分別化名進入大內侍衛、錦衣衛、燕王府、藍玉麾下，他們的復仇目標並不是刺殺朱元璋，而是要讓朱元璋的江山不穩定，失去正宗的繼承人，讓朱元璋痛苦不安。本書借用了藍玉將軍叛亂、太子朱標早逝等歷史事實，說藍玉叛亂是田家子弟挑起，說朱標是被田飛龍所殺。將武俠傳奇與歷史事實作緊密縫合，故事情節緊張刺激，高潮迭起。

小說開頭寫張翼將軍奉命敦請田興入京，田興審時度勢，知道不能不去，因而辭別宗廟，遣散家人，隻身前往京師赴難，這段敘述古風撲面，十分精彩。

繼而講述田興八子田飛龍找飛賊丁沖借劍、借名，殺丁沖、莫成而化名丁沖混入藍玉身邊，也傳奇性十足，故事情節十分精彩。

繼而寫朱元璋誅殺功臣，一日之內殺了八個侯爵，讓朝臣們惶恐不安，在這一背景下，田飛龍兄弟策化戰功卓著的藍玉將軍造反，顯得相當可信（**歷史上的藍玉將軍確實是造反了，或者說是被朱元璋所逼迫而不得不自衛造反**）。

小說中虛構了大內侍衛王開山的獨生女兒王萍夜入皇宮，向朱元璋獻策，在大內侍衛和錦衣衛之上設立一位總管，協調統一行動，朱元璋任命王萍為總管，這一傳奇寫法也很傳奇。總之，這部小說的可讀性是第一流的。

《龍門京華》這部小說當然也有弱點。弱點之一，是從田興被害到八龍進京的時間交代得不夠清楚，田家八龍如何成為大內首席侍衛、錦衣衛骨幹分子、藍玉將軍的首席護衛、燕王朱棣的心腹謀臣？書中也沒有任何說明，實際上，這正是小說的疑點或弱點之一，要想謀得這樣的職位，很可能需要多年時間，且需要特殊的運氣才有可能，尤其是大內侍衛領班這樣的職務，肯定要經過嚴格審查且要有人作保，才能夠如願獲得。

其次，八龍化名進入京城，怎麼可能沒有人認出他們的真實身分？不說別的，就說張翼（此人是藍玉的心腹，後被任命為親兵提督），他曾到過田家，見過田氏兄弟多人，為何他沒有認出田家八龍？進而，田家八龍是同胞兄弟（他們都是田興的兒子，是否同母？書中沒說），長相當有幾分相似，他們在一起的時候，竟然沒有引起錦衣衛的注意，這也令人難以置信。顯然是作者故意忽略這一點，書中卻又沒有寫他們是化名且易容，因而是一個不小的問題。

再次，書中對王萍的設計很有意思，但王萍卻沒有成為田家八龍的真正敵手，部分是因為作者對王萍的敘述不多，部分是因為作者對田家八龍的核心人物沒有作必要的突出書寫，到底是老大田金龍為核心？還是以老三田玉龍為核心？或是以老八田飛龍為核心？作者似乎沒有注意到這一點，這也是問題。

《盜卷宗》

《盜卷宗》載《武俠與歷史》第四六一期（一九六九年十一月七日出刊）。

本故事似乎緊接《龍門京華》，繼續說藍玉叛變當日事，從花雲之子花玉從平叛前線回到皇宮開始敘述，馬力（田玉龍）、王開山、王萍等人也出現在書中，與《龍門京華》的身分相同，而故事也與《龍門京華》相互銜接。

《盜卷宗》的故事解釋了藍玉反叛失敗後田氏兄弟為什麼不及時離開，還要繼續留在京城的原因：藍玉失敗了，朱元璋的江山仍然穩固，田家兄弟報仇還不到位。所以，他們要實施復仇B方案：即策動燕王朱棣發動政變，不讓朱元璋的嫡系子孫繼續當皇帝。燕王朱棣的母親朝鮮妃被朱元璋的正妻馬皇后迫害致死，田氏兄弟要找到皇家檔案作為確切證據，這樣才能讓朱棣堅定政變的決心。所以，他們必須繼續留在京城，找到那份皇家檔案。

《盜卷宗》的故事情節十分緊張，作者在武俠小說加歷史小說的情節中，又加入了偵探小說元素，本故事的主要情節，是兼管大內侍衛和錦衣衛的王萍偵察田氏兄弟的真實身分並抓捕他們。由於丁沖即田飛龍被王萍識破（有賴於王萍的父親王開山的偵查），王萍推理出田氏兄弟中還有多人在京師，且隱藏在大內、錦衣衛、藍玉府等重要崗位，於是展開進一步偵查，終於找到老大田金龍（金定一）、老二田墨龍（朱林）、老四田起龍（胡義）身分的蛛絲馬跡，且抓捕了他們。

本篇故事的另一個看點，是王萍形象。她的真實身分並非一般人，而是曾與朱元璋爭奪天下的方國珍的侄女方玉芳。這就讓《龍門京華》中王萍為何進入皇宮、如何會有如此驚人的才智和洞察力，如何會對田氏兄弟等人如此熟悉等疑問做出解釋。她是有心算無心，方玉芳也是一個復仇者——朱元璋濫殺無數，有再多的復仇者也不稀奇——既要找朱元璋報仇，也要找田家兄弟報仇（因為田興當年並沒有拯救親戚方國珍，而讓方國珍兵敗身亡，讓方家後人留下巨大遺恨）。作為復仇者，王萍的武功不低，但也算不上絕世高手，為了報仇，她必須在才智上勝人一籌。在小說中，王萍／方玉芳的才智形象也確實如此，其才智有可信度。

王萍為什麼要對田家兄弟如此痛恨？有兩點原因，一是她要借此讓朱元璋更加信任她、重視她，從而有利於她復仇；二是，在朱元璋、田興兩大仇人中，她之所以更恨田興，恰恰因為田興是她的親戚——親戚見死不救，豈不是更可恨？

王萍／方玉芳突然終止對田家兄弟的抓捕和屠殺，也是書中的一大看點。這是因為馬力即田玉龍，此人心地善良，作風正派，同僚乃至競爭對手對他的印象都很好。王萍／方玉芳揭破他的身分，田玉龍既沒有否認，也沒有對抗，而是毅然自殺身亡，這對王萍／方玉芳是個極大的衝擊，畢竟，他是她表哥（書中還曾透露，王萍／方玉芳對田飛龍／丁沖頗有好感，甚至有些情不自禁）。田家表哥雖然是她的仇人，但畢竟是親戚，更是復仇的同道（他們有共同仇人朱元璋）。所以，在田玉龍自殺那一刻，王萍／方玉芳受到極大的心理衝擊，毅然改變了做法，對馬力／田玉龍公開表白了自己的身分，並且做出了不再追捕田家兄弟的決定，且將她找到的有關燕王母親死亡檔案卷宗交給了丁沖／田飛龍等人。

這個故事還沒有結束，因為燕王朱棣還會在朱元璋死後發動靖難之變。這是歷史事實，作者也正是要借用這一歷史事實講述田家兄弟復仇故事。

《龍泉夜店》

《龍泉夜店》發表在《武俠與歷史》雜誌第四五四期（一九六九年九月十九日出刊）。這篇作品很可能受了胡金銓電影《龍門客棧》的影響，即在一個封閉空間內有多種勢力存在，這些人個個神神秘秘、莫測高深卻又針鋒相對，氛圍十分緊張。作者為本書取名《龍泉夜店》而不取《龍泉客棧》之名，恰恰暴露了它受《龍門客棧》的影響，作者要故意避嫌。當然，《龍泉夜店》之名，讓人想到香豔場所。

這個故事絲毫也不香豔，只有血腥。簡單說，在龍泉客棧中，除了欽差許梅生本人及其好友季玉，其餘所有人幾乎全都是要刺殺許梅生的人，包括跟隨許梅生南下的多數人，包括暗中「護衛」許梅生的大內侍衛，也包括主人公夏吟秋這樣「偶然」在此相遇的人，全都是要殺許梅生的人。這些人之所以要殺許梅生，是因為許梅生南下的目的是要調查嚴嵩、嚴世蕃父子「謀反案」，刺殺欽差的幕後主使人，全都是嚴嵩父子的政敵，包括大臣徐階、太監喬承澤、國師藍道行。

小說的與眾不同點之一，是這些人之所以要刺殺欽差許梅生，不是因為許梅生對他們不利或在探案過程中弄虛作假，而恰恰是因為許梅生不願弄虛作假，嚴嵩父子雖然罪行累累，但卻沒有「謀反」的確切證據。刺客主使人之所以要刺殺許梅生，則正是本故事與眾不同點之二，即壞人的對頭不見得是好人。大臣徐階、國師藍道行、太監喬承澤都是嚴嵩的政敵，嚴嵩專權時固然壞事做盡，而他的這批政敵卻並不比嚴嵩好到哪裡去——書中秋雷對此有透澈分析和議論——他們派人來刺殺秉公辦事的欽差許梅生就是最好的證據。

本故事最大看點，也是故事中最大變數，是主人公夏吟秋。原本以為他是單純的旁觀者和見證人，沒想到他也是奉命來刺殺許梅生的刺客之一，只不過與其他人來由不同，且有其自主性。進而，在探明許梅生的為人之後，夏吟秋從刺客變成了保鏢，幫助季玉挫敗第一、第二起刺殺行動。

進而，藍道行最終認出，這個夏吟秋其實並非真正的夏吟秋，而是夏吟秋的妹妹夏凝秋——她是個女子。這就解釋了她幫助季玉挫敗刺殺欽差行動，很可能不僅是因為許梅生為人正派、做事公道，而是因為她對許梅生的友人兼保鏢季玉有好感。如果說敬佩許梅生是夏凝秋改變立場，即從刺客變成保鏢的必要條件，喜歡季玉則是她改變立場的充分條件。更重要的是，她的身分獨立，有自己獨立判斷和自主選擇的空間和能力，不像其他刺客完全身不由己，基本上是打手，上司叫他們殺誰就殺誰，沒有自主選擇的權力，他們似乎也沒想到要做自主判斷和選擇。

讓人遺憾的是，正派的欽差大臣許梅生最終還是死了。雖然武功超群的夏凝秋從刺客變成保鏢，但夏凝秋畢竟是人而不是神，她能擋住十一人，卻無法擋住第十二人，她想不到太監刺客朱玉山竟然乘下跪時刺殺欽差。從這一點看，欽差之死並非沒有理由。但從讀者的閱讀心理說，這一結局讓人遺憾。

《飄香山莊》

本篇發表於《武俠與歷史》第四六三期（一九六九年十一月廿一日出刊）。

《飄香山莊》的故事情節緊張、神秘而且刺激。天桂幫三十年前被官府剿滅，幫主桂名揚將幫中財富交給丹桂堂、飄香堂兩位堂主保管，希望在三十年後重建天桂幫。三十年後，丹桂堂主孟士元的後人孟仁孝來找飄香堂主的後人苗秀春商討重建天桂幫，過程曲折離奇，結果讓人目瞪口呆。

所以如此，是因為本故事中塑造了兩個重要人物形象，一是丹桂堂的繼承人孟仁孝。由於丹桂堂前任堂主孟士元終生未娶，可以肯定孟仁孝不是孟士元的兒子，他到底是什麼人？是不是孟士元的侄子？書中未作詳細說明。此人是野心家兼陰謀家，說他是野心家，原因是他肯定使用了不正當手段將天桂幫幫主的信物弄到手，並且要借此來侵吞飄香堂的財富。

說他是陰謀家，則是因為他並不是按照正常程序和路徑來找苗秀春商討重建天桂幫之事，而是先劫鏢立威，後贈銀賄賂，且將飄香山莊及玉桂堂中的情況調查得一清二楚，讓苗秀春不能不上鉤。但採取如此之多的不正當手段，也讓苗秀春和文豔很快識破他的真相和圖謀。

孟仁孝算不上是真正的梟雄，原因是他好色而且迫不及待，與苗秀春的繼母焦玉娥第一次見面就姦污了她，導致苗秀春等人破釜沉舟、拼命反擊。好色是人之本能，迫不及待也不稀奇，問題是孟仁孝迫不及待的原因並不是時不我待，而是自我膨脹，覺得苗秀春既然簽訂了城下之盟，他就可以為所欲為。這樣的人，實在算不上是一個真正的梟雄，更像是得過且過的街頭混混，小人得志。落入這樣的惡霸手下，苗秀春及飄香山莊人的屈辱可想而知。

書中刻畫的第二個重要人物形象，是苗秀春的表妹兼未婚妻文豔，這是一個十八九歲的姑娘，武功不見得有多高（在書中她從未與人動手），但心智和見識卻顯然高人一等。作者說，這是因為她從小喜歡看雜書，因而知識和見識都與眾不同，與當時的婦女相比就更顯得出類拔萃。

苗秀春雖然是飄香山莊的主人，而文豔卻稱得上是飄香山莊真正的主心骨。因為她身分特殊，不僅是苗秀春的表妹，且還是苗秀春的未婚妻，即飄香山莊未來的少夫人，所以她也不客氣，從一開始就參與了飄香山莊暨玉桂堂鏢局的最高決策會議，大膽出謀劃策。她也的確有超人的洞察力、冷靜的頭腦以及過人的心計，不可戰勝的韋紅就死於她的策劃安排；以為十拿九穩的孟仁孝結果滿盤皆輸，飄香山莊反敗為勝，正因她的策劃指揮。與文豔相比，飄香山莊少主苗秀春、玉桂堂鏢局總鏢頭白峴等人都相形見絀。

張夢還喜歡寫聰明智慧的女性形象，《青靈八女俠》及《玉手補金甌》中的薛絳樹，《龍門京華》及《盜卷宗》裡的王萍／方玉芳，《龍泉夜店》中女扮男裝的夏凝秋都是讓男性望塵莫及的女性形象。

是不是因為張夢還遇到了女作家？待考。

《廠衛》

《廠衛》發表於《武俠與歷史》第四七一期（一九七〇年一月十六日出刊）。

《廠衛》的故事情節神秘而曲折，懸念不斷而環環相扣，具有吸引力。

小說的主要看點，是將武俠小說與偵探小說結合起來，張錦侯爺突然被殺於家中，成為驚動皇帝的大案，所以沐恩、周硯及大內侍衛前來查案。

小說的另一看點，是大太監魏忠賢派出東廠副提刑使胡大全，不僅殺了張錦，而且殺了張錦全家，並冒充張錦府的總管，肆無忌憚，為所欲為，這就將武俠故事、偵探故事和政治歷史故事結合在一起。誰都知道太監九千歲魏忠賢深得皇帝專寵，權勢熏天，凡是他要插手之事，任何人想揭露真相都會是死路一條。

小說的第三個看點，是狀元出身的江南巡案周硯雖是文弱書生，且知道魏忠賢根本惹不起，但在關鍵時刻還是挺身而出，顯現出「士」的弘毅精神骨骼。此舉感動了沐恩，也感動了大內侍衛徐彪、林南，使得這幾個人決心以卵擊石，追究真相而不問利害得失，甚至不惜犧牲自己。這一場景，讓人熱血賁張。

小說的第四個看點，是大內一等侍衛徐彪、三等侍衛林南（書中開始時林南自我介紹是三等侍衛，後來作者又說他是二等侍衛）。徐彪出場時，官氣十足，教訓成都知府如對小孩，可見大內侍衛的囂張氣焰，令人側目。但隨著故事情節的發展，此人的另一面卻慢慢展現出來，此人雖頭腦簡單，但卻具有熱血與鐵骨，勇敢無畏，對魏忠賢及其東廠、西廠、錦衣衛沒有絲毫好感，因而在最關鍵時刻挺身而出，站在巡案周硯身後，成為他的同道支持者。林南的品級比徐彪要低，因而出場時並不顯山露水，但此人心計深沉，機智而有謀略，最後正是他設計讓東廠和西廠、白蓮教相互殘殺，用非正規手段除暴安良。

書中黔國公沐恩形象，俠士李青形象也都很正面，沐恩對政治的深刻理解和把握，並沒有讓他畏首畏尾；李青熟悉江湖人和事，在關鍵時刻也沒有只顧自身安危，而是自始至終都站在好友周硯身邊，和大內侍衛、沐王府一起贏得這場較量，用特殊形式伸張了正義。

◆牟松庭小說述評◆

——牟松庭，原名邵元成（一九一八—一九九七），字慎之。江蘇常熟人。一九五〇年到香港《文匯報》工作，擔任主筆。一九五二年開始武俠小說創作。——

《山東響馬傳》

《山東響馬傳》並非山東響馬攔路搶劫的故事集錦，也不是一般性劫富濟貧的俠客奇聞，而是寫一批身在綠林、心繫洪門的響馬好漢，對抗官府、反清復明的英雄傳奇。小說主題鮮明，情節曲折，人物眾多，細節豐富，堪稱佳作。

小說開頭，簡單扼要地交代了響馬的由來和規矩，山東響馬共分五路，五路各有盟主，東路盟主神彈子伍天雄，南路盟主黑流星于振魁，西路盟主陰司秀才鄒清毅，北路盟主小孟嘗牟少川，中路盟主穿山虎金應泰。接著寫一年一度的山東綠林泰山比武大會，由此展開山東響馬的傳奇畫卷。公開比武向來是武林盛事，綠林人公開比武則是奇聞，能極大地吸引讀者的注意力；更重要的目的，是讓小說的主要人物如伍天雄、金應泰、鄒清毅、牟少川、于振魁等人亮相並聚義。

在比武開始之前，穿插一段響馬劫鏢故事。中路盟主青山卸石寨寨主金應泰，劫奪濟南魏家老鏢局的鏢，卻又被紫荊山陳長發、趙桂英夫婦攔阻，遂決定合夥。這段故事看似尋常，卻是一舉多得。諸如：這是響馬劫鏢的實戰，讓讀者開眼；進而通過魏家老鏢局主魏定方及其孫魏念椿找南路盟主于振魁（他們有親戚關係）謀求解決，表現鏢局與響馬間對立又共生的關係，同時也讓魏家祖孫登場，他們也是本書的重要人物；進而細敘響馬規矩，如響馬不得越界作案，在比武期間不得劫鏢，金應泰的行為違犯了這兩條，此事如何了結？就留下了懸念；進而通過劫鏢與尋鏢的敘述，讓泰山比武開場及低級別比武作暗場處理，節省篇幅。最後，這段故事的更大妙用，是為本書主人公單雨雲正式登場亮相造勢。

單雨雲其實早已出現在故事中，只不過讀者及書中人物都不知道他是何許人也。直到比武大會上，西路盟主鄒清毅的弟子方人傑在與德州鮑天來的比武中違規施放暗器，鄒清毅非但不責罰弟子，反而說伍天雄判罰不公，以至於伍天雄不得不與鄒清毅較量。在兩路盟主的比武過程中，方人傑再次施放暗器，破壞規矩，被單雨雲抓個正著，避免東、西兩路盟主結仇及大規模廝打流血。

單雨雲亮相，可謂一鳴驚人，此後還有更加驚人之舉，即是將破壞綠林規矩的金應泰和陳長發夫婦抓了，提交給綠林大會審判。如此一來，單雨雲維護公正、團結綠林的行為，就給人留下極為深刻的印象。加之單雨雲乃是伍天雄早年結義兄弟，且是玄明大師的高足，雖非綠林響馬，卻被響馬敬重，成了聚義英雄隊伍裡的重要一員。

單雨雲的故事還在繼續，接下來是由二時遷楊繩祖提供消息，群雄劫取泰安州十幾萬稅銀。如何劫取稅銀？群雄的想法是要靠硬實力豪奪，單雨雲卻別出心裁，設計巧取，結果兵不血刃就取得了稅銀。這段故事，頗似《水滸傳》中的「智取生辰綱」。所不同者，巧取的過程並未實寫，因而顯得更加神秘。這段故事的主要目的，固然是為劫奪稅銀，為群雄舉事積累資金，同時也讓單雨雲形象更加深入人心，不但武藝精湛，而且足智多謀。他的重要性也再次升級。

此後即大破青雲寺故事。劫奪稅銀後，單雨雲發現附近有人影晃動，疑心為奸細，追蹤至青雲寺並身陷其中，發現這是一處藏汙納垢的淫窟，且寺主與清廷官府有密切聯繫。脫身後，即率人破寺，消滅淫僧。這段故事頗似文康《兒女英雄傳》中何玉鳳大破能仁寺，所不同者，單雨雲嫉惡如仇，且直接與清軍洋槍隊對抗。另一個不同的結果，是被拯救的廣東商人陳兆倫隨後投身反清大業中。

接下來是拯救伍天雄故事。由於群雄劫奪稅銀、在青雲寺擊潰清軍洋槍隊，泰安州知州下令抓了伍天雄。為拯救伍天雄，單雨雲不但身先士卒，出生入死，且率領群雄大鬧泰安州，迫使泰安官員棄城而逃。此一役，不僅標誌著聚義群雄公開反抗清廷官府，正式建立紫荊山根據地，也確立了單雨雲作為領導者的地位。

單雨雲形象並非作者首創。俠盜單雨雲的故事早在民間流傳，晚清廣東名報人陳聽香編撰粵劇《山東響馬》，即以單雨雲為主人公，其中有一段故事，正是單雨雲大破長明寺、搭救廣東商人黃兆倫。一九二七年，單雨雲的名字又出現在中國電影銀幕上，友聯影片公司出品、徐碧波分幕（編劇）、錢雪帆和葉仁甫導演的影片《山東響馬》（又名《俠盜單雨雲》），內容與粵劇近似。《山東響馬傳》中的單雨雲，可謂《山東響馬》的升級版，單雨雲由一個普通的俠盜響馬，變身為以山東響馬為班底的抗清組織的軍事和政治領袖。

確立全書主題，奠定單雨雲核心地位之後，作者筆鋒一轉，開始描繪更為廣闊的山東響馬畫卷。其後是臨清州故事、東平湖水寨故事、濟州反清鄉故事、大鬧濟南府故事、青州故事、登州故事、蓬萊寨抗清兵故事、日照故事、沂水故事、莒州故事、膠州故事，最後是紫荊山抗擊清兵故事。從故事的發生地點足可看出，這部作品的視野遍及山東各地。

這些故事的主角，並非全都是單雨雲，例如臨清州故事的前半部，主角是單雨雲的發小曲魁明、曲魁照兄弟；東平湖水寨故事，主角是于振魁；蓬萊寨故事，主角自然是寨主伍天雄；日照故事的主角，是從江蘇海州來的蔡標和陶林林，以及從蒙古歸綏來的孫五房，而紫荊山的實際領袖一直是小孟嘗牟少川。

這些故事的情節內容，也並非全都是響馬與清朝官府間的直接衝突，而是由更為複雜的矛盾線索組成。例如臨清故事的前半部分，是曲氏兄弟與黃家莊的衝突，黃氏兄弟是紅槍會主常金坤的弟子，因此引發洪門／安清幫與紅槍會的衝突。紅槍會主本是洪門中人，卻背離洪門，投靠清廷，讓紅槍會變成了欺壓良善、助紂為虐的武裝。臨清故事的後半部分，則是單雨雲等與臨清「四毒黨」之間的衝突。

所謂「四毒黨」，是指崔雍如、王省齋等四個包稅攬訟的惡勢力代表。響馬英雄不僅與官府對抗，也保持俠義本色，鋤奸除霸，打擊地方惡勢力。東平湖水寨故事，則是除霸故事、復仇故事、黑吃黑故事錯綜交雜。小說所寫，涉及官府、市井、綠林、江湖等多個空間及其邊緣或交叉地帶，其內容線索複雜萬狀。

這些故事的結構，並非同一主人公的單線串珠，亦非不同人物和故事的簡單羅列，而是通過正反兩面人物編織成一個網狀整體。主人公單雨雲出現在多個故事中，自不必說。臨清故事的線索，是由泰安州快班卯首謝忠發牽出，而臨清碼頭的曲氏兄弟，則早在介紹單雨雲時已經提及。早為大家熟悉的南路盟主于振魁，出現在東平湖水寨故事中。書中的反面人物，如泰安州的孫鐵臂、青雲寺的了覺和尚、鄒清毅的弟子方人傑、跛腳道人朱亮等等，都出現在多個故事中。如此這般，由熟人牽線搭橋，進入新地點、新故事，讀者不會感到陌生。小說開頭，泰山比武已經介紹了五路盟主及其他重要人物；小說結尾，通過各路英雄馳援紫荊山的線索，各地英雄人物再度聚集一堂，首尾相顧，即構成可想像的整體。

書中人物眾多，作者雖不以刻畫人物性格為目標，但在講述故事的過程中，卻也注意分辨人物身分與個性的不同。首先，並非所有的山東響馬或洪門人物都是英雄好漢，這一點，在小說開頭即已明確，參與泰山比武的方人傑就以不正當手段爭勝，反映其品行不端，最終投降清廷做了鷹犬，是必然結局。

再如紅槍會主常金坤，是非不分，助紂為虐。日照祁開勝在洪門中地位不低，為人卻品格低下，自恃武功趾高氣揚，為非作歹惡霸一方。其次，與之相對應的是，官府人物，也不是千人一面，泰安知州張益望瞞頊，山東巡撫張曜機靈而膽小；臨清知州裕祿係八旗子弟，目高於頂牛氣哄哄；青州知州岳裕國卻有意結交綠林，試圖化綠林豪傑為國家棟樑，迂腐中不失中正善良，最終被群雄騙上了紫荊山。

再次，江湖敗類也各有面目。孫鐵臂混吃混喝，脫不了賣大力丸者本色，不知天高地厚；了覺投靠官府，一心為師弟了凡報仇，卻也有其人生目標；朱亮野心勃勃，企圖在山東揚名立萬，心思歹毒，不擇手段。最後，在正面人物之中，頗多李逵式人物，但金應泰、趙板斧、鄧達等人的莽撞程度，畢竟有段位高低之分。

《山東響馬傳》寫得出色，不僅因其情節曲折而故事精彩，且因其細節豐實且生動鮮活。山東響馬多有會黨背景，多為洪門弟子，以及清幫中人物。在寫作此書之前，作者對此顯然做過扎實功課，對洪門歷史及其規範風俗十分瞭解，因此在書中多次寫到有關內容和細節，無不真切詳實，而非面壁虛構。

例如：

「列位看官你道『海底』這是什麼呢？『海底』原是幫會中的花名冊，組織法，以及各項條例規程細節，都是非常秘密的。據說明末鄭成功當初在金臺山開了香堂，後來反清復明失敗，一切秘密文件印信裝入鐵箱，沉入福建海底，直到道光年間，才給漁人撈到，不久便落到了川滇洪門會首郭永泰手中，因此在四川開盡忠山，洪門規制，不致凌替，一直相傳。『海底』這東西，又名『金不換』，在幫會中比性命還重要，一切規則，幫外人不知，任是你的父母妻子，也不得相傳。不犯幫規，幫規就輕於鴻毛，犯了幫規，那就是重於泰山。所以洪門中有句老話『幫規重於泰山輕於鴻毛』，在幫弟兄無人不知。桌上供的是四爐香，第一爐仁義香，供的是春秋時的羊角哀、左伯桃，第二爐忠義香，供的是三國時劉關張桃園三義，第三爐俠義香，供的是梁山泊一百零八位好漢，第四爐香只得半把香，叫做有仁無義香，供的是秦瓊、單雄信。洪門中凡有儀式，就要點上這四爐香。」[1]

進而，作者對江湖人物的「社會方言」即江湖黑話也非常熟悉，寫山東響馬及江湖人物，自然得心應手。例如：

「矮子把十串大錢都扣在一起，放在身邊，然後捋起袖子，露出那支瘦骨峻嶒的手臂來，對那小丑道：「喂！朋友，你把『羅漢子』挺好，『金剛子』站好，『櫻桃子』閉好，『才條子』咬好，俺的『雞爪子』到，『踢土子』起，便要請你栽筋斗，並非俺要『閧霸』你，不要說俺先不關照，不夠交情，卻圖這一千文財喜。」

那小丑道：「好說好說，你既是個『裡大輿』，也不用多『開剪子』。」

曲魁明等人聽他說出一大串園裡人的『春點』來，倒都大吃一驚。原來『羅漢子』是肚子，『金剛子』是腿子，『櫻桃子』是嘴，『才條子』是牙齒，『雞爪子』是手，『踢土子』是腳，『閧霸』是毆打，『裡大輿』是行家，『開剪子』是說話。」[2]

洪門歷史習俗和江湖黑話隱語可以從其他書中學得，或不宜用作衡量小說好壞的確切標準，因而不能算《山東響馬傳》的真正妙處。書中真正讓人大開眼界的，是對市井人物心理、行為的言語的生動呈現。小說第十回，泰安州快班高疙瘩仗義參與拯救伍天雄，恰好他姐夫趙六兒是州牢獄卒，便從曾濟寬那裡取了五十兩銀子搭上其妻子的金簪一起給姐夫，要他裡應外合。說妥之後，趙六兒立即送銀子回家。書中寫道：

「……趙六兒一路走一路想，心眼裡喜出來，到了家裡，他渾家見趙六兒那高興的樣兒，卻發作起來，罵道：『你這死囚囊子，甚事今日這般興致？日日在牢裡和囚犯混在一起，愈混愈窮，有甚高興，便是老娘不耐你這等模樣。』

原來這女人是高疙瘩的親姐，小名翠花……（趙六兒）見婦人又來發作，忙陪笑道：『好媳婦，你休要氣苦，你且來瞧，俺這包袱中藏的是什麼？』

那婦人把牙一呲道：『誰稀罕你來，你只是慣使小意兒，端午節才過，你卻包幾個粽子回來，合是老娘晦氣嫁得你這個賺不得錢，見不得人的死囚囊子。』

趙六兒卻急了，又笑著道：『姐姐你氣苦作什？你且來看，包著的到底是甚東西？那時你再罵俺未遲。』

那婦人果真過來把包袱提了，覺得沉重，便打開來看，見是白花花的大錠銀子，頓時變了臉色，從眼角一直笑到嘴邊，把嘴都咧了，道聲：『啊呀！』便伸手去取那金簪，又舉起那大錠元寶來瞧。說道：『六兒，你這銀子是從哪裡得來的？』

趙六兒見婦人歡喜，心眼裡格外樂了，便道：『翠花，這番俺定是發個小財了。俺早說那李鐵嘴算命算得準。你且取飯與我吃，卻慢慢同你說知。』」[3]

這一段對話，把一對市井夫妻的嘴臉刻畫得入木三分，其生動性直追《金瓶梅》。後面還有更加出人意料的多次轉折。趙六兒知道妻子不守婦道，如今有了錢，才有教訓妻子的本錢，淡淡幾句話，讓翠花不得不裝哭抵賴。進而，翠花得知這錢是從她兄弟高疙瘩手裡來，非但不理解其弟仗義救人的行為品格，反而疑心兄弟得了大錢，只拿小錢來哄姐夫，於是出主意讓趙六兒在劫獄現場討價還價要現錢。趙六兒說那樣會惹怒劫獄人，翠花竟再出主意讓趙六兒向官府告密！趙六兒真的這樣做了，高疙瘩被官家抓捕並殺害。趙六兒、翠花夫婦陷害親弟高疙瘩，當然不會有什麼好結果，很快就被趙板斧所殺。

高翠花為何如此歹毒？書中有兩處交代，一處是：「這女人雖和高疙瘩一母所生，卻與高疙瘩完全兩股脾氣，高疙瘩個性軟弱，卻有一股正直俠義心腸，他姐姐是個女流，卻是個性剛強，一腔子小心眼，尖酸刻薄，無般不全。卻又耐不得貧苦生活，閒常無事，便穿插打扮了，在門前勾引那些輕浮子弟，惹蜂引蝶，做那風流勾當，得些閒錢使。」

另一處是：「……那婦人閒常也恨她兄弟，只因高疙瘩常聽得他姐姐的壞事，好多污言穢語，在街市上傳進他耳朵。有那些快嘴的游蜂浪蝶，言語還格外不入耳。高疙瘩肚裡氣苦，便去一遍兩遍對他姐夫說話，要他好生管教他渾家，別惹得諸親面上都不好過，設若做出事來，更是不便。那趙六兒卻怕極了他渾家，反把高疙瘩的話都傳給她聽了。不料那婦人正在淫心沸騰，和薛順卿等一般游蜂浪蝶幹得歡快，見人礙她，便打心底裡恨出來。」[4] 趙六兒、高翠花夫婦，是書中的小人物，他們的形象卻讓人印象深刻，其文學價值比書中的諸多武俠英雄更高。如此生動的文學形象，全都從細節中來。

說到細節，還有一例。是寫野豬渡稅卡中的標兵，這一日蔡標和曲秀蘭、趙桂英三人來到渡口，見「對岸有一排十幾間平屋，旗桿上飄一面旗，不明字樣，兩岸好生寂靜，並無行人來往。蔡標隔河叫渡。半晌才踅出幾個標兵來，問來人可是客商，可有貨物。蔡標答道：『咱們正是行商客人，到曹州買賣，卻沒有貨物。』標兵們一聽，便撐過三隻渡船來，道：『既是客商，自有錢財，咱們當兵吃糧的人辛苦，在此保護行商，也不要你們多打賞，每人給一兩銀子便罷。』三人聽這廝好大口氣，卻不與爭，只道：『你渡了時便給錢。』那標兵道：『給錢便渡，不給便罷。』蔡標沒法，只得先給。標兵們見蔡標有錢，心中歡喜，一船恰裝載一人一騎，船到對岸……」

這些標兵如此霸道，並非仗勢欺人，而是因為「在卡哨上做個標兵，有糧無餉，給標營中上司剋扣去了，平時都靠勒索些錢財，半欺半討，卡哨上稅官收了正項，他們便吃些水腳錢過活。如今有這大客商手闊，如何不願效力？當下在村子裡出了二錢五分銀子，半買半搶，買了兩隻雞鴨，十餘個雞蛋，提著回渡船上來……」[5]

小說的結尾部分，當劉銘傳率三萬清軍圍剿紫荊山洪門義軍，戰事吃緊之際，身為義軍元帥的單雨雲，竟離開指揮崗位，去追殺叛變的鄒清毅。追殺叛變者鄒清毅的過程固然不乏精彩，這只是武俠式精彩，卻與單雨雲的身分及當時的戰爭情境不合。單雨雲的行為很有義氣，但不像是一個最高軍事指揮員的作風，更看不出此行有什麼政治謀略。從武俠到政治軍事，單雨雲的心智沒有及時升級。

鄒清毅叛變，派曲秀蘭和趙桂英兩員女將去追，不僅兩人的武功未必是鄒清毅的對手，心計更無法與鄒相比，這一錯誤決策，導致曲秀蘭被鄒清毅殺害。而曲秀蘭之死引發的嚴重後果，導致了單雨雲神思恍惚、心智失常，以至於非但此後無所作為，且還離開了紫荊山，竟不知所終。這一結局，確實出人意表。

《山東響馬傳》沿襲《水滸傳》遺風，不談男女愛情。單雨雲與曲秀蘭從小相識，算得上青梅竹馬，成年後重逢於江湖，看得出互有好感，故事中卻不見他們表達。單雨雲的舅舅曾濟寬作主，讓單雨雲和曲秀蘭成婚，單雨雲卻說，在曲秀蘭武功升級之前，不宜正式成婚，只能訂婚。此後兩年，曲秀蘭隨單雨雲練武，書中從未說及兩人之間的感情發展情況。單雨雲既然以事業為重，何以曲秀蘭之死會讓他心智失常？若說單雨雲對曲秀蘭一往情深，此前卻又未見端倪。

按照小說的標準，這一升級算不上很成功。單雨雲相貌英俊、文武雙全、武藝高強，印象可謂清晰，但說到他胸懷大志，卻缺乏實際內涵。此人的個性、心理和行為，仍不過俠盜的本色，其政治智慧和軍事才幹，非但沒有細節支撐，甚至沒有明晰的輪廓。作為小說的主人公，情感心理維度幾乎沒有展開。若再深究，單雨雲在外學藝十年，何以回鄉後一躍而成山東響馬的第一人？書中鋪排，也較簡單。

《洪門英烈傳》

本書原名《紅花亭豪俠傳》，臺灣金蘭文化版改名《洪門英烈傳》，共廿六章。

故事內容是：山西人洪英（啟盛）參加會試後，不參加殿試，即啟程南下，欲遊覽山川，結識各種人物。蔡德英、方大成、馬超興、胡帝德、李式開等先後拜列門牆。十多年後，清軍入關並南下，洪英投入史可法帳下，勸其廣納綠林義軍，無奈史可法堅持「不與賊寇合作」。洪英到三汊河協助綠林領袖快騎張抗擊清軍，並死於三汊河。蔡德英等五人繼承先師遺志，繼續反清復明，在鄭成功部下輾轉抗敵。在臺灣參加金臺山結義後，被陳永華派回大陸秘密開展抗清事業。

為避人耳目，蔡德英等五人在莆田少林寺落髮為僧，少林叛徒馬福儀和漢奸陳文耀率兵圍攻少林寺，蔡德英等殺了馬福儀，逃至黃沙渡，與吳士佑、方惠成、張敬之、楊仗佑、林大江等結盟。又到廣東惠州，與吳天成、洪太歲、姚必達、李式地、林永超等結盟。繼而前往江西贛州，投入明朝皇裔豫王朱洪竹麾下，五人在王母渡高山上對天盟誓，共扶真主，為洪門開山立堂的先河。

隨後又到湖北襄陽，與陳近南、萬雲龍等等結識，並決定迎豫王朱洪竹到襄陽，號召天下抗清。眾英雄在襄陽下普庵紅花亭聚義，組織軍隊，攻克襄陽。清軍調取十鎮兵力，圍攻襄陽。在殘酷戰爭中，萬雲龍及方大成等大部分英雄戰死，朱洪竹投河自盡。蘇洪光（天佑洪）、蘇洪宇、林列等年輕英雄率殘部轉戰大巴山，並再次開壇聚義，創立天地會，又名三合會。蘇洪光逝世後，蘇洪宇繼任，林列下南洋發展天地會。

書中寫到蘇洪宇對華僑宋寬講述洪門三合軍的轉戰經過，又說：「這等於是一部活的洪門豪傑奮鬥史」。[6]這話當是作者自我及對本書的概括。如此自我期許，決定了本書的寫作目標和敘事方式，即要把本書寫成洪門歷史演義。就此而言，書名《洪門英烈傳》比《紅花亭豪俠傳》更為名副其實。只不過，這畢竟是小說家言，難免衍義虛構，演繹傳奇故事，未可當作嚴格的洪門歷史。

本書是歷史演義與武俠傳奇的結合，主旨是洪門歷史，好看處卻是武俠傳奇。小說開頭，寫洪英南下遊覽，在山東兗州，先後與方大成、馬超興、李式開、胡帝德等結識，其過程就極具傳奇色彩。方大成贈銀，神龍見首不見尾，身為盜賊卻見識不凡；馬超興打抱不平，不畏強暴，見其俠義本色；李式開比武不敵馬超興，立即認輸離去，行為爽快豪邁；胡帝德臨危不懼，後毫不吝嗇地贈馬給快駒張，心胸開闊大氣。蔡德英是洪英最早且最正宗的學生，曾考取功名，卻到徐州繼承騾馬店，被冤入獄，仍正氣凜然。五個人五段故事，相互交叉重疊，表現各自個性風貌，亦因他們拜服洪英，間接襯托出洪英卓爾不凡。

與尋常武俠故事不同的是，作者有歷史之眼，洪英等人目光所及，便是明王朝的末日氣象，官場腐敗黑暗，官員欺壓善良，吏紳相互勾結，百姓難以謀生，遂至造反作亂。書中快駒張的經歷，就是典型例證。由快駒張的「劇盜」身分，道及當時十三家七十二營好漢，看似閒筆，實描繪了明末社會的大勢和氛圍。

書中跳過了李自成進京、滿清政府入關等重大歷史情節，也避開了史可法在揚州抗清及清軍「揚州十日」大屠殺的歷史，因其都被正史所載；更沉澱在洪英師徒的心中，體現於他們的行為。反清復明是他們的念想，並成為洪門傳統。

與尋常武俠故事的另一不同，是書中有多場戰爭景觀。洪英協助快駒張對抗明朝官兵，既是情勢所迫，也是內心憤懣抑鬱所必然，官的腐敗、匪的殘酷、民的無奈，盡在此戰前後背景中。此次牛刀小試，為三汊河抗擊清軍大戰役做了扎實的鋪墊。三汊河之戰血流漂杵，死傷狼藉，但漢人民眾前赴後繼不畏犧牲的英勇景象，讓人血脈賁張。雖因軍力懸殊而歸於失敗，洪英亦與世長辭，但這場戰役仍堪稱洪英及其洪門民族精神的不朽豐碑。

更大的戰役，是由陳近南、萬雲龍、蔡德英等人領導的襄陽戰役，把洪門英烈的傳奇故事推向高潮。其後蘇洪光等轉戰大巴山，屢戰屢敗，屢敗屢戰，雖不能勝，而洪門英烈精神長存。

書中有許多場景段落與細節，值得仔細玩味。牟松庭知識廣博，徐州仵作鄧三蒸骨驗傷，作者順手寫出一串驗傷口訣，如「屍身爛壞水冲淨，冲去蛆汙看打痕，有傷貼骨蟲不食，刀齊木緊見分明。」等等。[7]看似掉書袋，實為一處伏筆。後來滿清入關，鄧三不願為滿人之奴，帶著祖傳仵作筆記南下，要保護這一份法醫經驗遺產，如此人格及專業精神，讓人肅然起敬。

史可法部將吳烈戰死在揚州，其子吳廷貴保護母親流亡廣東惠州，其母在書中只露面一次，說話幾番，很快就自縊而死，遺書讓兒子隨蔡德英去勤王事。吳廷貴武功高強，兼通醫術，是勤王保國的上佳人才，但他事母至孝，不願離開母親。母親遂自縊，斷絕兒子的後顧之憂，[8]雖然連名字也沒有留下，但這位偉大母親的自我犧牲，足以光照千古。

更值得玩味的是，朱洪竹在贛州王母渡稱王，在一個只有十多戶人家的小山村裡安身，鄒傑和李賢相把持朝政，作威作福，如腐敗明朝的滑稽翻版。蔡德英等人明明見識了這個小朝廷腐敗惡劣，見到朱洪竹時，仍長跪流淚，並表示願為其肝腦塗地。其原因，乃是「這裡的弟兄，都不是清人的裝束，朱洪竹更是明人衣冠。蔡德英諸人，萬里奔波……如今赫然有個朱明子孫，峨冠博帶，南面而坐，如何不感動？」[9]

洪門老成凋謝，蘇洪光身負全軍之責，該兄演出了一場詐死還魂，王承恩（陪崇禎上吊的太監）附體的把戲。原因是：「蘇洪光在洪門中，是個後進，蔡德英等一死，便要他來一力維持，仔肩所在，所以好生憂慮，誠恐弟兄不能齊心推戴，因此弄出個太監王承恩附身的玄虛來。」[10]

歷史演義與武俠傳奇，畢竟是兩種故事體裁，難以完全縫合統一。本書的第一目標是洪門歷史演義，要寫洪門始祖洪英及蔡德英等前五祖，吳士佑等中五祖，吳天成等後五祖，宣宗陳近南、達宗萬雲龍，三英、三烈、五義、五傑，以及威宗蘇洪光和蘇洪宇、林列等人，前後時間數十年，主要人物數十位，難免照應不周，甚至點到為止，難以達到武俠傳奇細密和精彩要求。

另一方面，武俠傳奇的復仇模式運用於洪門演義，容易擾亂甚至遮蔽歷史與政治視野。蔡德英等人殺馬福儀、陳文耀、張近秋，蘇洪光和蘇洪宇等人殺田間、符達、王春義、孫完用、王春美等，對方全是甘做滿清鷹犬的漢奸，可謂洪門公敵，但他們殺人的動機卻含私仇，其行為也按武俠行事方式。似可公私兼顧，故事也很好看，草莽英雄的認知和行為或許確實如此，但作者卻忽視了，作為一個政治集團，洪門中人的行為，也應有政治考量。綜上所述，這部書尚未達到上乘水準。

《關西刀客傳》

《關西刀客傳》於一九五七年一月一日開始在報紙上連載，共十七集。[11]

本書主人公李昌俊，甘泉縣人，本為木匠，後被官府所逼成為刀客，向在陝北長城邊活動。這一年大饑荒，李昌俊回到甘泉縣，率領全縣三千多災民逃荒。耀州首富楊開泰擔心甘泉災民入境，以兩千兩銀子收買甘泉人白有義陷害李昌俊失敗，不得不假意歡迎李昌俊帶災民來耀州。

適逢楊開泰六十大壽，李昌俊前來拜壽，楊開泰說他失了面子，鼓勵徒弟們向李昌俊發難。後大肆誅殺災民，釀成民變，楊開泰不得不離開耀州、逃往咸陽細柳，投奔師弟李開中。其時義和團運動興起，李來中、郝天蔚等來關西發動群眾，李昌俊等人紛紛加入義和團。楊開泰、李開中也不得不加入其中，並在細柳設立壇口。

由於八國聯軍攻入北京，慈禧太后倉皇逃難，向列強妥協，開始清除義和團。義和團從「扶清滅洋」改為「反清滅洋」，李來中等率領陝西義和團狙擊慈禧太后，終於未果；最後誅殺了投奔官府當上宮廷侍衛的楊開泰和李開中，李昌俊繼續其刀客生涯。

本書的前半部，講述李昌俊回鄉率領災民逃荒，並與地方惡霸勢力鬥爭的故事情節，真實質樸，且精彩動人。李昌俊率領刀客回甘泉的途中，遇到狼群的情節，表現了災荒之年的饑餓生物鏈的驚人景象；通過馬曼嬌率人殺狼，則表現刀客的剽悍與英勇，讓人印象深刻。後半部寫到義和團運動，寫到陝西巡撫端方對義和團首領的收買，以及義和團組織襲擊慈禧太后等，接近歷史小說。

本書從故事層面說，視野不斷擴大，人物不斷增多，故事的連綴性也基本上成立，但就結構而言，則後半部相對鬆散，整體性方面存在一定的問題。主人公李昌俊的地位和影響在後半部中明顯被削弱，甚至不再是敘事焦點，武俠味不免有所沖淡。

書中李昌俊、馬曼嬌、蕭文奇、楊開泰、楊龍珠等人物形象，值得一說。

李昌俊是邊上刀客頭領，但他本是甘泉縣的一個木匠，並非生來就是刀客。他的身分轉化，是官逼民反，具有一定的代表性。從形象上看，他也並非赳赳武夫，而是有幾分清秀文氣，看起來頗像是讀書人。從個性上看，他身為刀客，當然有血氣之勇，但卻並非魯莽之徒，更不是嗜殺的凶徒，而是願意遵守一定禮儀規範的人。這一點，在他與師妹馬曼嬌及楊開泰的交往中就有充分表現。

馬曼嬌是馬天龍的養女，是李昌俊的師妹，也是統領太白山地區三千餘刀客的領袖。此人長相秀美，但性格魯莽衝動，脾氣火爆。初遇李昌俊，明知道他是自己的師兄，還要照刀客規矩比武爭雄，且在比武過程中毫不留情，其個性即可見一斑。

她之如此衝動，既有男人群裡的女領袖不得不做女漢子的環境因素，也有身為回人飽受官府壓迫的憤懣，甚至還有無意識的性動力因素。證據是，她很快就愛上了李昌俊，只是因為回漢民族差異讓李昌俊望而卻步，這對有情人終於未成眷屬，讓人唏噓。馬曼嬌之死，是她為自己衝動個性所付出的高昂代價。

蕭文奇是甘泉縣知縣，在災荒之年，他能當機立斷開倉放糧，算是責無旁貸。而當甘泉縣災民選擇刀客李昌俊作為逃荒領路人時，他對李昌俊的殺人陳案、刀客身分既往不咎，其胸襟與魄力明顯超出了普通縣官。而當耀州土豪惡霸殺害甘泉縣災民，以至於釀成民變時，他能及時趕到，越級越地域進行危機處理，安撫民心，則表現出更加寬闊的胸襟與英雄魄力。最後，當慈禧太后來到西安，當地官員紛紛拍馬之際，他毅然辭官回鄉，他正直而高尚的精神境界表現得更充分。

楊開泰是書中的第一反派。此人是三十年前的刀客，後落戶耀州成為當地富戶土豪，對貧苦災民缺乏起碼的同情心，對刀客也沒有絲毫的同道情誼。他身在文明世界，心在原始叢林，其價值觀念和行為方式，具有一定的典型性。李昌俊和楊開泰，是刀客道德精神境界的兩個不同的端點，他們之間的矛盾衝突，已不再是現任刀客與前刀客之間的衝突，而是刀客／災民與土豪惡霸之間的衝突。楊開泰這樣的人，當然會阻止災民過境，甚至濫殺災民；當然會投奔官府，以獲得更大的個人利益。他也曾是義和團的一分子，那是典型的投機。

楊龍珠是楊開泰的養女，此人之所以值得一說，首先是她雖生長於土豪之家，但卻不失善良本性，發現父親對李昌俊等人陽奉陰違，自會竭力勸諫。被父親楊開泰囚禁，又被李昌俊、吳春牛等人解救，投入義民的陣營中，固然是她的善良天性的必然結果，但也要承受背叛養父家庭的痛苦。楊龍珠與吳春牛的相愛過程，是這部小說中很亮眼的情節線索。

除上述幾人，小說中的馬天龍、程三連、札達多、吳春牛等人物也能給人留下一些印象。只不過，總體而言，這部書是以講故事為主，在刻畫人物形象、描寫人際感情方面，都算不上特別出色。主人公李昌俊與馬曼嬌的愛情，始終停留在民族鴻溝邊沿，馬天龍要揭開馬曼嬌的身世時，馬曼嬌卻已傷重不治。馬曼嬌與祁斯美是雙胞胎，長相酷似，讓人難分彼此，兩人由對立轉為同道，是小說中的一個重要設計。遺憾的是，作者對祁斯美與馬曼嬌的親生父母未作具體交代，對這兩人的個性差異也沒有作深度開掘和展示。

小說結尾說，李昌俊與祁斯美喜結良緣，此前卻未作應有的鋪墊。僅僅因為祁斯美與馬曼嬌長相一樣，李昌俊就會愛她、娶她？《關西刀客傳》中的情感故事，雖然比《山東響馬傳》中的情感描寫更多也更細，但比同時連載作品如梁羽生的《七劍下天山》、金庸的《射鵰英雄傳》等作品相比，在情感描寫方面明顯要遜色不少。

《刺馬》

《刺馬》[12]，即張文祥刺殺馬新貽，是「清末四大奇案」之一。官方審訊檔案中的結論難以讓人信服，因而有諸多猜想與傳聞。一九一四年，丁悟癡的文言小說《刺馬記》，一九一六年，蔡東藩的白話文小說《清史演義》，一九二二年，平江不肖生的武俠小說《江湖奇俠傳》等書，就提供了這一奇案的不同傳奇故事版本。

小說《刺馬》綜合了前人的猜想與創作，將這一故事推陳出新。《刺馬》是一部非典型性武俠小說，看起來與一般武俠小說有很大不同，這裡沒有說及任何武術門派，更沒有常見的武林門派爭端，只講述主人公張文祥隨捻軍轉戰南北、繼而發展洪門事業，書中出現的僧格林沁、曾國藩、左宗棠、馬新貽、賴文光、張總愚、張文祥等，全都是真實歷史人物，似更接近歷史傳奇。只不過，那些重量級歷史人物，都不過是小說的背景，小說的核心情節是洪門故事，而洪門屬於真正的江湖，似實還虛，似虛又實，這才是牟松庭武俠小說的重要特點。

《刺馬》最重要的成就，就是通過藝術虛構，給予張文祥刺殺馬新貽一事以足夠讓人信服的合法性及讓人同情的合理性。小說中的張文祥是一個職業革命者，不僅是一個非常忠誠的捻軍將領，更是一個忠貞不渝的洪門兄弟，即始終是以反清復明作為其奮鬥目標。

他要刺殺馬新貽，不僅是因為馬新貽勾搭曹二虎的妻子，並設計謀害了結義兄弟曹二虎，嚴重違背了結義兄弟傳統倫理；與此同時，也因為馬新貽的行為，嚴重違背了洪門法規——馬新貽正式加入過洪門，還是洪門金龍山的二哥，必須遵守洪門規範。馬新貽勾搭兄弟之妻，進而謀殺洪門兄弟曹二虎，可謂罪不可赦，必須按照洪門法規處罰。作為洪門金龍山大龍頭，張文祥有執法者的合法身分，必須嚴格執法。進而，馬新貽殘害同門的行為，顯然是死心塌地要為滿清異族政權賣命，不僅嚴重違背了洪門規範，更嚴重的是破壞了反清復明的革命大業。如此，張文祥刺殺馬新貽，就更加合法且合理。

說到張文祥執法的合理性，除了要為結義兄弟曹二虎報仇、要為洪門嚴格執法之外，還有另一重心理動機，那就是捻軍雖然聲勢浩大，但卻前途渺茫，張文祥率部轉戰南北，對此自然深有體會。否則，賴文光就不會讓他離開捻軍，專心發展洪門事業，而張文祥本人也就不會冒著「通敵」的罵名，在滿清大員馬新貽麾下做山字營的統領。這樣做究竟有沒有意義？更重要的是，這樣做究竟有沒有前途？張文祥毫無把握。

在山字營被調走之後，張文祥的內心一片空虛，繼而是失落乃至絕望情緒堆積，刺殺馬新貽，成了內心鬱悶與絕望情緒的一個發洩口。值得注意的是，在安慶、杭州兩次刺殺行動失敗之後，張文祥曾一度改變行動計畫，要去找西捻軍統帥張總愚，假如西捻軍的反抗事業發展順利，張文祥多半會隨捻軍征戰，擱置刺殺馬新貽計畫。問題是，張總愚戰死，西捻軍徹底失敗，張文祥的理想徹底成空，這才重啟刺殺計畫。這樣，張文祥刺馬就有了更為充分的動機和理由。

真實歷史中的張文祥是怎樣的一個人？他與馬新貽之間究竟有怎樣的仇怨？他刺殺馬新貽的真實動機究竟是什麼？清史檔案中是一種說法，小說《刺馬》中是截然不同的另一種說法。有趣的是，小說《刺馬》中還專門討論分析了清史檔案中說法的來由：張文祥刺馬的真實原因，有損於兩江總督馬新貽的形象，也即有損於朝廷命官的集體形象，因而無法作真實記錄，只能編造海盜復仇故事，掩蓋真相，糊弄歷史。歷史檔案與小說家言孰真？在古代中國，從來都是一個必須認真對待的重要問題。作為小說，《刺馬》寫出了張文祥與馬新貽的故事，能自圓其說，就算是成功。正所謂，假作真時真亦假，無為有處有還無。

作為小說，《刺馬》的故事情節算不上十分精彩，喜歡並習慣於武俠小說驚險刺激的讀者或許不會給這部書打出高分。但若靜心細讀這部書，卻不難發現這部作品有其突出的特點。

其一，作者對洪門歷史十分熟悉，信手拈來，無不生動細緻。例如寫到陳賓鴻與曹二虎第一次見面時的對話，首先問「有占無占？」（**即問真是在洪門中嗎？**）再問「外十字占哪一字？內八字占哪一字？」作者解釋說，洪門幫合之中，先分為仁、義、禮、智、信五旗，亦即五堂。後又分十旗，亦即十堂，分為威、德、福、志、宣、松、柏、一、枝、梅十字，叫作外十字。內八字是孝、悌、忠、信、禮、義、廉、恥，排出入幫兄弟的輩次。進而，問「老哥打哪裡來？」回答是「打崑崙山來」，意思是表示西方最高，是洪門正宗；問「老哥向哪裡去？」回答是「向木陽城而去」，表示反清復明。作者又解釋說，這些問答，是初次交結必要的手續，以便彼此明瞭底細，確切證明是在園弟兄，然後方可吐出真心實話。[13]

又如，在張文祥、曹二虎、石錦標與馬新貽結拜金蘭兄弟時，作者在敘述結拜儀式及過程的同時，還引證下面這首詩（**第七十九—八十頁**）：

人王腰下兩堆沙（**金**）
東門頭上草生花（**蘭**）
絲線穿針十一口（**結**）
羔羊美酒是我家（**義**）

是所謂「有詩為證」，這詩句顯然是有其真實來由，無知者無法引證。

又如，「上四排哥子犯了戒，自己挖坑自己埋；中四排哥子犯了戒，三刀六眼自動開；下四排哥子犯了戒，金槍紅棍兩分開。」及「輕則紅棍要領教，重則安刀自己剽；上五排犯罪親身跳，下六排犯罪插三刀……」（**第二四〇—二四一頁**）這些通俗的句子，符合社會底層幫會成員的文化水準。若非熟悉，無法寫出。

其二，小說中刻畫出若干人物形象，頗為可觀。

例如曹二虎的形象，這一人物形象簡單而鮮明，即頭腦簡單，毫無機心，想當英雄，因而魯莽衝動。與《水滸傳》中的黑旋風李逵近似，作者寫此，卻未必是直接模仿前人之作，多半是從實際生活中來。

小說開頭，曹二虎就耐不住悶，只想上戰場拼殺，聽張文祥、石錦標商量刺殺馬新貽計畫，即不管三七二十一，立即偷偷率人出發，以至於張文祥、石錦標不得不被動追趕。在情緒衝動之下，任何軍紀與規範對他都起不到約束作用。好處是，他會敢作敢當，知錯認錯，刺殺馬新貽行動失敗，張文祥要按軍法處罰他五十軍棍，他毫不猶豫地承受了。這樣的頭腦簡單的人物，對妻子的態度自然不會細膩溫柔，假如妻子也像他一樣簡單粗放倒也罷了，問題是，妻子出身於小康之家，哪裡受得進士出身的馬新貽的挑逗？妻子紅杏出牆，不能說曹二虎完全沒有責任。

馬新貽設計讓曹二虎去壽州領取軍需，當過馬新貽衛士的陳廷富善意提醒他不要落入陷阱，曹二虎根本就不以為然；陳廷富提及馬新貽與他妻子有染，他更是惱羞成怒，與陳廷富大打出手，要以命相博。最後，曹二虎終於自動走進陷阱中，被徐心泉殺害。讀者當然會同情曹二虎的遭遇，並為他的命運感嘆唏噓。人們不假思索地以為曹二虎、李逵這樣的人是天生的英雄，實際上，此類人的真正本質是心智不全。苛刻點說，是離動物本能近，離文明人類遠，在這一層面上看曹二虎，感慨會有所不同。

再如孫福全的形象，此人是洪門三排兄弟，其地位甚至比張文祥更高。所以，在這部小說中，他不但是張文祥最大的內部競爭對手，也是最好的參照對象。在本書中，孫福全與張文祥見面不久就有了矛盾衝突，原因是孫福全的手下將老鴉集上幾戶土豪及其家人全都殺害，張文祥則認為不該殺那些老弱婦孺。理由非常簡單，作惡的土豪該殺，但他們家裡的婦女兒童卻是無罪。進而，假如捻軍或洪門兄弟不分青紅皂白地殺人，就得不到老百姓的支持；而得不到老百姓的支持，反清復明的事業就沒有根據地；沒有根據地，革命事業就不可能有前途。

對張文祥的這一套思想，孫福全不理解、不理會、不執行。孫福全的心智水準當然比曹二虎要高，卻算不上是心智發達的人物。這一人物的好處，是愛恨分明，對當官的馬新貽從來就沒有好感，對張文祥與馬新貽結拜兄弟當然也就不以為然。所以，他仍然要刺殺馬新貽，雖不成功，但卻把馬新貽的衛士陳廷富刺傷。進而，當張文祥投奔馬新貽麾下，在安慶開金龍山堂發展洪門組織，孫福全以為張文祥投降了清廷、背叛了洪門反清復明的初衷，於是公開挑戰張文祥。即使張文祥拿出賴文光發放的信札權杖，他雖不再與張文祥為敵，卻也仍然不願與他為伍。

在這部書中，孫福全無疑是堅持武裝反抗滿清的代表性人物，張文祥在決心刺殺馬新貽之前，也託人將自己的妻子送到孫福全的巢湖根據地。小說最後，當張文祥被朝廷淩遲處死，所有洪門兄弟都投奔了孫福全。小說的最後結局，是孫福全率部成功地攻入巢縣城。問題是：孫福全的武裝反抗到底能堅持多久？更大的問題是，孫福全這樣的革命者，是否真有未來？是否值得老百姓託付未來與希望？

再說張文祥。張文祥是這部小說的主人公，與曹二虎、孫福全等人當然不可同日而語，甚至與石錦標、唐龍等人也有明顯不同。張文祥不僅對反抗清庭的革命事業十分認真、十分投入、十分忠誠，而且比曹、孫、石、唐等人站得更高、看得更遠。證據之一，就是他堅決反對孫福全對土豪家的婦孺濫施殺戮，以確保反清大業能夠獲得更多民心和同情。

證據之二，是當武裝反抗事業進展不順之際，他毫不猶豫地接受賴文光的指派，暫時脫離武裝部隊，到民間去發展洪門事業，確保反清復明的事業不會隨武裝反抗的失敗而終結。為此，他不惜個人名聲，公然投入滿清官府陣營，做了安徽布政使馬新貽麾下的山字營統領。他並非真心去當官，更非去謀取個人榮華富貴，只是想借結義兄弟當官的便利條件，努力發展壯大洪門組織，播種革命的種子，寄希望於未來。

正因為他不是真心當官，所以在安慶期間，始終不主張將妻兒接到身邊。不幸的是，無論張文祥怎樣忠誠、怎樣努力，都無法扭轉捻軍武裝反抗的頹勢，數年間，賴文光率領的東捻軍、張總愚率領的西捻軍先後覆滅，而左宗棠竟在自己的軍營裡開山堂，並利用洪門組織為滿清政權服務，張文祥再也看不到前途、目標，也失去了繼續革命的真正動力，只得選擇最簡單的方式即刺殺馬新貽，並因此而結束自己的人生。作為反抗清庭的革命者，張文祥形象既未被神化，更沒有被妖魔化，顯得真實而可貴。

其三，書中若干細節描寫，語言簡練而寓意深長。

例如，曹二虎與妻子孫氏別後重逢，孫氏想和他親熱，是所謂「小別勝新婚」，但曹二虎極不耐煩，拉開孫氏的手，說自己要喝水，等到孫氏起床拿水來，曹二虎卻睡著了。書中有一小段閒筆：

「孫氏把眼定在燭火上，看了一會兒，又看了曹二虎一眼，他的鼾聲正響，便輕聲

嘆了口氣，悄悄上床睡了。」（第五十七頁）

這一小段文字，不僅生動地寫出了孫氏對曹二虎的失望，實際上也解釋了為什麼日後孫氏面對馬新貽時會如此熱切，為馬孫偷情的關鍵情節作了鋪墊，言辭簡樸，寄意深長。孫氏的輕輕一嘆，餘韻十分悠遠。

又如，曹二虎被殺，頭顱被木匣子裝著在壽州城頭示眾，「張文祥看著那城頭上的木匣子，一語不發，看天上陰沉沉的，似雨不雨的樣子，格外淒慘。」（第二一三頁）短短一行字，以景語當作情語，把張文祥的悲憤與傷痛寫得淋漓盡致，讓人神傷。又如，在聽到賴文光及其東路捻軍覆滅消息，張文祥充滿悲愴，「便是張文祥自己也是東奔西走，一事無成，只落得形單影隻，在長江輪上，頻撫絲鬢，看滿天霜月，心中也自抑鬱。」（第二六三頁）

又如，張文祥、孫天彪刺殺馬新貽前的一次夜行：「張文祥在前，孫天彪在後，穿過一條長街，路上好生清冷，並無行人，彷彿這不是個曾經聚得六朝王氣的名城，卻似荒涼寂寞的古戰場，不說人聲，連狗吠都沒有，其時南京的荒涼，由此也就可想而知。」（第二八四頁）這段話，不僅在如實寫景，亦是寫主人公張文祥對金陵荒蕪如古戰場的慨嘆，事實上也寫出了作者對戰後人間的悲憫與同情。書中類似「閒筆」頗有不少，只要細看，隨時會心弦震動。

【注釋】

1牟松庭：《山東響馬傳》第一集，第四十九頁。

2 牟松庭：《山東響馬傳》第二集，第三二六頁。
3 牟松庭：《山東響馬傳》第二集，第三三六—三三七頁。
4 牟松庭：《山東響馬傳》第二集，第三三六、三四〇頁。
5 牟松庭：《山東響馬傳》第八集，第一九一五、一九一九頁。
6 牟松庭：《洪門英烈傳》下冊，第七七一頁，臺北，金蘭文化出版社，一九八一年。
7 牟松庭：《洪門英烈傳》上冊，第一六二—一六三頁。
8 吳母故事，見《洪門英烈傳》下冊，第四五二—四五四頁。
9 牟松庭：《洪門英烈傳》下冊，第四八一頁。
10 牟松庭：《洪門英烈傳》下冊，第七二六頁。
11 我看到的版本是香港長虹出版社出版的，小三十二開本，共十七集，六四七頁。
12 南湘野叟主編：《刺馬》，臺灣育幼圖書有限公司，一九八一年八月初版，共一冊。根據顧臻先生考證，南湘野叟係邵元成（即牟松庭）的另一個筆名。
13 《刺馬》第十一—十二頁，臺灣育幼圖書有限公司，一九八一年八月版。以下引文為同一版本，不再專門主釋。

◆溫瑞安小說述評◆

溫瑞安，原名溫涼玉（一九五四－），祖籍廣東梅縣，生於馬來西亞霹靂州。一九七三年赴臺灣深造，一九八一年到香港，一九八三年獲得香港合法居留身分。溫瑞安十六歲發表武俠小說，以「四大名捕」系列馳名海內外。

「四大名捕震關東」之《追殺》

《追殺》是溫瑞安最早發表的武俠小說，寫作於一九七〇年，溫瑞安十六歲時。發表於一九七一年香港《武俠春秋》雜誌。本篇共有五章。

《追殺》講述冷血追殺十三名凶徒的故事，十三人聯手作案，殺害了冷血的一個師父（**冷血有多個師父**）。冷血追入森林中，對手有十三人，分頭行動。對手分頭行動的原因不是各自逃生，而是老大要獨吞搶劫來的金子。所以他讓下屬十二人分頭行動。這樣，也讓冷血有了各個擊破的機會。

本篇從頭到尾都是打鬥，符合年輕作者的喜好，也符合年輕讀者的需求。冷血在獨對十三名凶徒的過程中，充分顯示了他的武功、毅力、才幹與個性。十三名凶手中有十二個名字，唯獨老大沒有名字，成了無名氏，這很有意思。

另一個有意思的地方是，冷血的劍招共有四十九招，最後一招是要先斷劍才能出其不意地刺殺對方。更有意思的是，仇人都不知道冷血其實還有第五十招，那就是他的「掌劍」，即以手掌作為劍同樣也可以殺人。殺最大對手凶徒老大就是用這一招。殺老二諸葛賢德則是用劍招的第四十九招。

這個故事中出場人物雖然只有冷血一人，但卻提及鐵手、無情、追命、冷血都是冷血所佩服的人（當是諸葛先生）屬下助手，是四大名捕第一次揚名。

唯一的弱點，是沒有顧及冷血體能的極限，在最疲憊的時候對付最強大的對手，如何可能？只有在傳奇神話或神話傳奇中才有可能。

十六歲少年作者寫出這樣的小說，實在是天才。

「四大名捕震關東」之《亡命》

《亡命》是溫瑞安的第二篇武俠小說，寫於一九七一年，發表於一九七一年香港《武俠春秋》雜誌上——但不知道是否與《追殺》同時發表？

本篇共十一章，比《追殺》多出一倍。

這個故事緊接著《追殺》，事由恰好是冷血奪下的那筆金子，交給官府，官府要用這筆金子賑濟黃河災民。於是託實力最強的河北風雲鏢局保鏢，將這筆金子送到黃河沿線去賑濟災民。本故事就是講述風雲鏢局聯合華山派、北城城主周白宇、白欣如等人保鏢歷程，一路被攔截、打鬥，攔截者的武功也是越來越高。

官府派四大名捕中的追命在暗中保護這支鏢，所以追命並沒有很快出現，而是在打鬥中途才出現——很可能是因為他要探查一路情形，在暗中護衛，這樣他才能更好地為鏢局護鏢行動服務——追命的形象比《追殺》中的冷血形象得到了更好的刻畫。例如他的酒癮、裝醉、武功、腿法，更重要的是他的經驗和心智，尤其是在最後一場決鬥中，即斷魂谷無謂先生被殺、斷魂谷主無敵公子出現這段時間，追命準確地察覺飛鷹殺手的存在，並且佈置陷阱捕殺施國清，進而佈置所有人分工合作聯合攻擊無敵公子，每個人在衝動之際都想到追命的囑咐，凡是衝動冒險者必死，且會影響他人的生命，所以最後決戰實際上一半在武功，一半在心智。

小說中的另一反派人物，即崑崙派高手施國清——他也是斷魂谷的第三高手——的形象，也值得一說。此人十分年輕，但武功十分高強，因而為人十分高傲，以為自己早就該當崑崙派掌門人。所以，他自我中心，肆意妄為，第一次出場就是他想強姦女俠白欣如，被周白宇刺中一劍，而他的赤焰掌卻也打中了周白宇，若不是追命及時趕到，周白宇、白欣如必然遭殺害與強姦。追命成了施國清的剋星。周白宇也從第一次失敗中吸取了教訓，所以第二次對戰時終於殺了施國清。施國清之所以加入斷魂谷，成為無敵公子的幫凶，是因為無敵公子可以脅迫崑崙派讓施國清當掌門——當然這也可能是施國清一廂情願的幻想，也可能是無敵公子有意欺騙，目的是要施國清為他服務，做他幫凶。

書中情節佈局也很有設計感，由開始時是雪山派中人對付風雲鏢局——也可能是對付華山派，因為華山派參與了風雲鏢局的護鏢行動，青衫十八劍是護鏢的基本團隊——分成多條線下手，而華山派也分為多條線攔截，所以在前半部分的打鬥場是以蒙太奇結構呈現；而後半部分，即斷魂谷無謂先生出現後，所有護鏢人都集中在一起，追命也成了這支鏢隊的核心領導人，直到最後最強的敵手無敵公子出現，給人以一浪高過一浪的感覺。

書中人物，除了追命、施國清外，周白宇、白欣如、長刀張五、短刀何八等人的形象也有一定的印象。

不足之處，一是沒有說明雪山派與斷魂谷是否有聯繫？如果有聯繫，即形成聯盟的話，或許故事就不一樣了。二是，風雲鏢局明知有大量強人要劫鏢，為何分散人力，而不是集中在一起？以至於造成青衫十八劍只剩下五劍？青衫十八劍最後實際上全部犧牲了，這讓人難免疑惑，他們不是風雲鏢局中人，風雲鏢局的鏢頭、第一流、第二流高手究竟在哪裡？

但無論如何，一個十七歲少年寫出這樣的小說來，仍然讓人驚嘆其才華。這樣的小說，確實夠發表水準——只不過，不知道我看到的這個網上版本是否經過了作者修訂？還是當年十七歲時寫作和發表的那個版本嗎？

「四大名捕」之《碎夢刀》

《碎夢刀》講述唐失驚串通習英鳴、習良晤等人架空習家莊主習笑風，把習家莊當作搶劫金銀、統一武林的大本營，習家莊主習笑風假裝發瘋，逼迫弟弟習秋崖和小珍脫衣跳江撈月，以便引起名捕冷血、鐵手的注意，從而製造打敗篡權者、奪回習家莊控制權。結果卻是出人意料，習笑風由裝瘋變成了真瘋：殺了唐失驚的同時也殺了自己的兒子，同時還要殺鐵手和冷血，以便保護唐失驚等人搶劫來的錢財，保護習家莊的威名。

更出人意料的是，碎夢刀落入水中才成為真正的碎夢刀，小珍將此刀撿起，拋給習秋崖，習秋崖用此刀殺了習笑風，也砍碎了習笑風的瘋狂夢想。物必自腐而後蟲生，習家莊及碎夢刀故事有深刻寓意。

與此前的四大名捕小說相比，《碎夢刀》及其後幾個故事，最大變化是主人公四大名捕形象，不再只是鐵人打手，而變成了「四個有本領的平常人」，即有血有肉、有情有欲、有心動且會害羞的人。在《碎夢刀》中，鐵手遇到小珍、冷血遇到習玫紅，就有正常男人的正常反應，前者對小珍的心動有明顯感應，後者對紅玫瑰有愛美之心，冷血不再冷，挨耳光也甘心，這就讓人刮目相看。

本故事真正看點，是習家莊三位主人即習笑風、習秋崖、習玫紅的世家紈褲子弟形象。習秋崖心地善良，但也軟弱，而且無知，或許是因為不在其位不謀其政，或許是長期生活於優裕無慮的舒適區中不能自拔，身為習家莊一分子，對習家莊的驚人變化、對大哥的沉重壓力居然一無所知！他的心裡或許只有小珍，也只裝得下小珍，因而，在小珍被習良晤控制時，簡直六神無主，成事不足敗事有餘。

有意思的是，最後為拯救鐵手（同時保護自己和小珍）而反抗大哥，也是受妹妹習玫紅的叮囑和指揮；更有意思的是，他用小珍拋來的碎夢刀砍倒大哥，保護了小珍、自己和鐵手等人平安，從此病倒，恐怕再難痊癒，因為他從未承受過如此之大的壓力，也因為他畢竟是善良的紈褲子弟。

習玫紅則是另一種，她美麗單純、刁蠻無知，沒有長大且不想長大，也似乎沒有機會長大。在這個故事中，她終於有了長大的機會，她與二哥習秋崖一樣，對大哥的遭遇、對習家莊的變化一無所知，甚至一無所感。直到遇上冷血和鐵手，進而被新大嫂點穴控制，進而遭遇大哥由裝瘋到真瘋，在前所未有的變故中迅速長大，證據是她在危機關頭指揮二哥拯救鐵手和冷血，並挺身與大哥對抗。她的迅速成長，與冷血不無關聯，冷血是她從未遇到過的那種人，讓她怦然心動，要與冷血相愛，她必須迅速成長，不能像過去那樣只懂得玩小雞、小鴨和小兔。

最讓人震撼的形象還是習笑風。此人出場時如同暴君，更像瘋子，胡亂殺人，逼迫弟弟及其心上人脫衣跳江撈月，完全不是正常人所為。原來竟是聽妹妹說起冷血、鐵手兩大名捕就在附近，他要抓住這個機會用非常手段引起他們的注意。待到冷血和鐵手到囚室中見他，他似乎更瘋狂，但卻以胡言亂語形式說出了「貂蟬生來喜歡吃糖，張飛張儀一齊迷失，唐三藏到觀音廟念經，煲裡已經沒有藥，天予人萬物人無一物予天皆可殺，坦蕩神州只有我……」——這段話每句最後一個字連起來即是「唐失驚要殺我」，向鐵手、冷血傳出最重要的消息。

這時候，習笑風是在裝瘋，若非如此，他就會被唐失驚識破，從而性命難保，習家莊更會立即成為唐門的別墅。

習笑風的驚人變化，是在鐵手、冷血重回習家莊時，他的兒子習球在唐失驚的掌握中，若他不聽唐失驚的話，他兒子就會被立即毒殺。所以，他不得不向冷血動手，以便保護自己的兒子。但誰也沒有想到，他居然將兒子和仇人一起殺死，進而向鐵手、冷血發動致命攻擊——這時候，他可能是真瘋了，瘋狂的原因，是兒子習球在對方掌握中，成了壓倒駱駝的最後一根稻草。連兒子都可以殺，還有什麼人不可以殺？

他有一個根深蒂固的理想目標：保護習家莊，保住習家莊在武林的威名！習家莊主的身分壓力，成了他發瘋的根本原因。有趣的是，碎夢刀被他瘋狂舉起，又被妹妹習玫紅打落江邊，進而被弟弟拿起，斬傷了他的身體，更斬碎了他的夢。習家先人為了不讓子弟耽於安樂，故意不告訴繼承人碎夢刀的秘密，且不許習家子弟近水，反而遭受了巨大諷刺和嘲弄。

「四大名捕」之《大陣仗》

《大陣仗》緊接《碎夢刀》，講述鐵手、冷血聯手偵破當地捕頭一陣風郭傷熊被殺案，富貴之家搶劫殺人案、霍玉匙強姦殺人案，最後找出幕後元凶，即牽連出轉運使吳鐵翼與唐門特使唐鐵蕭。所謂「大陣仗」，當是指最後一戰，冷血獨對十二單衣劍加三十八位狙擊手；當然也可以說是官府中人以權謀私、草菅人命、貪贓枉法，乃至參與搶劫殺人滅門，有官府參與的案子自然是大陣仗。

本故事看點之一，是加強了偵探查案情節。郭傷熊已死，負責偵查郭傷熊被殺案的郭秋鋒也已死，這一謀殺案幾乎是無頭案，開始時完全找不到頭緒，但冷血和鐵手還是在沒有頭緒的亂麻中找出頭緒，然後一步一步接近真相。

看點之二，是習玫紅、小珍故事的繼續，習玫紅與冷血相互愛慕，小珍和鐵手也心有靈犀，雖然沒有任何表白，但相互間的情感溢於言表。進而，在這個故事中，習玫紅和小珍的性格也得到了充分表現，習玫紅的突然成長再次停滯，公主脾氣捲土重來，雖然她也竭力克制，但只要有人呵護，她就安於自己的舒適區。

最典型的例證，是全案結束時，她要冷血不要走、陪她捉蟋蟀！與習玫紅相比，小珍就要成熟得多，因為她淪落風塵，不能不懂事、不能不心細。典型例證，是她發現郭竹瘦的行為和表情異常——習玫紅對此毫無察覺——從而掉換了酒杯，讓郭竹瘦自食其果。在這個故事中，小珍仍然是習秋崖的戀人——習玫紅一直稱呼她為二嫂——但她對鐵手的情意更濃也更深，只是無法表達，只能體現在平凡細碎的言語和行為中。這些言語和行為，是書中讓人心動的景觀。

看點之三，是鐵手和冷血兄弟間的深厚友情。這也體現在相互對視、言語和動作中，鐵手對冷血的呵護，冷血對鐵手的尊重，讓人感動。

看點之四，是唐鐵蕭和吳鐵翼組合。唐鐵蕭也像《碎夢刀》中的唐失驚一樣，是唐門特使，負有搶劫錢財、收買官府、組織隊伍、擴大地盤之責。他的最大成績，當是收買了轉運使吳鐵翼——書中說吳鐵翼是轉運使兼知州，但又說吳鐵翼比知府俞鎮瀾官更大——成了吳鐵翼的保鏢、朋友兼主子，是書中最神秘的人物，自然也是鐵手、冷血的最大對手，此人武功極高，但並非簡單的壞蛋，更非下三濫，在與鐵手決鬥時傷了鐵手，卻被鐵手打敗，且被鐵手救起；而他也很快就救了鐵手，非但沒有對鐵手乘機下手，反而承認自己失敗並自殺身亡。

可以說此人不失為一條江湖好漢。與他相比，吳鐵翼就完全是另一種人了，此人看起來相貌堂堂，言行舉止充滿正氣，實際上心黑手辣，調集唐鐵蕭、十二單衣劍、三十八名狙擊手對付鐵手和冷血，自己卻逃之夭夭，不僅是怕死，更重要的是要獨吞由唐鐵蕭等人搶劫來的財寶。

看點之五，是霍煮泉、霍玉匙父子。霍玉匙採花案，是一個重要拐點，此人是慣犯，曾作案七十餘起，涉及十一起命案（**強姦殺人**）。曾被郭傷熊逮捕，並被謝自居判處死刑，但他老爸霍煮泉是轉運使的師爺，有能力讓兒子死裡逃生。手段很簡單，即用狸貓換太子之計，讓別人去死，霍玉匙活下來。當郭傷熊發現霍玉匙仍然活著，而卻有他的墓碑，這就成了一條重要線索，也是郭傷熊被謀殺的具體原因，同時也是鐵手、冷血偵破此案的關鍵線索。

當然，更重要的是，霍玉匙在被判死刑後不久，竟然繼續作案，且侵犯了小珍，看他當時的樣子，明顯有恃無恐，簡直不可一世——他爹是霍煮泉！是官府師爺。也正是因為他爹對他無限縱容和寵愛，讓霍玉匙肆無忌憚，最終死於非命，且讓他父親身敗名裂。同時還幫助了鐵手、冷血找到了破案的頭緒。此類人在現實社會生活中不在少數。

看點之六，是最後決戰的安排，一對多，對冷血和鐵手來說早已司空見慣。這段情節的看點不在情節安排，而在作者採取了交叉蒙太奇形式，將鐵手與唐鐵蕭的打鬥、冷血與十二單衣劍和三十八狙擊手的打鬥、習玫紅和小珍在郭竹瘦家的歷險三條線索分段敘述，製造出緊張懸念，讓人心跳不止。

本故事相當好看，但在文學成色上卻比不上《碎夢刀》。

「四大名捕」之《談亭會》

《碎夢刀》、《大陣仗》、《談亭會》、《開謝花》幾部作品是「四大名捕」系列中的重要作品，其重要性在於，一是為四大名捕命名：冷血冷凌棄、追命崔略商、鐵手鐵遊夏、無情成崖餘；二是為四大名捕定位，即所謂「四個有本領的平常人」（溫瑞安語），亦即具有正常人性的傳奇人物。這幾部作品，不僅講述四大名捕的傳奇故事，更是在逐步建構四大名捕的形象，豐富他們的檔案材料，講述他們的情感故事，捕捉他們的心理活動，使得他們的形象更趨真實而逐漸豐滿。

與《四大名捕會京師》不同的是，這幾部小說不是講述四大名捕單獨辦案，而是講述他們聯手破案並對敵，《碎夢刀》和《大陣仗》是冷血、鐵手聯手破案，而《談亭會》是追命、無情聯手破案；《開謝花》是追命和冷血聯手破案。

《談亭會》講述追命、無情奉命偵查連環姦殺搶劫案，但故事卻從西鎮主人藍元山挑戰北城主人周白宇、南寨主人殷乘風開始，繼而是當地捕頭敖近鐵、丐幫舵主司徒不、豪俠元無物、東堡總管葉朱顏等人暗殺江瘦語和東堡主人黃天星——他們要取東堡、西鎮、南寨、北城而代之；最後才揭露奚採桑、梁紅石、休春水、居悅穗犯罪集團的真相。

在前面的大部分篇幅中，名捕追命似乎沒起到什麼作用，自己甚至都身陷死亡危機中；無情甚至沒有出現，但到最後才明白，無情和追命並非沒有作用，更非懈怠本職工作，而是在調查此案，且設計讓無情自己作為釣餌，釣出姦殺案犯罪元凶，由此表現名捕的智慧和勇氣。這篇作品把名捕無情和追命偵查案件的推理和設計都推向了幕後，直到最後才揭曉。

《談亭會》一名《掃興人》，一名《花沾唇》。

《掃興人》這個書名，表明作者是要揭露武林、江湖真相——真相總是讓人震驚、讓人不快、讓人掃興——包括兩層，一是白道英雄藍元山、周白宇、殷乘風、黃天星等人的私心與內訌，本書前半段故事之所以發生，即敖近鐵、司徒不、元無物、葉朱顏等人之所以能夠挫敗白道英雄、暗殺東堡主人黃天星，說到底是因為「物必自腐而後蟲生」，若藍元山沒有當老大的權力欲望，就不會有挑戰同道中人周白宇、殷乘風的事發生；若周白宇能夠克制自己的性欲衝動，也不會敗給藍元山，更不必自殺殉情；若殷乘風不是死要面子，他的妻子伍彩雲就不會被害；若黃天星沒有私心，也就不會被自己屬下葉朱顏等人所乘。

敖近鐵、司徒不、元無物、葉朱顏以及連環姦殺案元凶奚採桑、梁紅石、休春水、居悅穗等人，更是被自己的欲望及不平情緒所支配，從而成為犯罪者，而被追命、無情兩個名捕「掃興」。世間貧富不均，確實讓許多出身貧寒而胸懷大志者感到不平乃至憤怒，其中有一部分人通過不懈努力而成為更好的自己，但也有一部分人因為憤怒報復社會從而成為罪犯，故事中的這些人都是後者。說起來，這是一個普遍性的社會問題，故事中罪犯的犯罪動機變成了犯罪行為。

書名《花沾唇》，則是想突出書中的霍銀仙、周白宇這條線。霍銀仙是西鎮之主藍元山的妻子，他知道藍元山貌似淡泊而實懷野心，在藍元山挑戰周白宇時，她想幫助丈夫對付周白宇。本想刺殺周白宇，結果反被周白宇所救，進而與周白宇發生性關係，最後因姦情暴露而與周白宇雙雙自殺，是殉情還是洗辱？大可仁者見仁、智者見智。真正的問題是：我們該如何看待霍銀仙、周白宇的衝動性行為？如何看待霍銀仙這個人？又如何看待周白宇這個人？

對此，書中追命——應該能夠代表作者——有一段很有意思的議論：「至於周城主、藍鎮主、藍夫人……身在情網中，誰是得失人？外人不在情懷翻卷之中，妄加評定，也未免對當事人太不公平了。」說得透澈點，這是人性的弱點。

本書的一大看點，是殷乘風的妻子伍彩雲，與江愛天、奚採桑等人組織了一個「七姑」組織，目的是要對付姦殺案元凶，實際上卻是與虎謀皮——犯罪元凶就在「七姑」組織之中——這段情節設計，頗有象徵寓言價值。

本書也有弱點，即犯罪動機和犯罪行為的敘述，多少有些概念化痕跡，很難經得住仔細推敲：敖近鐵等人要取東堡、西鎮、南寨、北城而代之，如何能夠實現？且不說高手如雲的風雲鏢局是白道聯盟老大，與黃天星、藍元山、殷乘風、周白宇等人關係密切；也不說東堡西鎮南寨北城與無情、鐵手、追命、冷血四大名捕關係密切；只說他們即便能夠成功，又如何能統治堡、鎮、寨、城？進而，連環姦殺案的形成，只有奚採桑是陰陽人，對侵犯女性感興趣，梁紅石、休春水、居悅穗等人都是純粹的女性，如何能夠獲得犯罪快感？僅僅是為了錢財？在她們姦殺女性時如何獲得錢財——例如從女捕頭謝紅殿、伍彩雲那裡獲得了什麼？

「四大名捕」之《開謝花》

《開謝花》講述追命追捕吳鐵翼、冷血偵查大蚊裡毒蚊案，而後聯手聯手破獲吳鐵翼、趙燕俠合作種毒製毒案。吳鐵翼是在此前《大陣仗》中犯案逃亡，冷血和鐵手傳訊讓追命追捕吳鐵翼，這就將《開謝花》故事和《大陣仗》故事聯繫在一起，也把這四個故事聯結成一個整體。

本以為這個故事僅僅是個追捕故事，但沒想到故事發展到濟南階段突然轉向，雖然追命的職責目標仍然是追捕吳鐵翼，但冷血出現，帶出大蚊里毒蚊案；接著是追命帶著習玫紅跟蹤到大蚊里附近的霸王花谷，即吳鐵翼和趙燕俠合作種植毒花的地方，這是一個新案件，其實也是老案件，只是巧妙地將吳鐵翼案與大蚊里案兩個案件串併，成為一個出人意料的完整故事。

本故事一大看點，是離離這個人物，她出現在人和堂藥店中，說吳鐵翼是她殺父仇人——在某種意義上說，這個說法頗有象徵意義，吳鐵翼確實將她理想中的父親殺死，只留下了一個作惡的父親——號稱要刺殺吳鐵翼，並與追命兩情相悅，讀者也以為離離與追命會像前兩個故事中的小珍與鐵手、習玫紅和冷血那樣，成為一對戀人，至少兩心相知、兩情相悅。誰知道完全不是那麼回事：這個看起來楚楚可憐的離離姑娘，竟然是十惡不赦的吳鐵翼的獨生女兒。

她在人和堂中假裝負傷，是要讓追命無法去追趕自己的父親；她在濟南化蝶樓假裝刺殺父親，其實是要父親有機會逃走，並再次絆住追命。若非冷血出現，追命很可能再也無法追蹤並追捕吳鐵翼了。第三次，離離帶追命等人逃生，誰知在最後關頭卻將追命當成人質，讓父親第三次有機會逃走。吳鐵翼有這個女兒，是本故事中最有想像力的創造，一切都出人意料，卻也在情理之中，誰說壞人不能有好女兒？

本故事另一看點，是習玫紅再度現身及表演——這個美貌無知、天真刁蠻的姑娘，與古龍小說《大人物》中的田心姑娘非常相似，也與溫瑞安本人的「說英雄・誰是英雄」系列中《溫柔一刀》、《傷心小箭》及《朝天一棍》中的溫柔如出一轍，可以說，溫瑞安在自己抄襲自己，這一類人物模型被反覆使用。

在《大陣仗》中，冷血說，小珍聰明，習玫紅幸運。確實如此，習玫紅十分幸運，在本故事中，習玫紅稱得上是典型的成事不足敗事有餘：和追命在一起埋伏，她只顧打蚊子而暴露自己；追命讓她去找冷血，她迷路了——她在自己家裡也曾經迷路的——而帶著冷血回來拯救追命時，她再次迷路了。迷路，彷彿成了習玫紅的專利，也是這個人物的象徵。但她幸運——她自以為聰明，甚至說她比冷血聰明一百倍——總是在關鍵時刻遇到柳暗花明。彷彿是百神呵護，其實是作者偏愛。

本故事的第三個看點，是神劍蕭亮這個人物，他是劍術超人，人品也好，但卻成了趙燕俠的保護者，曾為了趙燕俠而與冷血決鬥，進而為了趙燕俠而與自己的師兄決鬥。其原因出人意料，並不是他善惡不分，更不是他甘心為奴，而是他要報答趙燕俠之父接濟他母子的恩情，答應為趙燕俠出劍三次。雖說三次之後，他也要向趙燕俠動手，且趙燕俠曾偷襲並將他和師兄方覺曉打成重傷，但他還是沒有對趙燕俠動手，反而被趙燕俠打傷致死，臨終前還希望趙燕俠能夠逃脫。這個人物並不簡單，說他感恩尚義固然不錯，說他婦人之仁也說得通。他的存在，為這個故事增添了許多曲折，許多感慨。

本書還有一個看點，是小說的開放式結局，吳鐵翼在《大陣仗》中逃脫，在這部《開謝花》中仍然沒有被抓獲或被擊斃。看來此人的生命力很強，運氣也非常好，例如有吳離離這樣一個聰慧而懂事的女兒。小說結尾，她和婢女小去制伏了追命、習玫紅，迫使冷血不得不答應她的條件，即放她父親離開，否則就很可能玉石俱焚，至少習玫紅會遭受生命危機。

追命可能不把自己的生命當一回事，但不能不把習玫紅的生命當一回事，因為習玫紅無辜，且他知道冷血深愛習玫紅，為了無辜者的生命、為了師弟的摯愛，他也只得答應離離的條件。冷血之所以答應，除了要保護習玫紅外，也是要保護自己的師兄追命，不願讓他受傷遇難。這樣一來，吳鐵翼逃命就成了必然，離離的機智形象也就更加深入人心。

小說的弱點是，吳鐵翼與趙燕俠的合作有概念化痕跡，吳鐵翼貪財也就罷了，這個故事中說他還想借助霸王花而爭霸天下，這就有些過分了，他為什麼要爭霸天下？又憑什麼爭霸天下？他與趙燕俠合作當然不是不可以，種植毒花也沒有問題，問題是種植毒花的目的與其說是為了爭霸天下，不如說為了賺錢為好。

「四大名捕」之《逆水寒》

《逆水寒》既是「四大名捕」系列中的一部，也是一個相關新系列的開篇。其實也可以叫《易水寒》，因為書中故事幾乎都發生在易水兩岸，書中人物也大有當年荊軻「風蕭蕭兮易水寒，壯士一去兮不復還」的慷慨悲涼。

小說中名捕鐵手即鐵遊夏，雖不似古代的荊軻，但他在這部書中的經歷，仍然讓人感慨萬千。鐵手對名捕生涯的厭倦乃至決絕，也就毫不奇怪。因為在探案過程中，他的經歷讓他迷惑，分不清究竟誰才是真正的盜賊，誰才是真正的捕頭？也弄不清自己到底為什麼要抓人？而那些人究竟為什麼會被抓？所以，他作出一個讓人震驚的決定，毅然辭去捕頭之職，到連雲寨去當強盜！

舉世聞名的捕頭，竟然改行去做連雲寨的寨主，這當然讓人震驚。無論鐵手這一去是否回來，他的這一選擇本身就足以讓人目瞪口呆，小說的主題也因此而被深化。

在此之前，「四大名捕」系列故事，主要是以江湖案件與是非為內容，如有涉及官場內幕，諸如《大陣仗》、《開謝花》、《骷髏畫》等，也多是「只反貪官，不反皇帝」，更沒有對整體社會體制產生質疑者。看得出來，作者努力在俠道正義與皇權王法中尋找一條調和折中的價值方式。不用說，在俠道與皇權、正義與王法之間肯定存在著某種尖銳的矛盾與對立，今天的讀者對此很容易理解。正因如此，作者也就難以堅持其調和方略，而無視其無法調和的真實存在的矛盾，這才會有《逆水寒》這麼一部書。

名捕鐵手的遭遇和見聞，是這部小說中最重要的故事線索之一。鐵手追捕逃犯，無意中陷入官兵圍剿連雲寨悍匪的戰場。站在官府立場看，連雲寨大寨主戚少商、四寨主穆鳩平等人無疑是「悍匪」，他們占山為王，做強盜勾當；而站在江湖人的立場看，卻會有所不同，連雲寨在戚少商等人的領導下，所作所為是劫富濟貧、行俠仗義之事，官兵反倒是欺壓百姓的禍害。這就存在兩種價值觀的衝突。鐵手陷入了這一矛盾衝突中，必須在對立的價值衝突中迅速地做出自己的選擇。這一選擇，正是小說最重要的懸念與故事線索，同時也是小說的主題思考。

鐵手選擇了江湖俠義立場，即站在戚少商一邊，幫助他們突圍，對付官兵。這是對江湖俠義的一種肯定，同時，也是對鐵手形象的重新定位。

然而，鐵手的選擇，必須付出沉重的代價。他抓住官兵主將冷呼兒將軍，放走戚少商、穆鳩平等人，但他自己卻束手就擒，為的是維護王法的尊嚴，他不得不準備犧牲個人的生命。鐵手的選擇，仍然是試圖在江湖俠義與皇權王法之間尋找妥協的可能。只可惜，這種調和無法奏效，因為在官軍與俠盜的衝突中，官軍首腦才是矛盾衝突的主要方面，是「官逼民反」。所以，當鐵手依法被擒之後，他所得到的不是維護正義與王法的平衡，從而獲得心靈平靜；而是見到黃金鱗、冷呼兒、鮮于仇以及李福、李慧等官軍首腦和爪牙對他的肉體摧殘和精神侮辱。

他設法放走戚少商等人，並不等於真正解救了他們命運的危難，只不過使其危機推遲一點爆發而已。鐵手則等於白白地犧牲了自己。這時，他發現自己所尊崇的王法，在黃金鱗、顧惜朝等人眼裡，只不過是權力鬥爭的工具、手段和招牌而已。此時，鐵手非常後悔自己束手伏法，因為「法」是掌握在人的手中。於是，鐵手不得不進行人生的第二次重大選擇。

捕神劉獨峰將鐵手從李福、李慧等人手裡救出，他這樣做頗不符合他的捕神身分，他想「維法」即維護王法的尊嚴、公正乃至俠義、人道，卻被看成是明顯而絕對的「違法」。由此，鐵手面臨著一個迫切的疑問，那就是「違法」與「維法」的標準是什麼？差異又是什麼？他原以為是朝中權力鬥爭分出忠奸兩大陣營，即以諸葛先生所代表的正義一方，與以傅尚書、蔡京等人代表的惡勢力一方的鬥爭。這種鬥爭的存在，是鐵手的精神支柱，也是四大名捕共同的精神支柱。在一定的歷史條件下，很難說這一精神支柱有什麼毛病，因為有這種支柱肯定要比沒有這種支柱要好些。

有兩件事影響了鐵手的最終選擇。一件是，他參與了「悍匪」們逃亡的全過程，因為他自己也變成了通緝犯，這種身分的改變表明了是非判斷的顛倒。一方面是使得鐵手不得不對捕頭與犯人之間的關係作出重新思考甄別，從而真正認識到正義與王法之間有難以調和的矛盾衝突；另一方面則使他在逃亡過程中體驗了一種全新的人生滋味，從而為他的最終抉擇提供了認知基礎及可行路徑。

影響鐵手的還有一件大事，那就是無情通過努力終於獲得了赦免鐵手的聖旨，看起來是皆大歡喜的結局，其實卻不無荒誕。鐵手從通緝犯變成匡扶正義的名捕，論功行賞，黃金鱗、顧惜朝則由官軍首領變為牟利犯法的貪官，這並不等於天下從此歸於正道。恰恰相反，這只不過是一種說法、一場戲劇、一種虛構，甚至是一種圈套。這裡已不能去尋找正義、非正義之間的對立，而只有掌握政治權力者對正義作出扭曲。

這些官兵之所以要抓戚少商，原來並非因為他們是悍匪，而是因為他們掌握了不該知道的朝廷政治鬥爭的秘密，所以皇帝要殺他們滅口，傅尚書要逼口供而挾天子以令諸侯。最後劉捕神建議戚少商將證據交給無情和諸葛先生，那也只不過是以詭制詭、以毒攻毒而已。談不上王法的尊嚴、平等與公正。貪官固然可惡，但王權恰恰是一切貪贓枉法者的保護傘、總後台乃至總根源。

如是，鐵手終於跨出了最後一步，也是最關鍵的一步，即他不再做名捕，而是決定到連雲寨去重整山寨，在皇帝允許下，他當然不會重新占山為王，而是要以自己的能力建造自己的理想，創造出一個真正公平正義的小世界。能否做到，那是另一回事，關鍵是，他要這樣做，且這樣做了。

小說中的捕神劉獨峰是個獨特的藝術形象。這一人物的故事和形象，也是小說主題深化的一個不可缺少的組成部分。

在四大名捕之上，還有諸葛先生和另外兩個人，一個是捕王李玄衣（此人在《骷髏畫》故事中殉職），一是捕神劉獨峰，他在這部書中又殉職了。這兩個人物形象及其故事有明顯的象徵性。李玄衣一生清貧，衣衫破舊，年老多病；劉獨峰出身豪門，愛潔成癖，氣度不凡，與李玄衣看似毫無共同之處，但兩人是莫逆之交。因為他們分別是捕頭之神、捕頭之王，他們都忠於王法，恪盡職守，受到正派人士的尊崇，而讓罪犯宵小聞風喪膽。他們都有高超武功和過人智慧。

然而，劉獨峰奉命抓捕戚少商，即使得知戚少商有重大冤屈，他也還是要把戚少商帶回京師。一是聖旨難違，而是與傅尚書有過一筆交易，他不想、也不敢開罪權勢熏天的傅尚書，三是他還要維護「捕神」的形象，豈有捕神抓不到的人？豈能容忍有人能逃出捕神的掌心？這三條原因，導致捕神劉獨峰要抓捕戚少商，由此，我們也可以看出劉獨峰的性格。他是官場中人，是在權力鬥爭的漩渦中生存下來的。捕神所代表的不是正義，而是一個受政治鬥爭影響的官方執法者，不得不維護平衡，有時候不得不扭曲真相。不能簡單說他是個壞人，但也不能說他是個義士，他只是官場現實中人。

捕神生前有人給他看相，說他「晚節不保，為臣不忠」，他當然絕對不相信，也絕對不會那麼做。但在他臨死之前——他是與黑暗勢力的代表魔頭九幽神君力拼而死——果然違背初衷，設計要戚少商找無情和諸葛先生制定「以進為退」的策略，以詭制詭，欺瞞皇帝。這可謂人之將死、其言也善。在他迴光返照之際，才能徹底地擺脫官場政治的束縛，超然於利害得失之上，努力爭取公平正義，讓其生命形象得以昇華。他不再認為皇帝是神聖不可欺瞞的，因為皇帝也欺瞞了朝廷，甚而欺瞞了天下。當然，如果不是面對死亡，劉獨峰絕不會這麼做，因為他還要在官場上混。這一細節，表明作者把握人物心態的準確性。

小說中的殷乘風、戚少商、雷卷、息紅淚、唐晚詞、秦晚晴、赫連春水等一系列人物形象，也都很鮮明。殷乘風有喪妻之哀，使得這一人物脆弱性格表露無遺。戚少商的情感痛苦，在小說中也有充分表現。當然還有無情的機智與多情，唐肯的豪邁與義烈，雷卷的病弱自卑與堅毅自傲的矛盾形象，都有可觀之處。

小說中，息紅淚與戚少商的愛情故事一波三折，入情入理。最終結局出人意料，即息紅淚決定要嫁給對她一往情深的赫連春水，而只把戚少商當作兄長，表明了作者對人物情感心理的準確把握。戚少商懷有大志，風流自賞，招花惹草，實非息紅淚的良配。因為息紅淚並非平凡女子，個性極強，情感熱烈，既敏感又自尊，需要的正是赫連春水這樣的男人。赫連春水的專注和深情，正是戚少商所缺少的，息紅淚已飽經滄桑，到關鍵時刻，怎能不大澈大悟、精準選擇？

小說中的雷卷與二娘唐晚詞之間的愛情故事、三娘秦晚晴與沈邊兒的一夕之歡，多少有些人為痕跡。毀諾城被毀之後，大娘與連雲寨大寨主戚少商歡好、二娘與二寨主雷卷相好，三娘與三寨主沈邊兒相好，排序如此整齊，讓人疑心是人為安排，雷卷與唐晚詞之間的愛情也顯得很突兀。當然，後來的故事發展，倒也寫得頗有可觀之處。雖然沒有寫無情對唐晚詞的暗慕、戚少商為失去息紅淚而感到失落那樣深切動人，但沈邊兒與秦晚晴的露水情緣畢竟頗為生動。

小說的敘事結構也有可取之處。故事情節始終是雙線並行，其間又穿插夾雜著其他與之相關的人和事，共同組成相對完整的故事結構。鐵手的逃亡是小說的主線，無情的追捕及其遭遇則是與之平行的關係線。捕神劉獨峰的插入，是與鐵手、無情這兩條線索相交的一條重要管道。而雷卷、戚少商的相逢、離別、再相會，則又造成了小說情節的起伏跌宕。群豪會合之前各自逃亡，絲縷分明。沈邊兒與秦晚晴、雷卷與唐晚詞、息紅淚與戚少商和赫連春水與高雞血等人之間不同形式的情感關係，層次分明，也寫得一絲不苟。總之，從小說中的任意一條線索追下去，都會通向總體主題結構，正如千條江河歸大海。

其次，小說也注意對一些相對次要的人物作形象塑造，許多人物都活靈活現。例如「天棄四叟」劉學平、吳雙燭、巴奇、海托山四人，對群雄逃亡來投的不同態度，就寫得差異明顯，而有恨有分寸。劉學平是極力主張幫官兵殺悍匪的，吳雙燭則相反，主張堅持江湖道義抗官兵；巴奇是簡單地怕惹麻煩；海托山則相對複雜，既想報恩又怕麻煩，既顧惜自己的性命卻又有豪情衝動，畢竟他已經有了家業，不能像年輕時那樣毫無顧忌。以上這些，小說中都寫得相當細緻。

再如，小說中的鄭舜才及其部屬護送無情進京，被文章等人攔截時，各位部將在激烈打鬥時的瞬間心理，小說中也捕捉得精準，敘述也很生動。所有這些，都是這部小說的成就，也是作者藝術功力的充分表現。

《英雄好漢》

《英雄好漢》是溫瑞安「神州奇俠」系列之三，分為上、下兩部，共有廿六章，三十八萬字。大陸出版的溫瑞安小說，版本、書名較亂。《英雄好漢》上承《兩廣豪傑》而來，但台聲出版社一九八九年八月版的《兩廣豪傑》的最後卻預告讀者「請看第二部故事《江山如畫》」，是否有錯？不得而知。筆者所看的《英雄好漢》一書係中國友誼出版公司一九九〇年版。

《英雄好漢》一書的故事，以蕭秋水被屈寒山擊落江中、死裡逃生開始，至唐方被權力幫中蛇王所傷，蕭秋水毅然代垂死的屈寒山送藥給峨嵋金頂上的權力幫幫主李沉舟止。整個故事是寫蕭秋水得到大俠梁斗等人的救助，與權力幫展開誓死周旋經歷。這部書是「神州奇俠」系列中較好的代表性作品。

這部作品最突出的特點，是它主題鮮明。溫瑞安作品每以闡揚俠道為本，所謂俠道即仁道，即以仁人之心為本，懷天下之憂樂，以他人之憂為憂，以他人之樂為樂，急天下人之所急，救人所不能救，忍人所不能忍，有所不為，有所必為……這樣的人，才稱得上是真正的大俠。

一般武俠小說中，大俠意味著武功絕高，經驗豐富，人緣特好，具有極大的號召力。甚至有不少人以為江湖上的大俠，是要以武功高低來衡量。但《英雄好漢》則不是這樣。《英雄好漢》刻畫的是一個頗為少見的大俠形象。書中的主人公蕭秋水，武功既不很高，名氣也不夠大，經驗更不夠豐富，號召力也相當有限，但這個人是一個英雄好漢，也是一個真正的大俠。

蕭秋水死裡逃生，復又被敵俘獲，但威武不能屈。直至回到蜀中故宅，見家被毀、情人失蹤，仍然不失鬥志與毅力，以保護岳飛之母及其遺留下的「天下英雄令」為己任，務使英雄令不至於落到歹人手中。如此等等，足見其俠義本色。如果這還算不上什麼，那麼以下幾件事應該更能說明主人公的超凡品質。

一件事，是在丹霞嶺上脫困之後，仍不忘與他並肩作戰的朱大天王屬下長老邵流淚尚未被埋葬，所以他堅持留下，為之收屍。不料邵流淚非但未死，反而出人意料地將他抓住，迫使他服下「陽極仙丹」——「無極仙丹」分為「陽極」與「陰極」二種，如若同時服用二極則會增加十倍功力；若只服用「陽極」，則有生命危險，會因陽亢而死，當年燕狂徒給邵流淚服下一枚「陽極仙丹」而不給他服用「陰極仙丹」，使得他死去活來，痛不欲生，乃至心理變態。而如今，邵流淚卻要用這一手對蕭秋水。

蕭秋水此時十分痛苦，但他看到邵流淚又迫使權力幫中柳五公子的「三鳳凰」之一紅鳳凰宋明珠服下「陰極仙丹」，並要強暴她時，蕭秋水突然大喝一聲，衝向邵流淚，要制止邵流淚的獸行。

要說明的是：

一、宋明珠是權力幫中人，也就是蕭秋水的死敵。

二、蕭秋水的性命還掌握在邵流淚的手中，與他對抗，會有萬劫不復的嚴重後果，假如邵流淚不給他服用「陰極仙丹」，他將陽亢而死。

三、蕭秋水的武功不高，根本不是邵流淚的敵手（否則就不會輕易被邵流淚所制），就連宋明珠的武功也比蕭秋水高。要與邵流淚對抗，根本就沒有勝算。

四、蕭秋水唯一的有利條件，是他在邵流淚背後，他可以趁邵流淚強暴宋明珠時發起突然襲擊，但蕭秋水卻沒有利用這一有利條件，而是事先大喝一聲，告訴邵流淚他要出手。

以上四點，無論是犯了哪一點，都屬不智，但蕭秋水竟然全不顧及，為了拯救敵方的女子而挑戰掌握他生死的邵流淚。這就是蕭秋水的個性，也是真正大俠的做事原則：有所不為，有所必為。這一情節，足以證明，蕭秋水是位真正的俠者。

蕭秋水拼死殺了受傷的邵流淚，拯救了宋明珠，然而服用了「陰極仙丹」的宋明珠在情欲衝動之下，撲入蕭秋水懷中。蕭秋水同樣因為服用「陽極仙丹」而被情欲所控制，若不得滿足，很可能會因亢奮而死，他該怎麼做？

須知蕭秋水是個血氣方剛的年輕人，當有美女投懷送抱，在此荒山野嶺之上，恐怕也難以克制自己；更何況他和她還都分別服用了「陽極仙丹」和「陰極仙丹」，欲望衝動如洪水猛獸，根本無法克制，此時的蕭秋水除了屈服於欲望之外，還有什麼選擇？小說中蕭秋水的行為選擇再一次出人意料，他寧可自己墜崖死去，也不願在無法克制的情況下破壞對方的貞操。看了這一段情節，我們對蕭秋水的個性品格應該有更為深刻的瞭解和理解。進而，對什麼是真正的俠，也會有更深的認識。

書中還有一段情節，更能說明蕭秋水的品格。權力幫中的劍王屈寒山身負重傷，生命垂危，居然請蕭秋水幫他送藥給權力幫幫主李沉舟。屈寒山這樣做，理由是「因為你是蕭秋水」，「因為你答應下來的事，一定會做到」。蕭秋水的第一反應，當然是「不」，問題是，屈寒山抓住了蕭秋水的女友唐方，若不答應，對方就要殺害唐方。於是，蕭秋水只能答應。在他答應之後，屈寒山立即解開他的穴道，並且跪下。

要說明的是，其一，在這部書中，權力幫始終是蕭秋水的死敵，而劍王屈寒山更是蕭秋水的頭號死敵，蕭秋水被他打入水中，繼而被擒、被圍、毀家、受傷……所有苦難都與屈寒山有關。而屈寒山也知道蕭秋水對他恨之入骨，但他在擒住蕭秋水、唐方之後，卻反過來求蕭秋水幫他送藥。敵人往往比朋友更瞭解一個人。因為屈寒山知道，只要蕭秋水答應，就一定會一諾千金。

其二，此時權力幫的蛇王還在山上，蛇王是劍王同夥，都是權力幫骨幹，屈寒山不去求蛇王，而是寧可求敵人蕭秋水，可見屈寒山對蕭秋水的信心超過了對同伴的信任。

其三，蕭秋水明知道此藥是假，非但不能救李沉舟，反而能毒死他，蕭秋水只要答應為對方送藥就能讓自己脫身、仇人送命，但蕭秋水的第一反應卻是拒絕。這不僅需要不畏死亡的勇氣，更要有超越敵我情仇的仁心。這才是蕭秋水。這才是世間少見的俠義情懷。

對此事，還有兩點須補充說明，一是，他為了唐方而被迫答應了屈寒山，幫他送藥給李沉舟，他也完成了送藥的任務，但李沉舟卻沒有被毒死，原因是蕭秋水告訴李沉舟：這藥是假的（事見《神州無敵》）。二是，蕭秋水在答應屈寒山之後，與唐方同行前往峨嵋金頂途中，遇到了權力幫蛇王狙擊，而蕭秋水與之苦苦奮戰，為的是完成對屈寒山的諾言。

小說中對屈寒山、梁斗這兩個人物，也作了較好的形象刻畫。屈、梁是齊名的武林高手，一長於劍，一長於刀，兩個人都有俠名。只不過，屈寒山雖有俠名於世，暗地裡卻投入權力幫中，有極大的欺騙性，此人也確實虛偽可怕。書中不僅對此人的行為與個性給予深刻揭露，同時對這一類人——即有大俠之名而無大俠之心，甚至可能為盜的偽君子、假俠士——也有一定程度的揭露。值得注意的是，書中並沒有把這個人寫成是一個十惡不赦的妖魔，而是努力寫出他的複雜性。諸如書中寫到他求蕭秋水為他送藥給幫主李沉舟，就表現了他的不同側面。

小說中的梁斗這一人物，以「黑布鞋、白布襪、青布衫」出現在江湖上，看起來普通平凡，但他的一舉一動、一言一行莫不表現出大俠氣度與情操。在《大俠傳奇》中，我們瞭解到，此人其實是本朝的梁王，身為貴族，卻以如此樸實平凡的穿著出現在江湖中，足見此人非同凡響的特異品格。更為難得的是，他還慧眼識英雄，以高貴的梁王及江湖大俠的雙重身分，與蕭秋水平等結交。不僅發現、提攜、幫助蕭秋水，而且理解對方、尊重對方，甚而服從對方的統一指揮。若不是真正超凡脫俗，絕不可能如此本色，更不可能如此平易近人。

此外，小說中通過岳飛之母及其「天下英雄令」這一線索，暗示金兵侵犯，國難當頭這一沉重的歷史背景，而在這一背景下，江湖中仍然充滿窩裡鬥，武林裡仍然四分五裂爭奪霸權，就顯出深刻的悲劇意義。

這部小說的缺陷與不足也很明顯。

一是因為該小說是系列作品中的一部，所牽涉到的人物、事件及其背景頭緒太多，與上一部書及下一部書無法截然分開，使得這部書缺乏相對的完整性與獨立性。這一點就遠不如「四大名捕」系列作品，它們是各自成篇，可以相對獨立，而《英雄好漢》的故事情節則既沒有獨立性，情節也就沒有有機的完整性。蕭秋水的「丹霞嶺之戰」及「浣花蕭家之戰」看似精彩，但二者之間缺少邏輯關聯，經不住認真推敲，更重要的是它們的敘事意義也不大，徒然像「走馬燈」似的介紹人物間的打鬥，打鬥雖然寫得不錯，可惜的是人物卻不夠分量。作者忙於講故事，忙於製造讓人眼花繚亂的情節，卻無力關注其中人物，以至於讀完之後很快就茫然，很快就忘卻，很快就回憶不起。恐怕也沒人能單獨說清這部書究竟在說什麼。

其次，看溫瑞安的小說，有一個古怪的感覺，那就是溫瑞安雖然是詩人，卻不善於言情。所以，本書中雖然寫到了蕭秋水和唐方的愛情故事，但卻無頭無尾，且泛泛浮浮，有時還故弄玄虛，看不出真情實感，因而無法真正動人，當然也就留不下什麼印象。留下的，可能是些不怎麼好的印象，就是作者不善寫情，不得不如此矯情。

《白衣方振眉》

《白衣方振眉》不是一部書，而是一個小說系列。主要包括《龍虎風雲》、《長安一戰》、《小雪初晴》、《落日大旗》和《試劍山莊》等長、中、短篇故事。

白衣方振眉是蕭秋水的弟子，出道不久就名震江湖。「白衣」這個綽號很有意思，一是他喜歡穿白衣，如同標籤，卓爾不群；二是「布衣」之意，表示他為平民百姓，是江湖武林中的普通人；三是象徵意義，表明這位大俠純潔高尚。

白衣方振眉既然是蕭秋水的弟子，按理說，他的故事也應該歸入「神州奇俠」系列才是，但他的故事與「神州奇俠」有所不同，即方振眉的故事各自獨立，沒有連續關係，只是故事的主人公都是方振眉，或至少與方振眉有關。

《白衣方振眉》並不是「大」作，只是有幾個很好看的故事，可以說是非常特殊的作品。亦如古龍的《楚留香》和《陸小鳳》故事系列。故事都不長。但都很精彩。精彩的原因，是這些小故事雖然都寫方振眉行俠仗義，但卻有不同的側重點，每個故事都有其獨特的主題與形式，不同的故事不相雷同。

《龍虎風雲》講述方振眉以武林安危為己任，主持正義，幫助試劍山莊莊主司徒十二對抗為非作歹而且試圖稱霸武林的長笑幫。方振眉不但武功高強，而且有勇有謀、智慧過人。更難得的是，他從不輕易殺人（作為武俠人物，這是難能可貴的一點，很像是古龍筆下的楚留香），勇於戰鬥，不畏強暴。戰勝長笑幫主已是出人意料，而能使眼高於頂、獨往獨來的「大俠我是誰」成為他忠實朋友則更難。《龍虎風雲》可謂是一個單純的龍虎相鬥的武林故事。

《長安一戰》是講述方振眉為保護官餉及藏寶圖《上清圖》而與覬覦寶物財富的武林高手、魔頭袁笑星師徒之間的決戰。這個故事又從單純的江湖爭鬥轉為護衛官餉、維護國家利益的戰鬥，其目的與方式都與《龍虎風雲》不同。

《小雪初晴》又回到江湖，方振眉來到西南邊陲，與地方首腦「一龍三蟲」之間的產生恩怨。與一般武俠故事不同的是，其一，這不是明刀明槍的技擊，甚至也不是陣線分明的對壘，而是神秘莫測、詭異恐怖、迷霧重重的「蟲」之戰。其二，這一小說既有偵探小說的情節，更有神秘小說的氛圍。其三，方振眉在這一故事的最後才露面。所以，《小雪初晴》與前兩個故事有明顯不同。

《落日大旗》講述金兵侵宋，迫近淮北，宋王旗幟落入金兵之手。金太子金沉鷹率夏侯烈、喀拉圖、完顏濁及蒙古神勇二大將連續血洗淮陽鏢局、淮北世家，折辱大宋國人，視大宋武林為無物，肆意挑戰，而又暗伏陰謀，不僅想借擂臺決戰摧毀宋國武林的實力，而且牽制江湖高手，以便暗中派人刺殺大宋抗金名將虞允文。這一陰謀被方振眉識破，長途奔波，先救虞允文，後赴擂臺賽，不顧自身疲憊，大勝金國高手，逼得金沉鷹自殺。這時宋王旗幟威風八面地飄揚在擂臺上。這個故事可以說是一部民族愛國主義的正氣歌。

《試劍山莊》是個短篇，寫方振眉俠膽仁心，勸告青年武士言鳳江、汪勁草不要因為技不如人而喪失信心，更不要以為武林中再無正義可言，不要沮喪絕望。從而激發了兩個青年的生機與鬥志，終於在戰勝自己的脆弱與絕望之際，也戰勝了武功高強的對手。

如此可以證明，《白衣方振眉》的故事，確實各自不同。

《白衣方振眉》的突出特點，是注重人物形象的刻畫。

諸如對主人公方振眉的刻畫。他的朋友我是誰和沈太公稱呼他是「財神爺」，而他自己則一向謙遜灑脫、俠義而樸實。救人厄難，能為一個保衛一個農夫的牛犢子而與強敵周旋。慈悲為懷，是他從來不枉殺一個敵手。不過是多大對頭，他都會給對方留一條後路，甚至還曾冒著生命危險到大火中去救自己的敵手，從而感化凶徒，徹底改變其人生軌跡。這一細節可能受古龍小說《風雪會中州》中沈浪救敵於火中的啟發，但方振眉有自己的風貌，仗義行俠不是他的「職責」，而是他的「性格」，因而成了他生活的一部分。在一系列故事中，這一點得到了充分體現，讓人對這一人物留下深刻印象。

難忘的人物還有方振眉身邊的「哼哈二將」，即年高眼更高的沈太公，和藝高人膽大的大俠我是誰。這兩個人物，也使人想起古龍筆下楚留香身邊的姬冰雁、胡鐵花，但仔細品味起來卻又不大一樣。沈太公年紀大、輩分高、武功高、心氣更高，自傲於世，豪邁不服老，但他對方振眉卻是真心喜歡、真心愛戴、真心敬重，從而甘心為其次。這也可見此老在高傲的外表下，童心猶存、真摯坦蕩、有赤子衷腸。大俠我是誰總是一襲黑衣，自從與方振眉及沈太公交友，從此不再孤獨，於是更加暴烈，勇往直前。這兩人性格鮮明，聽他們對話，是一種享受。不僅因為他們的語言風趣幽默、生動活潑，也因為他們動人的友情和愛心。

其他人物，如《龍虎風雲》中的試劍山莊莊主司徒十二的豪邁；含鷹堡少堡主郭傲白少年得志的傲氣；長笑幫幫主曾白水的梟雄品質；曾白水女兒曾丹鳳倩女柔腸；司徒十二一子一女司徒輕燕、司徒天心的天真爛漫……都給人留下了深刻印象。每部故事中都有給人留下印象的人物形象。這是因為作者已經從「故事」中抽出筆墨來寫人物形象的緣故。

《白衣方振眉》還有一個特點，是這一系列故事都十分講究藝術性，有不同的藝術特點，也取得了不俗的藝術成就。這一系列故事，以篇幅言，有長篇故事《龍虎風雲》，中長篇故事《長安一戰》、《小雪初晴》、《落日大旗》，還有短篇故事《試劍山莊》。它們有不同的特點與成就。其中《龍虎風雲》寫得如詩如畫，《長安一戰》寫得緊張激烈，《小雪初晴》神秘曲折，《落日大旗》正氣凜然，《試劍山莊》空靈秀逸。

若從方振眉出場的情形看，《龍虎風雲》他占了主角的位置，重點講述和描寫的是他。到了《長安一戰》，則沈太公與我是誰占了一半篇幅，方振眉的篇幅小了一半。至《小雪初晴》，方振眉的篇幅則不足四分之一。《落日大旗》中也是如此。而最後一篇《試劍山莊》則乾脆就是「神龍見首不見尾」，那位白衣人究竟是不是方振眉？小說中甚至沒有明確交代，因為此人沒有正式露面，只是讓人影影綽綽地感覺到可能是方振眉。這也就是說，「白衣方振眉」系列中，並不總是以方振眉為敘事中心，在每個故事中，無論方振眉出現早或晚，無論他占篇幅大或小，他的形象總是鮮明突出、光彩照人。這就是小說藝術成就的標誌。

《白衣方振眉》的敘事形式，多採取雙線，場景時空快速轉變。《龍虎風雲》一條線寫方振眉，另一條線寫長笑幫，相互平行而不斷切換，不斷交叉。《小雪初晴》中也有沈太公、我是誰與方振眉雙管齊下，而且還寫成了情與仇、現實與往事、寫實與象徵的奇特「複調」。

《長安一戰》也是如此，一面寫孟侯玉試圖毒殺沈太公和我是誰，一面寫方振眉在鄉間為救農夫牛犢而痛擊惡徒；一條線是沈太公和我是誰被囚石塔時與「塞外雙盲」機智周旋，另一條線寫方振眉與袁笑星作殊死惡鬥……

《落日大旗》也是如此，金太子率眾血洗中原武林，一條線是方振眉喬裝中毒欲探敵蹤；一方面是擂臺上打得轟轟烈烈，另一方面則是方振眉去救虞允文而辛苦奔波……如此交錯，使得故事的氛圍情勢更加緊張，懸念也更加突出。作品中將兩條線索切割成若干小段，以蒙太奇形式將其相互交織在一起，時空穿插，場景轉換，製造緊張懸念，藝術效果驚人。

《白衣方振眉》的又一藝術成就，是它的優美散文敘事文筆。相對說，在這一系列中較少採用不必要的短句分行形式，而是根據具體情勢決定段落大小長短，這樣，發揮了作者散文敘事的特長。不僅將故事敘述得格外生動，而且使故事的文體更有其個性特點。其次，也許是因為這一系列的作品大都篇幅較小，頭緒也不太多，所以作者便格外重視敘事本身，得空得閒得力地營造其散文敘事形式。

在《白衣方振眉》系列中，最值得一提的是最後一篇《試劍山莊》。

這是個短篇小說，篇幅非常短，但因其構思精巧、文筆優美、境界幽深，足以與純文學短篇小說相媲美。

《試劍山莊》的奇巧之一，是這篇「方振眉故事」中並沒有正面寫方振眉，只是寫了個「白衣白襪的人」出現在試劍山莊的大門口，對坐在門口等死的兩個青年武士說了一番話就走了。可謂翩若驚鴻，但藝術效果卻好，方振眉的形象因此而格外突出，也更加令人遐思，有更動人的藝術魅力。

小說中的兩個年輕武士的名字是言鳳江、汪勁草，他倆因為得罪了當今江南黑白兩道中勢力最大、聲望最隆、最難纏難惹的「千手王」左千震及「一刀斬千軍」孫屠（此人是千手王屬下「九大鬼」之一），自知不是孫屠及「九大鬼」對手，尤其是感到當今武林正不壓邪、惡魔當道，因而灰心絕望。約孫屠在試劍山莊門口決鬥，實際上是在等死。試劍山莊被毀於《龍虎風雲》中正道與長笑幫之戰，如今已成無人之地。而當年，此地乃是武林俠道的聖地。小說以此為背景，有多重意思。

書中的方振眉即那個白衣白襪人並沒有對兩個青年做什麼，沒有幫助他們對付孫屠，只是對他們說了一席話，嬉笑怒罵、冷嘲熱諷、諄諄告誡兼而有之，終於使這兩個青年內心死灰復燃，從而鬥志旺盛，相信太陽照樣升起。所以，他們笑了。進而戰勝了九大鬼之一的孫屠，戰勝了「四大刀魔」穆浪山、齊青鋒、厲雪花和堂三絕。他們雖然也身負重傷，但他們終於勝利了。

方振眉不見蹤影，方振眉的形象卻留在了試劍山莊之前，他的精神留在了兩位青年的心中。方振眉並沒有為他們做什麼，但方振眉給予他們的卻比什麼都寶貴。因為方振眉除了點燃他們的生命熱情、勇氣和信心，給他們對俠道正義的信念和理想，一種永不死滅的俠義精神和堅強意志。在這個故事中，方振眉似乎沒有什麼特殊的表現與作為，沒有顯示他高深武功和過人的智慧，但他卻做了最難做的事，即以仁愛之光點燃兩個青年的生命之火。方振眉是真正的俠。

《試劍山莊》寫得從容淡定，但卻意蘊豐滿，優美生動，寫出了極高的藝術境界。這種境界，是一般武俠小說難以企及的。它不僅寫了武俠傳奇，也寫了人性的詩篇。

《白衣方振眉》系列稱得上是武俠小說中的佳作，值得一讀。如果要說有什麼不足，那就是它們相對小巧，渾厚大氣不夠。恐怕溫瑞安迄今為止的大部分小說作品都是如此，不獨《白衣方振眉》一個系列而已。

《大俠傳奇》

本書是作者一九八〇至一九八一年間的作品，包括《剛極柔至盟》、《公子襄》和《傳奇中的大俠》三部。是大俠蕭秋水故事的續集，也是作者刻意衍生產品。

本書講述的是蕭秋水和唐門唐老太決戰失蹤之後七年，江湖中新一代人產生。唐門弟子唐甜從小羡慕小姨唐方的風華與幸運，希望模仿唐方，同時也有唐門老太的遺傳，希望在江湖中建立霸業，從而與年輕的蕭七一起建立剛極柔至盟。

本故事包含三條線索，一是爭霸故事，唐甜當然是爭霸的主人，她成了十方霸主中的「中方霸主」田堂，而十方霸主、九臉龍王、黃河歐陽獨、長江公子襄等人也都是如今的江湖中鼎鼎大名的霸主競爭者。小說的故事情節，主要是圍繞剛極柔至盟的年輕一代試圖創立自己的霸業歷程展開，唐甜即是盟主。只不過，蕭七、鐵恨秋、容肇祖、唐三千等人並不知道，唐甜還是中方霸主田堂。

本書故事的第二條線索是奪寶故事。爭奪的目標即是大俠蕭秋水留下的《忘情天書》和天下英雄令。蕭秋水與唐老太決戰，生死未明，只要找到蕭秋水的下落，自然就能找到武功秘笈和英雄權杖。江湖中人都知道唐方是蕭秋水的愛人，也都知道唐方一直在找尋蕭秋水。只要找到唐方就能找到蕭秋水的下落，只要找到蕭秋水的下落就能找到秘笈和權杖。到最後，秘笈和權杖果然出現了。

本故事的第三條線索是愛情故事。這又包含了多條支線。一條主線是唐方對蕭秋水的生死不渝的愛情，正所謂冬雷震震夏雨雪，乃敢與君絕。第二條線索是公子襄、西方霸主海難遞對唐方的愛情，他們都知道唐方心愛的是蕭秋水，但他們都對唐方情不自禁；尤其是西方霸主海難遞，作為一方霸主，他親近和玩弄過的女性數不勝數，但自從見到唐方之後便神魂顛倒，身不由己地墜入愛河，這種情感的力量讓他有翻天覆地的改變，從邪道梟雄變成了公子襄的同道。

海難遞與唐方、公子襄同道同行的故事，是本小說中最讓人印象深刻的篇章。本故事愛情線索的第三條，是蕭七對唐甜的愛情。小說開頭就是寫蕭七跟蹤唐甜，唐甜誘惑蕭七，他們都是蕭秋水、唐方的粉絲，恰好又是一個姓蕭、一個姓唐，蕭七想學蕭秋水，而唐甜說她想學小姨唐方，於是他們走到了一起，建立了剛極柔至盟，從而開始了本書的故事。

唐甜對蕭七的感情如何？讀者可能很難做出明確的解答，如果有答案，那些答案肯定也會莫衷一是。但蕭七對唐甜的愛情卻沒有任何問題，他對唐甜可謂死心塌地，一心要追隨唐甜、保護唐甜，唐甜是英雄時他是如此，唐甜是梟雄是他是如此，唐甜是惡人時他還是如此。直到唐甜被鐵恨秋所傷，蕭七仍然忠貞不渝。

本書還有第四條愛情線，那就是鐵恨秋對唐三千的愛情，這一條線索沒有作太多展開，但結局卻是驚心動魄，且至關重要。唐甜要殺唐方，唐三千冒死進諫，結果被唐甜處死。而鐵恨秋當場就要為其所愛的唐三千報仇，蕭七阻止了他復仇，但蕭七阻止得了一時，阻止不了一世。小說的最後，當唐甜制服鐵星月（**他是鐵恨秋的親哥哥**）時，鐵恨秋終於找到了機會，讓唐三千的遺體撲向唐甜，而鐵恨秋則暗中襲擊，終於將不可一世的唐甜打倒。

本書最重要的貢獻，是塑造了唐甜、蕭七、鐵恨秋、公子襄、海難遞等人物形象。首先是塑造了唐甜的形象，這是一個美貌且聰慧的姑娘，更是一個富有心計且野心勃勃的姑娘。她心儀公子襄，但公子襄卻不知道她的片面的愛情，而是對名花有主的唐方一往情深。唐甜羨慕唐方，嫉妒唐方，進而發展到仇恨唐方。因為唐方是「正版」，而唐甜只是「贗品」，贗品當然痛恨正版的存在。只要有正版存在，贗品總歸是贗品，不可能蒙蔽所有人，尤其是不能蒙蔽那些欣賞正版美人的人。但唐甜不知道，更不懂得，唐方作為正版，不僅是因為她美貌，且因為她善良、純潔且對蕭秋水一往情深。

唐甜有沒有真實的情感？則是一個需要討論和考證的問題，她愛蕭七嗎？如果真愛，何以對他隱瞞她其實是中方霸主田堂的秘密？如果真愛，又何以會對許多別的男性做不可能實現的許諾？更好的證據其實是，正因為她沒有真愛，所以才會把武林霸業當作自己的終極目標。對武林盟主的追求，那並不是愛情，而只是欲望，甚至只是情感的替代品。

世界上有很多這樣的人，他們也會談情說愛，但卻沒有愛心，只有滿腹欲望。對蕭七的愛情，只不過是一種吸引蕭七的誘餌，她需要蕭七的愛，是因為蕭七的愛能夠滿足她的虛榮心（她也像唐方那樣被人愛），而蕭七這個人對她更有用，可以為她引進鐵恨秋、容肇祖、方覺閒這樣的年輕高手做她權力欲望和追求的工具。

唐甜無情，最重要的證據是她毫不猶豫地處死了從小服侍她的唐三千，唐三千不僅是她的女僕，也是她的閨蜜，更是她真正的親人，但當唐三千阻止她殺小姨唐方（這也是她的親人，且她還曾宣稱自己愛這個小姨）時，她就殺唐三千而不眨眼。很顯然，唐甜早已心理變態，被自己的權力欲望和自我想像所形塑、所異化。

蕭七的形象也很有意思，小說開頭，他是個富有正義感且有事業心的青年。遭遇唐甜，成了他命運的轉捩點。簡單說，就是他的情感力量大於其理性的力量，為了唐甜，或者說為了與唐甜在一起，什麼仗義行俠、什麼江湖道義、什麼天下正道，全都不在話下。愛護唐甜、保衛唐甜成了他人生的唯一目標和使命，不可改變，甚至不可救藥。

這樣的蕭七，往好裡說是一個深情之人，往壞裡說，他不過是一個被自己盲目的情感欲望所支配的糊塗蛋。實際上，蕭七在心理上並沒有真正長大成人，他以為自己有主見，其實並沒有真正的主見，他行動的唯一支配者不過是對唐甜的盲目而片面的情感欲望。他的真正的主人不是自己，而是唐甜。直到小說最後，蕭七也沒有醒悟，很可能這一輩子都不會長大。

鐵恨秋是蕭七的一個對比。他是蕭七的朋友，為朋友兩肋插刀，所以他加入了剛極柔至盟。而後他愛上了唐三千，當唐三千被唐甜無情殺死時，他發誓要為愛人報仇，以報仇方式表達自己的愛情。但當蕭七阻止他報仇時，他暫時中止了報仇，因為他把友情置於自己的愛情之上。他宣稱，下次報仇時將不會接受勸告。鐵恨秋的這一行為，照顧了愛情與友情；而當他向唐甜報仇時，卻又兼顧了愛情和親情。攻擊唐甜，不僅是為愛人報仇，也是要拯救自己的哥哥鐵星月。也就是說，書中的鐵恨秋才是一個具有親情、友情、愛情且情真而情深的人。

本書算不上是一部好小說。雖然很「好看」，但卻不耐看。最主要的原因，是小說中的人物太多、頭緒太多，太多的平面鋪展，影響到小說的深度和精度。

此外，小說中的若干關鍵線索缺乏依據：例如，書中的唐甜何時成了中方霸主田堂？如此年輕的唐甜如何能夠成為中方霸主？若她是對原有的中方霸主取而代之，那麼原先的中方霸主是誰？小說中都沒有交代。這就是一個漏洞。其次，小說中的十方霸主大多成了「小妹」唐甜的下屬，問題是，瘋玩老人、中叔崩等一方霸主為何要聽命於唐甜？亦即：唐甜憑什麼能讓這些桀驁不馴的一方霸主聽命於她？是因為她武功超群？顯然不是。是因為她美貌驚人？恐怕也不是。是因為她聰明蓋世？恐怕仍然不是。那麼，究竟是為什麼呢？

身為一方霸主，大多有自己的奮鬥史，且都不會像蕭七那樣容易上當受騙被誘惑，唐甜憑什麼能夠讓那麼多人為她效命？是書中的一個不小的問題。莫非是因為只有她一個人知道蕭秋水及其《忘情天書》和天下英雄令的下落？唐方豈不是更好的引路人？

書中的公子襄形象，也有問題。此人出場時神乎其神，後來卻神光晦暗，越來越沒有光彩，甚至沒有起碼的英雄本色，更沒有起到他應該起到的作用。原因是，書上說他愛上了唐方，從而總是在關鍵時刻發呆發癡，以至於負傷受困，不僅不能救人，反而成了他人的累贅。尤其是，他的七十一門徒，大弟子羊舌寒竟然莫名其妙地成了叛徒。書中的這些情節，只不過是作者肆意妄為而已。

書中的大俠蕭秋水的形象其實也不好。問題一，是他在地牢中七年是如何度過的？書中沒有一字交代。問題二，當他再次現身時，只顧帶著唐方遠走高飛，卻將他當年的結義兄弟即鐵星月、大肚和尚大度、李黑、胡福、施月、陳見鬼、藺俊龍、洪華、東海林公子等人置於不顧，甚至招呼也不打就離開，這算是哪門子朋友和領袖？問題三，書中對蕭秋水武功的神話也難以成立。

總之，這不是一部成熟的作品。作者過於自信，過於肆意妄為。

《俠少》

《俠少》講述青城派弟子關貧賤短暫而抑鬱的江湖人生故事。關貧賤原名關福財，只因家境貧寒而被改名關貧賤，甚至被稱為「小賤種」，簡稱小賤。在青城五子之一楊滄浪門下學藝，師父要求每招每式都要循規蹈矩，而他自修的武功雖然更符合實戰要求，卻被師輩與同輩譏笑。入選俠少候選隊下山歷練，發現師兄們為了揚名而罔顧道義，他帶師兄去投奔青雲譜藍巾軍，師兄們卻乘機將藍巾軍首領耿奔、雲天功殺害，並讓元朝官兵將藍巾軍剿滅，讓他成了藍巾軍的罪人。

進而，隨師兄們去石鐘山刺殺當地土豪龐一霸，關貧賤立下首功，後來卻得知此人竟是白蓮教、紅巾軍、反元抗蒙的領袖。幫助平一君清除叛徒舍長房，卻落入另一個陷阱中，被同門師伯認定為殺害師父的罪魁。打敗頭號大敵巴楞喇嘛，即紅袍老怪冒大飆，為師門贏得勝利與榮耀，最終卻被藍巾軍領袖贊全篇、紅巾軍領袖王慽陽聯手殺害，說他冤屈嗎？殺害藍巾軍首領的人正是由他帶去的，而紅巾軍領袖龐一霸也確實是由於他攔擊而死；說他不冤屈嗎？他的確是所有師兄弟中最有正義感和俠義心腸的人。關貧賤之死讓人欲哭無淚，只有無限感慨。

俠少人生本應是少年詩篇，何以成了「青春殘酷物語」？原因是作者入獄導致了世界觀的改變，這部小說即是作者青春俠少時光的告別書，也是作者對俠少人生的反審與批判。書中寫了兩代俠少，這一代俠少的共同點，是人人都渴望成為俠少，人人都渴望立功揚名，但也人人都無知輕信，更可怕的是缺乏道德良知，為了揚名而不惜弄虛作假、製造事端。所以在抵達江西南昌之後很快就被別有用心的冒飛劫（**化名劫飛劫**）所利用：劫鏢而後討鏢，消滅藍巾軍並誣民為盜、不分青紅皂白而殘殺龐一霸及其家人，最後又都落入平一君設下的陷阱中，幾乎全軍覆沒，只有善於察言觀色、隨波逐流而心懷機詐的騰起義倖存。

老一代的俠少平一君、龐一霸及青城「吟哦五子」是上一代俠少，他們七人曾聯手對付當年的紅袍老怪冒大飆（即後來的巴楞喇嘛），有顯赫聲名。隨著年華老去，當年的俠少逐漸變質且分化，平一君、龐一霸成了白蓮教、紅巾軍反抗蒙古王朝的骨幹分子，吟哦五子中的魏消閒成了蒙古王朝的走狗，祝光明、楊滄浪、文徵常則努力偵查白蓮教反叛訊息而工作，青城掌門邵漢霄則為了光大青城派而不得不昧於道德良知。

故事的高潮，就是上一代俠少間的相互陷害與廝殺：平一君是要為藍巾軍、紅巾軍報仇，清除漢奸走狗；魏消閒則是甘當異族走狗，不惜殘殺同門；邵漢霄覺醒，卻為時已晚，最終，平一君、邵漢霄、魏消閒等人全都成了漢奸冒大飆的獵物。殺冒大飆主力關貧賤，卻又被贊全篇、王憾陽所殺。

說這部小說是民族文化的反思之作未免有些誇大其詞，但書中兩代俠少的故事，確實值得反思。書中的俠少，與真實生活中的文藝青年有明顯的共通之處，一是他們的老師被命名為「吟哦五子」，二是他們的目標是要通過「武學功術院」——這一名稱十分古怪——的考試，獲得文憑（俠少名號即是走江湖的文憑）；三是他們的江湖歷練，相當於現代教育中的社會經驗。更重要的是，這些俠少學藝十年，不但武功不高，且大多無道德、無知識、無智慧——書中的滕起義、關貧賤這兩個貧寒子弟有些與眾不同，他們都有一定的獨立思考能力，從而能夠自修武功，但滕起義有智慧、有知識但無道德，而關貧賤有道德、有智慧卻無知識——他們的故事或包含了作者對現代社會、現代文化、現代教育的批判性反思。

小說基調很冷，關貧賤之死，抹殺了書中唯一的亮色，表明作者情緒低沉。書中說，關貧賤是真正的善良和智慧種子，作者讓贊全篇、王憾陽將他殺了，顯然是要把悲觀進行到底。「八月十五殺韃子」是中國漢民族歷史的壯麗篇章，作者卻通過滕起義——他的名字就是起義——的存在，而讓人寒噤不斷。

本書的不足，是關貧賤形象的內在矛盾，作者說他「直而不鈍、勇而不莽、剛而不厲、樸而不愚」（**第廿五章**），從小說的情節看也確實如此，他是書中最有獨立思考勇氣和獨立思考能力的人，自修合乎實際的武功即是最好的證據。

關貧賤下山後，有一次落入陷阱，並多次被人利用，也有一定的理由，因為他缺少實際生活的經驗與知識。關貧賤被贊全篇、王憾陽殺害，卻有點問題：這兩個人他都認識，他也知道這兩個人恨他——因為他帶人殺了贊全篇的老大耿奔、王憾陽的老大龐一霸——兩個人來到他身邊，他既不向他們解釋，更不加防範，這就不是「樸而不愚」，而是真的愚蠢了。他的表現，不符合他的心智水準和性格邏輯。

他的被殺，是作者要讓他被殺，讓他與小初的愛情無法繼續，只有「小初」，讓人十分遺憾。作者認為關貧賤不適合這個大動盪的時代——關貧賤也對師兄滕起義這麼說過——於是就讓他死，真正的意思是：這個社會容不下關貧賤這樣的善良和智慧的種子——賤種？為什麼會這樣？值得深思。

《殺人者唐斬》

多年前我曾看過這部書的港版，但只記得這個書名，內容已經記不清了。此次看的是網上抄本。

本書講的是殺手故事。殺手故事在八十年代成了武俠小說的一個新興亞類型，黃鷹、西門丁、龍乘風等人都寫過殺手故事。溫瑞安的這個殺手故事是開風氣還是跟風，需要作精細的調查研究。本書這個殺手故事，看起來很過癮，如煙花絢爛，耀眼奪目，神乎其神，卻也如煙花般容易消散；比不上西門丁的那些小說深入人心（**首先是深入殺手的心靈，寫出殺手的人生困境和靈魂掙扎**）。

本書包括幾個重要段落。一是「燈籠行動」，即正派殺手聯合刺殺魏忠賢屬下的頭號心腹許顯純。二是劉橋夜宴，即魏忠賢收買的蕭佛狸、蕭笑父子借夜宴清除頭號殺手顧曲周。三是唐斬設法刺殺（**毒殺**）忠義之臣大學士神手狀元朱國禎，以及與之相對的王寇刺殺（**毒殺**）神耳神舌神箭手朱延禧。四是王寇帶著朱延禧的頭顱投奔魏忠賢門下，與許顯純討價還價，並刺殺許顯純——唐斬也出現在刺殺現場，並且與王寇針鋒相對，卻與他聯手刺殺了許顯純，後又相互刺殺。最後是王寇與唐斬相約比武，王寇提前踏勘現場，沒想到唐斬到的更早，在王寇驚愕的瞬間砍下了王寇的頭顱。

這個故事每一段都很精彩，但拼接在一起卻令人茫然。很難理解：主人公王寇和唐斬是什麼樣的人？他們到底要幹什麼？作者到底要說什麼？首先，我們很難說得清，王寇和唐斬到底是有靈魂的人，還是沒有靈魂的人？若說他們沒有靈魂，他們倆都參與了小說開頭旨在刺殺許顯純的「燈籠行動」，只不過年輕的王寇因故沒有出手，成了旁觀者；而唐斬則神乎其神，以武知仁——意思是「無此人」——的身分發號司令，出人意料地刺殺了許顯純（**其實是他的替身**）。

在接下來的段落中，他們不約而同地聯手刺殺了魏忠賢的王牌殺手蕭佛狸父子，進而在故事的高潮段落，他們再次不謀而合地聯手刺殺了許顯純。若說他們有靈魂，他們卻分別刺殺了忠烈之士朱國禎、朱延禧；且先後投身於魏忠賢麾下；更難以理解的是他們為水小倩爭風吃醋、相互刺殺，最終唐斬殺了王寇。

王寇之名，意思是「成則為王、敗則為寇」，也就是絕對的功利主義者，為了實現自己的功利目的而罔顧道義與良知。看起來，唐斬似乎也是這樣的人。假如這一判斷準確，那就存在一個更重要的疑問：作者寫這兩個人物到底是在說什麼？難道是要作者欣賞這樣兩個沒有靈魂、為自利目的而相互殘殺的猛獸？

即便如此，他們的形象和故事並不合乎邏輯。假如他們想要獲得「成功」，想要走「成功之路」，那麼一開始就不應該參與「燈籠行動」，即不該參與刺殺魏忠賢的頭號心腹許顯純；也不應該刺殺魏忠賢的王牌殺手蕭佛狸父子；更不應該在獲得信任的關鍵時刻當真刺殺許顯純。假如他們內心富有正義感，即要與魏忠賢做對，那麼，他們參與「燈籠行動」、刺殺蕭佛狸、刺殺許顯純就很合理；但卻不應該刺殺一直與魏忠賢做對的朱國禎、朱延禧這兩位江山柱石，更不應該相互刺殺、不死不休，王寇要殺唐斬，最終唐斬殺了王寇。雖然，他們相互刺殺的原因，一是為水小倩爭風吃醋，這不難理解；二是一山容不下二虎，即兩人都要做頭號殺手，這也不難理解；但這又有新問題：水小倩是怎樣的一個人？她是何時投向許顯純的？如何獲得魏忠賢的信任？如何成了唐斬的情婦？她的行為動機是什麼？即：她為什麼要這麼做？

當所有的重要問題都得不到合理解釋時，我們就只能說，這是作者隨意編造的精彩故事，為了精彩而精彩，即並不講究故事的肌理，也不講究人物的動機和自我同一性，而是寫到哪裡算哪裡、想怎麼寫就怎麼寫。這才導致人物動機模糊、性格模糊、缺乏同一性，更缺乏人性深度。

香港導演鍾少雄根據《殺人者唐斬》改編導演的同名影片（一九九三年）也能證明這一點，電影對小說的故事情節和人物形象作了不得不做的改編，改編後的電影雖然算不上藝術佳作，但至少是改變了人物——尤其是唐斬——的動機與個性，並展示了人物內心的變化。電影比小說更為合理，這就進一步證明小說不合情理。

總之，《殺人者唐斬》恐怕算不上是一篇好小說。

《神相李布衣》系列

我曾讀過大陸版圖書，大多不記得了，最近重新閱讀的是網上版本。

《神相李布衣》的最大創意，是李布衣這個人物形象。這個人物形象的最大特點，是他的「神相」之術。所謂神相之術，不僅包括對傳統相面、掌紋的知識積累；也包括這個人物的洞察力的展示。作者在第三部的開頭序文《天意從來高難問》中說，相面之術、掌紋知識並非通常意義上的迷信，而是有其道理，諸如相由心生等等，一個人的手掌形狀及其紋路中也包含一定的遺傳與生活痕跡。作者既然並非宣傳迷信，那就勢必包含了對主人公驚人的洞察力展示。

李布衣以神相身分出現於江湖，不僅有其內在的相面知識技能、對他人的洞察力；也包括這種身分所特有的謀生手段——在古代江湖中、甚至在當今社會中仍有許多人以相面、看掌紋、卜卦為生——作為相士，在江湖中謀生自無問題。這實際上比單純的游俠更有生活依據。當然，李布衣做相士，也只是一種掩飾真正身分的偽裝，他的真正身分還是游俠，即在江湖中仗義行俠。他也是一個武士，其武功高得驚人，只不過，在前幾部作品中，作者並沒有介紹他的武功來歷。

在第一部中，作者介紹了他的出身來歷，即他是當年的反抗官府起義領導人李鬍子的七個兒子之一，他的父親和兄弟大多被官府殺害，只有他本人有機會逃生，並且以神相身分在江湖遊走。如此說來，神相是他掩飾真正身分的偽裝。若沒有這種身分偽裝，他的「亂黨之子」身分可能就隨時都會被人揭露。

對主人公的身分、技能與形象的設計是一回事，而對他的形象展示和參與故事的具體方式與路徑是另一回事。這個系列故事的好壞，還是要看具體作品。作為系列故事，作者有時間慢慢雕塑主人公的形象；不利之處是沒有一個故事把真正的注意力放在主人公神相李布衣身上，由於要講述各自不同的故事，李布衣的參與方式往往優於對這個人物的形象刻畫，所以，在頭幾部中，這一人物只是神秘，而未見豐滿，更難以達到此前未有的藝術深度。下面分別說。

第一部《取暖》

這是一個短篇故事，是神相李布衣登場故事。故事也是從神相李布衣登場開始寫起，寫到他感受到前面有殺氣，但他還是勇往直前，這是一個象徵。李布衣其人的整個生命歷程，差不多都是在類似的情形下完成的：有殺氣，依然前行。

這個故事中有幾組人物，一組是項笑影夫婦及兒子小石頭；一組是項夫人茹小意的同門師兄、單戀者湛若飛；一組是俠盜馮京、馬涼（這是一組喜劇人物，從他們的名字即可看出，他們的行為與言語也顯示了這一點）；一組是官府鷹爪一貓兩鼠和蕭鐵唐；一組是神相李布衣。在破廟中燒火取暖的這群人，如同在一個舞臺上的百態人生展示。

這群人幾乎全都具有雙重身分。首先是項笑影夫婦，他們是御史項忠的兒子、兒媳，項忠是閹黨的幫凶，而項笑影夫婦卻是不願與父親同流合污的俠義之士。其次是馮京、馬涼，他們是強盜，實際上是俠客，他們搶劫是為了劫富濟貧。再次是與項笑影夫婦同行的湛若水，其實是項夫人的追求者、同門師兄（項笑影不知道這一點）；其次是項笑影的僕人秦泰，其實是項家的仇人秦泰（項笑影的父親御史項忠殺了其父親，所以他到項家是要報仇）；再次是小女孩小珠，誰也沒想到，這個落難孤女，竟然是檢校蕭鐵唐所扮演；又次是騎馬的蕭鐵唐，他實際上並不是真正的蕭鐵唐，而是其下屬唐骨（這是一個關鍵性的偽裝）。最後當然是神相李布衣，他竟然是李鬍子的兒子、秦泰的少主人（這一點連秦泰都不知道）。這些人的真相，需要洞察力才能看穿，如同寓言。

本故事就是由這些人物的複雜偽裝所組成，其中關鍵，就是李布衣的相面術和洞察力。通過相面術，他看到了項笑影的兒子小石頭臉色上有陰影，顯示眼前就有厄難，所以在一貓兩鼠與項笑影的打鬥過程中，李布衣始終沒有參與，他要在一旁保護小石頭。但當兩鼠要逃跑時，他要攔截兩鼠，不得不離開小石頭，正因如此，使得小石頭遭遇了無法逃避的厄難，即被蕭鐵唐打死。

表面上看，小石頭似乎是湛若水打死的（他有打死小石頭的理由，因為小石頭是他情敵的兒子）；進一步看，小石頭更像是泰伯打死的（他更有打死小石頭的理由，因為小石頭是他仇人的兒子）；但實際上，小石頭是被孤女小珠所打死的，小珠為什麼要打死玩伴小石頭？這說不通，所以李布衣推測出小珠不是小珠，而是鷹爪領頭人蕭鐵唐。李布衣做出這一推測，還有一個重要依據，那就是騎馬的蕭鐵唐所打出的暗器上全都有「唐」字，這充分表明他的身分不是蕭鐵唐，而是蕭鐵唐的下屬唐骨。既然蕭鐵唐是由唐骨假扮，那麼真正的蕭鐵唐何在？只能是孤女小珠。

本故事最大亮點，就是寫出了李布衣的驚人洞察力。他不僅看穿了唐骨的暗器，看出了唐骨的偽裝；更看出了孤女小珠是真正的鷹爪頭目蕭鐵唐。

小珠是蕭鐵唐，是本故事中最令人難以置信的傳奇，卻也是本故事中的一個弱點，這樣寫雖然並無不可，卻近乎神話——蕭鐵唐扮成女性或許有可能，但如何能夠扮成一個小姑娘而不被人發現？這是一個疑問，作者並未解釋這個疑問。

第二部《死人的手指》

李布衣來到大方莊，也是「大方門」，即武師方信我的住處。李布衣受到方信我的兒女，即方離、方休、方輕霞的襲擊，說方信我死了，因為他的結義兄弟劉破要強娶方家女兒方輕霞。他的另一結義兄弟古長城帶司馬挖前來弔唁，但司馬挖卻是幫助劉破搶親的人，形成了故事中的第一個變數；故事中的第二個變數是方家的忠僕方才，他也被劉破收買了，他在上茶時下了毒，讓古長城、方離乃至李布衣都中了毒（**李布衣並沒有喝茶，但茶杯上也有毒**），眼見劉破父子的願望會毫無阻攔地實現，李布衣卻在看起來毫無希望的絕境中反擊得勝：首先是利用了方才的隱秘心思，即對亡妻的深刻懷念；其次是利用了「死人的手指」，即棺材中的死者方信我幫助他打通筋絡，實施突然反擊，從而顛倒乾坤。

這是個關於相術、洞察力的典型故事。在通常人看不到的細枝末節處看出了機會。首先是看出了方才的心思，一半是相面，另一半則是大膽推測；更關鍵的是看出了方信我是裝死，不僅是通過面向、通過拇指，且是通過事理推測。

這是一個非常了不起的成就，因為方信我裝死，騙過了兒子方離、方休、方輕霞；也騙過了他的結義兄弟古長城、劉破，卻騙不過遠道而來的李布衣。其原因，一方面固然是因為李布衣有相面之技能、尤其善於觀察；另一方面則是由於方信我的兒女不成材：如書中李布衣所觀察到的：方離優柔寡斷，方休傲慢魯莽、方輕霞刁蠻無知——方信我所以要裝死，正是知道自己的兒女無能、靠不住，不得已才採取這一方式，試圖在一場註定要輸的賭賽中贏回一局。幸運的是李布衣來了，幫助他贏得了整個賭賽。兒女不成器，是很多大英雄的共同悲哀。

書中的方家兒女僅僅是不成器，並非不成人。方家兒女與劉破的兩個兒子即劉幾稀、劉上英還是有很大差別。劉破公然投在太監八虎谷大用門下，背叛結義之情，謀取個人私利，是世俗中人常有的現象。父親如此，兒子不俗不惡者幾稀，這應該是作者將劉破的兒子取名為劉幾稀的原因。而劉上英則是一個白癡，白癡而好色，只是一個尚未修練成人、也無法修練成人的動物而已。相比之下，方離厚重懂禮、方休正派堅定、方輕霞質樸天真，這都是優點。古長城之子古揚州也是厚道淳樸，方輕霞與古揚州相愛，可以說是人間雙璧。

第三部《殺人的心跳》

這個故事很複雜，人物眾多，故事開頭是白道高手莫名其妙的死亡。故事背景是：以飛魚塘為代表的白道，與以天欲宮為代表的黑道每年有例行的「金印之戰」，即由黑白兩道各派出五位高手比武，勝者掌握金印。這一年比武之前，白道選出的五位參戰高手一個接一個莫名其妙地死亡，當然是被殺，當然是被天欲宮找人來刺殺這些人的。只不過，暗殺者究竟是什麼人，最後才知道。

故事的中段，是飛魚塘主——也是白道「刀柄會」盟主——沈星南的大弟子，即參賽最後一位年輕人宋晚燈被殺，而且是在與師弟孟晚唐、楚晚弓、傅晚飛和師妹沈絳紅一起看戲時遭遇暗殺的。孟晚唐下跪求生、楚晚弓獨自逃生（很快被殺），沈絳紅、傅晚飛頑強抵抗，尤其是傅晚飛，平日不得師父喜歡，且被師兄欺負，但在關鍵時刻卻能挺身而出。好心有好報，恰好遇到李布衣、求死和尚將他救出，使得他可以回到飛魚塘。而李布衣則在與心魔高末末對抗時負傷。

故事的關鍵與高潮段落，是在飛魚塘入口落神嶺。沈星南、孟晚唐連袂而來，孟晚唐說傅晚飛通敵、姦污沈絳紅；沈星南揭露傅晚飛身邊戲子秋胡妻其實是天欲宮殺手匡雪君；深得沈星南信任的劍癡、劍迷竟然是天欲宮的護法顏未改、商丹青；而天欲宮殺手仇五花卻又是飛魚塘的臥底。

最大的關鍵還不是這些，而是：一，李布衣參透了心魔高末末的武功真相，利用火把破了他的「心神大法」，並將他擊斃（這是洞察力、判斷力、執行力的綜合展示）。二、李布衣幫助了沈星南，但沈星南卻不領情，且不願聽李布衣解釋——此前李布衣也不讓傅晚飛告訴師父他是李布衣，原來李布衣和沈星南之間有一段恩怨，事情與沈星南的妻子米纖有關，到底是什麼恩怨，本故事中沒有題及，留下了一個懸念。

本故事有兩個弱點，一是出場人物太多，頭緒太多，影響了李布衣出場的時間，也影響了李布衣形象展示，若前面少些鋪墊，或許會更好些。另一弱點是，心魔高末末的「心神大法」十分神異，卻不知道是什麼道理，李布衣也沒有說出所以然。

第四部：《葉夢色》

這個故事是上一個故事的繼續，講述白道飛魚塘為代表的白道與以天欲宮為代表的黑道之間的

「金印之戰」，其規矩是：每年各派五位高手比武，勝者可獲和平。參戰五位高手須在比武三個月前讓對方知曉，若臨時改變，則要通過對方的陣法才有資格。是年白道五位參戰高手全部被殺，白道必須闖過黑道的「五遁陣」的人才有資格（每關選一人）。黑道之所以要暗殺白道參賽高手，就是要逼出白道潛伏的精英，以便一網打盡。而飛魚塘主也想要利用這個機會與黑道決戰。所以，飛魚塘請出葉氏兄妹、藏劍老人、白青衣、飛鳥和尚、枯木道人破陣。

李布衣、傅晚飛是一個不確定性關鍵因素。因為李布衣與飛魚塘主沈星南有恩怨芥蒂，所以這一不確定因素就顯得更加難以把握。

但這個故事並不是按照規定路線發展，而是出現了更多變數。故事發生在葉氏兄妹、藏劍老人、白青衣、飛鳥和尚、枯木道人前往破陣的途中。首先是鍾神秀、鍾石秀兄弟及釣鼇磯凶徒伏擊葉氏兄妹（鍾石秀覬覦葉夢色美貌），其次是司馬拳、公孫瑾連袂襲擊藏劍老人（為了奪取兩把寶劍），再次是纖月蒼龍軒襲擊破陣團隊（並不是代表天欲宮，而是代表他自己，因為他被天欲宮中的黑道孔明何道里涮了）。

這樣，李布衣就與故事中的這些人都有關聯，因為他曾救助過葉氏兄妹，將鍾神秀、鍾石秀兄弟趕走；也曾救助過寶劍的主人、將藏劍老人的手掌擊傷；他和傅晚飛出現在纖月蒼龍軒與眾人打鬥的現場，在所有高手都受傷或敗陣之際，用他的高超武功加上超人的觀察力，戰敗了纖月蒼龍軒。並讓纖月蒼龍軒不僅折服於他的武功，更折服於他的氣度和胸懷。最後的結局也出人意料，纖月蒼龍軒仍然被何道理伏擊暗殺；而李布衣也被「自己人」藏劍老人所傷害，最後變成了自己人與「自己人」的衝突，這是人性的衝突。

本故事最大的看點，是故事情節發展的不可預料性。可謂步步驚奇，也可謂步步驚心。其次，是其中有喜劇性，例如飛鳥（肥了）和尚、枯木道人從下棋到鬥嘴的故事線索。再次，其中若干敘事語言十分用心，具有詩性，例如對李布衣和葉夢色的情感關係描寫，對李布衣和米纖的情感關係的敘述。

本故事的弱點也與優點有關，即故事情節過於追求傳奇性，有炫技嫌疑。作者正處於創作高峰期，想像力十分豐富，但想像力若不加控制，即有可能損害故事的整體結構。書中對白青衣、飛鳥和尚、枯木道人的書寫過多，而對葉夢色的講述則不足。

藏劍老人最後的行為雖然有道理，但他刺殺李布衣，讓李布衣受傷，則讓李布衣的觀察力有損——除非是要說明李布衣是人不是神、想不到自己人也會向自己人動手，尤其是與天欲宮爭鬥的關鍵時刻，這樣做無疑是自毀長城，但這樣寫又損害了藏劍老人的形象，他到底是怎樣的一個人呢？（他當年盜劍還可以說是一時衝動，而對李布衣心懷仇恨則未免不明是非，他說他恨李布衣是因為李布衣耽誤了他拯救埋劍老人，導致埋劍老人死亡；卻沒有想到埋劍老人死亡乃是因為藏劍老人本身貪欲發作、想要盜劍並殺人才耽誤了時間）——李布衣用頭擊鼓，仿照心魔手法讓藏劍老人受傷，未免有些做作成分。

本故事讓人眼花繚亂，但仔細看，卻有花拳繡腿之嫌。作者似乎沒有學會剪除不必要的枝蔓，而是希望枝蔓越多越好、故意製造枝蔓。

第五部：《天威》

這個故事仍然是黑白道之爭，即飛魚塘與天欲宮之爭的故事延續。入選「金印之戰」的五位白道高手被心魔所殺，按規定白道飛魚塘必須選派新的人選，而新人選只有攻破黑道的五遁陣才有資格。

而進攻五遁陣的人選，在元江縣衙之戰中，葉楚甚斷臂、斷腿，成了廢人；藏劍老人又在報復李布衣時身亡，代表飛魚塘破陣之人只剩下了葉夢色、飛鳥、枯木、白青衣四人。而唯一有可能進入替補名單的李布衣，則在藏劍老人復仇時負傷。這是故事的背景。

故事分為兩段。第一段是破陣之前，傅晚飛背著李布衣前往天祥木柵里神醫賴藥兒處求醫途中，受到官府內廠魯布衣、姚到師徒的截擊——魯布衣一連殺害了三十一個布衣相士，目的就是要攔截真正的李布衣，是所謂寧可錯殺三千、不可放過一人。神相李布衣成名之後，江湖中出現了無數跟風模仿者，甚至內廠殺人者也扮作布衣神相，只不過不叫李布衣，而叫魯布衣；進而抓捕殺人者的捕頭也同樣扮作布衣神相，不過不叫李布衣，而叫張布衣（真名鄒辭）魯布衣師徒連殺三十一個布衣神相，是對世間跟風模仿者的象徵性處罰。

接下來的故事是傅晚飛和李布衣來到木柵里，受到木柵里居民的歡迎，賴藥兒因為曾治療過不該治療的邪惡人物，發誓不再為江湖武林人物診治。所以，即便是與他關係很好的李布衣也不行，除非得到村民的推薦。好在李布衣獲得了村民的推薦。

故事的後半段，是李布衣在緊急療傷之後，趕往破陣處加入破陣的隊伍。李布衣要這麼做，原因之一是他要維護白道江湖的安全和正義；原因之二是放不下葉夢色。在理性上，李布衣是把葉夢色當作妹妹或女兒，但在情感上、在無意識中則有男女戀情成分，這是李布衣故事中的有意思部分。李布衣、葉夢色、飛鳥、枯木、白青衣五人分別破土、金、火、木、水陣的過程，當然是這段故事的核心段落。作者有非凡的想像力，能夠把金、木、水、火、土五種元素加以合理想像，形成五種不同的攻防方式，讓讀者眼花繚亂，形成故事的高潮。

神相李布衣的特殊才藝即觀察能力和面相、手相、物相知識技能也得到了很好的展示。主要表現在與魯布衣的爭鬥中、與何道理的爭鬥中。

只不過，過於隨意的書寫也會留下疑問。本故事的疑問之一，是李布衣明明是手、腿都負傷，如何能在短短一天之內恢復戰鬥力？作者讓神醫賴藥兒治好了他，表現神醫之神，但在具有理性的現代讀者心裡，仍然是一個疑問。疑問之二，是賴藥兒送給李布衣一件藥草衣，要他穿上，並在最後面對何道理的打鬥中發揮了重要作用，問題是：賴藥兒如何知道何道理有病、並且會施展內功？神醫之神頂多在於醫術之神，但在本故事中，神醫還具有情報之神，未免有些過分。

第六部：《賴藥兒》

本故事仍是前一個故事的繼續，亦即飛魚塘與天欲宮故事的繼續。天欲宮少主人有病，請賴藥兒前往診治，但賴藥兒拒絕前往，天欲宮想方設法要綁架賴藥兒前往。這是故事的背景。

這個故事的主要看點，是故事中出現了神醫賴藥兒、鬼醫諸葛半里、仙醫呂鳳子、名醫余忘我的聚會。醫德、醫術的差異，將這些醫生分為神、鬼、仙、名，其中關係卻不是人們想像的那麼簡單。首先，鬼醫諸葛半里是天欲宮中人，這倒不難理解；出人意料的是諸葛半里竟然是醫仙呂鳳子的兒子，呂鳳子纏綿病榻十二年，竟又是遭遇患者的以怨報德，其中包括白道領袖飛魚塘主沈星南——這可能是故事中最重要的一條伏線——同樣出人意料的是，名醫余忘我非但沒有被鬼醫諸葛半里所害，反而是呂鳳子的弟子，且一直在為治療呂鳳子而努力。

故事中的賴藥兒和鬼醫似乎是道德兩極，賴藥兒是善極、鬼醫是惡極。實際上卻沒有那麼簡單。鬼醫之所以成為鬼醫，並非天性如此，而是因為看到母親的遭遇而決定或改變他的人生觀，世界上既然沒有真正的善惡，何不放恣而行？但面對賴藥兒，他卻受到了極大震撼，他讓賴藥兒診治三個人，賴藥兒做到了；讓賴藥兒喝三杯毒酒，賴藥兒喝下了；所以如此，僅僅是為了救助一個與自己並不相干的閔濟輝。

賴藥兒不僅醫術遠遠高過鬼醫，道德境界、仁心襟懷更是讓鬼醫望塵莫及。賴藥兒的行為震驚並且修正了鬼醫的價值觀和心靈結構，所以，他向賴藥兒求助，要他拯救自己的母親——鬼醫之所以成為鬼醫，或許還有一個不為人知的原因，那就是鬼醫術自負醫術超人，卻救不了自己的母親，內心自信的崩潰導致他的行為變形，只能在作惡中舒緩自己的內疚與傷痛。這樣說的證據是，鬼醫之名是諸葛半里，「半里」即半華里，亦即兩百五十米，亦即二百五。

接下來是書中最為驚心動魄的一幕，即房裡是開顱手術，房外卻是大敵來襲，一邊是戰地殺人流血，一邊是手術救死扶傷，兩相對比，景象驚人，象徵顯然。作者描寫打鬥過程，施展了想像與才華，使得本不可勝的一方獲得了勝利。鬼醫死去，呂仙醒來，這也是一個象徵；呂鳳子問鬼醫為人，眾人為他粉飾，這同樣是感人的一幕，也同樣有象徵意義，是所謂眾口鑠金，真相為人所用。

本書中的賴藥兒形象讓人難忘。首先是他滿頭白髮，竟只有二十四歲，這讓人十分震驚。其次是他為拯救大敵鬼醫的母親而費盡心力，充分表現了他的仁心醫德。再次是賴藥兒與鄢夜來的情感線索，從一開始就緊緊抓住了讀者，鄢夜來的公公閔濟輝讓傅晚飛等人做媒，將兒媳許配給賴藥兒，獲得了道德許可。而在前往海市蜃樓——這當然也是一個象徵——途中，兩人情感越來越深。

最後，賴藥兒面臨一個終極選擇：要治療自己的病、與鄢夜來互訂終生，就只能眼看著閔牛兒即鄢夜來的兒子死去。而要救閔牛兒的生命，就必須犧牲自己（**把「七大恨」神藥給牛兒服用，自己永**

遠失去祛病的機會），賴藥兒選擇了救死扶傷，即犧牲自己。這既是良醫的道德義務，更是愛情的超級證明：他不能讓鄢夜來得到情人、失去兒子，寧可讓她失去情人、得到兒子。故事這一結局，讓人震撼。

在這個故事中，李布衣出場不多，仍有光芒。一是他一如既往地在最關鍵的時刻出現，二是他不但武功驚人，觀察力、判斷力驚人，其攻心之術也非同一般。書中李布衣說服勾漏三怪的段落，就是最好的證明：此三怪並非天生的壞蛋，而是由於童年、少年的不幸遭遇使得他們走上歧途。李布衣「看」到了這一點，更「看」到了他們「美好的未來」，從而使得勾漏三怪罷手離開，去尋找或營建自己美好的未來。這樣的未來，與其說是命中註定，不如說是李布衣點燃。

書中的唐果第一次殺人（殺黑衣巡使谷秀夫）後的心理描寫也令人印象深刻。而傅晚飛武功不高，卻能用智，得到李布衣表揚一節，也具有啟發性。

第七部：《翠羽眉》

這可能是布衣神相中最有文學價值的一個故事。這個故事的外殼，是天欲宮及官府內廠派出大批殺手追殺大方門中人，柳焚餘即是其中一人，只是巧遇李布衣，使得柳焚餘的刺殺計畫無法實現。但還有閻王令唐可、三笑殺人夏衣、富貴死人宴主翟瘦僧，富貴殺手項雪桐及其屬下老蕭、非人黔婁一屈、秋葉危小楓、蠢材窮計等等，看起來，大方門中方信我父子、古長城父子難逃厄運。但這個故事並不是真正講述刺客與大方門俠客間的爭鬥故事，那僅僅是故事外殼。

這個故事的真正內核，是一個奇異的愛情故事。刺客柳焚餘對年輕貌美且天真無邪的暗殺對象方輕霞一見鍾情——也可以說是方輕霞的美貌點燃了刺客柳焚餘的欲望——使得柳焚餘改變了行動目標和行動方案，成了小說中的最大變數。柳焚餘殺了古長城，又殺了抓捕古長城的蕭鐵唐（**此人的再次出現本身就是一個驚人傳奇**），將方輕霞俘獲，柳焚餘從此成為黑白兩道追殺的對象。

奇妙的是，柳焚餘俘獲方輕霞，本是要姦污她，但俘獲之後卻改變了初衷，對方輕霞呵護備至，甚至言聽計從，甚而不顧自身風險而要去找方輕霞的父親提親。這是書中最大的變數，即從單純的性欲望轉變成了愛情。

這一無形的轉變，當然有其充分理由，那就是方輕霞刁蠻無知卻也天真無邪，面對這樣的美少女，即便是殺手柳焚餘也無法不克制自己的欲望、興起保護對方的情意。更大的變數是，方輕霞竟也喜歡上了對方。其中固然有「斯德哥爾摩症候群」的成分，即被綁架者愛上綁架者；但還有更重要的原因，那就是正因為方輕霞幼稚無知，只能在具體情境中觀察和判斷對方，從而對柳焚餘沒有先入為主的立場偏見，並不把對方看作是罪惡殺手，而只當他是一個風度翩翩的年輕人。更何況，柳焚餘對待方輕霞也確實是行為規矩、呵護有加，帶她去找她父親就是最好的證明。所以，方輕霞逐漸喜歡上了柳焚餘，且與柳焚餘在嬉戲中交歡。

交歡的結果，導致了兩個人的行為「失常」，一方面，方輕霞在白道英雄前來對付柳焚餘時，竟然叫停白道一方，甚至劫持了石派北；另一方面，柳焚餘為對方著想，要讓方輕霞離開，方輕霞寧可自殺也不離開時，柳焚餘寧可與她一起被焚燒也不願單獨離開。這一刻，這個愛情故事走向高潮：這樣的情感雖然違背禮教道德，卻是人間真情。

精彩故事並沒有到此結束。李布衣拯救了柳焚餘和方輕霞，卻要向柳焚餘討還方信我、古長城兩條人命，後又因為方輕霞叫停而罷手。李布衣要拯救他們倆，首先當然是為了天真無邪的方輕霞，其次也是為了柳焚餘，實際上，在此次之前，書中早已說過，李布衣希望柳焚餘改邪歸正，因為他的父親是正人君子，正是因為父親被惡人所害，才使得柳焚餘加入惡人集團，成為冷血殺手。

被李布衣第二次拯救的這一刻，是柳焚餘一生中最關鍵的一刻，他的人生決定於其心理的一念：是從此放棄殺手身分、行善積德，還是刺殺李布衣、徹底擺脫威脅？柳焚餘的選擇是：殺李布衣，徹底擺脫威脅。正當柳焚餘刺殺李布衣時，殺手翟瘦僧刺殺了柳焚餘，而柳焚餘也殺了翟瘦僧。李布衣得救了，柳焚餘死了。

這個合理結局，卻包含了一個重要啟示：柳焚餘之所以膽大妄為，成了不畏死亡的超級殺手，其中重要原因之一，就是李布衣曾給他看過手相，對他說他的生命線很長，雖有磨難但不會早死。柳焚餘冒死行刺，將生死置之度外，竟然一帆風順。由此，柳焚餘也得到了一個錯誤信念，即無論如何他都不會死，這也正是他要刺殺李布衣的重要原因。

沒想到，他沒有刺死李布衣，也不是李布衣殺了他，而是與他的殺手同行翟瘦僧同歸於盡。是所謂：相由心生、心隨相轉。這也就是說，無論面相、手紋，都不是絕對的，而是會隨著人的心態念想和行為的改變而改變，這才是真正的「天機」。柳焚餘不懂得這一點，也不可能懂得這一點，所以終於死於非命。柳焚餘的最後結局，既有對命運的盲信，也是他個性修養使然，從後一點說，柳焚餘的情感值得同情，但他的結局卻仍然是命中註定。

第八部：《刀巴記》

「刀巴」即「色」也。這個書名，來自李布衣的一次測字，樊可憐讓項笑影寫一個「巴」字，黃彈發刀襲擊李布衣，李布衣躲過，刀射到巴字上。李布衣由此推測出這是一個「色」字，這個「色」

字，就是這個故事的主要內容。

故事情節其實很簡單，綠林總瓢把子樊可憐樊大先生覬覦茹小意美色，但知茹小意有丈夫，還有一個癡心追求者湛若水，茹小意愛情忠貞，難以接近。所以，樊大先生設法除去項笑影、湛若水二人，一是試圖將湛若水推下懸崖（**可惜未果**）；二是派下屬黃彈、孫祖、林秀姑三人戴上頭套襲擊項笑影夫婦（**主要目的是將項笑影擊斃，可惜仍然未果**）。一計不成，再施一計，樊大先生乾脆與項笑影結拜兄弟，說明自己深慕茹小意美色；還要與湛若水建立「失意幫」，取得項笑影夫婦信任。

進而，又讓土豆子和幾個鷹爪給項笑影夫婦下迷藥，用項笑影曾讓他姐姐死於非命的遭遇來離間項笑影夫婦的關係。進而，讓項笑影與織姑在草堆裡發生性關係，讓茹小意徹底崩潰，而樊大先生卻對她體貼入微，終於讓茹小意在絕望中投懷送抱（**樊大先生還將被點穴道的項笑影安排在床下見證**）。接著，茹小意發現了真相：自己身上披的是當時襲擊自己夫婦的罩袍，從而抓住林秀姑，問出了真相，樊大先生也很爽快地承認了真相（**因為他已得到了茹小意**）。

最後一段，就是茹小意夫婦如何脫險，看來他們沒有任何機會。但李布衣能夠創造奇蹟，李布衣來，樊大先生用茹小意的生命為交歡代價逼迫項笑影替他圓謊，看來李布衣相信了。但未測之字——巴字頭上一把刀即「色」也——讓李布衣回頭，經過一番必不可少且驚心動魄的打鬥，終於創造了機會，殺死了黃彈、孫祖、織姑，且茹小意殺了作惡多端且不可一世的樊大先生。

最後是茹小意自殺，她的自殺既出人意料，卻也不難理解，因為她寃屈了自己的丈夫、且半主動地失身於樊可憐。最後的最後，則是茹小意有了呼吸，她不得不自殺，但她「罪」不至死，所以才自殺而不死。最後這一筆，是作者故意安排，足見巧思。更重要的是，此舉事關天意：茹小意終於沒有死，李布衣、作者和讀者都會感謝上蒼的關懷。小說最後一句，是李布衣的感受：「彷彿，在花之上，欄桿之上，月亮之上，有天意在關懷人間。」——這是最美的一筆，也是最具深度象徵意義的一筆。

愛美之心，人皆有之。所以，湛若水苦戀茹小意，樊大先生設法要得到茹小意，從根本上說，乃是人之常情。只不過，人之為人，在乎不僅有欲望而且有理性，所以行為不同。湛若水只是苦戀、苦追而已，樊大先生卻是想要得到的就一定要得到，不惜殺人、不惜欺詐、不惜做種種出人意料的表演。這符合他的身分，因為他是綠林總瓢把子；這也符合他的性格，因為他是恣意妄為的綠林第一人。只不過，樊大先生過於自信，過於自戀，也過於殘酷——他用結拜兄弟的方式欺騙自己的兄長，與李布衣為朋友兩肋插刀恰恰相反——終於遭到了應有的報應。他誘姦了茹小意，最後被茹小意所殺，可謂天公地道。

這個故事還有更深一層意思，即世界上的恩愛夫妻或許都有忠貞極限。項笑影沒有將他與姚添梅的關係告訴茹小意；茹小意在見到項笑影與織姑苟且場景時也沒有細想：自己的丈夫怎麼會在那個時候、那樣的場合（**草垛裡**）與織姑媾合？假如她沒有被嫉妒心沖昏頭腦，沒有被醋意淹沒，故事可能會有另一種結局。

問題是，茹小意剛剛得知丈夫曾與姚添梅有性關係——即便發生在與她戀愛之前，她也同樣會感到嫉妒和不快（**她並不是為姚添梅的死責備丈夫項笑影，也不是因為項笑影沒有告訴她這段故事而責備丈夫，而是單純的同性嫉妒不可遏制**）——又「親眼見證」自己的丈夫和自己最討厭的同門師妹苟合，這一情形超出了茹小意承受的極限、理性的極限、忠貞的極限。所以，她投入了樊大先生的懷抱，那一刻雖然不是百分之百主動，至少有一半是主動的，因為，樊大先生並未強姦。

故事中的另一個主要人物是出場不多的織姑。織姑的心理值得分析，甚至值得專門為這樣的人作一篇論文：她是茹小意的同門師妹，因為沒有茹小意那樣的美貌，所以把茹小意作為模仿對象，更把茹小意作為仇恨的對象。她喜歡湛若水，湛若水卻不喜歡她，而喜歡（**對他並無愛意的**）茹小意。即便茹小意嫁給了項笑影、離開了湛若水，湛若水也沒有回頭去看、去愛、去娶織姑。

雖然茹小意沒有任何過錯，只是本能地不喜歡這個師妹而已，但卻成了織姑最大的仇人。說了這麼多，主要是想說：在樊可憐誘姦茹小意的這個故事中，織姑有多大作用？進一步說，樊可憐去招惹茹小意，是不是織姑一手策劃的？書中，樊可憐曾提及這一點，只是沒有深入仔細地說明而已。這值得深究：茹小意是織姑此生頭號仇人，她的生存目標就是要讓茹小意身敗名裂，所以，樊可憐誘姦茹小意，讓茹小意夫妻分離、痛苦終生，才會讓織姑感到欣慰。

織姑是樊可憐的下屬，也是樊可憐的姘頭，她有這個機會去誘騙樊可憐，也可以說是唆使或「獎勵」樊可憐。織姑對林秀姑的態度即可見其性格之一斑——她要獨佔樊可憐，故意製造林秀姑被茹小意俘獲並殺死的機會，做起來完全不動聲色，但這瞞不過同樣陰險無情的樊可憐——樊可憐的斥責就是最可靠的證詞，由此不難推測，樊可憐誘姦茹小意固然是出於男性好色本能，但背後還有一個編劇或導演：織姑。

在這個故事中，織姑形象深度超過了茹小意、項笑影，也超過了李布衣。

《遊俠納蘭》

「遊俠納蘭」故事系列是溫瑞安的又一次創新嘗試，寫過四大名捕、大俠蕭秋水、白衣方振眉、神相李布衣之後，試圖寫一個身分與個性都不一樣的人物：遊俠納蘭。

據笑商《溫書南頓》中說：納蘭故事其實早於一九八二年就有創作，原應《明報週刊》而撰，但可能出了點差池，故當時只寫了《歌中山》和《古之傷心人》兩篇就暫時告一段落，直到了一九八六年九至十一月方才重拾，陸續完成了《婉拒的白鳥》、《誰殺了他妹子》、《麻煩》、《父子》、《不勝寂寥的小花》和《晚菊》八個故事，章大寒、白小癡、方柔激等人物相繼登場，然後，又是一段時間的「中場休息」。

第三度提筆是在一九八九年了，先是在年初集中筆力，完成了《空中追空》、《誰不怕誰》、《不死不散》、《怪鳥怪飛》和《馬上上馬》，到了年末時，又花了半月左右，寫完《凶手追凶》、《王不見王》、《幫手斷手》、《亮劍棄劍》、《出刀奪刀》、《跑腿廢腿》以及《納蘭一敵》。

到了這幾個故事，作者已經「不由自主」地漸漸遠離其「初衷」了。結集方式是將其分為兩部，即，前十二篇合成一本《遊俠納蘭》（**也有出版社出作《古之傷心人》**），後八篇輯為《納蘭一敵》（**亦有版本題為《馬上上馬》**），而後按作者溫瑞安先生的「慣例」，書末預告，請看續篇《此情可待成追擊》。

納蘭故事——即後來的「遊俠納蘭系列」——孵化的時間確實比較長，其原因可能是可觀方面，即發表陣地的改變；也可能是主觀方面，即作者對納蘭形象和故事的思考和想像重點不斷變化。最關鍵的可能還是，作者對納蘭沒有那麼熟悉，所以寫納蘭故事不是那麼順手。

納蘭故事已經不是純粹的納蘭故事，在納蘭故事系列中，主人公不斷換人，頭兩個故事即《歌中山》、《古之傷心人》的主人公是納蘭，作者也努力把這兩個故事寫得與以前不一樣，努力增強文學性，但結果並不令人滿意。所以第三個故事《婉拒的白鳥》中出現了更加奇特的人物，即白癡白曉之，第四個故事《誰殺了他妹子》又出現了豪俠章大寒——這個人物似乎更接近游俠身分和個性——接下來在《不勝寂寥的小花》和《晚菊》中又出現了第四個主人公即方柔激；在《父子》中出現了一對無名父子，而在《誰不怕誰》、《不死不散》、《怪鳥怪飛》中又出現了橫山十八，遊俠納蘭在這些故事中出現，不一定是主人公，有時候是配角，有時候是旁觀者。這表明，作者是在不斷嘗試，遊俠納蘭故事的寫法，主人公不斷變化，也是嘗試一種獨特的比賽，看看誰更像是游俠，章大寒、白曉之、方柔激，乃至無名父子或橫山十八都有入選資格。

在文體及敘事焦點上，這些小說也在不斷變化，《歌中山》、《古之傷心人》寫得唯美清純，《婉拒的白鳥》寫得傳奇，《誰殺了他妹子》寫得本色，《不勝寂寥的小花》和《晚菊》寫得浪漫，《怪鳥怪飛》則試圖寫成寓言。

後面的故事中仍然在不斷試驗，嘗試創新。

只不過，嘗試創新的結果不是那麼理想，最根本的原因，是遊俠納蘭的個性形象並不十分突出，他的身分是游俠，但他的氣質卻像文藝青年。在山中聽歌，對小狗、小雞、小鴨的憐憫和多愁善感，以及對「文字禪」的癡迷等等，都是證明。進而，在系列故事中，他的生平經歷也始終不大清楚，他的情感生活也未真正開掘，甚至他的人生目標也不是那麼突出而理由充分。

進而，系列故事中的其他幾位主人公，例如方柔激、章大寒、白曉之的形象看起來很突出，相互間的差異也非常明顯，但他們卻很難深入人心，遠不如四大名捕及白衣方振眉、神相李布衣。原因是，白癡白曉之的形象和故事有太多人為痕跡，方柔激形象和故事太做作，而章大寒形象和故事太簡單，這樣的草莽人物難以成為真正合格的主人公。

看起來，作者在前面這些故事中陸續介紹「納蘭分隊」的主人公陸續登場，似乎有更重大的圖謀、更宏大的目標，但在最後的《此情可待成追擊》的大行動中，這些重要骨幹乃至納蘭本人都淹沒在更多的人群中。

總之，遊俠納蘭系列不算是溫瑞安小說中最成功的系列。

《淒慘的刀口》

《淒慘的刀口》是較早的沈虎禪故事之一，是不是最早？還需考證。

這是一個構思精巧的故事，作者在寫作之前即有完整的構想。

捕頭門大綸等人率人伏擊沈虎禪。但大家似乎都只是聽說過沈虎禪，但沒有真正見過沈虎禪。所以，當方恨少出現時，大家以為他是沈虎禪，最後才知道不是。進而，當唐寶牛出現時，大家又都以為他是沈虎禪，最後才知道不是。這為真正的沈虎禪的露面進行了極佳鋪墊：此人是神龍見首不見尾，人未到，威先立。而沈虎禪出現之前，即已將埋伏在啞巴夫婦屋裡的魯山陰、占飛虎、猿青山三人綁起，並將埋伏在附近的箭手全都點到，這仍然是刻畫沈虎禪的形象。

本故事的重要性，不僅是故事本身，而且是為沈虎禪、方恨少、唐寶牛等人留下了生平傳記資料。例如沈虎禪從十三歲開始復仇殺人，方恨少喜歡讀書但不求甚解且不能記住，總是「書到用時方恨少」（武功方面也是如此），唐寶牛有一股牛勁，勇往直前，不怕受傷，但並非簡單的莽夫，而是有他的心機，與方恨少、沈虎禪等人的默契尤其熟練。這些，都為此後的沈虎禪故事奠定了基礎。

上述內容不過是作品的開頭而已。本故事的主要情節，並不是沈虎禪如何，而是青帝門的內訌。東天青帝任古書被殺，刀口很像沈虎禪的刀所留，等到沈虎禪將門大綸的右臂斬斷，留下刀口，雷肅桐率公羽敬、簡易行、薛東鄰以及師弟深仇大師等抬著任古書的棺材來到現場，要將門大綸的傷口與任古書的傷口進行比對，從而確定沈虎禪的殺人證據。任何人都不會想到接下來的故事，公羽敬揭露雷肅桐夥同簡易行、薛東鄰暗殺任古書；雷肅桐揭露師弟深仇大師三次試圖刺殺任古書。緊接著，雷肅桐殺師弟深仇大師；簡易行、薛東鄰殺雷肅桐；簡易行死後，薛東鄰又向公羽敬發起攻擊，結果是薛東鄰死。公羽敬要殺沈虎禪時，見到棺材裡有人出來，居然是「被殺」的東天青帝任古書。

公羽敬被沈虎禪殺。最後是任古書對沈虎禪作此案「結案陳詞」：原來這一刺殺事件竟是任古書和神判祖浮沉策劃的，因為任古書棄武學文，荒廢了武功，差點走火入魔、內力喪失；又知自己的幾個徒弟即公羽敬、雷肅桐、深仇大師以及青帝門三大供奉即公羽敬（兼兩種身分）、簡易行、薛東鄰等都懷有殺人篡權之心，所以不得不如此。因為他沒有能力清理門戶，只能借用沈虎禪的實力，迫使篡權者內訌。東天青帝任古書對沈虎禪的信任，是對沈虎禪能力的最大信任，而沈虎禪也沒有讓他失望。只不過，任古書卻有點讓沈虎禪失望，這位德高望重的武林領袖，原來如此。

本書故事的依據，是人類對權力的欲望沖破了倫理規則的堤壩。任古書最信任的弟子雷肅桐是如此，深仇大師也是如此，當年的棄徒公羽敬當然更是如此，而擔任青帝門供奉的簡易行、薛東鄰當然還是如此。為了奪權，不惜殺師、殺首領。這一動機和依據，當然是成立的。世間確實有許多這樣的人，為了權力不惜殺兄、殺父，更遑論殺師、殺首領。這是所謂「叢林法則」，這些人也都在叢林中。

溫瑞安的作品，常常將現實生活中的遭遇寫入小說中。在現實生活中，溫瑞安是組織的首領，其麾下或許也有類似雷肅桐、深仇大師、公羽敬、簡易行、薛東鄰這樣的人。所以他寫出這樣的故事，不僅順理成章，且有雙重依據。只不過，這個故事的情節層面雖然十分精彩，具有出人意料的震驚效果，但仔細想來，這個故事的整體還是稍嫌簡單。青帝門中除了未露面的神判祖浮沉之外，其他高官都參與了背叛與內訌。問題是，這些人處於不同的地位，參與背叛和謀殺對他們的意義是不一樣的。深仇大師刺殺師父任古書，是怕任古書將他逐出師門；那麼雷肅桐刺殺任古書又是為什麼？他已經得到了師父的信任，且已經掌握了青帝門的大權，在武林中已經有崇高的威望，為什麼還要殺師？公羽敬要殺任古書，或許是為了報復當年任古書將他逐出師門的羞辱，那麼簡易行、薛東鄰刺殺雷肅桐的目的又是什麼？是因為他們能掌握青帝門嗎？書中所寫，青帝門中千篇一律，這就成了問題，是把人類社群的權力鬥爭簡單化了。

當然，這只是一個短篇作品，這樣寫也未嘗不可。

「七大寇系列」之《祭劍》

《祭劍》篇幅很短，只有三章。講述沈虎禪救助被冤屈的邵星舞故事。第一章中，萬古燒、秋映瑞、古錦藏三人圍攻邵星舞和劉歲奇，沈虎禪干預，讓邵星舞逃走；萬古燒說沈虎禪救錯了人，沈虎禪相信了，表示要追捕兩人補過卻又被拒絕。若非古錦藏襲擊沈虎禪，此事也就過去了。古錦藏肆意妄為，反而引起了沈虎禪疑惑，於是對此案展開調查，結果出人意料。明明是萬古燒、秋映瑞、古錦藏三人騙取邵星舞哥哥錢財、逼他自殺，姦污他妹妹、殺死他父親、追殺他弟弟邵星舞和報信人劉歲奇，卻被他們顛倒黑白，說邵星舞姦污嫂嫂、殺死父親，說劉歲奇是地痞，實際上不僅僅是要倒打一耙，且要製造冤案讓他們「祭劍」。

祭劍是武林俠少的風氣，即為了保持俠少名聲地位，每年都要殺大壞蛋一人祭劍；這些人不去找真正的壞人祭劍，製造冤案濫殺無辜，為了成名而無所不為。

俠少和大俠是兩種截然不同的人，沈虎禪是真正的俠者。為了救援邵星舞，他不惜空手抓劍；為了調查邵星舞案的真相，他居然花費了數月時間——這與官府草菅人命、製造冤案的做法截然相反——直到查明真相，並在最後關頭趕來救出了邵星舞，殺了草菅人命的貪官古田桑，以及為俠名作惡行的萬古燒、秋映瑞、古錦藏三人——他們不僅陷害邵星舞、劉歲奇，還殘殺了更加無辜的同室囚犯仁伯張國仁、瘋狗子馬家光——這些人確實該死。

作者寫《祭劍》，是要為「七大寇」造勢，即要營造七大寇之所以為寇的社會環境：這個社會環境的最大特點，是當權者為所欲為、草菅人命，瘋狗子偷了縣官親戚家的一個饅頭竟被判刑二十七年；張國仁殺了與官員弟弟偷情且忤逆肆無忌憚的兒媳被判無期徒刑；有靠山的俠少為了成名而製造冤案。在這樣的社會環境下，好人難以為生，只能去當賊寇。說不定，賊寇中有更多的真英雄。

這篇小說寫得並不特別好，主要缺陷是寫得過於直露粗糙，洪洞縣裡無好人，未免太過簡單。邵星舞的遭遇固然值得同情，但萬古燒等人的形象卻太過概念化。沈虎禪並非偵探，也非大俠，為調查邵星舞案而花費數月時間，固然令人感動，但卻有些難以置信。或許，對一篇短篇小說不宜過於苛求。

《刀叢裡的詩》

本書講述「詭麗八尺門」門主龔俠懷被刑部下令逮捕，門中兄弟無人加以營救，反而起了爭權內訌；龔俠懷的情人嚴笑花、紅葉公子葉紅等人出於情感和道義進行營救的故事。這故事很容易讓人想起作者溫瑞安本人當年在臺灣被捕的經歷。龔俠懷心憂天下，不僅派下屬六當家慕容星窗前往北部邊境參加抗擊異族入侵，且上書朝廷，力主抗敵，結果卻得到了「妖言惑眾，通敵賣國」罪名。

這個罪名和岳飛的罪十分相似，可謂「欲加之罪，何患無辭」，實是顛倒黑白是非。溫瑞安當年在臺灣獲罪，與龔俠懷的獲罪當有相似之處。更相似的，或許是在老大獲罪之後，門內兄弟出於不同原因而沒有極力營救，甚至有人落井下石。作者的這一經歷，或許是這部小說的創作動機。

本書特點之一，是參與營救者如葉紅、飲冰上人、泥塗和尚等人非但不是龔俠懷的朋友和兄弟，大多是與他有過節的人。葉紅不是龔俠懷的朋友，而是有相互競爭關係；飲冰上人不是龔俠懷的朋友，而是與他有明顯過節（當然也曾在暗地裡幫助過對方）。這些人是出於江湖道義，才參與對龔俠懷的營救。這種營救的意義就在於維護「道義」的價值，營救無辜就是保護自己——在那樣的政治環境中，誰能夠保證自己不受不白之冤？

本書的另一特點，是敘事的時間線索及其寓言性。故事開頭是大雪，寫到葉紅的故事線索，是小寒；而後是雨水、而後是穀雨，而後是（立夏之後的）小滿。這不僅是排出時間順序，表明龔俠懷被捕後的艱難時日（度日如年）；同時也是從寒冷寫到溫暖，與小說書名「刀叢裡的詩」相互詮釋，「刀叢」是環境，「詩」是溫暖的人情與道義之光，從冬至到夏至，從極寒到極暖，具有寓言性。

本書的第三個特點，是用筆的簡省和故事的「留白」，即並不是沿著一條線發展，更不是事無巨細都寫到，而是有選擇性地寫出重要情節與細節。最典型的例證是，龔俠懷被捕的具體情形，並沒有在書中直接寫出，而是從葉紅與朋友們的對話中寫出，甚至用旁觀者（如臨風快意樓掌櫃的見證）觀點。小說第一節，讀者大多以為是普通的江湖衝突，因為伏擊龔俠懷的鍾夫人等人像是普通的武林人物。後來才知道，龔俠懷被捕時有「談何容易」等「新四大名捕」到場，而且有政聲清廉的官員陸倔武的批文（龔俠懷也是因此而甘願束手就擒）。

又如，龔俠懷的紅顏知己嚴笑花似乎無動於衷，反而要嫁給陸倔武，因此引起了葉紅的誤會，葉紅多次說要去找嚴笑花質詢。但書中並沒有寫到葉紅與嚴笑花的見面，而只是寫到嚴笑花與陸倔武的對話，讓讀者明白，嚴笑花並非無動於衷，而是在為營救龔俠懷努力，她的努力是犧牲自己（嫁給陸倔武、嫁給沈清廉）營救心上人。這樣的寫法，不僅是節省筆墨，且帶來另一敘事效果，即真相難明，例如龔俠懷在獄中的遭遇究竟為何？葉紅等人得到的消息是五花八門，有人說他死了，有人說他寧死不屈，也有人說他屈打成招。這就使得龔俠懷的真實遭遇格外讓人惦記。

本書的不足之處，首先是頭緒太多。寫葉紅等人營救，寫杜小星的遭遇，寫宋嫂的上當並不為過，但江湖中人與官府中人的頭緒太多，卻讓人難以「招架」。有時候，一些並非真正重要的頭緒反而將葉紅等重要人物的線索淹沒了。尤其是到最後幾章，作者寫得過於簡省，以至於讀者難以跟上情節的發展。例如，葉紅、嚴笑花、趙傷到詭麗八尺門議事時被下毒，前因及後果都不清楚。

也許是因為作者對龔俠懷被捕一事憤怒糾結，需要以這樣的故事情節來抒發自己的鬱悶與憤怒，但作者很可能把自己的情緒凌駕於小說故事情節構想之上，以至於對小說中人的行為與思想缺乏深思，又因為涉及人多，也沒有機會對其中的重要人物形象作精雕細琢。詭麗八尺門中的眾位頭領不去營救龔俠懷，反而勸別人不要去救龔俠懷，甚至將試圖營救者點倒，想必各有各的原因。這些原因並沒有被作者深刻揭示，作者被自己的憤怒情緒所控制，對這些未參加營救者「一個也不原諒」，從而影響了這部小說的人性揭示深度，實屬遺憾。

這部作品有極好的書名，也有不錯的故事內核，但卻不是一部真正的好小說。

《殺楚》

《殺楚》寫於一九八五年底至一九八六年五月間，同時在香港《明報》、新加坡《聯合晚報》、馬來西亞《南洋商報》連載。《殺楚》是四大名捕系列之一，但主人公卻是方邪真。正因如此，十二年後，溫瑞安要續寫方邪真故事，標題《破陣》，並將《殺楚》抽離四大名捕系列，加入「方邪真系列」。作者預告還有《傲骨》、《靜飛》、《驚夢》等幾部，但卻沒有完成，因而這兩部書的歸屬就成了問題。

《殺楚》講述追命到洛陽偵查孟隨園一家滅門案，偶遇洛陽小公子池日暮被襲事件（「殺楚」案），與劍客方邪真一起拯救了池日暮，也讓方邪真從此捲入洛陽四大家族，即蘭亭池家、小碧湖游家、妙手堂回家和千葉山莊葛家的爭權奪利矛盾衝突中。池日暮的智囊劉是之為爭取方邪真無所不用其極。最後追命找到孟隨園家滅門案的凶手，揭開了「殺楚案」的秘密，方邪真也留在了蘭亭池家。

本書看點之一，是方邪真的個性形象。此人的性格特點，一是特立獨行，面對池家、游家、回家的拉攏、收買或強迫而不改初衷。池日暮三顧茅廬，甚至當年的情人顏夕請求他加入池家，也同樣被他拒絕。

二是重情，對妓女惜惜似十分依戀，不過是因為惜惜之名與他的心上人顏夕之「夕」同音而已，真正不能忘懷的不是惜惜，而是顏夕。手腕上的鐲子和絲巾，是最好的證明。而他最後決定留在洛陽，加入池家，是因為養父及弟弟方靈被殺，他要為養父和小弟報仇。

三是有俠義心腸，當素不相識的池日暮被人襲擊時，他毫不猶豫地扶危濟困；與追命只有一面之緣，但當他聽說追命即將面對七髮禪師、石斷眉、殺手蔡旋鍾時，雖然自己有傷在身，仍義無反顧地去幫助追命。

四是內心隱痛及身世來歷的「留白」，讓他的經歷充滿神秘，不知道他從哪裡來，也不知道他與池日暮的大嫂，即池日麗的妻子顏夕之間過去曾發生過什麼，只知道他是最近才來到洛陽，寄身於養父家，改方謝謝之名為方邪真。總之，這是一個具有吸引力的人物形象。

看點之二，是洛陽四公子即四大家族之間的矛盾衝突，池家、游家、回家、葛家為了爭權奪利，不斷招攬人才加強實力，方邪真正因為武功高強而成為四大家族招攬的對象。表層原因，是要競爭「洛陽王」即洛陽第一家的政治地位，實際上是要壟斷洛陽地區的經濟利益。值得注意的是，四大家族內部也並非鐵板一塊，而是各有私心，回家的回百響就被池家收買、池家的劉是之也收過游家的賄賂。

更值得注意的是「殺楚」案的真相，即當年洛陽林家曾盛極一時，卻被家將池散木、游臥農（即當代蘭亭池家、小碧湖游家的先輩）所害——池日暮被襲擊，正是林家後人七情公子林遠笑為自己的先人復仇之舉，當年的不愁門變成了矢志復仇的「百仇門」，且把當年仇人「殺楚」暗語作為復仇口號（「楚」是林鳳公之「林」與其妻子岑疋兒之「疋」的集合，殺楚即殺林鳳公、岑疋兒一家）——而池家的智囊劉是之則同樣有「彼可取而代之」的秘密志願。

看點之三，是追命破案。追命奉命偵查清官孟隨園全家被殺案，同時偵查池日暮被襲案，進而查出當年「殺楚案」真相。這三個案件的偵破並沒有成為小說的主要故事內容，即追命查案並非故事內容，作者將追命的偵查工作推向了背景之中。直到小碧湖相思亭之約，才在一個場景之中解決了三個案件。孟隨園滅門案有三個嫌疑人，即七髮、斷眉、蔡旋鍾，追命不知道究竟誰是凶手，於是讓池日暮襲擊案的主謀、殺楚案受害者後人林遠笑假扮孟隨園，結果一舉讓三個案件真相大白。追命訊問嫌疑人，讓真凶石斷眉自我暴露，堪稱妙計。

看點四，是書中其他人物形象，例如小公子池日暮與智囊劉是之的對比，劉是之是為達目的不擇手段，甚至不惜雇人殺害方邪真的養父父子，而池日暮在此過程中則猶豫再三，表明此人的心性與劉是之不同。又如妙手堂主人回百應之子回絕——真是一個好名字，具有象徵意義——自傲自大，實質是小肚雞腸，對任何武功與能力超過他的人都要「回絕」（殺絕），所以親自率人襲擊方邪真，結果自取滅亡。此人的故事，足可以為所有自大紈褲者戒。

本書也有不足，那就是方邪真殺劉是之。方邪真並不知道劉是之是設計殺害方靈父子的主謀，卻篤定要殺劉是之，理由不那麼令人信服；而池日暮答應除了大哥大嫂之外，其餘人任憑方邪真處置，也同樣讓人難以置信。方邪真剛剛答應加入池家，就要殺害池家的文膽，若無充分理由怎能讓人信服？除非池日暮暗示方邪真說劉是之設計殺了方家父子，且池日暮對劉是之再也難以容忍，才有可能。問題是，小說中並沒有這樣的鋪墊，就讓方邪真殺了劉是之，從而形成漏洞。

《唐方一戰》

本書被標注為「神州奇俠別傳」，理由或許是書中女主人公唐方曾與大俠蕭秋水有關，她深愛蕭秋水。實際上，這個故事是個獨立故事，主人公是唐方。

這個故事的主題，也正是女主人公要取得自己的獨立合法性，後合法獨立性。小說開頭寫唐門比武，看似公平，實際上早已內定了並列冠軍即唐變和楊脫，唐方出現攪亂了事先的安排。故事情節的走向不斷出人意料，開始是唐門長輩唐不全將唐方的暗器沒收，以至於唐方處於被挨打的狀態；進而是唐不全、雷暴光將獲勝的唐方打傷；繼而是五飛金首領唐拿西前來將唐方帶走，真相卻是唐拿西等人雖然救了唐方，卻又在唐方身上下毒，目的是要囚禁唐方，一是要得到唐方「潑墨大寫意」、「題詩小留白」兩種暗器手法秘訣，二是要以此借囚禁唐方來威脅唐門最高領導人唐老太。唐門出現內訌，有人想要篡權，這在任何一個組織中都可能存在，組織規模越大，發生此類事的機率就越高。

本故事的核心線索及其核心機密，是唐方美貌的力量。不僅雷暴光覬覦她的美貌，甚至她的堂叔唐不全也覬覦她的美貌，唐變、楊脫等年輕弟子闖入唐方的沐浴場所，雖說是為了報復她的莽撞，實際上也是覬覦並欣賞她的美貌。這個故事的轉捩點，也正是有兩個外人被唐方的美貌所吸引，從而願意為拯救唐方而不惜犧牲自己。

其中一個是徐舞，明知道唐方是蕭秋水的戀人，但還是情不自禁地追隨唐方，並且以輸給唐方為榮，只要能夠與唐方見面就好；進而，明知道營救唐方很可能要犧牲自己，且唐悲慈明說了不會去拯救他，他也還是義無反顧地擔當了前往五飛金拯救唐方的任務。徐舞的行為，不僅是真正的情感（**區別於男性佔有女性的欲望**），且是昇華了的情感，即情感昇華為道義，願意為拯救心上美人而犧牲自己，這是情感如同宗教般虔誠，非一般人所能及。

書中的另一個愛上唐方的人，是山大王鐵幹，看起來這是不可能之事，因為鐵幹看起來完全不喜歡女性，且話裡話外總是把女性的弱點放大，一副男子漢大丈夫不會耽於情欲的模樣，而實際上，他也同樣情不自禁、身不由己，願意為拯救唐方而冒險。雖然在口頭上似乎不把唐方的美貌和個性魅力當一回事，但實際上卻是被自己內心的情感牽著走。而且還一而再、再而三，這就是美麗的力量，也是情感的力量。

其中有一個細節值得玩味，那就是鐵幹勇敢地將自己的外衣披在唐方身上，要她別著涼，唐方也接受了，但後來還是把外衣還給了鐵幹，說他外衣上有味道。這是喜劇性的一幕，其中有讓鐵幹其人琢磨半輩子的豐富內涵。

書中的三缸公子溫若紅、五飛金首席花點月，也是被唐方的美貌與個性征服的人。他們並不是雷以迅、唐拿西的同謀者，保持了武林人的正義與良知，只是身處險境不得不保護自己。他們對唐方的態度也各自不同，溫若紅似乎只是同情與欣賞，而花點月卻是欣賞且愛慕，當唐方進入五飛金營救徐舞時，溫若紅只是裝醉而讓唐方過關，而花點月則是寧肯自己中暗器負傷而讓唐方過關。在唐方離開之後，他的表現很顯然是為了良知而如此，更是為了情感而如此。

本書所寫，最突出的一點，是刻畫了唐方的個性。表面上看，唐方是一個被嬌寵、很任性、很無知、很單純的少女，做事全無顧忌，想怎麼幹就怎麼幹。覺得自己的暗器功夫超過參加比賽的人，她就報名參賽了；覺得自己的功夫超過唐變和楊脫，她就不願接受長輩的安排，甘心於穩居第三名，而是要決賽到底。發現擔任裁判的唐不全和雷暴光以權謀私、並不公正，她也勇敢地提出挑戰，以至於唐不全和雷暴光惱羞成怒，以有毒暗器將她打傷。唐方的性格中最核心的部分是不防有詐，即不隨意懷疑人，而願意相信人，所以當唐拿西將她從唐不全手裡救走，她就相信了唐拿西，絲毫不加懷疑。

值得注意的是，唐方雖然單純，卻不愚蠢，而是有著超凡的靈性和出眾的直覺。在五飛金療傷期間，她直覺到有人在監視她，她就不再練習「潑墨大寫意」、「題詩小留白」兩種武功，讓唐拿西等人的計謀落空。更能夠體現唐方個性的，是她不知道徐舞是來營救她，反而以為徐舞是來五飛金搗鬼，於是她把徐舞的行為告訴了唐拿西等人；而她在得知徐舞實際上是來營救她時，則毅然回頭，一定要營救徐舞。這種個性不僅不讓鬚眉，實際上超出了太多的鬚眉男子，例如唐催，例如唐悲慈。她剛剛逃脫，又立即返回，超出了唐拿西等人的預料，唐拿西釋放她和徐舞，固然是因為唐悲慈率領大批高手來，同時也是被唐方的勇武所震懾。

更出人意料的是，當她救出徐舞，得知唐催為她而被雷以迅抓獲，她竟又決定再次前往五飛金！如果說唐方第一次為徐舞而冒險是出人意料，那麼唐方為拯救唐催而再次冒險恐怕是誰也不可能想到。這正是本書最大的亮點，也是唐方性格的畫龍點睛。

書中並沒有寫出唐方二次進入五飛金的最後結局，「唐方一戰」卻已經完成，她在金鼓樓上的亮相，已經完成了一個讓人驚嘆的藝術雕像：「嘩！唐方」就是雕像的題詞。

本書的結局有些浪漫，書生氣明顯。作者的主要目的不是要講述一個有根有據的故事，而是要完成女主人公唐方的藝術雕像。

從故事層面說，本書當然有弱點，五飛金組織公然謀反，唐悲慈也心知肚明，卻沒有人告知唐門最高領袖唐老太，這就是一個明顯的缺陷。在真實生活中，這樣的事很難想像。

《納蘭一敵》

本書書名《納蘭一敵》，最後所寫正是納蘭與絕頂高手舒星一的一戰，這一戰只有一招，即舒星一出一刀、納蘭還一劍，打鬥就結束了，小說也到此結束。

這部書的主人公是誰？卻不無疑問。因為這部書中寫到的人物，至少有豪俠章大寒、一枝花王千一、方柔激、遊俠納蘭四人（**著名殺手唐斬等人在這裡也只能充當配角**），差不多每個人兩章，納蘭只是在最後兩章中才是主角。為什麼只有最後兩章的主角才是全書的主角？為什麼此書命名為《納蘭一敵》？

不妨把此書當作作者的一次寫作試驗。

這一說的證據是，書中的章節標題，如：《馬上上馬》、《凶手追凶》、《王不見王》、《幫手斷手》、《亮劍棄劍》、《出刀奪刀》、《跑腿廢腿》、《納蘭一敵》，這些標題可謂「實驗性標題」。第一章的標題最為突出《馬上上馬》是一個回文標題，此後六章的標題是「仿回文」或「類回文」，即其中至少有兩個字是相同的。只有最後一章標題即《納蘭一敵》非是。作者溫瑞安一直在試驗這樣的文字遊戲，試圖從這種文字遊戲中找到寫作的靈感，或者當作寫作的難題攻克試驗。

說這部書是寫作試驗，還可以從另外兩個角度看。第一個角度是，作者要寫納蘭一敵，但卻並非全都圍繞納蘭這個人，而是把納蘭的幾個知心朋友即豪俠章大寒、方柔激、一枝花王千子等人作為鋪墊，寫這幾個人相當於「納蘭側寫」。

證明此書為試驗性作品的第二個論證角度，是這部書有結局，但故事卻沒有結局。反抗魏忠賢閹黨的群雄分為兩大部分，一部分人主張向老鷹驛站進攻，一部分人主張留守（**等待敵方即閹黨幫凶三扇門、不字輩來攻**）；而主張進攻的一方又分為三路，一路是唐斬率領的殺手隊，另一路是納蘭率領的義俠隊，還有一路是方柔激（**此人習慣於獨來獨往**）。這三路都遇到敵方伏擊，三路伏擊都沒有產生最後結果，也就是說，方柔激、唐斬殺手隊、納蘭義俠隊的戰鬥都還沒有結局，小說就結束了。小說結局的這種「開放性」，無疑是作者的試驗。即並非作者沒有能力寫出故事的結局，而是作者不想——覺得沒有必要——寫出結局。方柔激、唐斬、納蘭、章大寒等人的生命是否有危險？有怎樣的危險？他們能否戰勝敵人？敵人的結局如何？所有這些疑問，都交給讀者自己去判斷和想像。

這部小說好不好？端看讀者以怎樣的標準來衡量它。如果按照純文學的標準，尤其是按照文學試驗或實驗文學標準，它是一部很有新意的作品，值得讚揚和欣賞。但若如果按照武俠小說——核心為故事——的標準衡量，則可能會有所不滿。一個故事怎麼能夠沒有結局？書中所說人物的安危都沒有說清楚，如何能算得上是好的武俠小說作品？

更何況，本書還有一個明顯不足，即書中人物太多，多到顯得十分「擁擠」，且無法讓讀者真正記住書中人物，在如此之短的篇幅內要容納這麼多的人物，作者非有超級寫作才能不可。本書講述的是閹黨與反抗閹黨的「天機組」及其周邊群體（即所有正派人物都包含在內）的鬥爭，這是兩個組織的鬥爭，牽涉十分廣泛，要把頭緒理清楚就已經非常不容易。要以「極繁頭緒」（天下正道與邪道之爭）印證「極簡焦點」（納蘭一敵），那就更是難上加難。

「七幫八會九聯盟」系列

這是一部很特別的書，既不是一部長篇小說，也不是一般的中短篇小說集，甚至也不能算是一部系列作品（因為它沒有統一全書的主人公）。只能說，這是一部拼圖式的長篇作品，各部作品之間不見得有直接的相互關聯，但卻有間接關聯性，因為所有故事都是在說有關七幫、八派、九聯盟的傳奇。

這部作品的最大特色，是作品的書名十分誘人。諸如：《請借夫人一用》、《請你動手晚一點》、《殺親》、《晚上的消失》、《殺了你好嗎》、《愛上她的和尚》、《愛上和尚的她》、《絕對不要惹我》、《雪在燒》、《戰僧與和平》、《傲慢雨偏劍》、《山字經——「老字號」溫家野史》等等，除了其中《戰僧與和平》係托爾斯泰小說《戰爭與和平》的戲仿，《傲慢雨偏劍》係簡．奧斯丁小說《傲慢與偏見》的戲仿外，其他作品的名稱大都取得有創意、有新意。

只不過，由於作者靈感四溢且信心爆棚，有時候顯得過於隨意。從而這些作品的品質參差不齊。在此小說系列創作期間，作者曾為《絕對不要惹我》寫過一篇序文，標題是《一部壞小說算得了什麼》，表明自己創新意志，寧可創新失敗，也不願抱殘守缺，意圖當然很好。只是創新也有規則，簡單的文字遊戲、隨意想當然，恐怕不屬於真正的「創新」，至少不是可行的、可持續的創新之路。

第一部：《請借夫人一用》

這是《七幫八會九聯盟》的第一個故事。

《請借夫人一用》這個書名十分奇特，具有莫名的吸引力。「請借夫人一用」到底是什麼意思？必然會讓人產生各式各樣的遐想。而實際上卻是主人公韋青青不得已採取的一個措施，即要借夫人當人質以保護自己不受侵害，以便等待斬經堂總堂主、師兄張侯歸來。本故事的主要內容，也恰恰是發生在「借用」期間。

本書的主人公叫做「韋青青」，這也是前所未有的一個名字。為什麼名字有三個字，而且是三個「青」？——他的好友蔡過其乾脆稱呼他「韋三青」——他向張侯夫人梁任花說：因為他父親的三個紅顏知己的名字中都有「青」元素（並不都是叫青，有的叫「菁」、有的叫「靜」）所以父親給他取了這個名字。這個名字有明顯的娛樂元素，就像他的朋友蔡過其的綽號叫「小樓一夜拉春雨」。

本故事的主要故事情節，是主人公韋青青在江湖中不斷受到斬經堂的追殺和毒害（小說開頭就是斬經堂外三堂堂主不壞和尚在水中、火裡下毒，只是由於主人公有一個比狗還靈的鼻子，任何毒素都逃不過他的鼻子，所以他沒有中毒），他要到斬經堂去質問總堂主、大師兄張侯（主人公的師父是上一任斬經堂總堂主的四師弟），問張侯為什麼要派人追殺他？為此，他還找了三個公證人，包括大漠派副掌門「斬龍」夏天毒、捉影叟樓獨妙（三師伯）、「小樓一夜拉春雨」蔡過其等人。

為了不讓張侯難堪，主人公決定單獨夜訪。沒想到聽到了驚人的秘密，即斬經堂不僅派人追殺他，而且江湖傳說他劫了風雲鏢局的鏢、殺了含鷹堡主夫人和女兒、殺了試劍山莊的人等等這些案子其實都是斬經堂副總堂主「脫胎」張巨陽（張侯胞弟）、管事「換骨」陳苦蓮（張巨陽妻子）、供奉「捕風叟」解嚴冷（主人公的二師伯）等人所為，更驚人的是，他請來的公證人大漠派的夏天毒竟然與斬經堂的高手聯手對付他。主人公不得不逃脫，並抓堂主夫人做人質。

本故事的核心情節，就是主人公韋青青抓住總堂主夫人梁任花之間。此前主人公曾見過梁任花一面，對她一見難忘，只是沒有想到她竟是張侯夫人。主人公一見鍾情，而梁任花春閨寂寞，他們之間並沒有發生什麼苟且，只是兩情相悅。主人公忍不住將自己的住處告訴對方，甚至將自己的武功秘密和鼻子長處都告訴對方，而梁任花則希望他在與張侯對敵時不要殺她的丈夫。主人公和梁任花在一起度過了兩個清白的夜晚，但張侯以及斬經堂的人卻不相信他們是清白的。

所以，在主人公離開後，張侯冷落妻子，甚至懷疑妻子所孕育的孩子不是自己的，而是韋青青的。所以，梁任花離家出走，張侯跟蹤，與韋青青決鬥。張侯出手時，梁任花曾出手攔截（僅僅是攔截而已），張侯傷了梁任花，導致梁任花流產。此後，張侯在千招之後傷了韋青青，而韋青青將「風刀霜劍」千招合成的「千一」劍法，則一下子傷了敵方的七名高手，不難想像，若他想要傷害張侯，張侯必定南逃。韋青青告訴梁任花說：他沒有傷害她丈夫。

這個故事值得琢磨。要點是：愛、尊重和理解。張侯肯定愛自己的妻子（至少曾經熱愛過），但對自己的妻子卻缺乏尊重與理解，最典型的例證是他不相信妻子與主人公在一起過了兩夜還是清白的；更不相信妻子與主人公對話中主題竟然是希望對方不要傷害自己的丈夫；結果卻是丈夫讓妻子流產，讓自己的孩子夭折。這也許是張佞這樣的江湖梟雄的宿命，他要處理幫務、要與武林和朝廷重要人物會見或打鬥、要保持斬經堂的利益和威名，從而沒有時間像過去那樣對妻子體貼入微，從而讓身分改變、生活內容和目標改變的妻子梁任花春閨寂寞；張佞更不理解、不尊重、不愛同門師弟韋青青和他的師父，而是把他當作替罪羊。即斬經堂做案，讓韋青青背鍋，斬經堂追殺韋青青，不僅可以掩蓋其罪行，同時還能獲得好名聲。只不過，他們不理解主人公，甚至不瞭解主人公，所以事情的進展不是他們想像的那樣，而事情的結局與他們的想像和希望相距更遠。

這個故事中還有一個看點，那就是夏天毒這個公證人背叛了主人公，三師伯捉影叟樓獨妙這個公證人也同樣背叛了主人公，他們實際上是背叛了公證人的立場，更背叛了做人的起碼原則。所以，連利用他們的張佞也罵他們是狗屎。而主人公在接連遭受公證人背叛之後，卻仍然堅信蔡過其——正如張佞相信自己武力加金錢收買了蔡過其——而蔡過其也值得主人公如此信任。也就是說，這個世界上還有真正的友情；正如這個世界上還有真正的愛。張佞及其斬經堂的友情和愛，其實都成了謊言——「請借夫人一用」，變成了愛與友情的一場大考。

主人公成績優異，而張佞等人則不及格。

第二部：《請你動手晚一點》

這部作品最大亮點，是使用第一人稱敘事。其中第一章是《戰焰焰的回憶》、第二章是《高曾花的獨白》、第三章是戴沖寒的《戴沖寒的想法》

這三個人的主觀獨白，是武俠小說中從未見過的寫法實驗，值得稱讚！

這個故事，與上一個故事有相似之處，即同門師弟愛上了師兄的妻子。不同之處是，在上一個故事中，師弟與師嫂之間保持了清白而得不到信任；而在這個故事中則師弟與師嫂之間曾有過多次苟合，他們在行為上越界了，所以故事的結局也就有極大的不同。師弟與師嫂的婚外戀關係並沒有得到圓滿結局，在高曾花決定與戰焰焰了結婚外情的最後一次約會時，戴沖寒衝了進來，戰焰焰以為師兄要殺師嫂，從而勇敢地站在師嫂前面加以保護，卻沒想到師嫂高曾花竟在背後出劍殺了婚外情人戰焰焰——她背叛了自己的丈夫，只是要對丈夫加以適當報復；她知道自己的行為難以被丈夫接受，但她仍然站在丈夫一邊、要保護丈夫不受傷害。

戴沖寒不瞭解自己的妻子，實際上，妻子高曾花也不理解自己的丈夫。戴沖寒的想法裡，讀者瞭解到兩條最重要的資訊，一是他在孩子出生後突然患了性無能——也可能是愛無能（小說裡有點語焉不詳，只說是不能溫暖妻子）——才使得妻子高曾花做出背叛丈夫的行為（也可能是出於報復心，也可能是耐不住春閨寂寞，甚至有可能是要證明自己存在、證明自己還活著）。

另一條重要線索是，戴沖寒其實並不想傷害師弟和妻子，而是大師父夏侯楚唱和老師父楚尋魂以及本門長老們做出的決定，只是要戴沖寒出手執行（假如戴沖寒不執行，他們也會派其他人去執行）。更讓人意外的是，戴沖寒衝入約會現場的那一刻，仍然沒有決定是要讓這兩個偷情人離開，還是要殺了他們。戰焰焰、高曾花的行為讓他措手不及。高曾花殺了戰焰焰，但她沒打算離開，只是說《請你動手晚一點》，意思是不要讓他們的孩子鷹鷹看到自己的父親殺了自己的母親。

到最後，讀者才發現，這並不只是一個簡單的偷情故事。而是比通常的偷情故事有更多的內涵，包括戴沖寒——因為不停地為本門戰鬥——性無能或愛無能；更包括本門長老為了維護本門的面子而要處死偷情者。

只有一點難以理解：主人公戰焰焰的師父楚尋魂為何要與戴沖寒的師父夏侯楚唱聯合決定處死戰焰焰、高曾花？

第三部：《殺親》

這個故事看起來很簡單，多老會總堂主虞永晝為了奪權，決心要殺會主亦即自己的父親虞厲之，結果卻是螳螂捕蟬、黃雀在後，在虞永晝殺父之後，他的心腹白晚和妻子盛小牙聯手殺他。這樣的故事，在古代江湖與廟堂都屢見不鮮。

殺親看起來是個道德問題、倫理問題，兒子殺父親，在任何文明社會中都是違背倫理道德的惡行；但本故事中的主人公虞永晝殺父，則不僅是道德與倫理問題，更是情緒與心智問題。首先是一種怨父、恨父的情緒（**與佛洛依德的俄狄浦斯情結沒有多大關係**），因為父親總是強迫他做自己不願做的事，例如娶生癬幫主的女兒盛小牙；同時又總是阻止他做自己想做的事情，例如不撤銷望、聞、問、切四大長老的職務，不提升年輕一代高手，不願與孤寒盟為敵，不許對多老會的傳統體制實施改革，等等。雖然虞永晝在公眾場合總是裝成孝子模樣，但其內心卻對自己的父親充滿怨憤乃至仇恨，所以，這是情緒問題。情緒問題的背後，是心智問題，即虞永晝的心智有明顯缺陷：他因為是虞厲之的兒子，所以當上了多老會的總堂主，但他卻不知道這其實並不是因為他有多能幹，而是因為他是老會主的獨生子、是理所當然的接班人，所以他的地位在四大長老之上，只在父親會主一人之下。

但虞永晝在這個地位上，不免自以為是，甚至自我膨脹，以為自己比父親更高明，所以他要「除暴」，以為只要把父親殺了，就能實現自己的理想，就能為所欲為。說他心智不成熟，證據之一，是他把白晚當作自己的心腹，什麼話都對他說，卻不知道白晚是什麼人，更不知道白晚與自己的妻子早已私通。證據之二，是他不願娶盛小牙為妻——他只是與她逢場作戲，只是露水姻緣，但父親卻逼迫他一定要娶盛小牙，並不是因為盛小牙有多好，而是因為盛小牙是生癬幫主的女兒，若虞永晝始亂終棄，生癬幫絕不能饒他。

虞永晝忽略了，妻子盛小牙也是一個活生生的人，也能感受到他的情感態度，感受他的勉強，從而產生怨恨。還有一個重要原因，是虞永晝與父親的侍妾小帽私通，在結婚後仍然如此，這毫無疑問會讓盛小牙嫉妒，而其結果，是盛小牙的報復，那就是與丈夫的心腹白晚私通。

虞永晝是盲目自信，盲目仇恨。他對多老會的處境，對七幫、八會、九聯盟的複雜局勢並沒有真正清晰的認知，他的所謂理想與改革計畫，只不過是想當然。所以，他的殺親行為，只是為其心腹白晚提供了殺他奪權的機會。好在，虞永晝在臨終時明白了，所以，他笑。

愚蠢的人常常都會自大，正如自大的人常常都很愚蠢。虞永晝就是典型。這個故事，又引發了下一個故事，即《晚上的消失》。

第四部：《晚上的消失》

這個故事的最大特點，是以「我們」敘事，敘事主人公是多老會剩下的兩位長老司馬問、司一切。真正的敘事主人公其實只有一個，那就是長老司馬問，證據是，在文中他曾說「司一切不聽話了」。明明是個人說話，卻以「我們」作為主體稱謂，這是當權者或奪權者常用的伎倆，原因很簡單，即「我們」聽起來比「我」更具權威性，聽起來似乎能夠代表「多數」。

上一個故事是「鋤暴」，這個故事是「除惡」。這個故事與上一個故事密切相關，即由於虞永晝殺了他父親，導致多老會主及司空望、司徒聞兩位長老犧牲，白晚又殺了多老會的繼承人虞永晝，並取而代之，成了多老會的掌權者，這引發了多老會長老司馬問、司一切等人的強烈不滿，從而發起所謂「除惡」計畫，最終殺了白晚，讓長老們重新掌握了權力——書中說是由司馬問、司一切等長老「集體領導」，但實際上領導核心是司馬問，其中「司一切不聽話了」一句話暴露了其中秘密，假如真是集體領導，何來聽話與不聽話？每個人都有自己的立場，每個人都有自己的意見，每個人都有主體，只有在專制獨裁體制中才會有「聽話」和「不聽話」之說。

從上一個故事的「鋤暴」計畫，到這個故事的「除惡」計畫，名稱上聽起來充滿正義感，實際上不過是一種自欺欺人的政治策略，亦即奪權者爭取擁躉的一種宣傳口號。即把要推翻的對象定性為暴君或邪惡之徒，使得奪權者具有言語上的合法性、合理性。

所謂「晚上的消失」，指的是白晚的死亡。當然也有一定的寓言意義，即陰陽不調——晚上的消失，意味著全都是白天（這正是虞永晝這個名字所喻），一切陰謀都成了「陽謀」。這個故事可以從體制、人性兩方面看。

從體制方面看，在專制制度，不同的觀點和意見無法得到充分討論的機會，話語之爭變成了話語權之爭；話語權之爭只能是權力之爭；而權力之爭只能演變為你死我活的生死衝突。這是專制體制的根本局限、根本弊病之所在。

從人性方面看，在專制制度中，人性也會畸形發展。由於沒有智慧的交流與討論、協商，人只能寄希望於武力。在權力通吃的制度中，每個人都成了潛在的專制獨裁者。也就是說，每個人的權力欲望都被充分激發，從而讓權力欲望沖垮了專制體制下的集體。在上一個故事中，虞永晝要殺自己的父親，結果是盛小牙要殺自己的丈夫、白晚要殺自己的結義兄弟，人欲氾濫，沖垮了基本的綱常堤壩。

而在這個故事中，則變得更加赤裸裸，即老人團要殺年輕黨，這看起來是老一代與年輕一代的世代衝突，實際上不過是權力鬥爭的一種形式，甚至是一種說辭而已。證據是，老一代集團裡沒有年輕人，而且老一代也不團結，所有人都是按照權力和利益最大化來站隊、來行動。所以，在上一個故事的結尾，虞永晝臨死時笑了，他知道他的行為會打開「潘朵拉魔盒」，會引發一連串的流血衝突；他知道他殺人沒有好結果，而殺他的人也不會有好結果，是所謂「殺人者人恆殺之」。在這個意義上說，這個故事和上個故事，即可謂「歷史的寓言」。

本故事的不足是，作者寫得太隨意，例如，說「傷寒拳」能夠「百步殺人、千步傷人、萬步制人」，這是什麼拳？什麼拳能夠千步傷人、萬步制人？說穿了，這只是作者的文字遊戲而已。這種文字遊戲其實不好玩。

第五部：《殺了你好嗎》

這個故事的題目十分吸引人，故事的內容也有意思。表層是一個逃亡故事，裡層則是一個愛情故事。即「小螞蟻」集團領袖方狂歡殺了豹盟盟主張傲爺的獨生子（**這個獨生子強姦民女，方狂歡仗義鋤奸**），被張傲爺的豹盟和衣冠幫聯合追殺。張傲爺派出多位高手，其中包括謝豹花，一定要將方狂歡置於死地。所以，這個故事從一開始就充滿的打鬥和凶殺，最後結局卻出人意料。

故事中的最大變數就是謝豹花。她是豹盟張傲爺派來追殺方狂歡的，但她卻出人意料地幫助了方狂歡抵擋了豹盟、衣冠幫的多位殺手。謝豹花之所以幫助方狂歡——這也意味著她背叛了豹盟、背叛了張傲爺——有兩個原因。一個原因是，她愛上了方狂歡，願意與方狂歡一起去突圍、去流亡、去隱居，愛情不需要理由。另一個原因是，她對張傲爺不滿，因為張傲爺把她據為己有（**是否強姦，書中沒有明說），她不願做張傲爺的性玩偶和殺人武器，她要成為人，渴望真正的生活。是因為她要報復張傲爺才會與方狂歡聯手、戀愛、一起逃亡？還是她愛上了方狂歡才會不惜一切地背叛張傲爺？這是一個有趣的問題。但這個問題並不重要。

真正有趣的是，方狂歡的行為路徑出人意表。他和她一起突圍，一起逃亡，看起來相親相愛，但等到突圍成功，過上了平靜的隱居生活，方狂歡卻又陷入了另一個困境中，他發現謝豹花太強，無論是武功還是機智，謝豹花都勝過了方狂歡，這不符合方狂歡對自己的想像，傷害了他的男子漢自尊心（**男人的虛榮心**），所以，他過得不開心，於是到妓院歡場去尋歡麻醉。謝豹花知道他的一切行為，但卻假裝不知道。最後，張傲爺收買了方狂歡的生死之交顧星飛，顧星飛和張傲爺抓捕了方狂歡，但張傲爺沒殺方狂歡，而是說：只要方狂歡殺了謝豹花，他就不再追究殺子之仇。方狂歡真的在酒中下毒，試圖殺害謝豹花，這讓謝豹花徹底失望，對他說「殺了你好嗎？」

方狂歡的故事，有幾點值得注意：

其一，是方狂歡的心智局限。最重要的證據如謝豹花所說，他居然相信張傲爺會真正放下殺子之仇、諒解他的行為，給他自由。即便他真的殺了謝豹花，張傲爺會讓他自由嗎？只要對江湖有最起碼的常識，都不會不知道。按理說，方狂歡不可能不知道張傲爺的為人，不可能不知道江湖血仇血償的規則。那麼他為什麼如此愚蠢，為什麼要殺與他並肩作戰、相親相愛的謝豹花呢？

其二，是方狂歡的性格局限。他相信張傲爺、殺害謝豹花的合理解釋，是方狂歡「生不如死」，與其生活在謝豹花的陰影下——謝豹花的強大映照出他的能力、心智、人格的局限——不如殺了她。方狂歡的自我想像是一個「大丈夫」，但與謝豹花在一起卻成了「小男人」，謝豹花成了他的「鏡子」，為了逃避真相（**即與謝豹花相比他是個小男人**），他寧可將「鏡子」打碎。

這一行為，很像那些不願接受自己真實長相的人，覺得這是鏡子的錯。方狂歡把自己想像為一個英雄，在生活中，他也確實可能具有一定的英雄氣概，否則就不可能成為「小螞蟻」集團的領袖，即螞蟻之王。但他自己可能不知道，這種英雄氣概其實是有限度的，他仗義擊斃強姦民女的張公子，算是一個英雄行為；但書中說，那是因為他並不知道這個張公子是豹盟盟主張傲爺的兒子，假如他事先知道，他就不會殺張公子。

其三，是方狂歡的情感局限。方狂歡愛謝豹花嗎？應該說是，他的行為已經表明他對謝豹花確實有感情，一部分是感恩，一部分是性欲，總也有一部分是男歡女愛的愛情。但他的這種愛情是有局限的，他顯然更愛自己，更愛自己的自尊心——實際上是虛榮心——否則，他怎麼可能親手殺害謝豹花？

方狂歡不是個完美英雄，正因如此，他顯得更加真實。這是一個值得討論的藝術形象。這個故事的主題，可以在女性主義的題目下展開討論，也可以在人性弱點的題目下展開討論。謝豹花的故事讓人憐惜，方狂歡的故事則令人感嘆。

第六部：《愛上她的和尚》

這是個另類武俠故事，因為故事的主要內容是愛情。它是愛情故事，卻並非尋常的愛情故事，而是個另類愛情故事。標題很吸引人，和尚愛上美人，本身就很稀奇，但卻也不是不可能；而這個故事的男主人公是因為愛上美人才去當和尚，這才是真正的新奇。主人公名叫李詩歌，職業是玉石商人，愛上了在街頭賣藝的林投花，殺了轉運司的兒子利端明（**他殺利端明的表面原因，是對方買玉不給錢**

還想打人；實際原因則是對方也覬覦林投花美色，要將她據為己有，所以，李詩歌殺人的真正原因是為了爭奪美人），不得不出家當和尚，法號善哉和尚。

這個故事的有趣之處在於，李詩歌並沒有與林投花戀愛，當然更沒有結合，開始的時候林投花甚至不見得知道李詩歌在愛她，並為她而殺人。後來林投花做了梁牛的妻子，而李詩歌因為殺人而不得不出家當和尚，這兩個人當然就更沒有可能成為戀人和夫妻了。善哉和尚即李詩歌也曾想要殺了梁牛——是想取而代之嗎？我們難以確定——但梁牛對他卻很好，讓他無法下手；而梁牛還讓林投花給他送飯，善哉和尚即李詩歌每天都能看到林投花，這讓他很滿足。他和梁牛、林投花夫婦相處愉快，成為無傷大雅的三人組，成了李詩歌即善哉和尚的生活方式。

鷹盟的盟主仇十世覬覦林投花的美貌，讓梁牛去送死，李詩歌即善哉和尚曾警告過梁牛，但梁牛沒有聽他的，於是梁牛被殺（是從背後殺的，即被自己人殺的），而林投花則被鷹盟盟主接到了總部，不久就成了盟主夫人。善哉和尚再次有了殺人的衝動，且付諸行動，他沒有殺掉仇十世，卻也沒有被殺，而是被赦免，條件是他加入鷹盟。他也答應這麼做了，因為不這樣他就沒有辦法活下去；更重要的原因還是：這樣他能夠每天都看到林投花——林投花是他生活的重心、中心、惟一期盼和內容——他在鷹盟中種花，與他在流金寺裡的工作沒有差別。

種花，這是一個象徵，即李詩歌善哉和尚是種花人，當然更是愛花人、護花人，他愛護的不僅是自然真實的花朵，更包括林投花這個人。他是為花而活，為林投花而活，這使得這個愛情故事是真正的愛情故事：真正的愛不是佔有，而是護佑，只要對方活得好、只要每天都能看到對方就滿足了。這是個很溫馨的故事，雖然其中也有殺人的場面，且主人公李詩歌不僅親手殺過人、還曾有兩次殺人衝動，但這都可以理解，即都是為了林投花，所以他的殺人衝動和行為可以理解，也可以被諒解。畢竟，李詩歌、賣玉人、種花人、善哉和尚，一直都很雅。

第七部：《愛上和尚的她》

這個故事是上一個故事的繼續，主人公由李詩歌即善哉和尚變成了林投花。本故事講述林投花的變化，這種變化出人意料，且讓人震驚，卻也能夠理解。

要理解林投花的形象及其變化，還得從上一個故事說起。在上一個故事中，林投花是個街頭賣藝者，身分卑微、武藝低劣，除了美貌之外，幾乎一無所有。假如她不是一無所有的話，她就不會跟著張瓦子到街頭賣藝了——嚴格地說，她其實並非賣藝，而是在出賣色相，即以自己的美貌換取生存所需。

但美貌卻有價值，而且還是驚人的價值。林投花開始還不知道這種價值，她只是一個為生存、為生活而不得不拋頭露面在街頭賣藝、賣色相的人。但她很快就知道了，不僅梁牛因為愛她而願意與人拼命，李詩歌因為愛她而願意為他殺人，張瓦子也想得到她、轉運司長官利澄田的兒子利端明也想得到她，鷹盟盟主仇十世想得到她，取暖幫幫主雪清寒也想得到她。她嫁給梁牛，無非因為，一，梁牛能夠保證她的生活無憂；二，梁牛能夠保護她不受人欺負；三，梁牛雖然不是理想的愛人和丈夫，但總比張瓦子要好些。所以，她選擇了嫁給梁牛。

但鷹盟盟主仇十世也要得到她，於是讓梁牛加入鷹盟，還讓梁牛升官，最後讓梁牛去死（**不是死於戰場，而是死於自己人之手**），於是梁牛夫人成了盟主的貴賓，進而成了盟主夫人。盟主對她很好，而林投花也很乖巧，跟盟主學會了不錯的武藝，更學會了操弄權術。聯合斬經堂總堂主張侯而殺害鷹盟盟主仇十世，就是林投花操弄權術的畢業實踐，這一實踐有一個很好的理由，那就是為她的第一個丈夫梁牛報仇。為了第一個丈夫而殺死第二個丈夫，林投花的行為讓人吃驚。

更讓人吃驚的是，林投花當上了鷹盟的盟主，活躍於權力角逐場上。不僅讓善哉和尚當上了流金寺的方丈（殺死老方丈，善哉成了唯一接班人），而且還傳出流言，說林投花愛上了善哉和尚——林投花知道善哉和尚愛她，她也愛善哉和尚嗎？我們不知道。——我們知道的是，她不僅自主了自己的人生，還主宰了善哉和尚的人生，把善哉和尚玩弄於股掌之間。當善哉和尚衝入鷹盟總部，要營救、拯救林投花的時候，他才發現，真正要營救、要拯救的是他自己。

善哉和尚愛林投花，固然是愛她的美貌，卻也是愛上了自己的幻想，愛上了幻想中的需要護佑愛惜的林投花。而真實的林投花卻比他要強大得多、能幹得多。這個故事的結局，是善哉和尚離開了林投花，而且永遠不會再回來。

林投花的變化，即從一個僅僅是為了謀生的女性，變成了一個權術高手，變成了一個母蜘蛛。她美貌可愛，但她已經失去了愛的能力，或許，從一開始她就不懂得愛，嫁給梁牛不過是她的謀生手段，嫁給仇十世也同樣是生存所需。所以，她殺第二任丈夫仇十世時沒有手軟。她對善哉很好，她知道善哉愛她，她需要被愛的感覺，因為這種感覺確實很好；但她沒有愛善哉和尚，因為她不懂得愛。

如果說這個故事有不足的話，那就是林投花的變化寫得太簡單了。

第八部：《絕對不要惹我》

這個故事的名字也很吸引人：《絕對不要惹我》，那是怎樣的一種人、怎樣的一種氣魄？這個故事的成功之處，也正是塑造了方怒兒的獨特形象。

方怒兒是「小螞蟻」團隊中的一員，也是一隻小螞蟻。這個小螞蟻具有大能量，不僅殺了叛徒顧星飛，而且還在豹盟盟主佈置的「潛翔大陣」裡逃生。原因是他不僅武功高超，而且不怕死，而且還有超強的求生本能。方怒兒最突出的性格特點，是喜歡自由自在，與世無爭、與人無尤，人不犯我、我不犯人，但人若犯我，我必報復。是所謂「絕對不要惹我」之謂也。

生癬幫少幫主盛虎秀就因為過於跋扈，不把方怒兒放在眼裡，結果是不僅失去了手指，而且失去了生命。當然方怒兒也為此付出了沉重的代價，因為中了飛癬之毒，他不得不自己斬斷自己的手臂。殺生癬幫的丈大夫，他第二次中毒昏迷，杜愛花為了拯救他而不得不求助於豹盟盟主張傲爺，甚至不得不嫁給張傲爺。方怒兒被救，為了報答救命之恩，他答應加入豹盟，並為豹盟去殺了生癬幫的三大高手即妖神戰聰聰、殘骸公子戰貌貌、大雷神戰渺渺。

方怒兒性格的另一特點，是有情。對杜愛花的感情也許只是感恩，而對盛小指的感情則是情不自禁的男女之情。他當時不知道，盛小指居然是生癬幫幫主的女兒，而他曾殺了她的哥哥。他並不為此後悔，也不願離開盛小指。為此得罪了張傲爺，儘管他為張傲爺立下了汗馬功勞，但張傲爺還是把他當成了叛逆，要通緝他，且通過折磨杜愛花來誘引他上鉤。在這種情況下，方怒兒不得不（暫時）離開盛小指，去營救杜愛花。杜愛花被折磨並自殺，他就為她報仇。殺了折磨杜愛花的唐青紅，還要殺指使唐青紅折磨杜愛花的張傲爺。張傲爺最後的結論是：我的確不該惹你。問題是，不到最後，誰也不懂得這一點。每個人都以為自己強大到可以蔑視一切，但到最後才發現自己能力其實有限。

故事中的杜愛花形象、盛小指形象也都很有意思。杜愛花形象的最大特點，是歷盡苦難而不失善良之心，她從小被養父強姦，懷孕後又被丈大夫強姦，以至於不得不當妓女維持生計，但她以高超社交技巧周旋於虎狼之間，與各方強人保持著微妙的平衡。更難得的是，她仍然保持了善良本性，救助方怒兒即是例證，首先是將「非此不可」劍譜送給了在監獄中的方怒兒；後又為救治方怒兒而答應嫁給張傲爺，等於是犧牲自己而拯救了方怒兒。最後則是寧死也不願說出方怒兒去了何處。她愛方怒兒嗎？還是把方怒兒當作自己的兄弟？無論是愛情還是親情，杜愛花的表現都當得起善良俠義的評語。她是不幸的妓女，卻是女中丈夫。

盛小指的形象則是單純而有靈性。生癬幫的幫主居然有這麼一個女兒，也算得上是奇蹟。但這樣的奇蹟並非不可能，因為人生而單純、生而天真、生而善良。盛小指即是其中典型。她養魚、愛魚，以至於不僅自己不吃魚，還不許自己所愛的人吃魚。這是一個例證。另一個更好的例證是，她知道方怒兒殺了生癬幫的許多高手，還殺了她的哥哥，但她沒有把方怒兒當作敵人，更沒有把他當作壞人。她相信自己的眼睛，更相信自己的心靈。她說方怒兒殺她哥哥時還不認識她，實際上也知道自己的哥哥是怎樣的一個人（只是她不願意公開說哥哥的壞話），總之她沒有因此而離開方怒兒。盛小指的形象，接近於天使。

本故事的不足之處，是最後的戲劇性場景中，不僅生癬幫的大雷神戰渺渺死而復生（說方怒兒根本沒有殺他，而是與他達成一項協議），而且張傲爺的下屬溫心老契也背叛張傲爺，公然站到方怒兒一邊。他們為什麼這麼做？書中沒有給出合理的解釋，從而只能認為，作者為了製造這個出人意料的場面，隨意編造。

第九部：《雪在燒》

這個書名也很吸引人，什麼樣的雪能夠燃燒？是雪在燒，還是血在燒？這個書名讓讀者充滿了好奇，從而充滿了期待。

這個故事寫作時間比較早（寫於一九八六年），在寫作這個故事的時候，作者是否已經有了「七幫八會九聯盟」的構想？我們不得而知。確切的是，這個故事與所謂七幫八會九聯盟沒有直接的關聯，所以要在《戰僧與何平》中加以彌補，以便把這個故事也收納到《七幫八會九聯盟》小說集中。

這個故事很簡單，主要內容是鉤拐二俠護送官府千斤朱金秀和她的閨蜜林晚笑進京，途經狼牙坳時，遇到雪裡紅黑先生、五馬分屍淦世移、重色輕友雷碰碰等悍匪的襲擊，鉤拐二俠為此犧牲。白衣大俠龍喜揚從不可一世的黑先生手中救走了林晚笑，但龍喜揚卻沒有救朱金秀，且強姦了林晚笑。林晚笑為了自救（**怕龍喜揚殺人滅口**），更為了報仇，林晚笑謊稱有寶，誘使龍喜揚回到狼牙坳，讓他與黑先生、淦世移拼命，然後漁翁得利，殺了龍喜揚，並帶朱金秀進京。

這個故事中有兩個人物形象值得一說。一個當然是白衣大俠龍喜揚，在他沒有出場之前，書中就借鉤拐二俠之口宣揚了此人的俠義名聲。讓我們知道，這個白衣大俠不僅年輕英俊，而且確實是俠氣沖天。但在他的實際行為卻不是如此，他遇到黑先生打劫，救走了林晚笑，卻不理朱金秀的死活；進而，他還強暴了被救的林晚笑。說林晚笑長得太美了，從見到她的第一眼起，他就想佔有她。黑先生打劫，等於是給了他一個機會，將林晚笑帶到一個偏僻之地，強姦她。這樣名不副實的俠者，在武俠小說中並不鮮見。

這個故事中的龍喜揚形象，有三個細節值得注意。一是他的名字，即龍喜揚，他喜歡「揚」什麼？喜歡揚名而已。他不見得真有俠義心腸，只是喜歡俠義名聲。即他的自我宣傳功夫與實際心腸不一樣。第二個細節，是他強姦了林晚笑之後，本打算立即殺了林晚笑，以免讓別人知道他的惡行，他要保持自己的俠義名聲，就必須殺人滅口。有意思的是，他卻不忍向林晚笑下手，原因與他佔有林晚笑的原因相同：林晚笑長得太美。美貌居然有一種超乎想像的力量，使得龍喜揚恐怕也說不清為什麼不忍下手。

第三個細節是，故事的第一場景是狼牙坳，這是個野獸出沒的地方，也是一個具有象徵性的場景，在這裡，人類會產生獸性衝動，或許龍喜揚並不是俠客，卻也不見得是壞人；龍喜揚或許欺世盜名，卻不見得是陰謀家，他只是一個控制不住自己的本能、或不想控制自己的性欲本能的凡人、小人而已。

書中的林晚笑形象也值得注意。她是朱金秀的閨蜜，是陪伴或跟隨朱金秀進京，也從不多話，但在任何場合，她都比朱金秀更有光彩，更有吸引力，更像是真正的主人公。這不僅是因為她比朱金秀更美貌，而是因為她更有內涵因而更有超人的氣質。這種氣質雖然無法幫助她擺脫龍喜揚的強暴（**因為她的武功根本不是龍喜揚的對手**），但卻能夠讓她拯救自己，並為自己報仇。

首先是她會演戲，在被強暴後，明知對方要殺她，便故意說自己已是對方的人，從而讓對方不忍下手。其次是因為她會設計，即謊稱朱金秀和她掌握了寶物箱的鑰匙，誘導龍喜揚回到狼牙坳去奪寶。再次是她敢作敢為，在關鍵時刻可以毫不猶豫地向龍喜揚下手。總之，林晚笑具有一種驚人能力，或許是自我保護本能在極端壓力下得到爆發。這樣的情形，在武俠小說中很少被寫到，所以顯得很新、很特別。

所以，在《戰僧與何平》中，林晚笑還會出現，她的故事還在繼續，而她的形象也會在下一個故事中得到豐富和深化。

第十部：《戰僧與何平》

這個故事看起來撲朔迷離，開頭是「下三濫」何家與林晚笑設置陷阱，試圖抓捕戰僧，結果來的是太平門梁允擒，是個冒牌貨。繼而真戰僧來，打敗了何家人，還要求他們釋放梁允擒。但戰僧並非太平門的人，而是何家的弟子，何家為什麼要殺戰僧？因為戰僧是何家的「叛徒」，不聽何家掌門人和當權者的話。

這個故事的焦點，是太平門脅迫戰僧去殺何平，而下三濫何家「德詩廳」負責人何猛富則下令何平去殺戰僧。戰僧公開拒絕殺何平，而何平則服從何猛富的命令去殺戰僧，並且約戰於絕頂山龍虎廟，造成了一大懸念。實際上，何平沒打算殺戰僧，且在對話中表達了對戰僧的敬仰之心和感激之情。這次約戰，實際上是何平與太平門主梁八公之戰，戰僧幫助何平獲得了勝利。

緊接著，戰僧還去下三濫何家殺了德詩廳主人何猛富以及支持何猛富的何家敗類，目的是主動幫助何平為改革何家掃清道路。為此，戰僧身負重傷。而何家門主再次下令何平去殺戰僧，何平也再次答應了，結果是：何平真的刺傷了戰僧，而後讓何家的其他高手圍攻戰僧，導致戰僧自殺。何平的真相，讓人震驚。

小說的主題正是要刻畫戰僧與何平的兩種不同的形象，戰僧何簽是亡命之徒，何平則是天之驕子；戰僧的價值觀是「不負天下，寧負本門」，而何平的價值觀是「寧負天下，不負本門」（**實際上是寧負天下、不負本人**）。戰僧是他自己，表裡如一，心靈、言語、行為一致；何平則是偽裝，他的天真無邪、風流文雅、正直無私都是他為達到自己攫取更高權力的有意偽裝。

看起來，戰僧是真小人，而何平則是偽君子。實際上，戰僧並不是小人，而是大丈夫、大英雄——唯大英雄能本色；而何平則是道地的偽君子，生活在自己的假面具中，真實形象不過是一個自私自利的小人。再進一步說，戰僧是大我三．○版，而何平是小我二．○版。

小說中的林晚笑也是一個關鍵人物，她是為了替哥哥報仇、恢復「不愁門」而找到「下三濫」何家，因為她美貌驚人且善於以裝愣誘人，使得她在何家有很大的市場，戰僧與何平都很喜歡她；太平門、下三濫都以她為獎品去激勵戰僧殺何平、何平殺戰僧。而她也對戰僧、何平都有好感。具體說，是欣賞戰僧的人格氣質和男子漢作風，卻希望與何平終生相伴。她是一個觀察家，幾次關鍵性的戲劇她都在暗中觀察，最後一場戲即何平刺傷戰僧之後，她才改變了自己的觀感，要殺了何平去為戰僧報仇。有了這樣一個仲介，戰僧與何平的形象更加容易辨識。

本書的另一特點，是作者將文字遊戲納入創作中。例如書名《戰僧與何平》即來自列夫．托爾斯泰的文學經典名著《戰爭與何平》。這樣做好不好？可以有不同的觀感和評價。但書中其他的文字遊戲或許有些過分，例如戰僧的絕招是「四十一仰五十七伏」，而何平的絕招是「三十七抽二十九送」，作者似要將武功與性感結合起來？

再如「下三濫」何家，別人說某家是下三濫也就罷了，何家人說自己是「下三濫」恐怕就有些過分，正如何家的「焚琴樓」、「煮鶴亭」兩大機關，為什麼要這樣命名？怎麼會這樣命名？其實是有問題的。何家內部不團結，這是正常現象，至於何家內部分為長派、矮派、方派、圓派等等，則遊戲成分未免太多。作者正處在創作高峰時段，想像汪洋恣肆，似不顧遊戲規則，有些恣意妄為。

第十一部：《傲慢雨偏劍》

這部小說有三個值得關注的點。第一個值得關注的點，是小說的寫法與眾不同。它不是作者直接敘事，也不是敘事主人公自言自語，而是有一個具有好奇心的人調查一個叫敖曼余的武林人的故事——這個調查員是諸葛先生（見於《四大名捕》系列，是溫瑞安筆下最著名的人物）的下屬（他曾被迫向孫公公的心腹馬賓、列賓透露過自己的身分，且還給出了自己的身分證明）。敘事者不僅是一個好奇心重的人，也是一個歷史見證人，一個調查者，同時也是一個思考者。這樣的敘事很有意思，豐富了武俠小說的寫法，尤其是中短篇武俠小說的寫法。

小說的第二個值得關注的點，當然是小說的主人公敖曼余，也就是「偏激奇劍」——亦即「偏劍」——的創始人。他是「正劍門」門主霍桑的弟子，但卻偏偏喜歡獨創，且能夠獨創，因以獨創的偏激奇劍打敗了眾多競爭「武功院士」者，而讓他師父霍桑惱怒，將他逐出師門。此人最大的特點是特立獨行、我行我素（這看起來與《戰僧與何平》中的戰僧何簽有很大的相似之處），既不願意加入官府，也不願與一般的武林同道相交，最大特點是喜歡幫助和成全年輕人。他幫助年輕人，但年輕人卻不見得感激他，而是要挑戰他，他對此也不在意。

他不願做官，卻去競爭救災銀的轉運使，從而發現救災銀子早就被官府花光。最後，他是被官府、武林正道（甚至包括他的同門）圍攻而死，但他不是戰死的，而是因為正道中人用邪惡的辦法懲處他的女友，他不願讓女友受傷害，不得不自殺而死。但他的死並沒有讓女友獲救，在他死後，他的女友還是被正道人士殺害了。

「正道不正」，是許多武俠小說的一個思考主題。這部小說當然也是如此，但與一般武俠小說不同的是，這部小說的主人公不能簡單地定義為「反正道」的人，他只是一個不願與正道中人同流合污的人，只是一個喜歡創新、立志改變武林環境與風氣的人（這一點與戰僧也有相似之處）。他獨創了

「偏劍」劍法，但卻不是一個有「偏見」的人，而是一個不依常規卻具有獨立「正見」的人。只是因為他不依常規，最後被常規與正道即官府與武林聯手逼死。這是一個人類悲劇，具有明顯的象徵意義，在某種意義上說，這部小說是一個人類生活的悲劇寓言。

小說的第三個值得注意的點，是這部小說與作者的關係，主人公的名字敖曼餘很有意思，很像是「傲慢——餘」的諧音，也像是作者的化身。作者溫瑞安在文學界、武俠界乃至公共社會中的角色與形象，與這個主人公很類似。書中的所謂「武功院士」說不定正是現實社會中（臺灣）中央研究院院士的隱喻。敖曼餘的經歷和感受，或許與作者的經歷未見得完全相似，但他的價值觀、他的心態乃至他的行為方式卻與作者有某些明顯的內在聯繫。

本故事的書名《傲慢雨偏劍》，當是來自簡・奧斯丁的名著《傲慢與偏見》。作者有明顯文字遊戲的興趣，但能夠把一個書名遊戲為書中的內容，也算是一個成果。雖然，這個成果多少有些概念化，因為主人公的事蹟並不多，多的是有關他的思考和評說，不見得所有讀者都會喜歡這樣的小說。

這部小說與《七幫八會九聯盟》的故事關聯性不明顯。

第十二部：《山字經：「老字號」溫家野史》

這部小說寫於一九九五年，是這個系列的最後一部，與《七幫八會九聯盟》的關係不是很明顯（不過是溫家高手曾出現在豹盟故事之中）。

本故事是一個「奪寶」故事，即爭奪武林秘笈——具體說就是「老字號」溫家的用毒大家溫蛇的遺著秘笈《山字經》。同時也是一個爭奪遺產的故事，《山字經》是溫蛇的遺著和遺產，溫蛇的妹妹溫汝、後妻李吻花、兒子溫詩卷都有繼承這筆遺產的資格，或者說他們都以為有繼承遺產的資格。

其中最有資格的人當然是溫蛇的兒子溫詩卷，但他卻最早被繼母李吻花和姑姑溫汝聯手剝奪。本故事之所以形成奪寶故事，就是因為李吻花和溫汝都請了幫手來爭奪秘笈。爭奪的過程有三個層次，第一個層次是雙方聯手設計陷阱將其他前來爭奪秘笈的人殺害——書中說一共殺害了四十一人，小說開頭出現的孫炸是「第四十一」（**這是一部蘇聯電影的名字**）。第二層次是，李吻花、溫汝兩大陣營的爭奪，她們倆都請來了自己的情人和好友，為的是戰勝對方，奪得遺產即秘笈。但這不過是李吻花、溫汝的一廂情願而已，因為實際上還有第三層次，即被邀請來的每一個人都有自己的欲望動機，也就是說他們每個人都想獨自獲得秘笈。所以，最後變成了一場鬧劇。李吻花成了這場鬧劇的第一個犧牲品，其他人也大多在鬧劇中爭鬥並傷亡。

除了奪寶故事、遺產故事外，本小說還是一個寓言故事。小說真正的主人公其實是十來歲的溫詩卷，他是溫蛇的真正繼承人，甚至可以說是惟一有資格的繼承人。他被剝奪了資格，但卻在最後真正繼承了遺產。原因是，他沒有參與爭鬥，而是看懂了父親留下的三幅畫——從三幅畫中看出了「貪」字，這實際上是繼承了父親的價值觀和人生見識，不貪。這是第一個寓言。

第二個寓言是，溫蛇留下的三幅畫其實是更寶貴的遺產，即內功心法——這三幅畫都是畫山，第一幅是「看山是山」，第二幅是「看山不是山」，第三幅是「看山還是山」（**這本身就是一個經典性的寓言**）。溫蛇是當世用毒第一人，他鑽研毒藥，首要目的並不是害人、殺人，而是為了治病救人。這一點，李吻花、溫汝等人當然不可能繼承，而只有十來歲的溫詩卷才有可能繼承，所以說，溫詩卷才是最合格的繼承人。這本身又形成了一個寓言：人生人世最寶貴的到底是什麼？本小說給出了答案。

但本小說也有問題。作者寫作十分隨意，例如溫蛇這個名字——在漢人中誰會以「蛇」命名呢？作者要標新立異，卻違背了漢人命名的基本規則。其次，在溫家知不足齋的門外，掛了一個匾額，上面是「毒步天下」——其寓意當然是說溫蛇其人用毒的技藝獨步天下——誰會以「毒步天下」作為牌匾呢？毒步天下其實並不是一個合格的詞語，作者要獨創，但卻是違規的獨創。小說中的寓言性很明顯，「貪」字寓言有些做作，「是山、不是山、還是山」的寓言則很勉強，且明顯超出了一個十來歲孩子的智力水準，歸根到底還是概念化。

「說英雄．誰是英雄」之《溫柔一刀》

《溫柔一刀》是「說英雄．誰是英雄」系列的第一部，曾獲中國武俠文學學會「首屆中華武俠小說大獎」銀劍獎。[1]

本書的主要故事情節，是講述王小石從家鄉走出，希望到大城市、尤其是都城去闖蕩一番，以便實現自己的抱負及人生價值。在武昌遇白愁飛，兩人結伴而行，在抵達京城開封半年後，才有機會投入著名的金風細雨樓，捲入金風細雨樓與六分半堂的爭霸衝突之中。本書後半部，王小石、白愁飛都不再是主人公。

本書最引人注目的一點，是寫了王小石這樣一個草根英雄。雖然金庸有郭靖、狄雲等草根之俠在前，但溫瑞安畢竟是寫四大名捕起家，寫到草根英雄自然會格外引人注目。而且，王小石其人，與狄雲之類有所不同，雖然是草根，卻不是傻瓜，也不是蒙昧無知之人。而是有自己的獨立思考能力，也有自己的價值觀。

其中最突出的一點，是情感豐富，甚至有些自作多情——根據金風細雨樓的檔案，王小石感情豐富，七歲開始戀愛，到廿三歲已失戀十五次，每次都是自作多情，空自傷情；其次，王小石喜歡結交朋友，不分貴賤，且好多管閒事。但與不識武功者交手，絕不施展武藝欺人，故有被七名地痞流氓打得一身痛傷、落荒而逃的記錄。（第廿一章《我願意》）[2]再次，王小石好奇心重。凡事只感到好奇、有趣，並沒有因而覺得沉重、負擔，因為他並沒有把成敗看得太重，把冒險看得太重。不把得失看得太重，對自己而言，總是件好事。（第廿七章《拔劍》）[3]

本書看點之二，是王小石與白愁飛結伴而行。在黃鶴樓下，王小石注意到白愁飛，此人與王小石看起來不是一個階層的人，因白愁飛穿著華麗，態度清高，典型動作是仰頭向天，不肯平視一般人物。但這兩個人經過對人販子一案的合作，決定一路同行去開封，逐漸拉近了距離，成了好友兄弟。

只不過，這兩人的價值觀和行為方式不同，大體上說，一是，白愁飛有極高的自我期許，而王小石則只是走著瞧，似乎並沒有太大太高的人生目標。二是，白愁飛自信而且自傲，覺得自己超群出眾，因而一般人都不在他眼裡；而王小石則要謙遜隨和得多。三是，白愁飛為達目的、可以不擇手段，有時候甚至殘酷無情，對敵毫無仁慈寬宥之心，而王小石則相反，無論如何都不會殘忍殺戮，總是心軟，得饒人處且饒人。總之，白愁飛的性格接近於江湖梟雄，而王小石則始終都保持自己的草根性。

從「說英雄・誰是英雄」這個系列名看，作者當是在思考一個問題：什麼樣的人，才算得上是真正的英雄？例如，王小石和白愁飛，這兩個人究竟誰才是真正的英雄？在這部書中，還給出了幾組人物，例如來自「七大寇」的唐寶牛與來自「桃花社」的張炭；金風細雨樓樓主蘇夢枕與六分半堂堂主雷損，甚至還有兩個女性角色，即蘇夢枕的師妹溫柔和雷損的女兒雷純……這些人物，誰是英雄？這是個值得思考的問題。作者在這部小說中也嘗試給出答案。

該書有不少問題。問題一，古董和花無錯叛變，率豆子婆婆等六分半堂骨幹襲擊蘇夢枕時，為什麼蘇夢枕等人沒有認出敵方堂主豆子婆婆？豆子婆婆是六分半堂第七堂堂主，應是金風細雨樓重點注意的人物，按照金風細雨樓的習慣，肯定有關於豆子婆婆的詳細檔案才對（**白愁飛和王小石在加入金風細雨樓之前就有檔案了，何況豆子婆婆這樣的敵方骨幹人物**）；更何況，金風細雨樓還有郭東神、薛西神等人在六分半堂擔任要職，無論如何都會有豆子婆婆的資訊報告。豆子婆婆公然在蘇夢枕、茶花、沃夫子、師無愧等金風細雨樓骨幹面前出現，蘇夢枕還囑咐手下送錢給豆子婆婆，好像根本就不認識，這說不過去。

問題二，在白愁飛奉命到妓院襲擊雷滾時，發現雷滾的床上有三人，一是雷滾、一是諸如拓跋天，一是裸體的雷媚，雷媚會不會裸體襲擊白愁飛？這是一個問題。雷媚是六分半堂第三堂堂主，且是雷損的情婦，地位遠遠高於雷滾，她會不會不惜出賣色相，協助雷滾設下色情陷阱？進而，雷媚不僅是六分半堂的三堂主，且是金風細雨樓的郭東神，她要擒獲雷滾應該是小菜一碟，是否有必要裸體與雷滾合演這一齣？進而，更關鍵的問題是，雷媚雖名「媚」，但沒有任何跡象表明這是個專以色相誘人的淫婦蕩女。結論是，這場戲雖然香豔，但有問題。

問題三，金風細雨樓和六分半堂的故事，變成了臥底與叛變遊戲，是否恰當？最先是金風細雨樓的薛西神化名趙鐵冷，在六分半堂臥底，並擔任第十二堂堂主（後被提拔為第九堂堂主），繼而是金風細雨樓的古董、花無錯兩員大將叛變，投向了六分半堂，要刺殺蘇夢枕。這還沒有完，金風細雨樓的莫北神竟是六分半堂的臥底；而六分半堂的堂主林哥哥、唐滾、周角等人又先後叛變，最後，更出人意料的是，六分半堂第三堂堂主、總堂主雷損的情婦雷媚竟又是金風細雨樓的臥底郭東神。這一系列叛變與臥底，當真吸引人眼球，也讓人眼花繚亂。

金風細雨樓和六分半堂相互競爭、相互敵對，雙方都設法派臥底打入敵方內部，或設法收買敵方骨幹，在理論上是可能的，在實際上也是必然的。問題是，如此之多的高級幹部叛變或臥底，卻也帶來了相應的問題。

一是，薛西神在武昌時，被白愁飛識破，表明薛西神的臥底工作並非無懈可擊，為什麼六分半堂中人竟無法察覺？

二是，既然互相臥底、又有多人叛變，且臥底和叛變者多為高級幹部，為什麼這些臥底或叛變者始終沒有掌握敵方臥底或叛徒的線索？

三是，六分半堂的狄飛驚和金風細雨樓的楊無邪，都是聰明絕頂而又心細如髮之人，為何沒有專門針對叛變和臥底採取反間諜行動？

四是，作者並沒有解釋書中人叛變與臥底的原因，似乎從這一家的高幹變成另一家高幹如家常便飯，很難讓人信服。即便說明原因，例如雷滾的叛變，他貪生怕死是有可能的，但要他死心塌地地為金風細雨樓工作是否有可能？又如雷媚，她痛恨雷損是有可能的，問題是她為何不設法取而代之，卻要投向金風細雨樓，當一個地位遠不如第三堂主的郭東神？這一問題的真正要點，並不是某人叛變合理，某人叛變不合理，而是說作者追求出人意料的敘事效果，不得不大玩叛變與臥底遊戲。此類事過多，就變成了遊戲。遊戲的規則由作者說了算，書中有些人臥底、有些人叛變事就難免設計不周。

問題四，《溫柔一刀》的主人公是誰？這個問題看起來似乎很容易回答，本書的主人公應該是王小石，或者是王小石、白愁飛。理由是，本書開頭，就是講述王小石結識白愁飛，然後兩人一道從漢口來開封，追求自己的人生理想。在開封半年後，在古董、花無錯叛變並刺殺蘇夢枕一役中，王小石和白愁飛仗義援手，成了蘇夢枕的兄弟，加入金風細雨樓，開始了他們人生的新篇章。問題恰恰是，自從王小石和白愁飛結識蘇夢枕並加入金風細雨樓之後，他們的行為就失去了獨立性與自主性，實際上也就逐漸失去了主人公地位。

證據是，蘇夢枕讓白愁飛去刺殺雷滾，讓王小石去刺殺雷恨，但這兩次刺殺並不是讓白愁飛和王小石去獨立完成任務，而是讓他倆分別配合薛西神（趙鐵冷）和郭東神（雷媚），換言之，他們只是幌子。

進一步的證據是，在蘇夢枕與雷損合作刺殺關七一戰中，王小石和白愁飛只是一粒棋子，蘇夢枕事前根本就沒有告訴他們此役的步驟。進而，當張炭陪伴雷純、唐寶牛陪伴溫柔出現在三合樓，張、唐的重要性已被作者提升到王小石、白愁飛之上。在打擊關七戰役結束後，作者乾脆不提王小石和白愁飛，而是講述張炭、唐寶牛被人襲擊，進而被刑部抓捕，被嚴刑拷打，而後設法逃獄。此後，蘇夢枕與雷損相互算計、相互攻擊，就成了書中重點故事情節，也就是說，蘇夢枕、雷損才是這部書的真正主人公。

因為他們分別執掌京城開封的兩大幫派組織。說張炭、唐寶牛是本書的主人公，當然缺乏充足理由；而說蘇夢枕、雷損是本書的主人公，似乎也非名副其實。之所以如此，是本書信馬由韁，寫到哪裡是哪裡，從而出現主人公被替代情況。王小石、白愁飛的主人公地位，先是被張炭、唐寶牛替代，繼而白蘇夢枕、雷損所替代，任何一組人物，都寫得不夠充分。

問題五，書名「溫柔一刀」所指是什麼？具體說，是指溫柔砍向強暴她和雷純的淫賊的那一刀，還是指雷媚砍向情夫總堂主雷損的那一刀？若是前者，即「溫柔一刀」，卻不知這一刀砍向何人（書中並沒有交代淫賊究竟是誰，似乎是武昌出現的那個殺死眾多捕快的人，亦即被刑部總捕頭朱月明稱作「天下第七」的人，但沒有實際證據）。如果是指後者，即「溫柔的一刀」，那就有另一問題，即書中對雷媚其人寫得太少，讓人難以鑒別這一刀的真正滋味。如果既指溫柔砍出的一刀，又指雷媚向雷損砍出的溫柔的一刀，仍然有一個問題，她們畢竟不是本書的主人公，如何能以她們的一刀作為本書的書名？

「說英雄・誰是英雄」之《一怒拔劍》

本書是「說英雄・誰是英雄」系列的第三部，完成於一九八八年七月。此時還是溫瑞安「正常寫作」的年代。本書有一篇後記《笑擁寂寞》，說了兩個要點，一是他喜歡朋友，且喜歡把交朋友的事寫入小說中，哪怕是分手的朋友（這部書就是寫王小石與白愁飛分道揚鑣的故事，不知道在現實生活中的原型是什麼）。另一個要點是，他有不少書都沒有完成，有N種理由不完成，要讀者瞭解、諒解。

《一怒拔劍》的故事情節其實非常簡單，主要有兩件事，一件事是：蔡京和傅宗書要王小石刺殺諸葛先生，派八大刀王綁架張炭，要脅王小石，唐寶牛、方恨少救了張炭，使得對方陰謀落空；蔡京和傅宗書不得不親自出面（他們其實早就來到了附近），直接要脅王小石：若不刺殺諸葛先生，他們就會對金風細雨樓下手。如此一來，王小石就不得不答應蔡京和傅宗書：同意刺殺諸葛先生。

第二件事，是花枯發慶祝五十大壽，朝廷派人收買了花枯發的大弟子張順泰在酒水中下毒，使得參與慶生宴會的武林人全都中了「馬五恙」毒；繼而由任勞、任怨出面唱白臉，要將在場的武林人一網打盡；最後由白愁飛唱紅臉，假裝與任勞、任怨及八大刀王等人對敵，拯救在場的武林人，實際上是要借解毒之機控制枯發二黨及其好友。王小石等人獲知真相，揭露了白愁飛的陰謀，白愁飛在陰謀被揭穿後仍試圖反撲，將王小石點穴，並讓任怨腹語，假裝王小石與白愁飛合謀。

將兩件事合併在一起，可以得出一個判斷，那就是主人公白愁飛和王小石兩種不同的性格和不同的人生選擇。白愁飛渴望成功，不擇手段，不顧友情，與蔡京及傅宗書等朝廷當權人物合作，陷害王小石，進而試圖控制武林人。白愁飛這樣做，有兩個目的，一是得到蔡京和傅宗書的賞識，從而獲得朝廷的幫助，以便自己能夠飛黃騰達，實現自己的人生目標；另一目的是分化金風細雨樓的實力，使得蘇夢枕的主要祝壽王小石進一步跌入陷阱，使得蘇夢枕的金風細雨樓更迅速更徹底地落入白愁飛的掌握之中。逼迫要脅王小石刺殺諸葛先生，正是白愁飛的一石三鳥之計：陷害王小石、孤立蘇夢枕、討好蔡京和傅宗書。

本書的故事情節，在隱隱約約地講述白愁飛的變心變質的同時（不細心的讀者很可能看不出白愁飛的行動軌跡和行為目標），主要目的是刻畫王小石重友情、重俠義的個性品質。蔡京和傅宗書等人知道王小石的這一性格特點（很可能是白愁飛向他們透露的），即十分重視友情，所以試圖以抓捕張炭作為要脅手段，迫使王小石就範。

蔡京和傅宗書之所以能夠迫使王小石答應刺殺諸葛先生，也恰恰是因為王小石重視與蘇夢枕的友情，若不答應就會讓蘇夢枕的金風細雨樓遭殃，所以他不得不答應。在本書故事情節中，王小石重視友情的例子幾乎隨時可見，他對溫柔的態度不必說，因為他不僅深愛溫柔，同時也把溫柔當成了最重要的朋友；他對張炭、唐寶牛、方恨少等人的態度也是如此，一旦得知這些朋友遇到麻煩，王小石絕對會奮力營救、不顧自身安危。

本故事最重要的看點，是王小石的「心亂」，他的心亂，是發現了結義兄弟白愁飛與任勞、任怨、八大刀王及其背後的主子蔡京和傅宗書合作，白愁飛如此，他怎麼辦？這是對王小石的極端考驗。王小石雖然「心亂」，但還是按照自己的本性去做，即救助受難之人，包括自己的朋友張炭等人，也包括與自己沒有多少交情的花枯發等武林高手，不惜與白愁飛對壘，揭露白愁飛的陰謀；但正因為他對白愁飛有一份兄弟之情，所以他又被白愁飛點了穴道，差一點就讓白愁飛將他徹底汙名化。好在最後他借方恨少的內力衝開了穴道，吐血拔劍，將白愁飛逼走，拯救了花枯發壽宴中的群雄。

除了重視友情外，本書中對王小石的才能也做了非常細緻的鋪墊。王小石雖然與蘇夢枕結義，參與了金風細雨樓，但他沒有權力野心，寧可在愁石齋中賣字畫兼醫治跌打損傷，這是王小石與白愁飛的最大不同點，也是王小石最突出的個性側面。

此外，王小石文才、武功、兵法在本故事中也得到了全面的展示：他的書法得到了著名書法家蔡京的讚賞；他對古籍的熟悉程度讓號稱讀書人的方恨少望塵莫及：他甚至知道《吞魚集》這樣一部想到冷門的書。他的武功超群，刀可作劍，劍可作刀，而赤手空拳亦可當作刀劍；更難得的是，他還深通兵法，在八大刀王襲擊他的時候，為了防止八大刀王圍攻，他及時退回愁石齋，讓八大刀王無法完成包圍，而他則可以找機會各個擊破。這正是兵法在實際打鬥中的靈活運用。王小石的人品和才智，在這部書中得到了進一步展示，接近於神人。

本故事中的其他人物，諸如張炭、唐寶牛、方恨少、溫柔、朱小腰等人的個性也都很突出。只不過是因為這些人都是被作者在其他的作品中寫過，已經「成型」**（在某種程度上也被刻板化和概念化）**。新出現的人物，例如樂極生悲陳不丁、喜極忘形馮不八夫婦，就很有意思，所謂樂極生悲，是指娶了自己心愛的女子為妻，結果卻變成了武林中最著名的怕老婆名人，此樂與此悲都有特定含義，讓人莞爾；妻子的外號是「喜極忘形」也同樣有諷喻性，這個被愛寵壞了的妻子未免歡喜到得意忘形，以至於凌駕在丈夫之上頤指氣使，結果卻有點不妙。

又如八大天王——八大刀王是八個人，八大天王卻是一個人，這就很有趣——更有趣的是此人在對妻子的恩情與對何小河的愛情之間的表現，也足以讓人會心一笑。值得一說的是，花枯發慶生宴下毒者，誰都以為是「叛徒」即花枯發的四弟子趙天容；沒想到卻是看起來忠心耿耿的大弟子張順泰：他以為師父花枯發會把掌門之位傳給自己的兒子，從而心生不滿，與官府合作，不惜叛變害師。武林中這樣的人並不少見，即為了權力或榮譽，什麼都做得出來。有意思的是，四弟子趙天容雖然行為不端，但卻對師父心懷感激，從未有叛師的念想，從而與大師兄張順泰形成了鮮明對比。這一對比，是書中不可忽視的一個看點，這正是人性的複雜度所在。

由於作者將四大名捕、七大寇、七幫八會九聯盟、說英雄•誰是英雄等幾個不同系列在這個系列裡匯合，所以這個系列的複雜度遠遠超過此前的作品。這就存在若干問題，首先是年代真實性與可靠性問題；其次是複雜性過度所產生的負面效應，書中的有些人物其實並沒有出現的必要，但作者信手拈來，讓此前系列中的人物隨時隨地按照作者的敘事需求——甚至超出作者的敘事需求——出現在這部作品中，使人眼花繚亂，實際上也影響到本故事的進展速度、影響到本書主線的清晰性、影響到本書主人公即白愁飛、王小石的戲分和表現機會。如果作者珍惜筆墨，本書故事實際上可以在很短的篇幅內完成；但作者似乎非常喜歡且習慣了過度鋪張，敷衍故事情節，使得本故事的篇幅過度複雜化，結果產生煙花效應，看起來每段故事都很耀眼迷人，但很快就歸於寂黑。

本故事實際上還有更大的問題：

一是，白愁飛如此明目張膽地與蔡京、傅宗書等朝廷權貴合作，難道不怕蘇夢枕發現？蘇夢枕是金風細雨樓樓主，他的經驗、心智和機謀，在面對白愁飛時似乎完全消失了，否則，白愁飛焉敢如此放肆？

二是，蔡京、傅宗書等朝廷權貴，為何要花費如此多的精力來處理武林江湖中的人和事？他想要刺殺諸葛先生，應該有一百種方式，利用王小石刺殺諸葛先生看起來很有創意（即分化金風細雨樓，掌控白愁飛，讓王小石與白愁飛成為對頭，當然還有更重要的目標是刺殺諸葛先生，消除朝廷政敵），但蔡京和傅宗書會採取本書中的方式來直接迫使王小石就範嗎？這恐怕大有疑問，蔡京之類政治人物要設計害人，要麼是自己壓根兒就不出面，讓下屬去辦；要麼是直接面對合作者，而避開自己的下屬，而蔡京和傅宗書似乎誰也不避，恣意妄為，看似刻畫了這類人物的狂妄與肆無忌憚，實際上卻並不符合此類政客的行為模式。

「說英雄・誰是英雄」之《驚豔一槍》

本書是「說英雄・誰是英雄」的第四部。書前有一個前言《誰都是自成一派》，從古龍的「大武俠時代」、香港的「後武俠時代」，說到溫氏提出的超新武俠、現代派武俠。實際上是為「自成一派」合作社作廣告：希望加入。

本書正文分為六篇，即《王小石的石》、《小限》、《大限》、《元十三限》、《四大名捕決戰六合青龍》、《元十三限的大限》。

《驚豔一槍》本該是講述王小石的故事，即王小石被蔡京、傅宗書脅迫刺殺諸葛先生，王小石將計就計，刺殺了蔡京安排在諸葛先生身邊的臥底尤食髓，進而反戈一擊，準備刺殺蔡京，結果刺殺了傅宗書，並開始逃亡。但本書的大部分內容，卻變成了蔡京屬下的元十三限與二師兄天機居士、三師兄諸葛小花之間的恩怨情仇和相互拼鬥，到蔡京屬下陷害並追殺元十三限時，王小石才再次出現。

「說英雄・誰是英雄」系列的主人公應該是王小石等人，在第一章結束時，讀者關注的焦點並不是諸葛小花和元十三限制的陳年往事，而是王小石的處境：他逃亡三年之後回到開封，會面臨怎樣的危機？但作者卻強行扭轉讀者視線，把焦點集中到元十三限和天機居士等人的身上。

為何這部書一共六篇，其中竟有四篇沒有王小石，而講述元十三限和師兄天機居士、諸葛小花的恩怨情仇？——第二篇《小限》中，從天衣居士下山，說到諸葛小花與元十三限師兄弟之間的恩怨情仇，織女、小鏡、許天衣、諸葛小花、元十三限幾個人的情感往事，用了太長的篇幅。其後三篇，仍然是元十三限和天機居士鬥智鬥勇，一直到四大名捕對六合青龍，直到最後一回，天機居士、神針婆婆死，元十三限被追殺，王小石才再次出現。這是怎麼回事？

所以如此，原因其實很簡單，本書的第一篇，即正宗的王小石故事寫於一九八九年，其後就擱筆了，直到一九九一年才續寫後面的故事，作者再也找不到當時寫作王小石故事的線索，更無法回到王小石故事的情境中去，不得不另起爐灶，講述起元十三限和天機居士、諸葛小花的師門恩怨。且不說元十三限與天機居士、諸葛小花的故事是好還是不好，無論如何都對王小石的主人公地位造成了嚴重的衝擊，形成一個巨大的「豬肚」，繞了一個巨大的灣子，最後才回到王小石。

本書第一篇寫得非常精彩，節奏明快，懸念緊張，王小石的個性突出，被迫刺殺師叔諸葛先生，而將計就計的故事情節出人意表卻又在情理之中，堪稱精彩。

但後面的故事就不是那麼回事了。且不說該不該寫元十三限和天機居士、諸葛小花的衝突，也不說這段插曲寫得好與不好；只說在這段故事中，插入太多唐寶牛、朱大塊、張炭和蔡水擇等人的插科打諢，明顯是屬於敷衍篇幅，拖遝文章，若把這些內容全部刪除，應該也不會影響整個故事的成色，可證其純屬冗餘。

元十三限與兩位師兄的恩怨，即因為小鏡姑娘挑唆，因為練山字經造成神經錯亂，因為從一開始就嫉妒諸葛小花，以及因為小鏡為了成全元十三限而委身三鞭道人而取得山字經，元十三限練成傷心小箭後反而殺了小鏡造成進一步的心理錯亂，這些理由，任何一條都足以讓元十三限變成師兄諸葛小花的最大對手。也就是說，作者對此有很好的設定，只不過作者沒有正面去寫元十三限，而是讓天機居士敘述往事，將上述原因纏夾在一起說，反而讓元十三限的心理變態找不到清晰的肌理，從而失去了真正的深度。

元十三限與天機居士相互算計，直到最後決戰，設計也非常好；只不過算計中讓唐寶牛等人的插科打諢沖淡了不少，而在直接打鬥中則又被煙花般繁複的招數進一步沖淡，書中理應重點描述的驚豔一槍、傷心小箭的決戰，反而淹沒在玄幻重重的煙花迷霧之中，顯得並不突出。更不必說，在這部《驚豔一槍》中，理應重點描述驚豔一槍，而實際上作者對傷心小箭的描述遠遠多於驚豔一槍。

蔡京放棄、毒害、下令追殺元十三限的情節設計也很好，只不過，把蔡京對元十三限的放棄和毒害，描述為方應看的陰謀後果，則一方面貶低了第一大反派蔡京的智力和謀略，另一方面也淡化了元十三限心態變化和性格變異、行為失常所帶來的衝擊力和震撼力，這一情節，反而露出了太多人為編造痕跡。

書中王小石再次出現，拯救元十三限，要與這個殺師仇人作公平決鬥；元十三限在三招之後按約自殺，王小石第三次拯救，以至於元十三限恢復部分神智，將傷心小箭秘笈交給王小石，這些情節無不出人意料，堪稱精彩。

只可惜，書中對主人公王小石的書寫太少，以至於很難說得清：誰是這部小說的主人公？這部小說不能算是成功的小說。

「說英雄・誰是英雄」之《傷心小箭》

作者在本書《後記・豈是塗鴉》中說：「說英雄・誰是英雄」系列包括十部作品：一、《溫柔一刀》，二、《一怒拔劍》，三、《驚豔一槍》，四、《傷心小箭》，五、《朝天一棍》，六、《群龍之首》，七、《天下有敵》，八、《天下無敵》（共分四卷），九、暫不公布。十、（大結局）《天敵》。

又，作者說，之所以在標題中用了那麼多「機」字，原因「一是要紀念我在紫微斗數命盤上即將過去的十年大限：天機化忌。二是給自己一個考驗，這麼多重複而無味的題目，我都未算離題地一一處理、一再運用無礙的話，那麼，那可真沒有什麼能難倒這枝寫了廿八年還算專業的筆了。」又：「在《驚豔一槍》一書裡，也屢用局和擊為題，也有此意，亦同此義。在創作上，我一向喜歡為難自己，向自己約定俗成的習慣挑戰。唯有這樣寫，才勉強可以算得上：不是塗鴉。」

二十多年前我曾看過《傷心小箭》，當時的感覺很好，覺得作者的寫法很新穎，其中人物如白愁飛、王小石等人形象也很新穎。如今再看這部書的電子版，感覺卻沒有當年那麼好了。為什麼？此種感覺的變化，值得認真分析。

本書講述白愁飛成為金風細雨樓二樓主之後，野心急遽膨脹，早已想殺了蘇夢枕取而代之，實現自己的人生理想。於是發動政變，要殺傷病沉重的蘇夢枕，但被蘇夢枕逃離。白愁飛四處攔截蘇夢枕，但始終沒有消息，反而有壞消息傳來，那就是當年與他一同進京的王小石歸來了，白愁飛抓了王小石的父親和姐姐，王小石在四大名捕的幫助下救出了父親和姐姐。溫柔自以為是，進入金風細雨樓，要勸說白愁飛與王小石和解，結果讓張炭等人都陷入重圍中。

王小石隻身進入金風細雨樓救人，被白愁飛攔截。六分半堂的總堂主雷純帶蘇夢枕現身，且取得蔡京的手令，要抓捕白愁飛。白愁飛眾叛親離，差點被蘇夢枕的催眠術弄得自殺，溫柔前來問候，讓白愁飛醒悟。但白愁飛最後還是被自己最不提防的東神雷媚一箭刺中心臟——這也正是「傷心小箭」的隱喻——白愁飛死，蘇夢枕讓王小石擔任金風細雨樓主，又讓楊無邪將他自己打傷，說雷純救了他，但也給他下毒，若不斷然求死，就會成為雷純俘虜，那就會求生不得、求死不能。雷純問狄飛驚，是否要對王小石等人下手？狄飛驚說不是時候。雷純說幸虧白愁飛找他聯盟的時候狄飛驚斷然拒絕，否則她當時就會殺他，狄飛驚大吃一驚（是所謂狄飛驚的驚）。

本書開頭設計十分精細。白愁飛在發動政變前，命人砍伐掉金風細雨樓前樓主栽種的大樹，這一舉動當時很少有人理解，後來才知道，他這樣做，首先是要顯示自己的權威，作為金風細雨樓二樓主，在大樓主蘇夢枕重病期間，當然有至高無上的權威；其次，是要試探蘇夢枕的態度，假如蘇夢枕的身體狀況允許，肯定會對白愁飛的舉動大發雷霆，但結果卻是蘇夢枕宴請白愁飛，表明蘇夢枕已經病入膏肓了，這也正是白愁飛發動政變的最佳機會。白愁飛的這一舉動，實際上還有第三個目的，那就是他知道大樹附近是金風細雨樓地道的出口之一，白愁飛命人砍伐大樹，真正目的是要找到並填埋地道出口，讓蘇夢枕無處可逃。

其後，白愁飛發動政變，蘇夢枕死裡逃生，白愁飛派人四處截擊，情節十分緊張且緊湊，懸念迭起，非常吸引人。給人留下深刻印象，覺得這部書寫得很好。

本書以《白愁飛的飛》、《溫柔的柔》、《雷純的純》、《狄飛驚的驚》為四部標題，也很有意思。白愁飛的「飛」很好理解，因為此人素有大志，希望飛黃騰達，他發動金風細雨樓的政變，就是他起飛的標誌。溫柔的「柔」，也有點意思，此人自以為是、自我中心，實則既無經驗、亦無智慧、更無溫柔。她只是利用自己的身世和自我想像，生活在自我幻景中，結果卻成了書中情節發展的關鍵人物。

雷純的「純」，帶有諷喻性，此人看似溫柔和順純潔無瑕，實際上卻是心懷仇怨且機智深沉，救助蘇夢枕絕對出乎意料，因為蘇夢枕是她的未婚夫，卻又是她的殺父仇人，金風細雨樓是六分半堂不共戴天的大敵。但她救了蘇夢枕，並利用蘇夢枕制服了不可一世的白愁飛，只是蘇夢枕並沒有成為雷純的棋子，同樣是下棋人，他是利用了雷純，實現了自己的反攻計畫，並成功地將金風細雨樓交給了王小石。最後一部分狄飛驚的「驚」則更有意思：當雷純說當日白愁飛來找狄飛驚合作，狄飛驚實質上拒絕，雷純才沒有動手對付狄飛驚。這使得狄飛驚「吃驚」，這一吃驚，為此後的故事埋下了伏筆，也顯得意味深長。

本書的寫法上也有特點。最突出的一點，是採用了電影蒙太奇手法，將平行蒙太奇、交叉蒙太奇運用得相當嫺熟，讓人眼花繚亂。尤其是溫柔到金風細雨樓，被白愁飛點了穴道，白愁飛要強暴溫柔那一段，四五條線同時展開，既照顧了不同時空場域人物和故事的發展，同時也將溫柔是否遭到強暴這一懸念長久保持。本書寫法上，還有開放性、複雜度、多變性等特點。所謂開放性，是指這部小說並不簡單圍繞白愁飛發動政變這一件事展開，而是將此前《溫柔一刀》、《一怒拔劍》、《驚豔一槍》等書中的人物和故事納入這部書的敘事體系，隨時隨地都可以引入新人物——對這部書來說是新人物，但對這個系列來說則是熟人——從而保持故事的開放性。

所謂複雜度，是指本書不僅是寫白愁飛在金風細雨樓的政變，也不僅是說金風細雨樓與六分半堂、象鼻塔的衝突，而是將京城裡的各派組織，乃至官府派系的鬥爭通過其中人物的複雜關係展現出來，本書的核心情節即白愁飛的起飛與隕落，或白愁飛政變及其失敗過程，雖然看似簡單；但這一過程中所出現的各種力量間的角力矛盾，則讓人咋舌。

所謂多變性，是指書中人物的身分和立場在不斷變化，「叛變」在這部書中幾乎是常見景觀，白愁飛叛變了蘇夢枕，梁何、孫魚等人也叛變了白愁飛；王小石把何小河當作兄弟姐妹，但何小河卻在最危機之際向王小石、白愁飛同時出手攻擊；白愁飛把東神雷媚當作心腹，而最後給白愁飛一劍穿心的恰恰是雷媚其人。這種寫法的好處，是讀者無法預測書中故事情節的走向，因為不知道書中的這些人物何時、何地會發生立場轉變，更不知道他們如何發生轉變。只有看到最後，才知道這個故事的結局。

問題是，這樣的寫法，也有負面效果。開放性是優點，但過於開放很可能就會變成缺點；複雜度是件值得欣賞的景觀，但過於複雜很可能會超出讀者的把控能力範圍，以至於讀者很難跟上作者的敘事思路，而變得茫然。

多變性更是如此，書中的有些變化是驚人的且是有根據、有震撼力的。但有些變化則可能是出自作者的隨意性，即作者想要筆下人物怎麼變化就怎麼變化。例如：小說開頭，書中說蔡京下令緝捕金風細雨樓主蘇夢枕，這也正是白愁飛發動政變的背景和依據；但小說結尾，雷純卻拿出蔡京的手令，讓武林中人聽她號令、抓捕白愁飛。蔡京的變化起於何時？因為什麼緣故？書中並無交代，因為蔡京並未正式登場。

又如，書中的天下第七在白愁飛孤立無援之際堅持站在白愁飛一邊，說這是奉蔡京之命，不忍讓白愁飛死；但很快，天下第七又轉變立場，攔截白愁飛，說是蔡京說，一個死白愁飛比一個失敗的白愁飛更可靠。天下第七為何有此轉變？書中也沒有交代。再如，書中最驚人的轉變，是白愁飛的情婦雷媚的轉變，誰也不會想到，最終將白愁飛刺死的，居然是白愁飛最相信的情婦雷媚。

如果僅僅看故事情節，會覺得這一設計非常好。但若追問雷媚到底為什麼要這樣做？那就是另一回事了。雷媚本來是六分半堂雷家女兒，她覺得父親死後，她應該繼承六分半堂，但雷損卻沒有讓她繼承，所以她背叛了雷損，加入了蘇夢枕的金風細雨樓。如果說這一背叛是可以理解的，那麼她背叛蘇夢枕又是為什麼呢？是蘇夢枕沒有把她當作情婦，而白愁飛說要娶她為妻，且許諾讓她掌握六分半堂，這一說，似乎也有道理。那麼，為什麼她最後又要背叛白愁飛呢？是因為看到白愁飛大勢已去，所以她要背叛？還是她深愛的其實是方應看，而不是白愁飛，只是與白愁飛逢場作戲？或是——如書中所說——雷媚這個人天生就具有反骨？在不斷背叛中獲得快感？

這一寫法，恐怕不是所有人都能理解的。如果把書中背叛的人物作一個詳細統計分析，我們就會看到，作者是把人物的背叛當作一種寫作技術來運用的：只要故事情節需要，作者就會讓筆下的某些人物背叛並發動突然襲擊，讓讀者驚奇。這一技術的運用看起來有用，但用得過多，很可能就會適得其反。這個世界上當然有背叛之人、背叛之事，但卻不見得像這部書中所寫的那樣如此頻繁且無理由。

最後，這部小說中的分節小標題中，一口氣用了無數的「機」字，作者在《後記》中也作了解釋，說是要天機化忌，同時也是要考驗自己。這一說還需進一步分析，若僅僅是為了試驗（或考驗）自己的漢語能力以及漢語自身的魅力，當然是一件值得理解、尊重乃至讚賞的事，但若是為了炫技，因而連「機票」這樣的與故事情節及其時代毫不相干的詞語都被作者所用，那就是另一回事了。

作者在這部書中，有明顯的文字遊戲傾向和表現，不少人物的命名中就能看出這點來，如果說「太陽鑽鐘午、落日杵黃昏、明月鈸利明、白熱槍吳夜」這些人物的名字從中午到黃昏、從天明到黑夜，用來頗為有趣，那麼像「班搬辦」這樣的名字，就實在讓人匪夷所思了。作者的試驗或考驗是否有度？這是一個重要問題。

「說英雄．誰是英雄」之《朝天一棍》

《朝天一棍》是「說英雄．誰是英雄」系列的第五部，講述王小石接掌金風細雨樓後，拯救因毆打皇帝和宰相而被判死刑的唐寶牛、方恨少，而後再次逃亡江湖並被追殺的傳奇歷險故事。

本書與《驚豔一槍》有所不同，是集中焦點，講述主人公王小石的故事，而沒有在王小石的故事中插入其他人的故事。

本書有三大懸念：一是救還是不救？二是如何救？三是救人以後如何脫身？

王小石接長金風細雨樓後遇到第一大難題，即唐寶牛、方恨少兩人因毆打皇帝和宰相而被判死刑，明日即將斬首，是救？還是不救？任何人都能猜想到，蔡京肯定會利用這一機會，製造陷阱，誘捕武林中人，並將他們一網打盡。所以，楊無邪的建議是：不救，即不去送死。明知如此，王小石不得不救——王小石當然要救人，否則他就不是王小石。

下一個關鍵問題是：如何救人？作者設計了一套不錯的方案，擺出了三個戰場，即菜市口刑場、破板門戰場、別野別墅蔡京住處，為了防止蔡京聲東擊西，王小石安排了兩路人馬在菜市口、破板門兩處衝擊和攔擊，而他自己則事先借得諸葛小花的射日神弓、追日神箭，冒險進入蔡京別墅，箭頭對準蔡京，逼迫蔡京下令放人、停戰。書中對三個戰場的講述相當精彩，不僅寫出了救人的英雄好漢們英勇無畏，也寫出了官府中不同勢力集團間的相互矛盾，甚至寫出了同一陣營內部的相互算計，例如米公公和方應看，當然更寫出了王小石的智勇雙全。

接下來的懸念是：救人後如何脫險？這包括兩個部分，一部分是王小石如何脫險？另一部分是王小石如何帶領唐寶牛、方恨少及其他兄弟脫險？前者，作者安排了蔡璿這一角色，她是蔡京的女兒，實際身分卻是蔡京仇人的女兒，她與蔡京關係曖昧，幫助王小石脫險，這一安排出人意料，卻在情理之中。接下來，就是逃亡故事，葉雲滅奉命追擊，方應看和雷純也黃雀在後。

本書的故事情節設計相當精密。真正的看點，卻是溫柔的成長、溫柔與王小石情感關係的發展——這是從《溫柔一刀》就已經開始的故事，始終被懸置，懸置的原因正是溫柔沒有長大，不懂得愛情——在這個故事中，這一故事線索終於有了發展。即溫柔開始成長，情竇打開，從而主動與王小石談情說愛。書中有幾個關鍵點，一是溫柔在救人之戰中拒絕蒙面，她覺得面具或面幕醜陋，會遮掩她美麗的容顏，這是少女愛美的本能，也是溫柔的個性。因為她露面了，再留在京城，不僅自己會被抓，還會影響父親。於是，溫柔不得不逃亡。好在，溫柔性喜熱鬧，把逃亡當作一次富有刺激性的旅行。

二是，溫柔月經來遲，以至於擔心自己是不是會懷孕，她不確定白愁飛是否曾姦污過她；書中有關溫柔春情萌動、對男女關係無知、被何小河教育開化的情節，是最為生動的情節。溫柔懂得了男女關係的實質，同時也逐漸意識到王小石的可貴，不僅感知到王小石對她的愛，也覺察到自己對王小石的愛。從而她主動表態，主動向王小石道歉，主動吻王小石，且與王小石在桃花樹上刻下「不分不散」的誓言與祝禱。

更有意思的是，蔡璿的出現，讓剛剛品嘗到愛情滋味的溫柔立即被嫉妒情緒所控制，當場離開了王小石，隨後徹底消失：溫柔和王小石的愛情剛剛開花、尚未結果，就出現了這一波折。小說的開放性結局頗有道理，溫柔的成長也不可能一步到位，她還要經歷進一步的人生磨練，才能真正長大成人。這部書中的溫柔形象，是最生動的人物形象。

蔡璿的形象及其影響，不僅影響了這個故事的結局，也是下一個故事的續點。

本書的另一看點，是唐寶牛的故事線索，他深愛的朱小腰為救他而犧牲，使得唐寶牛生不如死，是王小石的一耳光將他打醒，要他為朱小腰報仇，才使得唐寶牛活了下來。但唐寶牛從此沒有笑聲，常常沉湎於酒中，直到最後為拯救王小石而重新挺立起來，終於振奮。唐寶牛的振奮重生，一為愛情，一為友情，充分表現了這一人物的真正個性氣質，唐寶牛的這段故事具有重要價值。

小說的不足之處，一是羅白乃、班師之師徒插科打諢太多，雖說能夠調節逃亡路上的氣氛，但這兩個人物插科打諢太多，關鍵是有太多人為痕跡。本書的另一不足，是對王小石的形象的破綻，一方面是神化王小石，讓他成了道德完美的神化人物；另一方面則讓他依然保持「不會談戀愛」即「永恆的失戀者」形象，對溫柔處於被動，無法掌握自己的情感主動，十分幼稚，與他神化形象不符。

「說英雄・誰是英雄」之《群龍之首》

這部小說是敷衍之作。前幾章（五章）講述戚少商執掌金風細雨樓，雖然有些出人意料，但還算是一種策略，寫戚少商率人刺殺徽宗皇帝以便嫁禍於蔡京，雖然有些異想天開，倒也有可觀之處。但到第六回以後，寫戚少商嫖妓，與李師師周旋，與孫青霞相互嫉妒並打鬥，意思就不大了。更匪夷所思的是後面的故事情節，瘋子關七現身，與京城裡所有的高手打鬥。以十幾回的篇幅講述關七瘋狂打鬥，那其實也不是打鬥，而是純粹的文字遊戲。作者想怎麼寫就怎麼寫，想怎麼說就怎麼說，作者玩得太過火。

如此「玩法」，與其說是寫作試驗，不如說是卡殼後不斷敷衍，沒有思路，沒有內容，就讓關七這個瘋子來「墊場」，實在讓人失望。

「說英雄・誰是英雄」之《天下有敵》

這同樣是一部敷衍之作，也許作者不想敷衍，但不得不敷衍，因為早已預告這個「說英雄・誰是英雄」系列會有後面幾部，不得不續貂，不得不敷衍。

這部《天下有敵》講述戚少商、楊無邪、孫魚受邀到三合樓與六分半堂總堂主狄飛驚談判合作事項，結果變成了一場有預謀的伏擊，真正的主線，是要講述天下第七文雪岸之死，這個人物的重要性其實沒有那麼大，至少沒有大到要金風細雨樓代理樓主戚少商、六分半堂主人狄飛驚、雷純當他的配角的地步。講述這個人的故事，實在是無話找話。若說有理由，那也是對「說英雄・誰是英雄」的走題——這個系列已經多次走題了——即把對英雄的思索和呈現，變成了對京師各個勢力集團的大決戰的鋪墊：最終的大決戰不僅不靠譜，而且沒多大意義。

從第六章到第十五章，主要內容是作者靈機一動，插入雷怖殺人，中間再插入若干死了四次的天下第七戲弄葉告、陳日月的片段。第十六章結尾，雷怖被方應看刺殺，到第十八章雷怖死。這些內容，可以用小說第十章的標題——《殘忍只為無聊》——來形容：確實，殘忍只為無聊。

小說的結尾，是方應看、任勞、任怨漁翁得利，他們一直在名利圈中看雷怖殺人，看雷怖受傷；看天下第七被追殺，看天下第七受傷，最後將雷怖、天下第七倆個人都制伏並作戲耍。問題是，大名鼎鼎的小侯爺、大名鼎鼎的任勞任怨，在大名鼎鼎的名利圈——熟人圈——中，竟無人認出他們？方應看變成了反派一號大魔頭，即便如此，又有什麼意義呢？

「說英雄・誰是英雄」之《天下無敵》

《天下無敵》是一個短故事拉成了長篇，方歌吟來京師祭奠亡妻夏晚衣，他的義子方應看、弟子高小上聯合有橋集團的人暗殺了他。這個故事可以是一個一萬字以內的短篇，最多也不過是三四萬字的長篇，但作者硬是將小上拉成了長篇。拉長的方法很無趣：例如：整個第一章十節，全都是方歌吟與各路迎接者的對話，其中大部分其實都是廢話。看起來表達了方歌吟的觀點，也表現京城各路人馬的立場。但方歌吟進京引起這麼多人迎接——包括皇帝派出的使者溫王平——這件事本身就不靠譜。

其實，整個故事都不怎麼靠譜。方歌吟是老江湖，怎麼可能如此幼稚？高小上號稱「順義小諸葛」——當然他也是所為「亂世蛟龍」——何以要和方應看聯手做這樣大逆不道之事？在溫瑞安的小說中，什麼人都可能叛變，好像世界上似乎不存在真正的俠義與正道，除非是作者故意渲染或編造的所謂俠。

這不是一部好小說。

《群龍之首》、《天下有敵》、《天下無敵》的主人公不再是王小石，是講述《逆水寒》中人物戚少商到京師擔任金風細雨樓代理樓主後發生的故事。《群龍之首》講述戚少商要重整金風細雨樓，卻花一半篇幅講述瘋子關七一場莫名其妙的打鬥；《天下有敵》講述戚少商與狄飛驚談判合作事宜，卻花十多章講述雷怖瘋狂殺人及被殺；《天下無敵》講述方應看、高小上刺殺巨俠方歌吟，卻將一個可以用三千字講完的故事拉扯成長篇。這三部書故事被人為拉長、大量兌水，且不評價文本內容及其意義如何，從純粹的技術層面看，將三部書合成一部，至少會更加緊湊。具體方案是：保留《群龍之首》前五章，直接加上《天下有敵》前六章，再加上《天下無敵》的核心情節即刺殺巨俠方歌吟段落。作者不這樣做，不說也罷。

《江湖閒話》

《江湖閒話》包括《大俠蕭秋水》、《神相李布衣》、《冷血的血》、《追命的命》、《鐵手的手》、

《無情的情》、《白衣方振眉》、《黑衣我是誰》、《張炭的炭》、《唐寶牛的牛》、《遊俠納蘭》、《雷損的損》、《戚少商的傷》、《息紅淚的淚》、《蘇夢枕的夢》、《沈虎禪的禪》、《諸葛先生》、《刺客唐斬》《閒話中的閒話》等十九篇。

寫作時間是一九八五年（前兩篇）、一九八六年（第三至第十七篇）、一九八八年（後兩篇）。

《江湖閒話》全都是由兩個人的對話組成，一個說，一個聽，如同相聲中的捧哏和逗哏。

《江湖閒話》是溫瑞安小說的「名人堂」——其中人物即溫瑞安小說世界中的超級名人；更重要的是，其中還有作者對這些人物的分析、總結和點評。

作為小說，其中有幾篇有些意思，大部分都只是平平而已。

最後一篇《閒話中的閒話》，讓講故事、聽故事的兩個人都顯示身分，一個是胡大造化，一個是「梁快」——涼快——溫涼玉。其中說及梁快與同門師兄溫三十三之間的恩怨，有溫瑞安與親哥哥溫任平之間恩怨的影子。

【注釋】

1 溫瑞安：《溫柔一刀》，昆明，雲南人民出版社，一九九五年九月初版。該書封面有「首屆中華武俠小說大獎獲獎作品」字樣。

2 溫瑞安：《溫柔一刀》，第一九九頁，昆明，雲南人民出版社，一九九五年。

3 溫瑞安：《溫柔一刀》，第二五五頁，昆明，雲南人民出版社，一九九五年。

◆百劍堂主小說述評◆

百劍堂主，原名陳凡（一九一五—一九九七），字百庸，廣東三水人，另有筆名周為等。一九四一年起擔任桂林《大公報》記者，後任香港《大公報》副總編輯。著有武俠小說《風虎雲龍傳》，曾與金庸、梁羽生聯合開設「三劍樓隨筆」專欄，並結集出版。

《風虎雲龍傳》

《風虎雲龍傳》書寫武林前輩無常道長及石臼道人、「岱宗三洞」即洞真、洞玄、洞神等在泰山召集天下英雄，包括武當派高手吳一羽、河朔仇季雄、江南李紅霜、塞北陳莽、關東閻立人、山東宋一龍和柳貫虹夫婦等，共同反滿抗清故事。

與眾英雄對敵的，是山東巡撫譚廷襄的幕客「黑裡刀」鄒人鶴及官府鷹爪。大格局上，正邪兩派，陣線分明，但江湖武林中並非所有武林人都是非黑即白。有些人只顧本門利益、聲譽或仇恨，如太極派門下；有些人則持強凌弱為禍一方，如青蛇幫；有些人則投向異族官府甘當鷹爪，如趙猛、李長勝等人；還有人漂泊江湖逍遙人生，如朱明豔、琵琶手；當然也有人追隨正派集團反滿抗清，如陳三元等人。這些人物的出現，不僅呈現出武林江湖的複雜生態，更因相互間情仇交集，風雲際會，使得故事複雜多變，情節曲折出奇。

武打設計是本書的重點之一。開頭寫官府鷹犬趙猛公報私仇，率人連夜追殺宋一龍，暗夜黑林，打鬥凶險，懸念重重，是很好的開局。其後官兵火燒宋一龍岳父柳含英莊園，打鬥連連，場面可觀。此後隨故事情節的發展，時有打鬥發生，可謂隔三一小打，隔五一大打，頗能滿足喜歡觀鬥的讀者之需。書中的武打敘述，不僅包括追殺、群毆，且有比武、學藝，頗為可觀。而書中武林人物，武功是一山更比一山高，開頭是宋一龍能以一對五，武功顯然很高，而岱宗三洞、石臼道人等，武功又高一層；其後是何槁木、蕭干雲等人，武功更上層樓；最後是無常道長、青蛇幫老媽、金身劍妖等人，則是真正的絕頂高手。

在情感描寫方面，本書有些可觀之處。宋一龍、柳貫虹夫婦情濃，李紅霜、陳莽愛侶情真，偶有生動場景和細節。更突出的是，洞神道人雖已出家，但對舊愛朱明豔情深且烈，修道二十年，也難以忘卻一段深情，二十年後重逢愛侶，破鏡難以重圓，竟起意要與情敵鄒人鶴同歸於盡。

書中有三個情感三角，即：柳貫虹與宋一龍、趙猛；朱明豔與趙仁山（洞神道人）、鄒人鶴；趙芍（青蛇幫老媽媽）與李愚（無常道長）、何拔群（金身劍妖）。都是一女二男，同門學藝，其中二男性格差異明顯，一人宅心仁厚腳踏實地，堅持正道；另一人聰明伶俐氣傲心高，走上邪途；女主角一時左右為難，結果怨恨糾結，讓人唏噓。

本書共十六回，回目齊整，如第一回《夜色蒼冥　浩浩江湖誰屈指；世途荊棘　茫茫恩怨此從頭》，第二回《霹靂橫來　一聲打破田園夢；風雲急變　百劫難摧鐵血身》，第十六回《崖上殲奸　私恨公仇完此日；劍邊草檄　忠肝赤膽照人間》等。作品文字清通，敘草莽英雄故事，間有吟詩之雅，尺八之韻，頗具文采風流。

此作在報上連載三百零八天，每天五百字左右（實際字數不到五百）。讀者每天看連載，一天一片，雖不能說片片精彩，倒也能滿足牽掛。

若集中看全書（報紙剪貼本）時，即易看出本書的不足。具體說，首先，是作品缺乏整體設計。無常道人邀集英雄反滿抗清，動機如何，目標為何，路徑如何，都不夠清晰而合理。甚至，無常道人究竟是怎樣的人，也沒有說清。其次，是作品格局較小，無常邀集英雄大會，到會的雖云百人，行動的卻只有岱宗三洞率領的小分隊，以此寥寥數人反滿抗清，格局上難以相襯。又次，本書沒有突出的主人公，書名《風虎雲龍傳》，開頭寫宋一龍，原以為宋一龍是主人公，而無常道長也把本門寶劍及武功秘笈交給了他，但此後宋一龍並未獲得主人公地位，只是抗清小分隊的一個配角。誰是本書的第一主角？恐怕沒有人能夠說得出來。

《風虎雲龍傳》的寫作成績，與梁羽生的處女作《龍虎鬥京華》相近。若作者繼續寫作，且投入足夠精力，或能與梁羽生並駕齊驅。只可惜，百劍堂主只此一劍，此後再無武俠小說新作。

◆商清小說述評◆

商清，即秦瘦鷗（一九〇八－一九九三），原名秦浩，上海嘉定人，畢業於國立上海商學院銀行系。早年在上海擔任報紙編輯、大學講師。後去香港，擔任香港《文匯報》副刊部主任、集文出版社編輯；再回上海，任上海文化出版社編輯室主任，上海文藝出版社、上海辭書出版社編審。一九二六年開始發表文學作品，代表作是長篇小說《秋海棠》。在香港期間，以商清為筆名，寫過兩部武俠小說，即《血濺銅沙島》和《茅山俠隱》。

《血濺銅沙島》

《血濺銅沙島》[1]是商清的第一部小說。雖然是在新派武俠潮流中開始寫作，但與一般新派武俠小說有所不同。這部小說中的人物顯然「古典」，也更接地氣。主人公董源的師父有兩個名字，一是江湖上流行的名號即寒江獨釣姜環（這一名號十分雅致），另一名字是姜老么。作者似乎更喜歡使用姜老么這個「土氣」的名字。

董源拜師學藝的動機也與大多數武俠小說不同，並不是學藝復仇，而是出於好奇心，希望自己有本領，即希望學好武藝後不被人欺負。董源出生農家，性格也有農家子弟的樸實厚道，謙遜待人，這與一般武俠小說中的武林人物大不一樣。

說本書接地氣，有一個很好的例證，那就是董源的表嫂劉碧雲從四川前往福建成婚，劉家富有，竟要上兩個僕婦，兩個丫鬟，一個男僕，以及十個衣箱上路。經過反覆協商，劉家才將隨從減少為兩個，衣箱減少為六只。

故事情節的構成也很獨特，主線是講述主人公董源拜師學藝，藝成後送表哥張顯揚的未婚妻劉碧雲從四川前往福建惠安成親的經歷，副線是講述董源所屬雪山派與少林派——內功派與外功派——之間的矛盾衝突，嵩山少林寺監寺朗月禪師的弟子陳浩芳當年被一個叫「過雪山」的人用內家武功打傷，朗月禪師懷疑此人是雪山派弟子；雪山派新任掌門人顧凱的劍譜被盜，懷疑是少林派弟子潘學鴻所為，於是下令雪山派弟子追緝潘學鴻，雪山派第三代大弟子郭元同打傷潘學鴻致死，兩派約定八月中秋在景德鎮比武。

後來才知道，兩派間的矛盾，部分是因為機緣巧合，例如潘學鴻並非有意臥底，而是真心想學兩派武功；但更主要的原因卻是由於銅沙島首領胡海珊、李昱等人的策劃和挑唆：例如飛盜羔羊兒舒阿泉、舒蘭寶就是因為他們挑唆才故意去偷竊顧凱的劍譜，讓潘學鴻遭受無妄之災；例如少林派的弟子陳浩芳其實是被形意派叛徒袁柳堂故意打傷的。所以，故事的最後，顧凱取消了比武之約，朗月禪師也親自參加了銅沙島之戰。小說的歸結，就是本書的書名所示即《血濺銅沙島》。

董源送親線索是寫實路線，而少林派與雪山派的矛盾衝突則顯然是虛構故事，這部作品就是把寫實路線與虛構故事緊密地縫合在一起。使得寫實故事中有浪漫成分，而虛構故事中卻也有寫實因素。最好的例證是，少林與雪山派的衝突，固然是由於銅沙島主的策劃和挑唆，但也因為顧凱、朗月禪師的傲慢和偏見，加上郭元同的魯莽、潘學鴻的任性、陳浩芳的自以為是，這些人性的弱點疊加在一起，才製造了兩派之間不可調和的矛盾。幸好兩派中都有明白人，例如雪山派的秦紫風、董源，少林派的永明禪師、通明方丈、元覺和尚等等，他們都明白事理，並且善於控制自己的情緒，最後終於消弭了一場武林浩劫。

由此可見，武林中的爭端，除了別有用心者的故意設計和挑唆之外，更重要的原因，部分是由於武林中的積習與成見，部分是由於武林人的意氣用事。書中還有一個很有意思的插曲，講述形意門北宗掌門人崔驥、楊雨生師徒找永明和尚報仇，崔驥明知自己的武功並非永明和尚的敵手，但人在江湖身不由己，身為掌門人不能不為師父報仇；但實際上，他的師父並非永明所殺，而是由於醉酒後腳滑而跌落懸崖，崔驥一心報仇，成了一個難以解開的死結，這一死結被董源解開。

表面看來，《血濺銅沙島》與梁羽生為代表的新派武俠小說的觀念與形式都有所不同，因為這裡沒有直接鮮明的反抗官府、反抗異族入侵的浪漫故事，而只是講述主人公送親、被捲入門派矛盾衝突而已，看起來似乎很「舊」。實際上，這部小說的精神氣質，與梁羽生的新派是一致的。證據是，其一，本書的主人公董源是出身於農民家庭，屬於新派所欣賞的社會階層，而董源的個人品行和價值觀念也確實值得欣賞和讚美。

其二，本書所讚揚的，也正是出身於勞動人民階級並同情下層人民的人和事，例如書中的傳奇人物羔羊二兄妹，就是出身於赤貧階層，練成武藝後又一直堅持劫富濟貧，他們自己的生活一直非常節儉。

其三，董源到惠安之後，並沒有與當官的表哥張顯揚站在同一戰線，而是直接站到勞動人民一邊，對銅沙島上的盜匪欺壓百姓的所作所為深惡痛絕。

其四，最重要的一點，是銅沙島上的胡海珊、陶廷耀、汪寬、李昱等人的罪行，首先是打著反清復明的旗號而暗殺真正的反清義士；其次是勾結倭寇，裡通外國；再次是勾結滿清官府、欺壓勞動人民，這些罪行，都是新派價值觀念之下的罪行。

本書還有一些看點。首先是董源的師父姜老么，即寒江獨釣姜環的奇特個性，他有一個很響亮、很雅致的綽號和名字，但卻不願使用這個名字，更少提及這個綽號，而是寧願用姜老么這麼一個十分尋常、樸實甚至土氣的名字生活在一個偏僻的鄉村裡。一方面，他喜歡這樣的樸實而平凡的生活，從來都是自食其力，打魚賣魚為生；另一方面，則是他不怎麼認同武林社會及其江湖生活，即所謂性格孤僻，不願與人交往，甚至於本門師兄弟也很少交往。若非小說開頭發生的木排渡事件，鄉村中人甚至不知道他是一位武功高手。這就便宜了主人公董源，否則，董源這樣的普通農家子弟如何能夠如願拜師學藝？

小說的另一個看點，是富家小姐劉碧雲的變化。在送親開始之際，這個劉小姐雖然美貌驚人，但卻嬌氣十足，讓人不敢恭維。在千里送親過程中，劉小姐的個性逐漸展開，實際上這一過程也是劉小姐「成長」的過程，在家裡，她不需要參加生產勞動，實際上也沒有經過任何生產勞動訓練，沒有任何生產勞動技能。而在路途中，她經歷風險，逐漸有所改變。其中最大改變，當然是與送親的表弟董源產生了情不自禁的愛慕和依戀，從一個沒有任何勞動能力的千金小姐，變成了一個肯幹且能幹的女性。從某種意義上說，送親的過程，也是劉小姐被「改造」的過程——這也符合新派的價值觀念，當然這並不是小說的敘事重點。

送親之路，也是董源的成長之路，同時也是他個性展示之路。從一個十足的鄉村小子，變成了一個富有責任感和大局觀的武林英雄。在與金氏四虎的打鬥過程中，他的武功實戰技能迅速得到提升；在與宜都惡霸吳鼇及其幫凶的鬥爭中，他的江湖經驗迅速得到豐富；在幫助崔驥、楊雨生師徒的過程中，他的心智與判斷力也得到了實際訓練從而得以提升。而在多次探訪銅沙島的過程中，他的戰鬥能力、智慧心力、判斷能力以及俠義心腸則得到了更加充分的顯現。

遺憾的是，小說的高潮和結局，即群雄攻打銅沙島時，我們沒有看到主人公董源的身影——因為他在此前負傷了——這是作者寫作上的一個失誤，小說的主人公怎麼能不參加最後的高潮打鬥？更何況，他在此前還從永明和尚那裡學得了新的字母鏢絕技，作者卻不給他表現這一技藝的機會，讓人遺憾，堪稱寫作失誤。

本書的另一古怪之處，是對董源的情感關係人的安排。在本書中，與董源產生情感關係的有兩個女性，一是他的表嫂劉碧雲，另一個是他的師姑江雪月。說這樣的安排古怪，是因為董源的情感始終面臨倫理壓力：劉碧雲是他表嫂，且他是送表嫂前往福建成親，即便表嫂愛上了他，且愛意十分明顯，董源也不能動情，更不能動心，否則就有違背倫理道德的巨大風險。董源做到了，劉碧雲最終也與張顯揚舉行了婚禮。

可是，作者安排的第二個與董源產生情感的人，竟又是他的師姑，從書中的蛛絲馬跡看，江雪月對董源顯然動情，而董源對這個師姑也不無好感，小說的最後，作者又安排江雪月、董源留在銅沙島上協助島主盧凌雲，作者是在暗示這兩個人的情感關係有進一步發展的機會，有情人終成眷屬嗎？若是，他們怎麼能挑戰倫理規則——江雪月畢竟是董源的師姑、長輩呀——？若不是，作者又何必安排這兩個人在一起？最大的可能性，是作者忽略了這一古代倫理，即師姑和師侄也有輩分關係，從而有輩分倫理。所以如此，是作者可能並沒有把董源的情感作為小說敘事的主線處理，這就與梁羽生等新派武俠小說作家有真正的不同。在新派武俠小說中，主人公的情感向來都被當作不可缺少的故事主線。

總之，《血濺銅沙島》是新派武俠小說中的一個另類。這個另類有一定的可看性，也有一定的文學價值，作者的文字功力和文學功力都不差。只是敘事技巧和結構能力還不是那麼熟練和高超而已。

《茅山俠隱》

《茅山俠隱》[2]是商清的第二部武俠小說（第一部是《血濺銅沙島》[3]）。小說講述的是先天千峰派弟子柳芳華和茅山七友的故事。他們都隱居於茅山之中。

本書是很典型的「新派武俠」，不僅發表於香港左派報紙，且由傾向左派的偉清書店出版；更直接的證據是，本書主題也符合左派意識形態，具體表現是，其一，在貧寒階級與富裕階級的矛盾衝突中，作者站在貧寒階級一邊，書中開頭貧農郭六一家被富農王監生、屠員外聯手陷害的遭遇，足以說明問題。若非柳芳華提供幫助，將郭六一家救出，並殺了王監生、屠員外一家，郭六一家必然陷於萬劫不復之境。

其二，在人民與官府的矛盾衝突中，作者站在人民一邊，反對官府。書中萬勝鏢局總鏢頭被殷師爺誘騙為蘇州知府保暗鏢，要把五千兩金子送往京城；由於這筆金子來自太平天國領袖忠王李秀成府邸，女盜燕子飛、俠客柳芳華及江北綠林好漢前赴後繼地劫奪鏢金，即表明人民與官府勢不兩立。

其三，在漢族人民與滿清王朝的矛盾衝突中，作者是站在漢族人民一邊。書中燕子飛、柳芳華不僅劫奪滿清官員送給滿清政府的鏢金，同時還幫助忠王李秀成的次子李榮發（化名胡青笠）隱居，當他被滿清官府抓捕後，燕子飛和柳芳華等江湖俠義道又設法營救。雖然太平天國並非打著「反清復明」的旗號，但因為他們反對滿清，所以作者毫不猶豫地把太平天國領袖李秀成及其後代當作正面人物。正因如此，殘酷鎮壓太平天國運動的滿清官府，當然會被看作是壞蛋反動派。

本書由三個故事組成。第一個故事很短，即貧農郭六一家的故事，王監生覬覦郭和尚（郭六之子）之妻阿鳳美色，先是誘惑郭和尚賭博，欠下幾兩銀子的賭債（這在貧農家庭已是難以支付的鉅款），希望逼迫郭和尚以妻子抵債。因富戶谷萬鐘（即茅山七友的老大）送給郭六銀兩清償債務，使得郭和尚免於災難。王監生一計不成，又施一計，城裡屠員外家裡失竊，王監生即誣陷郭和尚偷盜並且殺人，縣府立即抓捕郭和尚，王監生派人將其妻阿鳳帶走。如前所述，隱居本村的柳芳華及時伸出援手，將郭和尚救出，並將壞蛋王、屠兩家殺害。這個故事，可以說是本書的一個序言，主要目的是開宗明義，刻畫柳芳華的俠隱形象。

第二個故事是本書故事情節主線，講述萬勝鏢局總鏢頭錢正倫，被蘇州知府的殷師爺（殷師爺，即「陰」師爺）設計誘騙，為蘇州知府送女兒去婆家沖喜，實際上是要他保五千兩黃金暗鏢。綠林中人知道這筆金子是從忠王李秀成手中奪得，所以全都躍躍欲試奪鏢。結果，這筆金子被柳芳華和女盜燕子飛聯手劫奪，並讓錢正倫一個月內找燕子飛討取鏢金——之所以如此，是要說明，綠林好漢並不想和從事正經事業的鏢局作對，只是要與官府作對；約錢正倫討鏢，是要讓錢正倫瞭解他們的立場——錢正倫先後請崇明島的沈百五（廷揚）及表哥谷萬鐘出面幫助他討回金子。

谷萬鐘是茅山七友的老大，茅山七友隨之出山幫忙。這個故事充滿曲折，雖然茅山七友與支持燕子飛的銅山雙怪呼延豹、呼延彪兄弟，和徐州四傑座山鵰卜雲飛、白鶴蕭盛泰、石舜英、石華等發生武打衝突，但結果是谷萬鐘等人與燕子飛達成和解，燕子飛願意將金子交還給錢正倫，讓他完成保鏢任務，以便取回保單。而後再從官府手中劫奪這筆金子。殷師爺施展金蟬脫殼之計，將這筆金子轉移到船上，然後經大運河運往京城。最後，還是由柳芳華截住了運金船，成功地劫回了這筆金子，為他們的反抗事業積累了資本。

書中還有一個故事，即李秀成之子李榮發的故事，小說開始時，李榮發化名胡青笠，隱居於茅山。故事中段，胡青笠到常州探訪未婚妻章韻秋，但章韻秋的父親章逖試圖悔婚，把女兒的未婚夫當作採花賊，並報官求助。茅山七友的老三褚兆蘭和老七俞逸還曾參與抓捕採花賊的行動，得知胡青笠不是採花賊而是有情人，才罷手離開。章逖一不做二不休，索性向官府說明胡青笠的真實身分即李秀成的兒子，並假裝改變立場，同意女兒與未婚夫交往，從而設計抓捕了李榮發。李榮發被捕，燕子飛、柳芳華等俠義道不能不管，又設計由燕子飛李代桃僵，換取李榮發的自由，而讓章遜和官府的希望落空。

這一故事並非小說的主線，只是隱約穿插於保鏢金—劫鏢—討鏢—追蹤鏢金—再劫鏢的主線之間。劫鏢故事主線與救人故事副線都與太平天國領袖李秀成有關，金子是來自李秀成，而化名胡青笠的李榮發則是李秀成的二公子。雖然書中沒有說燕子飛、柳芳華是太平天國運動的支持者，但其行為表明他們是站在忠王李秀成一邊，劫其金子、救其兒子，無非是要讓太平天國及反抗滿清官府的事業後繼有人且有資金。

這部小說最出人意料的一條故事線，是支持討鏢方的茅山七友老二海若道人劉海若，因不滿支持劫鏢一方的徐州四傑之一石舜英在打鬥中飛鏢傷他，矢志報復。先是設法誘騙沈廷揚的姐姐賽香妃沈月華與支持劫鏢的銅山雙怪、徐州四傑對抗，希望借沈月華的武功及其師門的力量挫敗劫鏢方；因柳芳華化解了沈月華與銅山雙怪及徐州四傑之間的矛盾衝突，更因為沈廷揚未死，使得劉海若利用沈月華的計謀落空。劉海若更走下策，公然與官府合作，試圖借用官府的力量為他報一鏢之仇。小說中燕子飛和柳芳華等人面臨的最大危機，就來自於劉海若洩憤復仇行為。這段故事雖然說不上有多奇妙，但江湖武林中確實有這類睚眥必報之人，在憤怒衝動之下失去理智，從而不管不顧，為了面子而失去基本良知。

小說中還有一條輔助故事線，是講述主人公柳芳華與賽香妃沈月華的姐弟戀。柳芳華的師父辟塵和沈月華的師父素因是兄妹關係，因而柳芳華剛入師門時常被師父送到武夷山讓素因照顧，真正照顧柳芳華的是比他年長八九歲的沈月華。小時候兩人親如姐弟，成年後兩人產生了姐弟戀。

由於辟塵、素因都不懂得男女戀情，而沈、柳年齡相差較大，素因對這對戀人的情感十分反感。柳芳華曾探訪武夷山找沈月華，被素因堅決拒絕。柳芳華不得不私自夜探，也被素因的弟子武力阻止。以至於此後多年，這對戀人失去了聯繫，只能兩地相思。直到沈月華被劉海若騙來為弟弟沈廷揚報仇，才終於見到師弟柳芳華。此時沈月華已經年屆四十（書中說她看起來只有二十七八），柳芳華也已年過三旬。

柳芳華的師叔金針渡世顧肯堂得知這一情況，願意為他們穿針引線，有情人團圓可期。寫主人公的戀情，是正常現象；寫其苦戀，更有傳奇性；但為什麼要寫他們年齡相差如此之大的姐弟戀，則難以揣測。柳芳華夜探武夷山女生宿舍，看起來不大符合其俠隱的身分和形象，但彼時他還年輕，受情感驅使，倒也不是完全不能理解。

《茅山俠隱》的故事可看性一般，破綻倒有不少，小說作者恐怕不大會寫故事，作品中有明顯編造痕跡。小說最大的不足，是想到哪裡寫到哪裡，沒有整體構思，小說中幾個故事雖能相互串聯，卻缺少核心人物、核心線索、核心主題。

其一，是柳芳華在小說中的主人公地位得不到足夠的支持，他在三個故事中並非處於核心地位，更重要的是，作者也沒有注重這個人物的個性刻畫。

其二，是書中沒有反面主人公，蘇州府殷師爺騙得萬勝鏢局總鏢頭錢正倫護送金子，可以說是反派人物之一，但卻與其他兩個故事沒有關聯。看起來，茅山七友中的劉海若倒像是柳芳華的主要敵手，但他卻不是真正的反派。

其三，書中的故事情節，有些不大經得住推敲。例如蘇州知府既然可以用船運金子到京城，為何不從蘇州起運，要找萬勝鏢局總鏢頭錢正倫出面，以至於惹起禍端？又如，李榮發化名胡青笠隱居於茅山，到底是為了逃命，還是為了繼續革命？若是前者，他就不該出現在常州；若是後者，他就不該經常探訪未婚妻，以至於讓自己被當作採花賊。進而，在太平天國失敗、李秀成喪生後，章遜悔婚，可謂人之常情，李榮發被捕，更是勢所必然。但書中燕子飛讓章韻秋騙官府將胡青笠交還給她監督，則未免有些想當然。從小說開頭看，胡青笠即李榮發當是這部書中的重要人物，隱居茅山應該有所作為，結果卻出人意料，他僅僅是個註定要惹禍、只能被人拯救的符號。

書中人物形象，大多模糊粗淺。萬勝鏢局總鏢頭錢正倫倒是個性鮮明，此人脾氣火爆，粗心大意，因而容易受騙上當；請顧雲飛幫忙時，其行為像是毛頭小夥子，缺乏禮貌，不懂人情世故，亂闖他人內室，如此行為，實不像是鏢局中人，更不像是世代從事鏢局生意的人，尤其不像是領導鏢局數十年的總鏢頭。原因很簡單，鏢局生意自古就是「三分武藝，七分面子」，需要總鏢頭懂得人情世故，能夠克制自己的情緒衝動，從而能周旋於官府、綠林之間，謀得利益。錢正倫這樣的性格，若去鏢局應試，恐怕會立即遭到拒絕。若說他執掌萬勝鏢局數十年平安無事，實在讓人難以置信。作者這樣寫，只是因故事之需，卻忘了人物身分。

商清的小說不多，《茅山俠隱》之後就再也沒出版新作。原因很可能是，這位作者寫不出真正精彩的傳奇故事，概念化演繹和想當然的編造，無法獲得武俠小說讀者的長久欣賞和支持。

【注釋】

1商清：《血濺銅沙島》，上下冊，香港集文出版社出版，一九五六年六月。

2商清：《茅山俠隱》，香港，偉清書店，一九五七年一月初版。一九五六年七月六日至一九五六年十二月三十一日在報紙上連載，全書共三冊，十五章。

3商清：《血濺銅沙島》，一九五六年一月一日至一九五六年七月五日在報紙上連載，後由香港集文出版社結集出版，上下冊。

◆倪匡小說述評◆

倪匡，原名倪聰，字亦明，祖籍浙江寧波鎮海縣，一九三五年生於上海。一九五七年到香港，一九五九年開始武俠小說創作，筆名有倪匡、岳川等。後又以衛斯理為筆名寫作科幻小說，並作電影編劇。倪匡是香港小說史、電影史及文化史上的重量級人物，曾擔任香港作家協會創會會長（一九八七年）。與金庸、黃霑、蔡瀾並稱「香港四大才子」。

《南明潛龍傳》

《南明潛龍傳》[1]講述明末清初廣東武林人物抗擊清兵入粵故事，與梁羽生、金庸的新派武俠同道，即書寫歷史傳奇，書中出現歷史人物，並以民族大義作為思想主題。在異族入侵之際，武林人物也面臨多種不同選擇，或是挺身而出、捨生取義、堅決抗擊入侵者，或是賣身投靠、充當內奸、攫取榮華富貴；或是左右搖擺，或是刻意逃避，或是被私情操控而罔顧民族大義。書中人物的不同選擇，是一大看點。

本書實際上是以傳奇為主，講述清波道人，即海底蛟麥榮大義凜然，領導廣東天地會抗清故事。他的妻子江上燕殷紅、女兒麥蓮、弟子趙敞和寥燕秋，卻做出了不同選擇。作為武俠小說，當然要以武打為敘事要點，書中故事也根據武打場次分為不同段落，羅浮山真元觀打鬥、廣州越秀山打鬥、海上打鬥、海島打鬥、花山保衛戰、古兜山打鬥、第二次羅浮山打鬥、光孝寺打鬥，即其中重要節點。不滿足打鬥故事的讀者，可以關注書中的情感故事。石小蘭癡戀鄭可、鄭可挑逗麥蓮、麥蓮癡戀鄭可、趙敞癡戀麥蓮、寥燕秋癡戀趙敞，也是本書的重要看點。

書中最受人關注的人物是麥蓮，她是清波道人的女兒，也是父親的弟子。清波道人性格剛毅、立場鮮明、大義凜然，麥蓮卻沉醉於兒女私情、罔顧民族大義，父女走向了不同立場。當鄭可決心投向異族，去福建引領滿清軍隊入侵廣州時，麥蓮從追擊者變成了追隨者，是書中最出人意料的情節。仔細想，這也在情理之中，麥蓮自幼嬌慣，自我寵溺、自我中心、自以為是，因長期生活在羅浮山真元觀中，對世事人生缺乏知識與體驗，一旦遇到心儀的對象，那對象就成了她整個世界。

麥蓮沒有民族觀念，也不關心他人，所以，當她隨鄭可領著數百清兵入侵廣州，她不認為這是什麼壞事。當父親在海上堵截她和鄭可，義憤填膺之下，要將他們處死時，她還莫名其妙。麥蓮的性格缺陷，是人格缺陷，更是身心智缺陷。她對鄭可的迷戀，是因為鄭可俊俏的外表，也是因為鄭可的甜言蜜語，更是因為她對鄭可一廂情願的想當然。因而，當鄭可將她賣給鐵藤苗酋長以換取寶劍，即便事實俱在，她也不相信，依舊對鄭可一往情深。直到鄭可公開拋棄她，她才如夢方醒，但即使醒來，也依舊迷茫。

到最後，她拋棄孩子，說是要削髮出家，似乎看破紅塵，實際上未必如此。她拋棄自己的孩子，因為她自己還是孩子，根本沒有做母親的心理準備，也沒有做母親的實際操作能力。她隱遁出家，是因為她沒有在現實世界中生活的知識和能力，從而只有逃避人生，從一個幻想走入另一個幻想。在現實世界中，麥蓮這樣的人為數不少。

書中的第一號反面人物鄭可，也值得一說。此人不但長相俊俏，而且聰明伶俐，富有才智，並以此自傲。自以為高人一等的人，通常都有不凡的志向，覺得應該取得超常的人生業績，且多半會為達目的不擇手段。鄭可正是這樣的人，海盜出身的他，變身為南明王朝的總兵，並不是為了保家衛國，而是為了榮華富貴。所以，當他發現滿清勢力更大，就毫不猶豫地背叛南明，引領滿清軍隊入侵。這樣的人，只關心個人的榮華富貴，不關心民族和家國大義。

在「事業」上如此，在情感上也是如此。石小蘭對他一片癡情，他並不珍惜，遇到更加美貌的麥蓮，對石小蘭立即棄若敝屣，並嗤之以鼻，罵癡戀者為賤人。這一情形，在麥蓮身上再次發生時，讀者不會感到意外。因為這樣的人，只有欲望，沒有真情。拿麥蓮去交換寶劍，就是最好的證明。

有意思的是，鄭可的人生並不順遂，追隨李成棟投向滿清，但李成棟轉變了立場，使得他前功盡棄。他想通過雪魅火魈投向攝政王多爾衮，卻被雪魅火魈當作獻祭的犧牲，雙腿被斬後，才悔不當初。更有意思的是，被他拋棄的石小蘭對他癡心不改，從羅浮山義軍囚牢中將他救出，他才真正轉變立場，為義軍尋找寶藏獻計獻策。這樣的通敵賣國者是否會悔悟自新？悔悟自新後是否應得到同情與諒解？這是小說留給讀者的兩道思考題。

書中其他人物，如清波道人、趙敞、寥燕秋等人的形象，也都有可取之處。清波道人耿直剛正，偏偏女兒愛上了投敵的鄭可，要殺鄭可，就必須殺麥蓮，然而要親手殺死女兒，談何容易？當公正遭遇私情，他的猶豫不決，具有充分的戲劇性。清波道人對女兒麥蓮及鄭可多次無法下手，還有其他因素，例如妻子江上燕的干預，他不想因此得罪離散多年的妻子；又如聽說女兒已經懷孕，他不想殺害孕婦。清波道人遭遇一連串尷尬，並沒有貶損他的形象，反而讓他的形象具有一定的人文深度。只可惜，他與妻子江上燕離散的原因，沒有真正巧妙的設計。書中的說法是，搖身萬變陳一鶴假扮海底蛟，向強敵屈膝，讓江上燕失望離去。這一設計雖然具有傳奇性，但卻經不住仔細推敲。與其如此，還不如設計為夫妻日常生活中的瑣碎矛盾，例如海底蛟過於剛正而缺乏柔情，讓江上燕失望。

趙敞對師姐麥蓮，從迷戀到醒悟，也是書中的重要看點。對美麗師姐的迷戀，是少年人情竇初開的普遍現象，加上融入了對師門的感恩，遂成心理常態及習慣性言行模式。當這種迷戀被情感和理性的矛盾撕破，便是少年痛苦成長的機遇。趙敞的經歷正是如此。與此類似的是，寥燕秋與師兄趙敞的關係，從兩小無猜到情竇初開，從單相思到兩情相悅，有清晰的發展過程。她知道師兄迷戀師姐麥蓮，卻不知道自己在不知不覺中愛上了師兄，所以曾假扮麥蓮與趙敞私定終身，表面上是玩笑，實質上是她內心情感無意識的表達。

寥燕秋對趙敞的單戀，也寫得頗為細緻生動。只可惜，作者沒有把趙敞學藝成才和心理成長作有意識的系統設計，以至於趙敞成長的軌跡不是十分清晰。究其原因，一方面是由於正面人物須按照道德規範演繹，通常比較難寫；另一方面則是作者在這一人物形象刻畫上沒有盡心盡力。更大的問題是，這部書的主人公究竟是清波道人，還是趙敞和寥燕秋？作者似未做出明確的選擇和定位。

書中的石小蘭對鄭可一廂情願，即便鄭可對她當面侮辱，她也癡心不改。由於鄭可投向滿清，成為漢人公敵，她設法為鄭可贖罪，竟主動策反滿清統帥李成棟，成了李成棟的如夫人。當李成棟叛清投明，她卻又離開李成棟，營救受傷的鄭可。石小蘭的故事極具傳奇性，只可惜書中沒有正面書寫，僅作十分簡單的約略敘述，讓人不知底細，甚至難以置信。

書中的薛老三（自稱三太爺），酷愛武功，自稱「不會想，只會吃」，個性生動有趣味，與金庸筆下的老頑童有近似之處。

《龍騰劍飛錄》

本書以虛構傳奇方式，講述歷史人物鄭成功（鄭森即鄭成功的本名）故事，可謂別出心裁。小說開頭從英雄樹（木棉）寫起，襯托主人公形象；繼而寫他官船救人，為鄭森俠義英雄形象奠基。難得的是，他能超越父子與家庭，明辨是非善惡，對父親鄭芝龍及管家沈家威魚肉鄉親的行為，有清晰的道德判斷。更加難能可貴的是，在民族大義方面，他立場鮮明且堅定，不惜一切地阻止父親投降滿清。

這是一部道地的武俠小說，歷史只是背景，故事及人物活動的實際空間卻是虛構的武林江湖。醉鬼崔衛、烏雷三姑、天女葉華蓀、黑水聖母、七音和尚等人物，都與異族入侵及改朝換代的歷史無涉。本書的一條重要故事情節，由奪寶和復仇兩線交織：鄭芝龍與高鐵豹聯手當海盜多年，搶得珍寶無數，鄭芝龍為了獨吞珍寶，竟將高鐵豹殺害，高松、高柏、千代子等一心要為父報仇。藏寶在何處，就成了貫穿全書的懸念。鄭森的學藝過程，更是神乎其神，七音和尚不讓鄭森拜師，也不親自教授他武功，而是驅使蟒蛇、老虎做他修習高深武功的陪練，「直至狐狸獐狼、甚至刺蝟大蛙，一一俱全。」[2]

書中情感故事，大有可觀之處。歐小梅、朱靈、千代子三位少女，都愛鄭森。在武俠小說中，類似情形相當普遍，解決的方式即故事結局，卻有技巧高低之分。難得的是，這部書中的情感線索，結局都有出人意料的逆轉。歐小梅一往情深，卻因投錯了師門，心性變化，為惡多端，與鄭森漸行漸遠，甚至勢不兩立；到最後，她卻為拯救情郎而犧牲自己，以俠義之舉贏得心上人的永久懷念。

朱靈對鄭森一見鍾情，為救助心上人不惜脫離師門，當歐小梅作惡、千代子懷仇，誰都會認為朱靈必是鄭森唯一良配；不料朱靈竟選擇與師父葉華蓀一起皈依佛門。千代子是鄭森表妹，並與鄭森訂婚，本以為這對金童玉女定會琴瑟和鳴，誰料她竟是赤手天尊高鐵豹之女，高鐵豹被鄭芝龍所害，未婚夫妻竟成仇家；都以為千代子與鄭森不共戴天，但她有情難忘，更感鄭森高義，居然又破鏡重圓！

歐小梅和朱靈的形象，各有特點，值得一說。歐小梅被鄭森所救，感恩生情，覺得自己身分地位難於匹配，故將深情埋在心底；直到練成絕世武功、搶劫萬貫財富、自封為烏雷公主，才與對方談情說愛，是世俗心理的畸形表現。開始自卑，繼而自負，心理失衡而自以為是，佔有欲膨脹而失卻相愛初心。朱靈心眼較小、妒心較重，愛心容不得沙礫，原是多數懷春少女的共同特點，她的獨特，在其由敏感昇華成了智慧，深知鄭森非但另有所愛，而且並不知己（**他竟然懷疑她殺了他的母親**），毅然斬斷情絲，保護了自己的人格尊嚴。

本書的不足之處，首先是歷史情境和江湖空間裂隙明顯，鄭森雖在現實與虛擬中自由穿越，卻沒能像金庸那樣將二者融合為同一藝術世界。其次是對歐小梅性格變化的解釋過於簡單，只說她投錯了師門，而忽略了深層的性格依據，因為缺少愛，所以不懂得愛；因為遭受不公，所以複製不公。

再次，千代子形象及其情感變化，大有文章可做，惜作者傳奇心重，對其性格與心理則未作充分呈現。千代子是黑水聖母的弟子，卻是日本忍者裝束；她多次穿著黑衣離船，如何向姨母解釋？書中也沒有任何交代。甚至，鄭母到底是千代子的姑媽還是姨媽？書中敘述也是前後不一：出場之初，鄭森的母親介紹千代子，說是她弟弟的女兒；[3] 但到後來，千代子與師父說話，卻又稱鄭森母親為姨母。[4]

《無情劍》

《無情劍》[5] 的核心情節，是奪寶故事。寶物不是珠寶金銀，而是兩把寶劍，一為無形劍、一為青劍。薩氏三魔、靈蛇先生、易居瑚、鄭心孤、金鼎上人、修羅尊者，乃至迦當宗轉輪王等人，都覬覦寶物，只不過，多數人並不知道寶物究竟是什麼，就為此犧牲了性命。這兩把寶劍，當真稱得上是無情劍。劍之為物，本來無情，更可悲的是奪劍人因此變得無情。黑蠶幫幫主黑天魔鄭心孤為了奪寶，強迫陶行侃拜他為師，還逼迫陶行侃刺殺易玉鳳，號稱「劍底無情，萬事皆成」，形成了極為扭曲的價值觀。易玉鳳殺了叔公郭獨，比鄭心孤有過之而無不及。

這一故事的主題，是「天降無情劍」，即奪寶故事改變了無辜者的人生命運。其中最典型的是陶琳，這個無辜的少女，因為鄭心孤操控陶行侃殺害李保，命運從此改變。與李保的弟弟李純如先後被沖到江心洲，從此一路歷險，被貴州三魔追殺迫害，九死一生；被易玉鳳、靈蛇先生救活，更是生不如死。被易玉鳳逼迫做丫環，進而被易居瑚逼迫做續弦夫人，親眼見父母被害；與心上人李純如重逢，偏偏已懷上了易居瑚的孩子；想與李純如一起逃亡，卻逃不出易居瑚的魔掌，以至於瘋癲。當命運的扭曲力量超出個人承受能力，怎能不瘋癲？更可悲的是，作為母親，為了保住剛剛生下的孩子，不得不犧牲自己。好在，李純如對她愛情至深，不離不棄，無論生死都願意和她在一起，才使得陶琳的命運發生戲劇性逆轉。

小說中的易玉鳳，也是命運的無情劍底人。母親郭娜是魔教教主的獨生女兒，強迫父親易居瑚與之成婚，夫妻即仇敵。心懷憤懣仇怨的易居瑚，最終殺死岳父、妻子，顛覆魔教，將女兒易玉鳳養育成人。無情，改變了這對父女的天性，也決定了他們的命運。當易居瑚決定與年輕的陶琳成婚，易玉鳳堅決不認這個繼母，寧可斷腿也不跪拜，父女從此成為陌路，陶琳成了易玉鳳的眼中釘。易玉鳳的行為，固然可以說是天性涼薄，也可以說是命運扭曲的結果。

在她成長過程中，沒有愛的教育滋潤，當然是只知有己、不知有人，不懂得體諒他人的欲望與需求。之所以無法接受陶琳從丫環變成繼母，是因為陶琳的身分變化影響到她對父親易居瑚的佔有。因此，父親的如夫人，成了女兒的大仇人。對自己的生身父親都是如此，為擺脫郭獨的束縛、獨佔雙劍而刺殺叔公，就更加不在話下。參與第一次崑崙奪寶，沒有得到寶物，反而失去了花容月貌，面容的改變導致心性的改變，這一變化超出了她的理解和承受能力，她也是命運的奴隸。

小說中最為驚心動魄的場景，是陶琳生育時，易玉鳳威脅要殺掉孩子，若果如是，易玉鳳就當真比乃父更加邪惡。書中雖然沒有明確寫到她的母性良知被嬰兒的啼哭喚醒，但她畢竟改變了主意，決定自己養育這個嬰兒，逼迫嬰兒的母親陶琳自殺。陶行侃對易玉鳳的愛情，雖然無法與她與生俱來的戾氣及逐漸積累的怨恨抗衡，卻也讓她多次心動，且多多少少改變了她的行為。這些微妙的細節，值得認真品味。

書中有一個細節值得注意，即李純如逮住了紅蜘蛛，讓自己和陶琳恢復了本來面目，而易玉鳳卻在滿懷怨憤時斬破裝有紅蜘蛛的容器，從而無法消除毒素、改變醜臉。這一細節，與易居瑚在崑崙山秘道中擊斃紅蜘蛛的細節前後呼應，可謂性格決定命運。面容的醜陋，是心靈扭曲的呈現。

陶行侃、李純如兩位男主人公的人生，也是被命運所扭曲。陶行侃比武時殺害李保，完全是身不由己，被黑天魔暗中操縱，人生從此面目全非。李純如亦是如此，哥哥被人殺害，自己也被江水沖走，從此厄運重重。只不過，表面上隨遇而安，卻不是隨波逐流，他與陶琳的相愛，將愛情置於名利之上，甚至置於生死之上，使得這一形象光彩照人。

至死靡他的愛情，不僅扭轉了陶琳的命運，實際上也成全了他自己。只不過，作者對這一人物有些照應不周，易居瑚、西門七乃至藏地迦當宗的轉輪王等人都言之鑿鑿地說他不是李遠夫婦的兒子，而是黑水島主曲琴夫的遺孤，到最後也沒有明確交代，他究竟是或不是？進而，李純如被藏地迦當宗當作宗主，私自離寺，轉輪王等人顯然是追蹤而來；可是在第二次崑崙探寶時，轉輪王再也不理會他是否回寺，顯得不合情理。進而，李純如、陶琳被迫跳江，在江心洲上居然找到了《靈藏寶錄》的三、四兩卷，並且發現異果，短短數月內便武功超人，這也是傳奇老套，很難經得住推敲。

《六指琴魔》

《六指琴魔》在倪匡武俠小說中名聲最大，網上的倪匡簡介中，乾脆說這部書是倪匡武俠小說的代表作。並非這部小說寫得卓越，而是因為它被改編成同名電影，擴增了這部小說的影響。

本書中的愛情故事有些特點。呂麟、譚月華、東方白的三角關係，頗有非常之處。首先，東方白與呂麟是師徒關係，愛上了同一對象。其次，東方白是美男子，且駐顏有術，但先愛郝青花，後愛譚月華，兩次都是無緣而終，此一逆常理的構想，不僅讓人驚詫，亦讓人感傷。前次失戀，東方白隱居療傷多年；後次失戀，則因投身武林正義大業而很快振作，頗合人物年齡與心理邏輯。再次，譚月華心屬東方白，婚禮當日卻在天龍八音影響下與呂麟發生肉體關係，如此身心分離，既突出了天龍八音的惡劣影響而增強了小說情節的懸念，同時也暗寫了郝青花與譚月華兩代人有意識及無意識的情感心思，合理而且合情。再加上飛燕門弟子端木紅對呂麟的單相思，愛情線索複雜多緒，而人物形象愈加分明。

書中的人物形象，首推六指琴魔的兒子黃心直。此人身為惡魔之子，心卻善良純樸，多次從父親手下拯救俠義人物的性命，但當譚升、呂麟等要他的火弦弓來對付其父六指琴魔時，卻又堅決不從。這一形象的奧妙，不在其道德立場，而是對人間情感的珍惜及對平等尊重的感恩，深刻的原因在他孤苦身世及醜陋外貌，從鬼奴到人子，始終不失赤子之心，故而極其特別，讓人印象深刻。書中對華山派掌門人烈火祖師的形象刻畫，也值得一說，身為正派掌門人，舉止傲慢而心思低劣，讓人產生正派不正之感；但當他收呂麟為徒，甘為武林正義而自我犧牲，充分顯示了個性的藝術張力。魔龍郝熹自我犧牲的場景，亦非常感人。

本書傳奇的基礎，是天龍八音有不可戰勝的魔力。武俠小說的讀者，當然不能對這一假定產生任何疑問。問題是，六指琴魔如何能做到，讓順從他的人不受天龍八音的影響，而讓反對他的人受傷而無法抵抗？對此，作者並未作出任何解釋，不免是用心讀者的一個疑問。進而，魔龍郝熹創建四十九煞通天道保護自己的珍藏，本身合情合理。但他又公開自己的寶藏所在，揚言凡能通過通天道者可取一樣寶物，這就超出常理和常情了：他這樣做的目的何在？花費偌大財產與精力，難道僅只是想誘惑並考驗武林中人的勇氣和能力？

又，作者為尋找火羽箭設計了重重曲折，火羽箭被魔龍郝熹所得，郝熹用作亡妻陪葬，都沒有問題。鐵神翁專門從墓中偷走火羽箭，就有問題了：他如何知道火羽箭？要火羽箭做什麼？更有問題的是此後：鐵神翁竟將火羽箭送給了天孫上人，而天孫上人臨終前又將它送回了郝熹的寶庫中。如此寫法，不過是作者要讓尋找火羽箭的過程更加曲折，人為的痕跡過於明顯，大大超出了書中人物的行為邏輯。

《劍雙飛》

本書的故事基礎，是司徒本本將大理公主段翠的女兒與謝蓮及饒奇化（後改名饒了她）的兒子調包，謝蓮卻誤以為是沈雄、方婉夫婦所為，導致本書主人公沈覺非的命運被徹底改寫。這一設計的傳奇性不言而喻，故事情節迷霧重重，懸念迭起，煞是好看。只不過，要解釋司徒本本的行為動機則難。

本書的核心情節，是主人公沈覺非與殺母仇人冷雪的愛情故事。仇家子女的戀愛，是傳奇的上好素材，經典如《羅密歐與茱麗葉》。本書的設計更加驚險：沈覺非親眼見到母親被殺，竟仍會愛殺母仇人，且一往情深，這與世仇私戀肯定不可同日而語。沈覺非的行為，不僅在孝道倫理上說不過去，在人倫情感上也說不過去。沈覺非出生於俠義之家，父母對他始終充滿慈愛，母親被人殺害，而他竟愛上殺母之仇，讀者如何能夠消化這一情節設計？若說有三分邪氣的司徒仇如此行事，還可理解；而司徒仇對自己生身父母亦有感人的孺慕之情。也就是說，司徒仇的表現更有人性，而沈覺非的情感選擇則難以理解。

這一情節的另一重大疑點是，冷雪以為沈覺非的母親方婉是她的生母，即使有再深的怨恨之心，又如何忍心親手殺害「生母」？假如冷雪當真冷血變態，還可另當別論，但書中的冷雪情感豐富且心地善良，並非衝動嗜殺之人。總體上看，這一核心情節的設計存在明顯的隨意性。這就難怪沈覺非等人，動輒流淚，如同自來水管。

本書的另一重要情節，是武林奪寶，即尋訪並爭奪神乎其神的《九原清笈》。谷守崑、辛氏兄弟、綠髮婆婆、姚九霄等許多武林中人捲入其中，藏寶圖終被司徒本本所得。但最後，司徒本本並沒有找到秘藏，《九原清笈》竟為侯銀鳳所得。這一情節至少有兩個問題。一是前面被大書特書的《九原清笈》，最終既未被沈覺非所得、亦未被司徒本本所得，似與書中的主要人物及主要情節無關。二是侯銀鳳是如何取得《九原清笈》的？書中並未交代；侯銀鳳在練成《九原清笈》武功之後也沒有任何作為，奪寶情節虎頭蛇尾，沒有任何實質價值。

在細節方面，書中也有不少欠嚴謹的地方。例如冷雪攜帶七把侯子青所鑄寶劍上巫山，竟然將七把劍都掛在身邊，招搖過市。她明知司徒本本要成立神劍門，一心想獲得侯子青所鑄寶劍，她的武功遠非司徒本本對手，如何敢如此行為？

《龍翔劍》

孟威、孟烈的身世成謎，是這部作品的一條隱線。隱線的盡頭即故事的核心，是鞏天鳳覬覦太行八俠老大游賓的超級武功，用迷藥讓游賓第一任妻子莫紅薇和三弟孟域發生不倫性關係，二人只得私奔，讓游賓深受打擊。鞏天鳳又毒死了游賓的第二任妻子即游馨兒之母，並嫁給了游賓。其後謊稱二弟桂風偷看她洗澡，游賓挖去了桂風雙眼，太行八俠徹底分崩離析。游賓對莫紅薇與人私奔事耿耿難忘，又發現現任妻子鞏天鳳的疑點，於是詐死，鞏天鳳竟不知游賓的墓地所在。

尋找游賓的墓地及其留下的武功秘笈，就是這個故事的重要線索。孟威兄弟就是孟域和莫紅薇的兒子，他們留在荀家莊當馬夫，是因為其父孟域曾是荀莊主的好友，而荀莊主因覬覦莫紅薇的美貌，迫使莫紅薇自殺，又斬斷孟域的臂膀，這兩兄弟從此成了孤兒，留在荀家莊當了馬夫。

小說的看點之一，是這對兄弟的個性截然不同。哥哥孟威誠實厚道，重視親情，沒什麼雄心壯志，能生活在暗戀對象荀慧身邊就是最大滿足。弟弟孟烈卻雄心萬丈，一心想要出人頭地，不免急功近利，為達目的不擇手段。令人髮指的是，為了誘騙游馨兒以取得游賓的武功秘笈，先後對哥哥孟威、妻子游馨兒施以毒手。而他被排教九老抓住，哥哥因不知情而未及時營救，他竟大罵哥哥沒有親情！這種自我中心、自以為是、自我嬌寵，是心理神經症的典型症候。兄弟倆個性不同，卻都命途多舛，人生風光極為短暫，如春夢一場，迅速回到起點，讓人感慨唏噓。只可惜，孟威目光短淺缺少英雄氣概，孟烈更是性情涼薄而行為卑劣，兩位主人公都不是武俠讀者將自己代入的合適對象。

小說的另一個看點，是七俠凌公行外號蠻不講理，八俠鍾神秀外號刁鑽古怪，兩人都與孟威結緣，偏偏孟威個性如實心蘿蔔，與七俠、八俠明顯鑿枘不投。如此七上八下、七歪八扭的情境，讓人忍俊不禁。傻小子闖江湖，故事頗有趣。

小說的第三個看點，是書中出現了兩種龍翔劍法，荀莊主教授的龍翔劍法，在孟威、孟烈兄弟眼裡是高超武藝，神乎其神；而在武林高手眼裡卻是稀鬆平常，不屑一顧。而游賓留下的龍翔劍法，則令劍術大家天礁夫人心悅誠服，嘆為觀止。兩種龍翔劍法，名稱相同，結構相似，內容實質卻是不可同日而語，這便是原創與盜版的區別。荀莊主所以能盜版，當與游賓的結義三弟孟域有關。

小說的不足之處，一是游賓的形象過於簡單隨意，太行八俠之首，天下武林領袖，其認知能力和人生經驗值得懷疑。與妻子鞏天鳳結婚，而不瞭解其身分來歷，無論如何都說不過去。面試孟烈，竟看不出這年輕人表裡不一、言不由衷，也讓人難以信服。書中寫他詐死的情節設計，作為小說故事的關鍵，也不十分合情合理。以他之能，要偵探妻子鞏天鳳的身分來歷及既往的陰謀，當有更合理的方式，而沒必要讓有啞巴殘疾的獨生女兒無人照顧。

另一不足之處，是寫排教教主莫明非硬要孟威接替他當教主，這一情節也過於隨意。如果排教允許教主之位可以傳給直系後人，那還有些道理；偏偏書中又要說，排教規矩恰恰相反，不允許教主傳位以權謀私。最後，小說寫得隨意，有些人名竟前後不一，例如，太行八俠中的老四，前面說他叫矮韋陀簡潔，[6]後面卻說他叫矮韋陀薛靈！[7]

《天涯折劍錄》

這部作品情節曲折，懸念層疊，迷霧重重，煞是好看。小說中謎團極多，大謎團只有兩個，一是南海墨雲島主管三陽擔心自己的三陽內功到最後會走火入魔，要尋找八匹小鐵馬中解藥，因而邀請小鐵馬主人到古堡聚會，管三陽沒有及時趕到，而被韋君俠趕上了，讀者和主人公一起墜入迷霧中。小鐵馬之謎到最後才揭開，看似與韋君俠無關，實是他恢復神智的關鍵；管三陽以自利之心，竟成韋君俠的最大助力。另一謎團是韋君俠的身分之謎，他並非韋鉅夫之子，而韋鉅夫更從慈父變成了殺父仇人。

最後真相竟再次出人意料：靳日醉慣於遊戲情場，得手後即當敝履，此時唐畹玉已經懷孕，而靳日醉卻拒絕與她結婚。韋鉅夫傷了靳日醉，娶了唐畹玉，固然是出於對唐畹玉的愛，更是為了保護她的名聲。二十年來，韋鉅夫悉心呵護唐畹玉及君俠母子，不料被對方當作仇人，終被冤殺，讓人感慨唏噓。靳日醉對女性有極大的吸引力，展非煙的母親妙姑當年亦迷戀於他，她讓展非煙去請韋君俠，也是想讓君俠幫她傳遞其未能忘情的消息。

一些俠友不喜歡這部作品，主要原因，當是小說的主人公韋君俠個性綿軟，認知糊塗，缺少英雄氣概，難以投射移情，讀起來不痛快。這正是這部作品值得討論也需要討論之處，這部小說，實質上是一部武俠形式包裝的文藝作品。它的文藝性，正體現在韋君俠形象刻畫中。韋君俠生長於武林大豪之家，錦衣玉食，備受呵護，從未走過江湖，缺乏閱世經驗，也缺乏獨立處世能力；再加上他心智單純，為人善良，宅心仁厚，初入武林自然會顯得「傻頭傻腦」，沒有英雄氣概。實際上，仁厚並不等於蒙昧，缺少經驗不等於心智不全，善待他人更不等於沒有英雄氣概。只有富於洞察力的人，即真正的知人者，才識得此種美質良材。另一方面，若對孩子呵護過度，將孩子養成籠中之鳥，也確實會育出無能呆瓜。

展非玉的形象刻畫，是這部小說的另一重要成就。自私刻薄而心性歹毒的人物，在武俠小說中並不少見，展非玉的不同點，在於她並非道德淪喪，而是患有阿德勒定義的神經症：身為家中老二，不如老大那麼受重視，亦不如老么那麼受寵愛，渴望關愛而得不到滿足，她之所需，都要自己去爭取，孤立無援，自我中心固化，長期自卑導致心理畸形，只有得失之心而無是非之念，從而缺乏道德感。母親妙姑對三個女兒並非一視同仁，對她另眼相看，先見之明的背後，實有羅森塔爾自證預言效應。展非玉對母親的惡毒報復，只是神經症惡化的典型症候。

知人之難，真相難辨，是這部作品的核心命意。書中有兩代情感故事，在唐畹玉與靳日醉、韋鉅夫的三角關係中，唐畹玉把甜言蜜語當作真情，視韋鉅夫無私呵護為假情假意，她愛上的其實是自己的幻想，因而沒有辨別真假是非的能力，至死也是糊塗鬼。在韋君俠與展非煙、展非玉的三角關係中，展非煙想了就做顯得刁鑽古怪，實際上心思單純、性情真直；展非玉溫柔和順刻意曲己逢迎，實則自我中心、自私刻薄，君俠開始時只看表面，自是遠非煙而親非玉，只是因為他缺少人生經驗。展非玉的實際所為，韋君俠不敢相信，說明他仁愛守禮，並且以己度人。後來終於明白是非善惡，做出正確選擇，說明他心智成熟後，慧眼明亮而堅定自信，與乃母不可同日而語。

小說的不足之處，是在傳奇故事及傳奇氛圍的營造中，有時照顧不周。例如，病夫屠連峰精心照顧展非煙，還有理由可說，畢竟他與非煙之父展不滅出自同門；但他阻止唐畹玉、韋君俠母子找韋鉅夫報仇，說「這件事，其中必然還有極大的曲折」；要唐畹玉「不妨仔細去想一想，韋鉅夫可有什麼對不住你的地方！」[8]這就有點說不過去了，一來屠連峰與韋鉅夫正邪有別；二來這是他人家事，更涉及男女私情，屠連峰如此說，神過頭了。

又如，三絕先生已經認識了展非玉的真面目，並要殺了她以絕後患，但小說最後，他竟然又為得到金蝟甲和血魂爪而受其誘騙，參與對韋君俠的圍剿，並死於非命，認知前後矛盾。行為就不盡合理。再如，屠連峰曾對展非煙說：「我為了想勝過你父親，遠走海外，卻不料弄巧成拙，傷了一條主脈，武功反而不如以前了。」[9]後面書中卻又說：「但恰在此際給他找到了古時異人留下的一門『斷脈神功』，反而武功大進。」[10]

《萬丈懸崖》

少年四兒發現一支老人參，採參時跌落懸崖，幸被兩位隱俠相救。四兒見其中一人生命垂危，亟需老參救命，毫不猶豫地說出了人參的地點。獲救者即收四兒為徒，教他武功。數月後，有人來尋仇，師父尚未完全康復，怕危及四兒，命他離開。四兒攀崖回家，不料母親已被徐彪逼死，徐彪又逼迫四兒說出人參地點，四兒要為母親報仇，與徐彪在懸崖上同歸於盡。

這個故事中，四兒經歷奇特，救人得以學藝，復仇即是除霸，真正動人之處，是他天生俠義心腸。他的人生如此短暫，大片留白令人遐想回味，扼腕傷懷。

《血染奇書紅》

少林寺方丈了塵生死未卜，慧因、慧明、慧空師兄弟為爭奪《達摩尊者九年面壁錄》而公然反目，三敗俱傷。笑面魔君尹徵奪得染血奇書，得意洋洋地說出自己投身少林寺做燒火工，在方丈飲食中下毒的秘密，方丈了塵卻出現在他身後，他並未中毒，大笑並長吟：

生前枉費心千萬，死後空持手一雙。

這篇小說的情節極其緊張，讓人喘不過氣來，出現在故事中的人物個個貪心，更令人寒意徹骨。這故事發生在少林寺裡，人物心靈不慧、不明、不空，利令智昏，貪心蒙昧性靈，象徵意義相當明顯。

《生與死》

曾家寨馬夫陶峙雲以為自己殺死了最心愛的青姮小姐，失魂落魄之際，遇無名老僧，終發現事情的真相出人意料。寨主將青姮另許他人，陶峙雲希望青姮隨他私奔，青姮卻要陶峙雲刺殺自己，其實只刺傷了身邊的丫鬟。陶峙雲情思恍惚，不辨生死，真相卻是青姮和兩個丫環昏迷時，家丁高成、陳德、金強三人見色起意，青姮醒來，高成情急，將小姐和丫環殺死。寨主曾一鳴發現真相，最終與高成等三人同歸於盡。

無名老僧為何只護陶峙雲，對曾一鳴等人的生死卻不在意？其中複雜因緣，在小說的字裡行間，發人深思。

《淤血灘》

龍少白與歸韻華不打不相識，聯手殺了羅家三霸之二，只一人受傷逃走。龍、歸結為夫婦，新婚燕爾，恩愛漸深。三霸的師父天荒老人為徒弟報仇，在長江瞿塘峽附近與龍、歸惡鬥，龍、歸非其對手，拼死護衛對方，受傷嘔血染紅江中礁石。天荒老人得知自己徒弟為惡，也為龍、歸夫婦深情感動，不再趕盡殺絕。龍、歸二人從此歸隱，淤血灘愛情故事流傳人間。

這個故事寓美麗於凶險，兩位主人公寧願犧牲自己而讓愛侶得救，情意真切，感人至深。

《烈焰珠》

崇禎登基之初，魏忠賢氣焰囂張，不把皇帝放在眼裡，因為他收藏的烈焰珠上有先帝遺刻，可廢立皇帝。小官徐盛門下，有李敢、葉勤、華今非三人，感徐盛當年平反冤獄之恩，不惜犧牲自己，從魏忠賢那裡盜走烈焰珠，使得魏忠賢終於失勢伏誅。

李敢、葉勤、華今非三人，有古代俠義之士風範，符合司馬遷對俠客的定義，身分平凡而作為不凡，俠義精神光彩照人。

《冷雲丸》

《冷雲丸》中，孔瑾、孔瑜姐妹，前者文弱，後者身懷絕技，其父金臂天王孔逸身負重傷，三日內若無冷雲丸相救，必死無疑。孔瑾提議自己去送藥，孔瑜堅決不同意，孔瑾偷了藥，待孔瑜和叔叔孔飄上路後，亦隨之而去。一路遭遇狙擊，孔瑾更被人捆綁吊在樹林中，此時已過三日，絕望之際，幸得叔叔孔飄解救，並且說其父已經得救。孔瑾所取，並非良藥，只是一塊銀子而已。

這小說看起來是說文弱女子百無一用，但實際上，孔瑾文弱無用且未建寸功，但她為救父而勇於擔當、不怕犧牲的精神，同樣真情可感，俠氣充盈。

《秘密》

寫岳飛抗擊金兀術時，麾下湯富暗中投敵當了漢奸。岳飛讓湯富送密信，湯富卻將密信直接送到金兀術手裡，金兀術卻發現函中空空，並無密信。其漢奸下屬仇羅決定將計就計，讓湯富通過金兵營壘，送信到五龍山，以便蒙蔽岳飛，並獲得更多軍事機密。不料湯富到達五龍山軍營即被捕，頭髮也被剃光，密信原來在湯富的頭皮上！

真正的秘密是，岳飛要與五龍山將領伍喜夾擊金兀術，中間被金兀術軍營隔斷，密信無法送達。幸已發現湯富叛變，遂將計就計，用迷藥讓湯富「醉酒」三日，剃光其頭，寫密信於其頭上。待湯富醒來，命令湯富送信給伍喜，出發前，有名容此道者託他帶一把剃刀給高歡，高歡睿智，參透「容此道」意即「用此刀」（剃頭）。

這個故事的真正亮點，是金營中孫老七及另外兩位無名志士試圖劫密信、殺漢奸，壯志未酬身先死。這故事的重大弱點，是作者可能忽略了，岳飛時代，男人都留長髮，若將頭髮剃光，三日內不可能長出可遮蓋密信的頭髮來；若用假髮遮掩，則不可能不被當事人發現。

《勝者》

二十四家幫會好手聯合圍攻天山神鷹，全都被後者誅殺。幫會請來的幫手黃鸝兒晚到一步，惡鬥更為凶險。神鷹、黃鸝誰是勝者？誰也猜不到。懸崖情境，拼死鬥毆變成救命互助，異性相吸勝過了立場衝突，神鷹與黃鸝成了同命鳥，終於同赴溫柔鄉，誰是勝者，誰說得清？

《在黑暗中》

十二金輪何威，孤身前往粉衣教總壇，為友人報劫鏢之仇。面對十一位高手，只得打下水晶吊燈，在黑暗中伺機制敵。他點了粉衣教新教主周玉柔穴道，對方香氣撲鼻，無限溫柔，結果兩情相悅，最終結為夫婦。真正秘密是，周玉柔有移動穴道的本領，被何威點中穴道是她故意的，表面看，是何威制住了周玉柔，實際上恰恰相反，在黑暗中，男性何威，不是女性玉柔的對手。

與《勝者》相似，這篇作品有武俠，也有情色，刊載《老爺車》雜誌。

《飛劍手》

郭永新身懷「飛劍手」絕技，但武林中並不知名，因為他的公開身分是洛陽城綢緞莊主人，兼保暗鏢。這一次保鏢路上，遇關西六虎劫鏢，一場廝殺，六虎伏誅，而郭永新也多處受傷。回家才發現，妻子竟是被他誅殺的黑道強人于東陽的女兒，與他結婚，不過是為報父仇。面對妻子和自己的女兒，郭永新的「飛劍手」無法施展，只能默默地冒雨離家。

這故事短小精悍，言簡意賅，武林中再好的飛劍手，也斬不斷世間情仇鏈，人在江湖，只能感傷。

《天龍刀》

《天龍刀》則不同，結局是公孫燕和邢秉仁喜結良緣。由此可知，公孫燕年過二十，良緣難覓，身為魔教公主，高不成低不就，姻緣註定困難。

公孫燕設計假手邢秉仁奪天龍刀之計，固然可以理解為一路同行，情愫滋長；但也可以看作是早有預謀，要「考察」這位候選新人。邢秉仁出自天龍門，天龍刀正與之相配，公孫燕要邢秉仁幫她奪刀，還是她要幫助對方奪刀，她自己也未必說得清楚。只不過，這一回作者已有直覺和預謀，要讓騰蛟劍和天龍刀永不分離，於是乎設計了黑虎馱人覓得雨青真人遺囑的橋段，讓公孫燕心想事成。

《誅邪劍》

莆田大俠林承海派門下十二弟子抗擊倭寇，獨子林天鷹被俘，女弟子洪素鳳失蹤，多位弟子戰死，只有五位弟子帶傷歸來。倭寇首領山口勇是日本電擊流第一高手，俘虜林天鷹，脅迫林承海與之合作。林承海拒絕合作，主動尋山口勇決戰，結果林承海傷了右臂、山口勇傷了左臂，約三天後再戰。再戰時，林承海傷口撕裂，逃出匪窟的林天鷹及時趕到，殺了山口勇，最終殲滅了這股倭寇。

小說看點，是林承海、林天鷹父子寧死不屈的形象，讓人震撼。林承海手裡的誅邪劍被山口勇磕飛，恰被林天鷹接住，繼續戰鬥，誅邪劍有了最好的傳人。抗倭勝利，村民一片歡騰，林天鷹和洪素鳳靜靜地坐在一起，享受難得的和平時光，這一結尾，讓人感慨萬千。

《未完成的匕首》

年輕鐵匠劉天朗和小麗相愛，小麗被林府請去繡花，劉天朗去林府探視，被喜歡小麗的林青雲打傷。事後林家派人送來二十兩銀子，被劉天朗拒絕。劉天朗正在打製報仇匕首時，一個陌生人來到鐵匠鋪，自稱是小麗的生父，讓劉天朗帶他去找小麗，將林青雲抓為人質，殺了小麗的養母三老媽子。劉天朗替陌生人到林府送口信，要林倫用點蒼派掌門人的頭顱換取林青雲，林倫說：此人是採花淫賊、快刀無常費柏生，當年拐騙了點蒼派女弟子，被點蒼派掌門人追殺。劉天朗根本不信。不料被林倫跟蹤，林氏父子殺死了費柏生。林倫要收劉天朗為徒，劉天朗斷然拒絕，說練武動輒殺人，不是好東西。

這篇小說的最大看點，是鐵匠劉天朗的認知和評說。劉天朗質樸而倔強，對武林一無所知，因而大罵大俠林倫、林青雲父子為惡霸，又錯把惡人快刀無常費柏生當作好人。最後水落石出，他也幫助了林青雲，但卻拒絕做林倫的弟子，不認同武林人的價值觀念和行為方式，最後廢棄了未完成的匕首。

劉天朗的觀點出人意料，但卻值得深思：林倫雖是大俠，其子林青雲及其家丁卻仗勢欺人；雖說是出於嫉妒，且事後還送來銀兩，畢竟給劉天朗造成了身心創傷。小說的另一看點，是費柏生對女兒小麗的情感態度，採花淫賊也有真情，惡人也有父愛。對人類的道德與情感，不能簡單化判斷。

《快劍》

武林三年一比武，選出天下第一劍手。大俠蓋天豪連續三屆稱雄，最近一屆卻輸了快劍龍威半招。蓋天豪一心想奪回天下第一劍手頭銜，不惜與臭名昭著的長勝幫主金骷髏暗中聯手，殘害快劍龍威。卻不料，金骷髏也想爭當第一劍手，在傷了龍威三根手指之後，又毒殺了蓋天豪。

新一屆比武大會開始後，金骷髏果然連戰連勝，最後一刻，龍威突然出現，以新練成的鏈子快劍殺了金骷髏。按規矩，最終獲勝者必須在擂臺上等上兩個時辰，若無人挑戰，方能獲得第一劍手稱號。但龍威卻沒有等待，他並不是來爭第一，而是來為武林除害。

這個故事的主題是：虛名害人。蓋天豪的晚節不保，最終死於非命的經歷，就是最好的證明。與之形成對比的，是年輕的快劍龍威不為虛名所累，秉持俠義之心，快意江湖。仗義拯救了蓋天豪的女弟子夏蓮花，後又被夏蓮花所救，兩人傾心相愛，才是真正充實而美好的人生。

《風雲變幻三十春》

中篇小說《風雲變幻三十春》被收入多個集子中，可見作者對這部小說相當偏愛。其故事情節是：揚州通勝鏢局總鏢頭震三省東方昭華在泰山張家坪被殺，遺命徒弟淮北雙俠秦通、林培前往成都找混元掌呂明中。淮北雙俠本意是想請呂明中為師父報仇，不料師父與呂明中和烈火鳳凰馮秀娟夫婦之間竟是恩怨重重。

三十多年前，呂明中與東方昭華，人稱「天地雙友」，一日在黃河邊長嘯，引來了出道不久的烈火鳳凰馮秀娟。東方昭華出言輕薄，惹怒了馮秀娟，一場惡鬥，東方昭華敗走，烈火鳳凰與呂明中結為夫婦，天地雙友從此絕交。一年後，呂氏夫婦帶著新生兒路經泰山下的張家坪，東方昭華前來報仇，三人惡鬥之際，有惡狼圍住嬰兒，東方昭華硬是不讓呂明中夫婦脫身救子，致使嬰兒失蹤。呂明中夫婦從此歸隱，但烈火鳳凰卻時時想找東方昭華報仇。如今東方昭華被殺，聽說那人有一把殺人不見血的匕首，呂明中夫婦與淮北雙俠來到張家坪，見到殺害東方昭華的凶徒，呂明中一愣間即被凶徒所殺，烈火鳳凰也是一愣，隨即與凶徒同歸於盡——那凶徒正是呂明中夫婦當年失蹤的兒子！

這故事讓人心生感慨，三十年風雲變幻，其中有因果關聯，只怕當事人到死也不明白究竟：面對烈火鳳凰眩目美貌，東方昭華情不自禁，因為年輕氣盛，愛慕之心化為輕薄言辭；比武鬥毆，不過是受雌雄本能所推動；良朋反目，兩個人同樣重色輕友——重色是無意識人性本能，不宜做簡單的道德判斷。無謂復仇，導致嬰兒成了狼孩，被泰山黑魔君收養，更是魔性超乎人性，結局出人意表。

《俠義金粉》

中篇小說《俠義金粉》，講述俠、義、金、粉四個江湖奇人，分別喜歡酒、色、財、氣，即：醉而不俠譚盡、粉面玉郎君秦深、多多益善金不嫌、義無反顧顧不全，為拯救素不相識的六歲女童白棗兒，不惜與武林人聞風喪膽的天香宮總管雪娘對抗的故事。譚盡、秦深、金不嫌三人分別嗜好酒色財，本都無意行俠仗義，但接觸了白棗兒，即生憐惜護衛之心，頓時改變積習，甚至不惜犧牲。

這篇小說故事奇特而精巧，敘事語言幽默生動，看到譚盡、秦深、金不嫌等人一個個為白棗兒而改變其嗜酒、好色、貪財等積習，而自己都不知道原因何在，非但出人意料，更讓人忍俊不禁。白棗兒只是個可愛女童，沒有任何神怪魔法，卻有改變人心的超凡力量，真相是，單純可愛的兒童，能洗滌陳年積習與污垢，激發並滋養人性。就此意義而言，女童白棗兒，不啻為專治貪心的良藥。譚盡、秦深、金不嫌、顧不全等，雖非理想的俠義道，卻都是性情中人。而不願與白棗兒分享天香宮主之寵的雪娘，則明顯是心理變態，人性凋殘。

故事結局，譚盡、秦深、金不嫌等全都犧牲，但白棗兒得救，他們實現了人生價值，了無遺憾。這故事屬非典型武俠作品，寓言性明顯，觸動並溫暖人心。堪稱小說佳作。

《十三太保》

《十三太保》（同名電影於一九七〇年拍攝，張徹導演）講述李克用麾下名將李存孝故事。李存孝的出場，是個子瘦小，處於醉酒狀態，看似其貌不揚，名不副實。但隨後在敵軍陣中獨立抓獲黃巢屬下名將孟絕海，讓人刮目相看。

後六太保（電影中改為九太保）入長安擾亂敵方軍心，險些射殺黃巢，更顯示出李存孝勇猛善戰而又足智多謀的個性。與長安買菜女翠燕的邂逅，雖是輕描淡寫，卻讓人印象深刻。四太保李存信和十二太保唐君利嫉妒李存孝，又受朱溫誘惑，勸李克用入汴梁見朱溫，十一太保史敬思為護衛李克用而犧牲。李存信和唐君利索性乘李克用醉酒之際，盜走李克用隨身寶劍，騙李存孝入營並將其五馬分屍。

小說所寫，與史實不盡相同，由此增強戲劇性。把李存信當作反面人物處理，其行為動機能夠有效地推動情節發展，也更能被人理解。同名電影的處理與小說亦有所不同，有些地方更仔細（如寫李存信和唐君利調戲翠燕而被趕走），而小說所寫，李存孝的孤兒心態和忠義氣質更為凸顯，也有更大的想像空間。

《新獨臂刀》

《新獨臂刀》（同名電影於一九七一年拍攝，張徹導演）：鴛鴦雙刀雷力出道未久即揚名江湖，大俠龍異之為保持其名聲地位，設計剪除新人，迫使雷力斷臂並退出江湖。雷力在小飯館當夥計，忍辱沉默，卻得到鐵匠女兒巴蕉的關注。武林新秀封俊傑調查威虎山莊，路過飯館，得知獨臂小二竟是鴛鴦雙刀雷力，遂與之結交。威虎山莊送來請柬，邀封俊傑赴宴，雷力警告封俊傑說龍異之必在彼處，封俊傑不信其言，結果被龍異之所害。雷力忍無可忍，遂持巴蕉所贈單刀前往威虎山莊，將莊主陳震南、龍異之及為虎作倀的打手殲滅殆盡。

小說寫得非常簡潔，沒有多餘枝蔓，龍異之虛榮陰險，雷力沉鬱隱忍，封俊傑意氣風發卻掉以輕心，乃至巴蕉情竇初開而不能自已，都寫得合理而鮮明。弱點是，龍異之最多不過是地方惡霸，卻擔「天下第一」之名；雷力退隱江湖，卻仍生活在威虎山莊輻射範圍之內，視野窄小，讓人難以置信。另一弱點是，雷力退隱之後，未經艱苦訓練，新獨臂刀何以有如此驚人的威力？同名電影中寫到雷力苦練，才較為合理。

《冰天俠侶》

八歲女童沈冰紅眼見父母被四位武林高手殺死，而自己的雙腿卻在石縫中麻木殘廢。十年後，她開始復仇之旅，先殺了金爪葛鷹，又殺了西門沖。想殺三湘神劍高允，卻力有不逮，高允卻沒有殺她，而是向她說明了沈盾夫婦盜翠鳳劍的真相，且說她的腿有可能康復，高允次子高天英還主動陪她到南海火山、北極冰田。沈冰紅在冰田溫泉中治療的關鍵時刻，八臂金剛童洪及其女童明珠率人趕到，為奪高天英手中翠鳳劍，不惜痛下殺手，將他逼入冰田中。眼見高天英即將凍斃，沈冰紅即終止治療，將火珠交給高天英，而她自己卻凍成冰人。高天英決意在冰田旁永遠守護愛侶。

小說《冰天俠侶》的可觀處，不是故事情節曲折離奇，而是敘事主題新穎動人。復仇是武俠作品最常見的主題，冤家宜解不宜結也是老生常談，很少有小說作品能將真相穿透迷霧、愛心融化仇恨的故事講述得如此生動。

沈冰紅的父母是因盜翠鳳劍而被高允等人追殺，復仇者卻只記得父母被殺，很少會思考父母為何被殺。八歲少女親見父母被殺場景，心裡難免會充滿仇恨，冰寒徹骨。而高允、高天威、高天英父子兄弟的行為，俠義為懷、關心弱小、愛情真摯，為沈冰紅平生僅見，因而有無形的溫暖力量融化其心頭仇恨冰寒，最終不僅放棄復仇，且為愛侶而犧牲自己，成為閃爍人性光輝的永恆雕塑，溫暖人心。

《鐵蝙蝠》

《鐵蝙蝠》（被改編為電影《雙俠》，一九七一年，張徹導演）：康王趙構在金國做人質，漢人武林高手前往營救，全都犧牲。鐵蝙蝠離開師門，找到師兄嚴律人，卻被投降金國的黑道高手于彩暗器所傷，幸被鮑廷天師兄弟所救。鐵蝙蝠和鮑廷天越過斷崖，立即被圍攻，鐵蝙蝠遂假意投降，列天紅和于彩要他殺了鮑庭天才能取得信任，鐵蝙蝠不得不照做。金太子為趙構找了替身，要人將他送回，並刺殺大宋皇帝，以便假趙構登基做皇帝。鐵蝙蝠將計就計，殺了替身，救出康王。其後，鐵蝙蝠受到武林高手的圍攻，罪名是：他殺了鮑廷天。

《鐵蝙蝠》是倪匡最好的武俠小說之一。小說開頭氣勢非凡，四十二位武林高手為救助康王趙構，前赴後繼，不怕犧牲，讓人熱血沸騰。小說中，鐵蝙蝠個性突出，與一腔熱血勇氣的武林人截然不同，看似漫不經心，卻意志堅定，又能隨機應變。更難能可貴的是，他懂得為國家大計而犧牲小義，殺死鮑廷天即是驚心動魄的例證。最終他為曾殺害鮑廷天而付出了生命代價，他沒有錯，錯的是那些知其然而不知其所以然的草莽英雄。小說的結尾令人震撼，更發人深思。

根據小說改編的電影《雙俠》，屬平庸之作，唯一可取之處，是將鐵蝙蝠改名邊幅，使之更像正常人名——正常的人，不大可能以蝙蝠為名。這部小說的故事情節設計，值得有心的電影或電視劇作者加以重拍。

《古劍情鴛》

《古劍情鴛》[11]講述少女阿鳳探尋自己身世的故事。將她養大的黃能，竟不是她的父親，而是殺父仇人；盜取她圖畫的祝三花，並不是她的敵人，而是她的親妹妹——她們都是大俠霍英白、丁蘭夫婦的遺孤；而為人正直，與她一路同行的程一規，卻是她殺父仇人黃能、連嬌夫婦的獨生子。阿鳳找到飛龍古劍，與妹妹聯手殺了連嬌，報了父仇。

這部小說的亮點，是寫出了武林人的代際變化和個體選擇。阿鳳和程一規這對情侶，不受上代仇怨牽累，把愛情進行到底。這是世代變化。黃能圍攻霍英白夫婦，卻又撫育霍英白的遺孤阿鳳，以至於夫妻反目，這是個體選擇。程一規深愛師妹祝三花，而祝三花卻傾心於桑萬，桑萬是青龍派掌門人桑秋鳴的獨生子，但卻膽小怕事，全無乃父的鐵骨英風，這是個體選擇與另一種代際變化。

小說的不足之處，一是過於取巧，祝三花盜取阿鳳懷中圖畫，飛龍古劍藏於苗疆山敢的住處附近，都有人為編造的痕跡。二是有些隨意，毒娘子連嬌與青龍幫南北二宗的衝突，與故事主線關係不大，那一大段敘事有些多餘。三是交代不清：黃能為什麼要撫養霍英白的遺孤？他是否仍然覬覦飛龍古劍？黃能夫婦為何反目？讀者不得而知。而關於他的故事，由從小被寄養的程一規來說，明顯有些不合理。上一代的故事，應該由上一代的親歷者或見證人說。

《獨行女俠》

《獨行女俠》[12]講述青年女俠鳳蓮清理門戶故事。鬼王厲吼屬下劫匪，為禍一方。明火執仗進入仙桃鎮，卻是聲東擊西，洗劫了彭家場。青年女俠鳳蓮來到仙桃鎮，受王家武士圍攻，以為她是鬼王屬下的鳳娘子。王家三少王雲飛心存疑慮，尾隨其後。鳳蓮是鳳娘子的親妹妹，鳳娘子毒死師父出逃，鳳蓮要姐姐回去懺悔，並終生為師父守墓。鳳娘子不從，用毒蛇襲擊鳳蓮後逃逸。鳳蓮來到匪窟寶塔州，大顯身手，終於寡不敵眾，被王雲飛救出。鳳娘子率人追擊，王雲飛傷了鳳娘子，誘鬼王厲吼前來營救，最終擊斃匪首，鳳蓮帶鳳娘子遺體離去。

故事的看點之一是，鳳蓮與鳳娘子雖為同胞姐妹，品行氣質卻截然不同。鳳娘子心如蛇蠍，毒害師尊，淫蕩妖冶，放浪作惡；鳳蓮則俠義心腸，尊師重道，冰清玉潔，心地善良。鳳蓮一心想勸姐姐改過自新，但鳳娘子以逆鱗鐵線蛇為兵器，且會演戲騙人，鳳蓮越是心慈，讀者就越為她擔心。

故事看點之二，是鬼王匪幫殺害了寶塔州小鎮原居民，然後藏身於此，誰也想不到這個貌似平凡的小鎮上全都是匪幫。而鬼王厲吼又藏身於匪幫之中，裝束平凡，外人無法識別。

看點之三，是仙桃鎮王家武士對鳳蓮誤會在先，鳳蓮拒絕王雲飛合作在後，鳳蓮獨闖匪窟，明顯是幾分自信，外加幾分托大、幾分賭氣，還有幾分天真。這樣一來，倒也增加了故事的懸念，也讓三少王雲飛有大顯身手的機會。

故事的不足之處是，鬼王雖死，鬼臣猶在，匪幫沒有徹底清剿，鳳蓮就要帶鳳娘子的遺體獨自離開，結局雖然乾脆，卻顯得有些匆忙。為什麼不與王雲飛繼續合作，直到匪幫徹底覆滅？她與王雲飛的關係，尚未正式開始就宣告結束，豈不令人遺憾？只顧清理門戶，不繼續清剿匪幫，只顧獨行，何以言「女俠」？

《孤俠》

《孤俠》[13]講述少女王琳琳歷險及孤俠愛情故事。隱居華山的邪派第一高手天誅上人八十歲，軒轅龍、勾魂公、九烈神君、柳凝淚、天殘、地廢等邪派一流人物前往祝壽。少女王琳琳奉師父玄嫗之命前往天誅宮盜寶，卻因惡作劇得罪人，被軒轅龍擒了，幸被正派異人于四所救。玄嫗命王琳琳再往天誅宮盜寶，經歷九死一生仍一無所得，卻發現師父玄嫗與天誅上人竟是同門，進而見到他們自相殘殺。天誅上人女弟子鄧七姑盜得閃光金，被同門追殺，不得已將閃光金藏在山洞中，被王琳琳獲得。王琳琳不知這是何物，孤俠張天敏告訴她，這是閃光金，是修練「天雨功」的神物。王琳琳遭遇九烈神君攔截，被孤俠救出，對孤俠產生了異樣的感情，但孤俠迅速離開。

在黃河岸上，王琳琳被天殘、地廢所擒，孤俠再次救她脫險。當她得知，女殃神鄧七姑是孤俠妻子，因被毀容而離開他，若不恢復美貌，就不會再與他相見，只有閃光金磨粉才能讓鄧七姑恢復容貌，王琳琳將閃光金送給孤俠，讓他去追自己的妻子，唯一條件，是讓她使用「孤俠」之名。

小說前三分之二篇幅，是王琳琳歷險故事。真正的看點，卻是王琳琳愛上孤俠，最後自己變成孤俠。孤俠張天敏武功高強，相貌英俊，又鬱鬱寡歡，對情竇初開的少女具有極大的吸引力，王琳琳情不自禁地愛上他，並不稀奇。王琳琳自小在玄嫗門下，不免沾染上任性自私、刻薄寡情的邪氣，惡作劇就是她發洩邪氣一種方式，而孤俠張天敏卻是另一種人。

孤俠之孤，是因為夫妻分離；夫妻分離，是因為妻子美貌被毀，心理上也受了嚴重創傷。孤俠之俠，是見到了閃光金，明知閃光金能讓妻子恢復美貌，從而讓夫妻團圓，卻非但沒有搶劫，甚至沒有張口借用。幸而王琳琳年齡不大，可以邪，也可以正，孤俠張天敏在關鍵節點上出現，讓她一見鍾情，也重塑了她的人生觀。

因為愛孤俠，所以理解孤俠對妻子的愛；因為愛孤俠，所以願意奉送閃光金以成全孤俠對妻子的愛。而這樣做，王琳琳就會永遠失去張天敏，成為新一代孤獨之俠。這結局讓人感傷，卻也讓人振奮，王琳琳雖然不免孤獨，但她卻走上了俠路，其人生必將會徹底改寫。

小說的不足之處，是孤俠張天敏出場太晚，前面的故事情節枝蔓太多，而許多重要線索都沒有交代清楚。諸如：天誅上人隱居華山多年，而今年屆八十，竟要靜極思動，究竟所為何來？玄嫗命王琳琳盜取閃光金，又為了什麼？玄嫗、天誅、游魂玉同為百魔之魔的弟子，是什麼原因導致他們互相殘殺？鄧七姑投入天誅門下，顯然是為盜取閃光金，為何八年時間都沒有動作？更重要的是，鄧七姑是惡名昭彰的女殃神，是怎樣的機緣與正直無私的張天敏結為夫妻？

《七禽鏢》

《七禽鏢》講述的是，青年武士趙仲彬奉師父之命，八月十五日前將一塊西天金英運往襄陽，要冶煉打造七禽鏢。適逢大霧天氣，萬縣船夫都不敢霧天過三峽，只有一位自稱石明珠的姑娘說有船去襄陽，趙仲彬要趕時間，不得不上船。途中有老叫化上船，說金英是七禽子從他手上強奪去的，並說八月十五子時會去襄陽找七禽子理論。

趙仲彬回到襄陽，金英變成了石英，師父七禽子關冠英懷疑他故意偷換，要處死他。趙仲彬說了途中遭遇，七禽子更加不信，因為天山神丐車冶和女弟子石明珠幾天前才從襄陽離開。趙仲彬請求師父給他一年時間，一定要找回金英，否則就回來領死。趙仲彬回到萬縣，找到石明珠，這才知道她的真名叫石蓮，師父是黑道聞名的九頭蛇戚獨。

石蓮有向善之心，愛上了趙仲彬，聽說趙仲彬若找不回金英就有性命之憂，決定將金英偷回，還給趙仲彬。趙仲彬要一起前往，石蓮在石頭陣裡將他擺脫。石蓮找到戚獨時，戚獨已找來七指神魔石、赤目真人，一起冶煉金英，石蓮挑撥說，那兩人懷有異心，戚獨說出了對付二位魔頭的計策，不料被他們聽到，於是內訌。戚獨用計先後傷了石石和赤目真人，但趙仲彬帶著天山神丐車冶趕到，打死了戚獨，奪回了金英。

這個故事的看點，是女主人公石蓮的個性及心理變化。她是九頭蛇戚獨的弟子，久在黑道廝混，但卻良心未泯。在算計趙仲彬時，說自己的外號叫女無常、惡羅剎、賽時遷，這實際上是警告對方，別上賊船。無奈趙仲彬要趕時間，不得不上賊船，在戚獨要傷害趙仲彬時，她就說對方可能抱著金英投江，這實際上是救了趙仲彬一命。

經過幾天相處，她對趙仲彬產生了很大的好感，所以在戚獨問她趙仲彬「可像橫死的人」時，她說不像。這才又一次救了趙仲彬。等到趙仲彬要找回金英而回到萬縣時，石蓮終於愛上了這個老實倔強的英俊青年，所以，她不惜犧牲自己，一定要奪回金英，拯救趙仲彬的生命。奪寶故事中夾雜愛情故事，雖然著墨不多，卻相當細膩感人。石蓮之名，也有出污泥而不染的涵義。

故事的另一看點，是正邪對比。要冶煉金英，須多位絕頂高手協力，七禽子請來的武當守一道長、青螺谷妙手羅漢、長白老尼等高人，純粹來幫忙，對金英沒有覬覦之心，甚至拒絕石英打造的七禽鏢。而九頭蛇戚獨請來的七指神魔和赤目真人，卻是各懷異心，事情還沒有開始，就相互算計，進而內訌，無法合作。

不足之處是：金英如此珍貴，七禽子有多位徒弟，卻只派趙仲彬一人搬運，情理上有些說不通。究其原因，應該是作者要讓趙仲彬獨自上賊船，丟失金英，卻沒有證人。此外，趙仲彬丟失金英，七禽子就懷疑他監守自盜，因而要將他處死，未免過於頭腦簡單。究其原因，當是非如此，就不能讓石蓮下決心犧牲自己、一命換一命。

《青鳳奇仇》

《青鳳奇仇》說的是：苦面神丁澄、賽玉環的女兒丁小瑩，嫁給洞庭雙俠陸景、文素玉的獨子陸康，新婚之夜，新娘竟重傷新郎，兩親家立即反目成仇。原因是丁小瑩聽說陸家有青鳳劍，而她的手臂上有兩行字：「持青鳳劍者，掌砍汝父，足踢汝兄，姦殺汝母，汝不殺其父子，九泉莫見汝父。」陸景取出封存了二十年的青鳳劍，見了苦面神，憤怒出手，對方竟不招架而身亡。

丁小瑩、賽玉環先後來到陸家，陸康希望父母不要傷害丁小瑩，而賽玉環見到青鳳劍的紙質封套，竟也不再出手，而是帶著丁小瑩去尋找陰風魔章勢。此時章勢已在光化寺出家，賽玉環與章勢苦鬥了一天一夜，幸被陸康所救。賽玉環遂趕至陸家，請陸景前往光化寺，終於殺了章勢，證實了丁小瑩父母是被苦面神丁澄所殺。

這個故事傳奇性十足。新婚之夜，喜宴未散，新娘傷新郎，親家變冤家，當然出人意表。當年的事實真相竟是：丁小瑩的親父母，竟是被養父丁澄所殺。這就難怪，洞房血案發生後，丁澄立即離開，而當陸景找到他時，他竟甘心被殺。這說明，丁澄在收養丁小瑩後，行為與心態都有了重大變化，束手被殺，應是為當年的罪惡懺悔贖罪。賽玉環雖然脾氣火爆，卻也說一是一，見到十七年前曾見到過的青鳳劍封套，就懷疑是自己的丈夫丁澄偷了青鳳劍，殺了丁小瑩全家。所以，她才會去找當年與丁澄在一起的章勢求證，終於讓真相大白。

這部作品的不足之處也很明顯。一是，當陸景夫婦得悉洞房血案消息，立即與賽玉環大打出手，竟不是立即去洞房看兒子的傷勢如何，這不符合人情事理。

二是，陸康看到丁小瑩臂上刺字，就認定自己的父母就是當年的凶手，未免有些頭腦簡單，他難道不知道父親不是濫殺無辜的人？

三是，青鳳劍被封存了二十年，丁小瑩父母被殺是在十七年前，陸景明知自己沒有作案，卻始終沒有提出自己沒有作案的有力證據，即那張二十年前的封套。

四是，青鳳劍被丁澄偷去作案，為何十七年後仍在陸景的書房中？如果說丁澄作案後就將青鳳劍還了回來，那麼他為什麼要將寶劍還回？青鳳劍是著名的利器，武林人無不覬覦，按理說，丁澄沒有將寶劍還回的道理。除非他與陸景夫婦有仇，偷劍作案是要故意陷害陸景夫婦。問題是，若與陸景有仇，為何又讓自己的養女丁小瑩嫁給陸康？若說丁澄故意讓丁小瑩去殺害陸康父子，那就不該在陸景出手時，束手被殺。

《古墓探寶記》

《古墓探寶記》[14]講述的是：武林中傳出蘇州天平山古墓有寶的消息，前來探寶者互相殘殺，古墓前屍體堆積。史茵、史威兄妹在樹上看熱鬧，史威捕捉兩隻紫蟆，卻被人劫走。史威下地尋人，中了毒針，姐姐史茵束手無策。蘇周世假扮郎中，用劫來的紫蟆治好了史威。蘇周世是個美男子，史茵對他一見鍾情，完全不知此人是個殘酷無情的惡賊。

三人重回古墓，只見古墓之門大開，史威好奇地鑽進了古墓。史茵發覺弟弟失蹤，立即入墓尋找。蘇周世並沒有跟進，他是想借這姐弟二人測試古墓中是否有風險，自己則躲在外面，確保萬無一失。不料玉手丐發現了他，與他大打出手，兩敗俱傷，幸得史家姐弟及時出了古墓，殺了玉手丐，並為蘇周世解毒。蘇周世與史茵一起進入古墓，點了她的穴道，又將史威騙入墓中，露出猙獰面目，得意洋洋之際，史家姐弟的母親三花娘子突然現身，揭露了蘇周世，得到了軟甲、七修劍、八寶乾坤圈等寶物，教育兒女學會識人。

奪寶故事是武俠小說最常見的敘事類型，江湖人物彙聚，為奪寶各顯其能，相互拼爭廝殺。書中三丐、青靈子、虎頭行者鬥勇，蘇周世、玉手丐鬥智，三花娘子隱身，奪寶紛爭的驚險性一浪高過一浪，煞是好看。再加上少年史威不貪不畏，遊戲其中，在古墓中嚇唬姐姐為樂，更是新鮮。

小說最大的看點，是三花娘子突然現身，對兒女作最後一分鐘營救。這一情節，不僅體現了意料之外、情理之中的傳奇之妙，更重要的是，她把這場古墓探寶當成了兒女人生教育實習課程。史氏姐弟武功不俗，應變能力也不差，唯一缺陷是江湖經驗不足，史茵見到蘇周世，立即墜入情網；少年史威更不會鑒別善惡。三花娘子之所以到最後才現身，就是要等到蘇周世露出真面目，讓史茵、史威得到深刻而鮮活的教訓。

小說的不足之處也很明顯，一是對古墓裡的機關設計未免有些隨意，四個泥人塑像就有些問題，如果塑像太大，史茵就不會把他們當成真人，軟甲也難穿上身；如果塑像不夠大，史威如何能鑽入塑像之中？二是蘇周世化妝救助史威的情節，看起來頗為巧妙，實際上卻頗有疑問。此人奪了史威的解讀紫螟，按理說應該儘量避開史氏姐弟才是，如何會拿紫螟救人？為何不怕史氏姐弟識破他的真面目？進一步說，他離開古墓去救助史威，難道不怕他離開時別人會捷足先登？再進一步說，他救助史威，當是為自己尋找幫手，為何在未見寶物時就要對史氏姐弟下手？總之，有關蘇周世與史氏姐弟的情節，明顯有人為編造的痕跡。

《大盜柔情》

《大盜柔情》講述的是：獨行大盜雷天聾被關入萊州大牢，其好友洪劍範挖地道營救，地道出口卻偏到了黑煞星家中。洪劍範僥倖脫險，聽說雷天聾已被人救出，立即趕往逮捕雷天聾的過捕頭家，過捕頭全家被人殺害。洪劍範被人圍攻，身負重傷，雷天聾將他救出，洪劍範卻責怪雷天聾不該殺過捕頭全家，兩人大吵，幸得雷天聾的妹妹雷婉兒調停。放洪劍範、救雷天聾、殺過捕頭全家，全都是黑煞星所為，所以如此，是想讓雷婉兒取消與他的比武之約。

黑煞星害怕雷婉兒，更害怕雷婉兒的師父。黑煞星老謀深算，將雷天聾、洪劍範抓了，又當著婉兒將他們釋放，婉兒只好答應不再與他動手。雷婉兒的師父，竟是黑煞星的妻子郝夫人，當年黑煞星與郝夫人的妹妹偷情，半夜偷襲郝夫人，迫使郝夫人求饒並發誓永不傷他。郝夫人練成絕世武功，收雷婉兒為徒，是要徒兒做她的復仇工具。如果婉兒做不到，她就要將婉兒處死。洪劍範堅持陪婉兒去向她師父求情，郝夫人要殺洪劍範，婉兒被迫從師父手下救人。郝夫人親自出手，與黑煞星同歸於盡。

小說的看點之一，是巧妙設置敘事懸念。洪劍範挖地道救人，原是想通向萊州大牢，結果卻挖到了黑煞星家，看起來是挖錯了方向，實際上卻是歪打正著。故事的真正重點，並不是洪劍範和雷天聾，而是黑煞星。黑煞星害怕雷婉兒，謎底卻是黑煞星夫妻間的仇怨。這樣，故事懸念不斷，層層揭秘，到最後才能看到事情的真相。

看點之二，是洪劍範、雷天聾的形象刻畫。二人相互拯救，更相互成全，身為大盜而有俠肝義膽，洪劍範保護逮捕雷天聾的過捕頭，阻止雷天聾報復，並因誤會而差點與好友鬧翻；他們對黑煞星和郝夫人都沒有好感，卻不忍郝小鳳遭受池魚之殃，更不願乘人之危去傷害郝夫人。所有這些，無不突出「大盜柔情」的主題，與黑煞星夫婦、郝夫人姐妹的自私殘酷形成鮮明的對比。

看點之三，是雷婉兒的個性展示。雷婉兒人如其名，看似溫柔和順，實則外和內剛，因為通情達理，不惜自我犧牲，所以既能放過黑煞星，也不懼師父的威權壓力。她是這篇小說所有線索的關鍵樞紐，她的每一次選擇，都展示了她的個性，也都決定他人命運，同時決定了故事情節的走向。

小說的不足之處，是小說中故事線索頭緒太多，黑煞星一家的故事沒有講深講透，甚至有一些重要人物的故事線索沒有交代清楚。諸如：黑煞星的後妻為什麼發瘋？這個瘋女人為什麼要殺女兒的男朋友？黑煞星的女兒郝小鳳對洪劍範的情感態度究竟如何？郝夫人、瘋女人、郝小鳳三位女性都有一張異常蒼白的臉，究竟是象徵符號，還是遺傳特徵？

《保鏢》

《保鏢》講述的是：飛虎寨寨主鐵太歲焦鴻，策劃搶劫洛陽府送往京師的庫銀。每年，洛陽府都請無敵莊莊主神刀無敵殷可風保鏢，這一年也不例外。問題是這年殷可風練功岔氣，已是武功全失，官府仍然堅持要他保鏢，只得寫信請好友雲七娘前來幫忙。雲七娘卻只派了她的兩個弟子前來，即向定和雲飄飄。

向定和雲飄飄是一對即將成婚的戀人，武功都不弱，途中被飛虎寨高手截殺，都被向定擊退。單身劍客駱逸途經此地，向定以為他也是強盜，強行動手，卻被駱逸躲過。駱逸到無敵莊借宿，向定更懷疑他是飛虎寨派來的臥底，駱逸百口莫辯，恰好飛虎寨暗探啞巴現身，無敵莊派人跟蹤追擊。雲飄飄追敵，被飛虎寨高手毛彪所困，幸被駱逸所救。駱逸到洛陽找不到事做，只得賣馬，雲飄飄出高價將馬贖回，還給駱逸。焦鴻勸駱逸與他合作劫鏢，被駱逸嚴詞拒絕，並把飛虎寨要劫鏢的消息告訴雲飄飄。雲飄飄不顧向定阻攔，說出殷可風武功全失的秘密，請求駱逸保鏢。駱逸不顧向定冷嘲熱諷，隨鏢隊出發，在飛虎寨強盜攔劫時，駱逸從焦鴻手下救出了向定，殺死了焦鴻，保護了鏢銀，而他自己卻也受傷身亡。

這個故事的表層看點，自然是保鏢與劫鏢的情節。飛虎寨高手雲集，籌畫精密；無敵莊主殷可風練功岔氣，又缺少強援，保鏢結局如何，遂成揪心懸念。

小說的真正看點，首先是向定、雲飄飄這對未婚夫妻。先說向定，年紀輕而武藝好，難免自信過頭，不知天高地厚；對雲飄飄情真意切，難免敏感過度，駱逸自然就成了他的眼中釘。只要駱逸在場，向定就會醋味熏人，並且言行衝動，既引人發噱，更讓人緊張。駱逸為救他而犧牲，他才真正認識且欽佩對方，從而加速他心智升級。再說雲飄飄，不僅美麗溫柔，且靈性大度，憑良好直覺判斷駱逸的本性，因善意理解而成駱逸的知音，又因真誠信任讓駱逸為之兩肋插刀。駱逸死後，雲飄飄淚流滿面，她對駱逸的感情屬於什麼性質？值得仔細品味。

小說的最大看點，當然還是駱逸其人其事。此人清高，所以落寞。正因為落寞，所以愈發清高：

不願偷、不願搶、甚至不願接受來歷不明的饋贈。一身武藝，卻找不到工作，不得不賣掉愛馬才得果腹。不自輕，不自賤，更不願與劫匪同流合污，卻願意免費為人保鏢，不是因為雲飄飄為他贖回坐騎，只因為獲得過雲飄飄的尊重和理解，是士為知己者死。更令人感動的是，雖然受盡向定醋氣沖天的刁難擠兌，卻毫不猶豫地為拯救向定而犧牲自己，只因為不願讓雲飄飄失去未婚夫。駱逸的生命非常短暫，如流星劃過天際，但他的光芒卻會長留在讀者心間。

《火拼》

《火拼》[15]講述的是一樁銀號搶劫案。福來銀號保安措施嚴密，護院領班武功超群，搶劫的困難可想而知。這個故事的特點之一，是劫匪謀略過人，搶劫過程令人驚奇，經過層層解構，才會見到主謀真凶，真凶的身分出人意料。具體說，第一個出現的是獨角大盜滕奇影，公然宣布自己覬覦福來銀號中的金子，當人們把他當作懷疑的焦點時，實施搶劫者其實另有其人。蒙娘子和花夫人當然是第二個懷疑對象，但她們倆的欺騙伎倆又被文禮賢揭露，只能倉皇而逃。誰也不會想到，揮金如土的富豪沈公子，竟會搶劫銀號；更想不到的是，沈公子的車把式，才是此次搶劫行動的現場指揮。劫匪都有雙重身分，蒙娘子和花夫人扮作江湖賣藝人，花蝶兒扮成富豪沈公子，大盜蒙龍扮成車把式。最沒有想到的是，福來銀號的護衛領班文禮賢，才是此次搶劫行動的真正主謀。

這個故事的特點之二，亦即本書主題「火拼」，也不斷出人意料。其一，火拼並非發生於搶劫現場，而是發生在搶劫行動完成之後。其二，都以為火拼會發生在滕奇影與蒙娘子及花夫人之間，事實上卻與滕奇影完全無關。其三，火拼不止發生一次，而是連續發生，如同多米諾骨牌倒塌，讓人目不暇接。首先發生在蒙龍與花蝶兒這對連襟之間，已大大出人意料。進而，蒙娘子竟動手謀殺親夫，說自己另有心上人。進而，搶劫策劃主謀文禮賢竟會又看上花夫人，毫不猶豫地殺了自己的情人蒙娘子。最後，滕奇影與文禮賢的火拼倒並不出人意料，出人意料的是，文禮賢被殺，受傷的滕奇影被當作劫匪被捕並被處決。

這個故事的特點之三，是文禮賢和滕奇影這兩個人物的形象值得一觀。先說文禮賢，作為福來銀號的護衛領班，竟是搶劫銀號的主謀；看起來文質彬彬且忠心耿耿，竟是老謀深算且心狠手辣。文禮賢原是山東臥虎寨的寨主，為了搶劫福來銀號，讓臥虎寨屬下攔截福來銀號老闆，而寨主文禮賢再出手救人，取得銀號老闆的賞識和信任，從而被聘為銀號護衛領班。

進而，文禮賢利用蒙娘子的情欲和蒙龍的貪欲，讓蒙氏夫婦和花氏夫婦自願做搶劫銀號的工具，他自己卻天衣無縫地裡應外合，而後不動聲色地坐享其成。此人不但武功超群，而且謀略過人，更可怕的是他深諳人性的弱點，並充分利用他人。大盜蒙龍以為自己是主謀，其實不過是真正主謀利用的工具。文禮賢的真正可怕之處，是他殘酷無情，為了滿足自己對花夫人的欲望，竟毫不猶豫地殺害情婦蒙娘子。

獨角大盜滕奇影，是作為文禮賢的參照物而存在。故事開始時，滕奇影覬覦福來銀號，而文禮賢是銀號的護衛領班，二人立場不同，針鋒相對。滕奇影向文禮賢公開叫板，看似明人不做暗事的豪傑行徑，不過是自以為是的兒童把戲。實際上，滕奇影的武功不如文禮賢，謀略更不如文禮賢。文禮賢策劃的搶劫行動，成了滕奇影望塵莫及的教科書。最好的證據是，文禮賢做案，卻是滕奇影擔罪。搶劫主謀文禮賢即使死了，仍然是人們敬仰的銀號護衛；而偷雞不成的滕奇影雖然什麼也沒幹，卻被當作搶劫銀號的真凶被處決。誰叫他是著名的大盜？誰讓他公開揚言福來銀號裡的金子都是他的？如果說文禮賢的成功，在於第一印象效應；那麼滕奇影的悲慘結局，則在於人們的刻板印象。冤乎不冤？頗費思量。

這個故事並非沒有弱點。首先，花蝶兒扮成沈公子提取一萬兩黃金，要銀號派人送到妓院中去，只要是腦子沒進水的人都該有點疑問：逛妓院需要一萬兩黃金做什麼？這位沈公子要幹什麼？他為什麼要這麼幹？福來銀號的掌櫃、護衛竟然全無懷疑，似乎全都是呆瓜，這不大合理。如果都是這樣的呆瓜，此前福來銀號怎麼可能沒遭盜竊或搶劫？

其次，十萬兩黃金是以三輛大車拉出福來銀號，蒙娘子還說再多就裝不下了，但文禮賢和花夫人只用一輛車拉出大同，這如何可能？再次，文禮賢出城，就算專門檢查疑犯的捕頭不懷疑文禮賢其人，但驢車裝載十萬兩黃金，重量與一個人不可同日而語，竟然沒有一個人發現？

最後，這個故事中沒有俠義，只有貪婪、欺騙和殘忍。火拼的形成，基於一個假設，即人人都貪婪，金子面前，沒有道義或理性可言，是所謂利令智昏。問題是，人畢竟不是生活在叢林中，如此陰暗齷齪，不符武俠小說常規。

《大鹽梟》

《大鹽梟》[16]首先是個奪寶故事。鹽幫販賣私鹽，利潤驚人，幫中窖藏黃金無數，只有幫主一人知道。南通舉人張翺為了獲取鹽幫黃金，苦心策劃了一整套計畫。知道鹽幫新幫主蘭姑與幫中總管陳典文青梅竹馬，就出錢讓別人買一個美女送給陳典文，由此阻斷心高氣傲的蘭姑與陳典文的婚事。繼而收買許老拐，演出一場先告狀、後求情的雙簧戲，騙取蘭姑及鹽幫幫眾的欣賞，從此留在鹽幫。

由於他既帥氣又能幹，很快就獲得蘭姑芳心。只不過，張翺過於心急，結婚半年就逼問鹽幫窖藏黃金的秘密，甚至要蘭姑讓他當幫主，於是蘭姑帶著雙龍爭珠令出逃，被張翺殺害，並嫁禍於陳典文——說蘭姑是去日本找老情人陳典文。

《大鹽梟》也是個復仇故事加偵探故事，小說是從陳典文十年之後尋找蘭姑蹤跡開始，調查許老拐舊案，終於識破張翺的陰謀。由於張翺已成鹽幫的實際幫主，且引進了大量武功高手，人多勢眾，而勢單力孤的陳典文不得不放棄復仇之念，只想以雙龍爭珠令換取蘭姑生死消息，卻將自己的生死置之度外。只是因為張翺不願放過陳典文，不斷圍攻追殺，迫得陳典文逃上鹽堆，手忙腳亂之際，終於拉開鹽堆覆蓋物，發現蘭姑遺體，並利用蘭姑手中的利劍殺了仇人張翺。

小說以晚清至民國初年為背景，使得這個老套的奪寶加復仇故事有了新意。陳典文在日本接觸孫中山，繼而回國參加推翻滿清政權的起義，雖然沒有正面書寫，但卻映襯了張翺謀奪鹽幫黃金故事的荒唐可悲。張翺是個舉人，而陳典文則成了現代知識分子，兩人的仇恨對壘，就有了新舊價值衝突的意義。只可惜，作者寫得馬馬虎虎，並沒有把陳典文的新知識和新見解落實到他的實際行動中，在尋找蘭姑並為蘭姑復仇這件事上，陳典文仍不過是舊式江湖人物。

小說的另一個特點，是現在進行時與過去完成時相互穿插，在陳典文尋找蘭姑蹤跡的過程中，不斷插入十多年前鹽幫往事。現在時故事開始時，蘭姑早已死去，但她卻活在往事記憶中，成為這部作品的關鍵人物之一。雖然出場不多，但卻給人留下了深刻印象，她年輕貌美且單純善良，實無法承擔鹽幫幫主的重任，所以很容易就墮入張翱的算計中，把豺狼當作情郎。另一面，她又勇敢決絕，一旦發現張翱的真面目，即毫不猶豫地離開，縱被張翱殺害，也要留下屍證。

小說的不足之處，是細節方面的馬虎。例如讓李和順父子同名，即父親叫李和順，兒子也叫李和順，在中國漢族歷史與現實中絕無此事。又如敘事時間提示，說蘭姑之死及李和順夫婦之死是十年前的事，而徐老爹即當年揚州捕頭徐標回憶蘭姑接任鹽幫幫主事，也說是十年前的事。實際上，從蘭姑接替幫主，到張翱篡權，到蘭姑與張翱結婚，到蘭姑離開鹽幫及李和順夫婦之死，有好幾年時間。此外，小說中的徐老爹即當年捕頭徐標這一人物，沒有發揮應有的作用，讓人遺憾。

《天才殺手》

《天才殺手》的人物很奇特，故事也很好看。倪匡小說善於佈局，這篇作品也不例外。周見殺了人，被柳三窺見，柳三發現周見的殺人天賦，主動與周見接觸，問周見為什麼要殺人，周見說為了滅口。既然柳三看到了周見殺人，勢必成為周見下一個滅口對象。而柳三自恃武功高強、經驗豐富，不僅不殺周見，反而將他帶在身邊，要把周見培養成自己的賺錢工具。周見會不會殺柳三？他什麼時候殺柳三？要有怎樣的時機才能殺柳三？就成了書中最大的懸念，直到小說結束。

周見殺人是為了滅口，這不難理解。即使是天才殺手，在殺人之後肯定充滿下意識恐懼，為了不讓殺人事實被人所知，就不得不殺掉見證人。因為他殺人總是被人看見，所以就只好不斷殺人，這就是周見的奇特之處。他說，他不為金錢殺人。也就是說，他也知道殺人並非好事。之所以不斷殺人，在他而言，那是迫不得已。

這種荒謬邏輯，是因為作者要寫傳奇故事，卻也符合周見的心智水準和文化教養。他是個馬夫，從小生活在社會底層，其行為邏輯有兩種，一種是文明社會的道德規範，另一種卻是叢林法則。在正常的時候，他遵守前者；在衝動的時候，則是由後者所支配。龍雲莊莊主不等他把話說完，就踹他一腳，引起周見不良情緒大爆發，結果是將這位武功高超的莊主殺了，並被迫從此開始其殺手生涯。周見如同猛獸攻擊龍莊主，這是典型的叢林行為，所以如此，卻又是他在文明社會中受了太多委屈，壓抑不住時，就會爆發。

這個故事的有趣之處，是柳三為了達到自己的目的，要將周見培養成為金錢殺人的職業殺手，於是帶他去妓院花錢買歡。柳三讓周見習慣享受文明社會的娛樂，實際上卻是把周見帶入叢林深處，讓周見變成更加純粹的動物，只懂得交配和殺人。為了與異性交配，需要有錢；而他唯一的掙錢途徑，就是去殺人。周見毫不尊重他人的生命，看上了朱小紅，並不是愛上對方，而是把對方當作另一隻漂亮的雌性動物，因此，他在與朱小紅交配過後，能夠冷酷無情地殺死朱小紅的父親朱武。最後，他毫不猶豫地殺死自己的導師柳三，只不過，不再是為了滅口，而是為了金錢。殺死柳三的行為，與兩隻動物為爭奪食物而相互殘殺，本質是一樣的。周見殺死柳三，他自己也被柳三殺死，這一結局也沒什麼稀奇，只不過是兩隻動物相互殺害而已。

柳三是個成名的殺手，已經掙夠了一輩子也花不完的錢，但他仍然在做殺人生意。只不過，在見到周見後，他改變了思路，想要培養周見這個殺人工具，讓周見去為自己殺人賺錢，自己活得更輕鬆。明知道周見要殺人滅口，明知道周見對殺人毫無顧忌，他還要繼續培訓周見並利用周見，是他以為自己比周見更聰明。沒想到，周見的聰明程度超乎他的意料，他也為之膽寒，膽寒還要繼續利用周見，是因為他有變態心理，以為自己是殺手之神，不可能被殺。變態心理的原因，恰是因為他做慣了殺手，不尊重生命，也不理解生命，當然也沒有能力瞭解自己。柳三和周見都很聰明，但都不過是動物水準的聰明，而達不到聰明人的水準。也正因如此，這兩個人作為一個「物種」，因自相殘殺而滅絕。

小說中沒有多少亮色，從頭到尾都很陰鬱。被殺的白馬金劍朱武，號稱洛陽大俠，卻沒有看到他有什麼大俠風采，更看不到他的大俠行為，小說中呈現的只是他的人性弱點，即以為遇到了天皇貴胄，於是刻意巴結，甚至暗示自己的寶貝女兒隨意獻身。最後被周見冷酷地殺害。朱武之死雖然令人同情，但卻沒有什麼價值。這部小說像倪匡的許多小說一樣，看上去很精彩，但也很不舒服。

小說寫得不夠精細，例如柳三和周見到洛陽大俠朱武家拜壽，實際上是要去殺朱武，兩個殺手竟然都用自己的真名。雖然周見是無名之輩，但此後還想活在這個世上，如何能用真名？柳三是著名殺手，用真名出現竟不怕人知，而朱武似乎也真不知道柳三其人，這顯然是作者疏忽。另一點是，柳三是知名殺手，從來不與雇主見面，甚至也不見中間人，但在殺朱武前，卻不但見了中間人，且還對三個蒙面中間人說他認出了對方，這一連串做法，無不違背殺手基本規則。作者這樣寫，無非是要為最後柳三與雇主及中間人相互殘殺鋪墊。問題是，連周見這樣的雛兒都明白不能讓對方知道自己認出了對方，柳三卻不知道，實在說不過去。

《五雷轟頂》

《五雷轟頂》的故事很好看。首先是，飛龍寨固若金湯，元朝兵馬無法攻克，卻被洪威單人獨騎打開，看上去武俠味道十足。進而，都以為文武雙全且風度翩翩的洪威是當世英雄，至少也是亂世梟雄，沒想到竟是異族朝廷鷹犬。當此亂世，率部攻城掠地，所向披靡，或許他也曾有渾水摸魚打江山的衝動，但脫脫丞相的一封信，就將他打回了原形。信中「賜蒙古姓，許蒙古郡主為妻」等語言，格外刺眼。

看慣了《射鵰英雄傳》和《倚天屠龍記》中漢人英雄為國為民，與異族統治者浴血獻身的故事，再看這篇小說中的洪威，會有嚴重的不適感。偏偏，這個人不但謀略過人，而且武功超群，他的急轉風武功幾乎不可戰勝。

洪威這樣的人，在歷史上並不鮮見。沒有民族意識，也沒有道德心，學成文武藝，貨於帝王家，是所謂有奶便是娘。此人顯然自視甚高，以為自己兼具孔明之智與關羽之勇，所以敢於獨上飛龍寨，且將飛龍寨上萬兵馬納入自己麾下。

飛龍寨的三位寨主，龍麟、貝奮、陳英群也算得上是當時的英雄好漢，不劫商旅而專打元朝官府，就讓人肅然起敬。但此類英雄，畢竟草莽，沒有政治目標，更無政治遠見，甚至也沒有政治意識，當然也缺乏政治謀略，上當受騙就在所難免。假如是在純粹的武林世界，他們還能很好地應付，一旦進入江山政治層面，他們的心智與知識就全都不夠用，只能成為洪威的部屬、工具和犧牲品。

值得注意的是，龍麟、貝奮乃至心智過人的陳英群，都相信兄弟結義這一傳統儀式，根本想不到洪威這位信誓旦旦的兄長，轉眼間就毫不留情地殺戮結義兄弟。江山的法則與江湖的規矩的確截然不同，好在最後龍珠兒和陳英群復仇，終於回到他們所熟悉的武林世界，按照武林規矩，利用武功手段，為被騙被殺的兄長復仇。小說的創意很有意思，由反面主人公洪威所發「背誓就遭五雷轟頂」的誓言，想出「五雷轟頂」的殺技，終於報得大仇。其中沒有神秘因果，卻終於惡有惡報，這才讓心情沉重的讀者得以稍稍釋懷。

小說篇幅不長，寫得不夠精細。其中人物也相對簡單，時當元末亂世，遍地造反烽煙，手握重兵的洪威的行為舉足輕重，按理說，他的「打江山」之說不應該停留在口頭上，即不該在看到脫脫丞相的信後就不假思索地殺死跟隨他打江山的龍麟、貝奮兄弟，至少也應該有心動、有猶豫、有躊躇。

《遊俠兒》

《遊俠兒》講述一個游俠的故事，主人公的名字就叫遊俠兒，或許是真名，或許是他為自己取的外號，無論是真是假，都很有趣。這個故事不長，核心線索是盜匪朱武等人謀奪威勝鏢局的暗鏢，重點卻是表現遊俠兒的游俠行為，在奪鏢故事發生之前，他就先後邂逅了盜匪過天雲、放天龍、鐘赤虎、金利來、侯九，每次邂逅都很有趣。他作弄了過天雲和放天龍，而鍾赤虎又作弄了他，接著他又趕走了金利來，並作弄了開賭場的侯九。等到正反面人物全都出場，奪鏢故事才正式開始，由此可見作者佈局的巧妙。

更值得一說的是主人公遊俠兒的形象。遊俠兒是真正的游俠，他把從冀東雙飛賊手裡奪來的金銀財寶全部送給災民，就足以證明他是真正的仗義行俠者。遊俠兒不僅仗義行俠，而且性格開朗，心地善良，遇到金利來截殺蔡三叔和江靈，他立即出手，趕走了金利來，救下了江靈，並將江靈送回客棧。他不殺過天雲、放天龍、金利來、侯九，這就是他心地善良的表現。而以裝死的方式哄江靈，更表現他有溫暖情懷。

有意思的是，災民稱呼他為救苦救難的活神仙，他窘迫而不敢受，竟將自身帶著的碎銀也送給了災民，以至於連吃飯的錢都無法支付。這一小小細節，其實是一個鋪墊，因為心地善良，所以容易上當受騙。朱武說要去謀奪毒龍會的珠寶送給災民，他就不假思索地相信並隨行；一旦知道自己鑄成大錯，就單身冒險，奪回暗鏢。這一次，遊俠兒開始殺人了。他殺人，不是因為對方偷盜或搶劫，而是因為對方欺騙自己。殺人之舉，固然可以理解為仗義行俠、除惡務盡，也可以理解為要發洩上當受騙後的積鬱和憤怒。

遊俠兒殺人，自己也重傷不治，這一結局出人意料，卻在情理之中。遊俠兒以一對六，武功再高也難免一死，是所謂殺敵三千、自損八百。蔡三叔被金利來殺死，江靈哭泣，遊俠兒說他寧願死也不願聽人哭，所以他裝死哄江靈。但小說的最後，遊俠兒真的死了，再也無法哄江靈不哭。這一結局讓人傷感，但卻是倪匡小說的一貫作風，明知道遊俠兒不死，讀者肯定會更開心，但他不願這麼做。

遊俠兒的形象，是倪匡小說中難得的亮色，但到最後，作者卻將這抹亮色拭去。也許，這樣做，遊俠兒留在讀者心裡的印象會更深。

《殺氣嚴霜》

《殺氣嚴霜》[17]應算是個推理與復仇故事，被關押在死牢中二十年之久的丁天野被大赦後，唯一的念頭就是想要找到當年出賣他的人。懷疑對象只有四人，即龍門幫幫主金龍神君，和其他三位副幫主：八臂猿項飛、金掌燕大南、赤砂飛虎陳烏。最先被排除的是幫主，因為幫主若是想殺他，用不著費心出賣，隨便找個理由就可以將他殺了。

其次排除的是項飛，因為項飛是丁天野最好的朋友。於是只剩下兩個人，即陳烏和燕大南。而捕頭黃山提供的線索，說告密者帶著麂皮手套，這就更簡單了，在龍門幫中只有陳烏用毒砂、習慣帶麂皮手套。嫌疑人很快就找到了，可結果卻是出人意料，陳烏根本就沒有出賣他，也不可能去滄州告密。繼而，燕大南、項飛的嫌疑也同樣被排除，告密者竟是最先被排除的人，即龍門幫幫主金龍神君。從小說佈局看，這個故事層層深入，最後突然逆轉，堪稱好故事。

龍門幫幫主金龍神君出賣丁天野，讓他入獄二十年，是這個故事的核心要點。問題是，他為什麼要這樣做？對此，小說中沒有詳細交代，因為丁天野出獄時，金龍神君早已去世。金龍神君陷害自己的副幫主丁天野的動機，就成了小說的大塊留白，需要讀者去思索揣摩。最可能的原因，是想把女兒永遠留在身邊，因而不願看到女兒出嫁。世上大多數父親都會捨不得女兒出嫁，但只有極少數父親心理變態，為了不讓女兒出嫁，而將所有適婚男青年當作眼中釘。金龍神君可能就是這種人，燕大南向幫主求親，卻被幫主大罵，那還算是好的；得知女兒與丁天野戀愛，竟然下令讓女兒去殺其心上人！

這是典型的變態心理的產物。知道女兒沒有執行龍殺令，於是就親自去向捕頭黃山告密，讓對方將副幫主抓起來。這一變態行為，後果非常嚴重，首先是副幫主丁天野入獄，其次是女兒出家，再次是幫主本人因女兒出家抑鬱而死，最後是龍門幫四分五裂。神龍幫主因不讓女兒出嫁而導致心理變態，還有一條線索值得注意，那就是幫主的外號是金龍神君，一個人因武功、才幹、權力和權威而達到「神君」地步，必然會產生極大的負面效應，那就是以為自己是神，把自己的每個念想都當作法律，不容違背，否則即是死罪。實際上，以神君自居者，不用說，就已經有嚴重的神經症即心理變態了。

小說中的丁天野形象很有意思。被關押在死牢中二十年，且玉面郎君變成了慘不忍睹的醜陋形象，心理的悲憤和怨恨可想而知。但丁天野居然沒有心理變態，找到當年的捕頭，並沒有殺他洩憤，而是覺得對方是執行公務，與自己沒有私怨。僅這一點，就足以證明，丁天野理智健全。正因如此，在他調查出賣自己的嫌疑人，並先後找到陳烏、燕大南、項飛等人，也沒有先入為主，更沒有自以為是，而是講求有根有據，不肯枉殺無辜。由此可見，丁天野算得上是一條好漢。

小說中最痛苦的人，可能並不是丁天野，而是他的女友紅衣龍女俞紅紅。父親金龍神君竟下龍殺令，要她去殺自己的心上人。作為女兒，尤其是作為龍門幫的一員，她都不能不執行命令；而作為女友，她又如何能殺心上人？進而，她在得知丁天野被捕入獄後，還帶著部屬去滄州劫獄，最終與父親徹底決裂，並到鐵心庵出家為尼，得法號「無根」。所以如此，全是因為父親的變態執念。

這篇小說的問題，是寫丁天野被穿琵琶骨二十年，非但沒有失去武功，且還繼續精進，內功超群。這種寫法，有違武俠小說的通常規則，按武俠小說的常識，一個人被穿了琵琶骨，就意味著武功被廢，從此無法再練。按生活常識，一個人被關押死牢二十年，飲食不足，營養不良，且因琵琶骨被鐵鍊所穿，無法正常活動，如何能夠繼續練武？更遑論武功繼續精進？當然，武俠小說中的許多常規，其實都只是一種假定性，作者假定琵琶骨被傳還能夠練功，那又如何？

《飛針》

《飛針》[18]的故事非常傳奇，最傳奇的當然是，黃山威夫婦八年來一直在追殺李維揚，卻沒想到李維揚竟裝成丁駝子，一直在他們身邊。正所謂最危險處即是最安全處，又所謂燈下黑，人們通常不大會去關注身邊的人和事。李維揚裝扮成丁駝子，假裝要上吊自殺，被黃山威妻子虞素娘所救，這樣一來，黃山威夫婦當然不會對丁駝子有任何疑心。而李維揚也就悄然隱身在黃山威夫婦身邊。

所謂無巧不成書，《飛針》中的關鍵巧合，是李維揚前往抱玉山莊比武，遇到了令狐黠的妾婦戚金花，李維揚以為戚金花就是黃小玉，而戚金花則毫無顧忌地偷襲李維揚，使得年輕氣盛的李維揚要找黃小玉討回公道。等到發現黃小玉並非偷襲自己的人，卻為時已晚，黃小玉已被他打下了懸崖。此後，李維揚一直逃匿，進而裝扮成丁駝子隱身在黃山威夫婦身邊，固然是因為其武功不是黃山威夫婦敵手，害怕黃山威夫婦追殺；但也因為他誤殺了黃小玉，內心有愧。

這個故事的起點，是黃小玉在武林中聲名鵲起，獲得了「無敵女俠」的綽號，同樣名聲遠揚的李維揚卻不服氣，與朋友打賭說要奪下黃小玉手中的劍，證明黃小玉並非無敵，李維揚更勝一籌。人人都有虛榮心，年輕氣盛的李維揚當然也不例外，向黃小玉挑戰本是武林中經常發生的事，只不過李維揚運氣欠佳，一錯再錯，結果不得不隱姓埋名，變身丁駝子才保住性命。小說的結局，是李維揚為救黃鷹而暴露身分，這一安排出人意料，卻是合情合理。一是李維揚陪伴黃鷹長大，與黃鷹有很深的感情，不能不救黃鷹；二是李維揚雖然有些衝動魯莽，但畢竟是俠道中人，在他人生死的關鍵時刻，不能不伸出援手，哪怕因此而暴露身分，讓自己身處極度危險之中。好在，黃小玉沒死，李維揚的命運也就沒那麼差。

若以挑剔的眼光看，這部小說中人為的痕跡相當明顯。李維揚畢竟已行走江湖數年，應有起碼的江湖經驗，見到美女戚金花就認定她是黃小玉，未免過於粗心。進而，後來遇到真正的黃小玉，雖然心懷怨憤，卻也不應該不看清環境，隨隨便便出手，將黃小玉置於死地，這一行為，恐怕不符合他的俠義身分。進而，李維揚裝扮成丁駝子，在黃山威夫婦身邊七八年，雖是這篇小說的傳奇關鍵，卻多少有些人為痕跡。天下如此之大，李維揚不可能找不到隱身之處，在黃山威夫婦身邊數年，要隱瞞自己的真實身材與武功，恐怕沒有那麼容易。

最後，最不靠譜的是，令狐黠鳩占鵲巢，而黃小玉被他囚禁七八年。令狐黠既然為兒子求親被拒絕，而又找到了無依無靠的黃小玉，按照令狐黠的行為邏輯，肯定要逼迫黃小玉嫁給他兒子令狐海。令狐黠為什麼不那麼做？書中不作充分解釋，那就只能說是作者考慮不周。令狐黠的行為，也不怎麼像是西域魔宮的主人。

《紅梅金劍》

《紅梅金劍》[19]的故事非常神秘，神秘的來源就是紅梅宮。紅梅宮的人從來不在江湖中出現，以至於人們都以為紅梅宮只是一個傳說，並非真實存在。但實際上，紅梅宮是真實存在的，兩百年前，龍氏一家從京城到湘西大山深處的紅梅谷避難，龍家的武功極其驚人。但後代男丁不安於寂寞，總是嚮往山外，總有人偷偷離開。紅梅谷的女性們聯合起來，將離開的男人全都抓來處死，將紅梅谷變成紅梅宮，並立下了一連串嚴苛的規矩。例如，紅梅宮的女性找丈夫，丈夫終生不得離開，任何人離開都要被抓回處死。又如，紅梅宮裡不容男孩，凡生下男孩就要送給他人撫養。

白震東原是宮主的丈夫，不忍心將兒子白玉龍送人，所以在妻子生下白玉龍三天後，就帶兒子逃出了紅梅宮。由於白震東來自紅梅宮，武功超群，很快就揚名江湖，成為武林盟主。紅梅宮主與丈夫情感很深，即使早已發現改名的武林盟主就是自己的丈夫，也不願追究。但紅梅宮的規矩卻讓其他人找到了白震東，並將他帶回紅梅宮囚禁。

紅梅宮神秘而古怪。紅梅宮中的女性要找丈夫，就派人去搶，也不管男人是否願意留在紅梅宮，逃走者就要被處死。這一古怪而神秘的規矩，源於女性當權者要保護紅梅宮的秘密不會外傳，更要保護紅梅宮中的女性利益。由此可見，女權社會與男權社會同樣可怕，性別不平等，即是罪惡之源。白震東、白玉龍父子兩代的命運，就是最好的證明。白玉龍的母親身為紅梅宮主，卻也不能隨便改變紅梅宮的規矩，要改變紅梅宮的規矩，要宮主用自己鮮血灑遍石刻規矩的每一個字。這一情節，如同文化寓言。在所有封閉社會中，人人都是規矩的奴隸。

這個故事的最後轉折，是紅梅宮主的愛造成了主人公白玉龍父子夫妻命運的逆轉。人類與動物的區別，是不僅有異性交配，更有異性的愛情。在這一意義上說，這個故事的主題，是人性的勝利。紅梅宮主以自己的生命改變了紅梅宮的規矩，不僅保住了丈夫和兒子的生命，保住了兒子、兒媳的婚姻和愛情，更保住了白震東、白玉龍以及所有與紅梅宮有關聯者的個性尊嚴。

這篇小說的故事算不上十分精彩，但它有不可低估的寓言價值。小說中的人物，最生動精彩的不是白震東，也不是白玉龍或魏金鳳，而是金劍山莊總管彭大叔，即青城派掌門人鹿威。他在當上青城掌門後，看到祖輩留下的遺言，說本門武功來自紅梅宮，凡是青城掌門，在練好本門武功之後，即可去紅梅宮學習更高的武功。鹿威並沒有練好本門武功，但與所有武林中人一樣，總是覬覦超級武功，於是他來到紅梅宮，結果因違背上代誓約，成了紅梅宮的囚犯兼苦力。

白震東逃走時也將他帶走，因為深知紅梅宮規矩，逃出者被發現就要被處死，鹿威從此就隱姓埋名，化身為彭大叔。直到白玉龍被帶走，魏金鳳要找丈夫，他在衝動之下決定帶魏金鳳前往紅梅宮。但在臨近紅梅宮時，想起當年的慘痛遭遇，不能不心悸膽寒，遂不惜背信逃離。這一人物的行為與心理，充分顯現了人性的局限。鹿威不是懦夫，但在紅梅宮的巨大壓力下，卻也無法成為英雄。

《劍分飛》

《劍分飛》[20]的故事奇峰突起，寫法也很獨特。本是一個尋常的復仇故事，卻從與復仇毫不相干的丁素娥的視點去寫，把復仇故事寫成了愛情故事。

武林中人比武爭勝，落敗者念念不忘，一定要設法戰勝對方，贏回臉面，這樣的故事屢見不鮮。《劍分飛》的故事與之不同，是正派人士偷襲邪派高手鐵劍老人。鐵劍老人是邪派，在書中並沒有交代此人有何邪惡行徑，於是有想像的餘地。所謂正邪，常常只不過是立場不同而已，邪派中固然有十惡不赦之人，卻也有我行我素即不把武林規矩及傳統放在眼裡的人。這篇小說所講述的，是正派中人如何不正派。

當年汪雷等十四人圍攻鐵劍老人，以多打少，本就違背了武林規則；更何況，汪雷等人不僅以多打少，而且還在背後偷襲。只不過，汪雷等人是正派中人，頗有俠名，因而能以「除惡」之名做出不良勾當。本故事的真正重點，是呂不凡離去之後，汪雷等人設計將他騙回，試圖將他毒殺。呂不凡的表現相當克制，也可以說相當君子，汪雷等人為什麼要毒殺呂不凡？理由只有一條，那就是呂不凡乃是邪派高手鐵劍老人的弟子，為了除惡，非殺呂不凡不可。

這一堂皇的理由，掩蓋了這些正派中人要殺呂不凡的真實動機，真實動機是，呂不凡打敗了他們，讓他們失去了面子；呂不凡揭露了汪雷等人當年的卑劣行徑，讓他們的俠義名聲受損；更深的動機是，呂不凡武功太高，此人不死，汪雷等人內心充滿恐懼，從此不得安寧。總之，這篇小說是要揭開汪雷等人的俠義面具，還其卑劣靈魂的真面目。

有意思的是，丁烈參與了陰謀，但丁烈的妻子和妹妹卻站在反對陰謀的立場。這就是另一個故事，即愛情故事了。——實際上，這部小說中，有兩個愛情故事，一個故事是丁素娥對呂不凡一見鍾情，而且情不自禁；另一個故事是呂不凡和甄飛鳳當年在泰山某個山谷中邂逅，雙雙墜入情網。遺憾的是，有人來提親，父親把甄飛鳳許配給了丁烈。那個年代中的青年男女，愛情不由自主，婚姻更是身不由己，甄飛鳳奉父母之命、媒妁之言，嫁給了丁烈，只能把對呂不凡的情感深深地埋在心裡（那時候她其實並不知道他的名字，正如他也不知道她的名字）。由於機緣巧合，甄飛鳳聽丈夫說要除掉呂不凡，才會在呂不凡端起毒酒時奮不顧身地提醒他，那是一種本能，既有情感因素，也顯出甄飛鳳本性善良。

從這個故事可以看出，丁烈確實配不上甄飛鳳；問題是，甄飛鳳曾經嫁做他人婦，也不可能與呂不凡再續前緣，對甄飛鳳而言，這是可怕的愛情與人生悲劇。呂不凡知道甄飛鳳已經嫁人，自然不會糾纏不休，但內心卻又無法忘懷，只能悵惘終生。呂不凡無法忘卻甄飛鳳，丁素娥又怎能忘懷呂不凡？只能是，劍分飛，魂分飛。

《奔龍》

《奔龍》[21]的故事情節非常吸引人。大俠黃英傑進行武林總動員，發動正派人士參與拯救神槍李伯祺的女兒，鏢頭徐虎子送了一程還要再送一程，這就吊起了讀者的胃口，想看看事情究竟會怎樣，結局會如何。惡名昭著的長魔、肥魔一路阻截騷擾，專做盜古墓營生的潛龍幫主霍文淵暗中幫忙，使得故事情節撲朔迷離。

到了魚家莊，莊主魚耀本是俠義中人，且承擔下一站護送任務，但李青花來到魚家莊後，竟然神奇失蹤，故事也就更加神秘莫測。好在事實真相很快就揭開，魚家莊已被他人鳩占鵲巢，莊主魚耀身負重傷且被人控制，徐虎子等人見到的莊主其實是戴著面具的冒牌貨。更神秘精彩的還在後頭，李青花竟不是李伯祺的女兒，而是武功高絕的惡魔長白飛屍的女兒；李青花在魚家莊失蹤，並不是落入危機陷阱，而是被自己的生身父親找到。

小說取名《奔龍》，是說潛龍幫主霍文淵，本是一條「潛龍」，在見到李青花之後，情不自禁地追隨她、救助她、愛上了她，最後成了一條「奔龍」，即李青花一起挖地道私奔的龍。小說的主題非常少有，是說美女的魅力可以重塑男人的人生。故事雖然是是以徐虎子為主，小說真正的主人公卻是霍文淵。

這位專盜古墓的潛龍幫主，雖非邪惡人物，卻也不是俠道中人，他也無意要幫助什麼人，但見到李青花之後，就情不自禁地追隨她，要幫助他，不惜為她冒險。更難能可貴的是，為了李青花，他還主動拯救徐虎子，儘管徐虎子是他的情敵，且徐虎子對盜墓為生的霍文淵常常惡語相加。霍文淵最終如願以償，首先是長白飛屍愛屋及烏，對傾慕李青花的青年不下殺手；其次是李青花拒不認父，寧可亡命江湖，而霍文淵恰恰有挖地道的專長，可以帶著李青花逃走。

鏢頭徐虎子是另一個典型，出於道義參與護送李青花行動，完成行程後竟主動要求再送一程，那是因為他在不知不覺中愛上了李青花，從而願意為她赴湯蹈火。另一面則是，為了與李青花在一起，他竟不顧道義，與長、肥二魔訂下密約。徐虎子做出不道德的選擇，原因不難理解，那是因為他愛上了李青花，無論付出怎樣的代價，都要與李青花在一起。

李青花的養父李伯祺是第三個典型。他與長白飛屍師徒勢不兩立，但抓住長白飛屍的女徒後卻不忍殺害，原因很簡單，那就是為她心動，想要娶她為妻。即使知道對方是長白飛屍的情婦，知道對方懷著長白飛屍的孩子，也不改初衷。李青花母親的美色，讓李伯祺改變了情感立場，也改變了價值觀念。並不是所有美女都有這種改變他人的魅力，但這篇小說中的李青花母女卻有，她們很獨特。

小說的潛在主題，體現在女主人公李青花的形象和故事中。李青花的生父是長白飛屍，養父是李伯祺，由此形成了李青花的身分危機，以及自我身分認同的內在衝突。是不是應該認長白飛屍為父？是李青花面對的一個尖銳難題。李青花的選擇很乾脆，那就是寧死也不認惡人為父。也就是說，文化關係戰勝了血緣關係，社會學意義上的父親戰勝了生物學意義上的父親。之所以做出如此選擇，當然是由於神槍李伯祺對她的教養，在李伯祺身邊，李青花不僅得到了足夠的父愛，同時也獲得了俠義正道的教養，更難得的是培育了獨立個性。與徐虎子同行時，她的這種獨立個性就在逐漸顯露，而最後隨霍文淵一起逃走，則是更好的證明。

這篇小說寫得好不好？實在有些難說。小說的缺陷很明顯，一是小說中的長魔與肥魔不斷阻截李青花，目的始終不明：是要殺李青花？還是要娶李青花？或是要借李青花與長白飛屍做交易？看起來都不是，書中的這兩大魔頭，似乎被作者臨時抓差，讓他做什麼就做什麼，並沒有自己的真實動機。

另一缺陷是，黃英傑動員武林，送李青花到關外，看起來是個好主意，實際上卻是多此一舉。黃英傑明知道李青花不是李伯祺的女兒，而是長白飛屍的女兒，即使長白飛屍找到李青花，李青花也不會有任何危險，那麼，黃英傑為什麼要這樣做？如果說黃英傑是想把李青花藏起來，不讓她與生父長白飛屍見面，那就不應該做武林總動員，把李青花的動向弄得人人皆知。在這部小說中，黃英傑應該是正面形象，但作者卻忍不住要故弄玄虛，把他寫得貪生怕死，假如真是這樣，當年他為什麼要和神槍李伯祺一起挑戰長白飛屍？總之，小說中人大多寫得隨意而膚淺。

《杏花劍雨》

《杏花劍雨》[22]的開頭非常吸引人，宋天池要來蘇家莊拜訪，竟然在離蘇家莊不遠處身負重傷，瀕臨死亡。蘇映珍雖然充滿憤恨，卻並沒有傷他，但包括蘇映珍父親在內的幾乎所有人都認定宋天池被她傷害。這一段故事的充滿戲劇性張力，暗戀蘇映珍的七師兄陳青松之死，把這段故事推向懸念的最高點。

而後是偵探揭秘，金圈幫的出現是一個轉捩點，事情的真相更是出人意料，原來是宋天池設計專門針對蘇映珍的陰謀。宋天池瞭解蘇映珍，在得知他娶別的女性為妻，其憤恨必然溢於言表，從而毫無疑問會成為傷害宋天池的第一嫌疑人。宋天池為什麼要這樣做？原因很簡單，是因為宋天池對蘇映珍始亂終棄。始亂終棄的故事並不少見，少見的是宋天池為了掩蓋自己始亂終棄的罪孽，竟設計置對方於死地。

這個故事的最大看點，就是刻畫宋天池的卑劣形象。雖然長相俊美、風度翩翩，蘇家莊上下無不喜歡宋天池，並為他在短時間內名揚武林而感到由衷自豪，但知人知面不知心，宋天池的內心與人們的觀感及想像截然不同，他是個為達目的不擇手段的人，為了成名不惜一切。他之成名是得到了金圈幫女幫主的幫助，於是娶她為妻，就要將前女友蘇映珍置於死地。由此不難推測，當年他與蘇映珍談情說愛，目的不在愛情，而在獲得師父蘇豹的歡心，並由此學到高級武功。正因如此，一旦發現金圈幫主的武功更高，就不僅將蘇豹、蘇映珍父女棄若敝屣，還要設計陰謀陷阱，試圖將蘇映珍置於死地。宋天池絕對自我中心，心中沒有他人。

這個故事的另一個看點，是對蘇映珍父親蘇豹的心理描繪。發現宋天池身負重傷，懷疑是女兒蘇映珍所為，從而伸手打女兒耳光，這是他的第一反應。打耳光的原因，是責怪女兒任性衝動，太不懂事。這可以理解。接下來的反應就有意思了，蘇映珍逃離後歸來，說自己沒有傷害宋天池，並且要設法找到真凶，蘇豹仍然把女兒當作傷害宋天池的嫌犯。所以如此，就不再是因為女兒不懂事，而是根本就不理睬女兒的辯說。

為什麼會這樣？如蘇映珍所說，蘇豹此時擔心的是無法向宋天池的家人交代，根本不聽女兒的辯解，不想追求事情的真相，目的是確保自己的安全。也就是說，這個父親在危機時刻，把自己的安全置於女兒的清白聲譽之上。這個父親，與我們通常的想像很不一樣。直到發現宋天池是在裝死，這才恢復正常理智，並且要為女兒著想，甚至要殺了宋天池。

這個故事的不足之處也很明顯。有些情節交代得不夠清楚，或不夠合理。例如，陳青松是如何知道「洛陽白雲觀」中有古怪？再如，蘇映珍到洛陽白雲觀、豫威鏢局去走一圈後，如何推測出宋天池與金圈幫主的關係？又如何推測出宋天池是假負傷？宋天池假負傷，又如何能瞞得住蘇豹這樣有經驗的行家？進而，宋天池設計陷害前女友蘇映珍，他的妻子金圈幫主是否參與其中？在洛陽白雲觀裡，金圈幫眾為什麼要圍攻蘇映珍，最後又為什麼放蘇映珍離開？這些情節，若沒有合理的解釋，就只能說是小說故事情節的漏洞。

《劍相逢》

《劍相逢》[23]有倪匡小說的典型特徵，故事開頭的佈局照例緊張刺激而又迷霧重重。有怪人在會賓樓賣劍匣，索價居然是萬兩黃金。風寒冰、風寒雪姐妹到會賓樓請客，使得會賓樓人心惶惶，雞犬不安，很快就出現突然逆轉，主賓遲遲不到，隨從卻屍橫馬上，風府管家鹿大先生則讓兩位風小姐立即回家。風四是武功絕世的綠林盟主，風府竟然有人入侵，入侵者竟然還是個沒有多大名氣的青年。

看到最後才發現，這篇《劍相逢》，講述的是比翼劍的故事，劍匣是比翼劍的劍匣，賣劍匣的人則是風四先生的故交好友淳于連。他們曾一起去苗疆尋找稀世珍寶比翼劍，風四不耐久待，三年即歸，成了綠林盟主，不免有惡業與惡名。淳于連算得上是真正的諍友，不僅此前曾救過風四兩次，這一次對風四的嚴正警告，實際上是第三次拯救風四。比翼鳥是男女愛情的象徵，比翼劍自然也不例外，風四先生有兩個女兒，最後都找到了自己的歸宿，並且各得一支比翼劍為聘禮。

這篇小說的看點，是風寒冰和風寒雪姐妹的形象。雖然是同父同母所生，但這對姐妹的個性卻截然不同。姐姐風寒冰自恃出身名門、武功不俗，因而驕縱任性、盛氣凌人，面如寒冰，動輒傷人；妹妹風寒雪則相對溫和，對人有同情憐憫之心，不會仗勢欺人。這樣個性迥異的姊妹花雖然並不罕見，但寒冰、寒雪姐妹還是給人留下了一定的印象。汪威出身武林世家，身材高大，武功不俗，但卻不是何天聲的對手，受到對方警告後的本能選擇是按約離開，保命要緊。風寒冰的斥責加呵護，激發了他的雄性肝膽，決定留下來接受命運的挑戰，這一轉變也頗值得一觀。

這個故事的弱點是，淳于連的形象有些概念化。他雖說是要在暗中調查好友風四的聲譽行徑，但他的所作所為所說，多少顯得有點做作。風四聽了他一番教訓，居然頓悟人生，選擇皈依佛門，不免有些突兀，人為痕跡明顯。

《鐵拳》

《鐵拳》[24]是短篇小說。胡千鈞的鐵拳確有千鈞之力，更難得俠義為懷，只可惜命運多舛。想到清遠鏢局找一份工作，卻被當成別有用心，還沒到鏢局就受到攻擊。大盜佟明魂偽裝嚴百萬，到鏢局踩點，被當作上賓；胡千鈞揭露真相，被看作無理取鬧。佟明魂原形畢露，搶劫鏢局，胡千鈞仗義奮戰，打敗強盜；總鏢頭勞天行非但不感激，反而要刺殺他，為此丟掉性命。史鏢頭獲救後，亦不辨青紅皂白，只因勞總鏢頭死於胡千鈞之手，立即與之玩命廝殺，導致胡千鈞身受重傷。佟明魂坐收漁人之利，唾手得鏢銀，不願與人分贓，而殺死所有幫凶。胡千鈞才有機可乘，擊斃佟明魂，將鏢銀送還清遠鏢局，史翠蘭鏢頭才對他刮目相看。

小說主人公胡千鈞，頗似啟蒙思想大師伏爾泰筆下的老實人和天真漢。為自己著想也為他人著想，尊重法律和社會道德，原是他做人的本分。但現實江湖中人自私自利且以己度人，不相信人間還有赤子衷腸，結果是天真漢蒙冤，盜賊裝富翁詭計得售。這故事看似匪夷所思，卻有扎實的人性及文化依據：不識人心善惡，也分不清事情真相，原是世間大多數人的認知局限，越是自以為是，偏離真相就越遠。勞天行、史翠蘭都有豐富的江湖人生經驗，他們的經驗恰恰是：不相信人間有真好人。這種經驗和信念，即使源自實際生活，那也是一種文化病。

《最後一劍》

《最後一劍》[25]的故事情節十分驚人，三絕派弟子回師門，一路上遭遇暗殺，先是五師弟、六師弟被暗殺；繼而是三師兄威明被襲擊，令他恐懼的是，襲擊他的人用的是三絕派的劍法。由於每個被殺者身邊都有鳳七姑的獨門暗器出現，司徒洪師兄弟自然會認為凶手是鳳七姑。司徒洪五兄弟一路同行，四師弟陳雄白竟也被殺，由於鳳七姑沒有露面，故事更加詭異。繼而，七師弟孫貴被殺，現場只有三個人，即死者孫貴、大師兄司徒洪、八師弟陸鷹揚，而孫貴臨死前又說「八師弟殺我」，殺人者似乎就是陸鷹揚無疑。是否果真如此？事情當然不是像表面上看起來的那樣。隨著萬舜水的再次出現，真相才徹底揭開。一路殺人者並不是陸鷹揚，也不是鳳七姑，而是看起來完全沒有疑點的二師兄萬舜水。

萬舜水成為連環殺人案的凶手，原因是想當三絕派的繼任掌門人。在正常情況下，他不大可能成為繼任掌門人，他的資歷不如大師兄司徒洪，他的資質和天賦又不如八師弟陸鷹揚。他想要當繼任掌門，享受一派掌門的榮耀和權力，就只能採取非正常的方法，那就是殺掉其他的師兄弟，讓自己成為唯一選擇。萬舜水的行為，無疑是惡行，只有道德敗壞的人才會做出如此喪失人性的事。但作者寫這個故事，並不是要對這位反派主人公作道德批判，而是要揭示人類的一種特殊的心理。在文明社會中，這種心理和行為肯定是病態的；但在原始叢林世界，這種行為就一點也不稀奇，即以武力解決問題，為了奪得權力，不惜殺人。這也就是說，萬舜水的心智水準實際上還停留在原始叢林水準。萬舜水本人當然不會這麼看，他肯定以為自己足夠聰明，他殺人，卻讓鳳七姑背鍋，自己得利，難道還不夠聰明？其實，所有類似心智的人都是自以為聰明的人，即只想到可以嫁禍於鳳七姑，卻不去想鳳七姑會不會因此而找他的麻煩——最後的實際結果正是如此，鳳七姑的出現，不僅讓他的願望落空，而且讓他「最後一劍」刺向自己。退一步說，即使鳳七姑不來找他，他的師父蒙威也不可能讓他的陰謀得逞：同門八個師兄弟中多人被殺，誰是最大的獲利者？循著這一思路，就不難找到答案。

總之，萬舜水的陰謀，不過是自作聰明而已。萬舜水這樣的人，在道德上應該受到譴責，真正的原因卻是他的認知能力和心智水準還停留在叢林中，不符合文明社會的道德準則和行為方式。問題是，在文明世界中，萬舜水這樣的人並非孤例。

寫出萬舜水的故事，正是這篇小說主題意義所在。這不是武俠小說的常規主題，正因如此，倪匡小說有人愛看，有人不愛看。愛看武俠小說的人，總希望在小說中看到更加積極的正面俠義人物。

《銀劍恨》

《銀劍恨》[26]表層是奪寶故事，裡層則是愛情故事。青城山的某個山谷水潭中有七彩光華閃爍，預示著有寶劍即將出世，引來奪寶人，這是武俠小說中常有的故事情節。這篇小說的特別之處是，主人公衛桐客號稱「青蓮秀士」，對寶劍並沒有那麼大的貪心，打定了得失隨緣的主意，他更想得到的是師侄馮若梅的愛。縮骨鬼仙對寶劍是必欲得之而後快，所以不僅帶了徒弟前來，且還找師弟玉面書生楊立幫忙。結果出人意料，衛桐客失去了最想得到的馮若梅，而得到了他原本不怎麼在意的七珠銀劍；縮骨鬼仙非但沒有得到寶劍，反而被衛桐客所殺。

更值得注意的，是衛桐客、馮若梅和楊立的奇異三角戀。開頭是衛桐客和馮若梅親熱嬉戲，似乎兩情相悅，結局卻是馮若梅嫁給了楊立，顯然伉儷情深。

為什麼會這樣？在馮若梅而言，她雖也喜歡衛桐客，但對方畢竟是自己的小師叔，同門而差了輩分，成了無形的障礙，她不知道與小師叔戀愛，會不會被人認為是亂倫。所以，她對衛桐客始終不敢表態，對「小師叔」的稱呼也始終不願改口。正在她不知如何是好的微妙時刻，遇到了玉面書生楊立。馮若梅對楊立有好感，那是自然的，因為楊立是玉面書生，且個性開放、為人也很寬厚。更重要的是，與楊立相遇，讓馮若梅暫時擺脫了小師叔的「糾纏」，即暫時擺脫了潛意識中有關亂倫的模糊焦慮，而與楊立相處就不會有這樣的焦慮。這並不是說，馮若梅對楊立一見鍾情。

衛桐客不知道的是，馮若梅愛上楊立，實際上正是由他所推動的，一是師叔與師侄戀愛的倫理焦慮，讓馮若梅下意識地「躲避」衛桐客（小說中所寫馮若梅遊戲式躲避，很可能是受潛意識支配）；二是衛桐客不分青紅皂白地打傷馮若梅，使得她離衛桐客愈來愈遠（離衛桐客愈來愈遠，離楊立的距離自然就愈來愈近）；三是馮若梅被衛桐客打傷，需要時間治療，而在此過程中，楊立對她長期的悉心照顧，導致馮若梅對楊立產生了愛情，最終決定嫁給楊立。

在這個故事中，楊立的形象也有可說之處。他雖是縮骨鬼仙的師弟，但他不是邪惡的人，其道德品質與師兄不可同日而語。證據之一是，他雖答應幫助師兄，但不允許師兄濫殺無辜；證據之二是，他對寶劍很好奇，因而從衛桐客手中盜走了寶劍，把玩一番之後就還給了衛桐客。有意思的是，馮若梅勸他留下寶劍，他堅決不答應。這就更加充分地證明，此人的行為方式雖然有些我行我素，但本質卻是公正而且大度的。

實際上，楊立不僅是玉面書生，長相、風度、氣質都更勝衛桐客一籌，在內在品質上也要勝過衛桐客。楊立是個專心練武的人，年過而立才情竇初開，對馮若梅的愛十分純粹，也十分純潔，且十分可愛。如此，馮若梅最終愛上楊立，並與他結為夫婦，就沒有什麼稀奇了。進一步的證據是，楊立雖然武功超群，但他卻寧願與自己的愛人一起隱居，這也證明了他的可愛。

在分析了馮若梅和楊立之後，再來看衛桐客這個人，就會更清楚。首先，他是個頭腦簡單的人，他愛師侄馮若梅，就以為馮若梅也愛自己，而沒有想到馮若梅會為「亂倫焦慮」所困擾。其次，他是個心胸狹窄的人，馮若梅被楊立以禮相待，知道楊立不是壞人，就說楊立是「自己人」，雖未必十分準確，但至少是可以理解的。但衛桐客卻不分青紅皂白，以為馮若梅移情別戀，於是大罵馮若梅是「賤人」，並且將馮若梅打傷。再次，他是個自以為是的人。打傷馮若梅後，衛桐客也曾覺得此事有些不妥，但他不會檢討自己行為魯莽，而是自以為是地想像馮若梅的行為是出於對自己的愛，並自以為是地想像馮若梅與楊立在一起會受盡苦難折磨。於是，衛桐客被仇恨驅動，苦練武功，終於殺了楊立，迫使馮若梅痛苦自殺，衛桐客的情感夢想徹底成空。

《銀劍恨》的主題，就是寫衛桐客得到了銀劍，失去了愛人，這是無法彌補的人生悲劇。悲劇的真正根源，是他追求愛，卻不尊重愛人，更不懂得愛。順便說一句，這篇小說中出現的七索劍林百新，是小說《秘魔崖》的主角。只不過，那是另一個故事，另一種主題。

《不了仇》

《不了仇》[27]是個短篇。內容是：向三幼年，父母被毛人雄所殺，成年後在金鶩莊上做馬夫，等待仇人毛人雄參加五年一屆的北五省武林盟主改選，伺機復仇。五年前曾試過一次，向三不是仇家對手，意外的是，毛人雄非但沒有殺他，且表示不再行走江湖，以免與人結仇。這一次，向三決心與仇家同歸於盡。不料仍不是仇家對手，更令他震驚的是，當他說出自己父母即粉蝶兒向花、金蜂仙子白冰娘的名字，竟當場引發眾怒：他的父母，原來是殘殺無辜的武林公敵，當場就有多人要找向三報仇！幸而毛人雄說向三無罪，斬斷了冤冤相報的鏈條。

復仇故事，是武俠小說最常見的故事類型。武林如叢林，弱肉強食，父母之仇不共戴天，為父母報仇似為天經地義。《不了仇》中的向三，一心報復殺父、殺母之仇，情感真摯，動機明確，意志堅定，令人同情。結局出人意表，粉蝶兒向花、金蜂仙子白冰娘的惡名，使向三的復仇行為缺少正當性，無法令人認同。向三也非偏激之人，不得不放下的仇恨，當真就從此放下。

小說的更深一層，是毛人雄的言行意義，這位前任北五省武林盟主的與眾不同處，不在其武功卓絕，而在秉持俠義正道，且見識非凡。面對向三的復仇，他報之以同情的理解，進而探索因由，陳述義理，止息向三及其他武林同道的復仇衝動。「不了仇」之名，似來自「天下事了猶未了，何妨以不了了之」一說，這就愈加發人深思。

小說中的向三固然令人印象深刻，而少莊主洪天心也頗值得一觀。這位少莊主的父親是武林盟主，人人尊重，所以要風有風、要雨有雨，想追求師妹方畹華，也已八九不離十。只不過，方畹華尚未明確表態，而馬夫向三竟與她一起出莊夜遊，洪天心當然怒火萬丈、痛扁家奴。這一情節，出自常見的愛情心理，在得到所愛對象確切承諾前總是患得患失，把一切與之接近的人都視為潛在情敵。而洪天心鞭打向三，則是出自不把下人當人的習慣。洪天心雖然不是壞人，但卻或多或少有惡霸的習慣，好在向三的武功比他高，最後也教訓了洪天心。

《金腰帶》

《金腰帶》[28]的內容是：公孫燕原以為名聲顯赫的邱明是中年人，一見面才知道對方竟是丰神俊朗的佳公子，於是確定了故事的走向：邱明的未婚妻花倩到來，公孫燕在無意識的推動下，上演夜誘邱明一幕，氣走花倩，導致花倩被金腰帶蛇所毒，形如死亡，引出花倩之父花豪為女報仇，繼而公孫燕之父公孫湛又要救援女兒，使得這個故事走向了出人意料的結局。

這個故事相當吸引人。事情是公孫燕惹出，公孫燕是天魔教主公孫湛的獨生愛女，難免驕縱任性。姑娘大了，卻沒有成親，甚至缺少心上人，其行為與心理自然更有出人意料的變化。假裝與邱明親熱，固然是要報復邱明的未婚妻花倩，但這一親熱行為也未嘗不是出自公孫燕的潛意識本能。這個故事的最大變數，是毒蛇金腰帶的出現，花倩中毒昏迷，邱家和花家自然要歸咎於公孫燕。好在，公孫燕對毒蛇有所瞭解，繫鈴人做了解鈴人，找到了原因，使得花倩「死而復生」，也消弭了天魔教主公孫湛與大俠花豪之間的生死仇怨。

公孫燕的行為和心理，當然是這部小說最大的看點。小說的另一個看點，是花倩與邱明的感情不怎麼經得住考驗，公孫燕小小撥弄一番，花倩就再也不信任邱明，甚至不理睬邱明。這二人的愛情原來如此，世上的事物也多半如此。小說還有一個看點，那就是公孫湛與花豪兩位父親，一邪一正，勢同水火，不共戴天；但為了自己的女兒，兩人的表現卻如出一轍，只要愛女不死，一切都好商量。花豪聽說女兒有可能不死，率先對公孫湛、公孫燕父女表達了歉意和善意；公孫湛這位天魔教主卻也並非冥頑不化，見對方如此，也同樣勸說女兒認錯。這一場正邪勢力的生死拼搏，最後竟演變成正邪人物之間相互諒解與尊重。

《金腰帶》和《天龍刀》：雖然各自成篇，但有明顯的相關性，兩部作品都是以天魔公主公孫燕為女主人公。所不同者，《金腰帶》講述公孫燕尋找毒蛇金腰帶，順便到威震萬里邱明家裡鬧事的故事；《天龍刀》則講述公孫燕設計操縱天龍門新手邢秉仁，爭奪天龍刀的故事。若將兩個故事放在一起看，加上「魔教公主尋覓如意郎君」這一輔助線，則兩個故事都會顯得更合情理，也更好玩。只不過，魔教公主尋覓如意郎君的主題，非但公孫燕本人無意識，作者恐怕也沒有充分知覺。

【注釋】

1倪匡：《南明潛龍傳》，香港毅力出版社出版，為「倪匡小說專輯之五」，書名由金庸題寫。一名《羅浮潛龍傳》，於一九六〇年四月一日至八月三十日在香港《明報》連載。

2倪匡：《龍騰劍飛錄》合訂本中冊，第二一七—二一九頁，香港，胡敏生記發行，無出版日期。按：本書的封面署名為岳川著，書脊上印的卻是倪匡著。

3倪匡：《龍騰劍飛錄》合訂本上冊，第廿六頁。

4倪匡：《龍騰劍飛錄》合訂本下冊，第四〇四頁。

5《無情劍》於一九六二年四月十九日至一九六三年三月十日在香港《明報》連載，署名岳川，後由香港偉青書店出版單行本，共十三集（冊）、三十九回，未標注出版時間。

6 岳川：《龍翔劍》合訂本第三冊，第四四三頁，香港，武陵出版社。按，該書的封面作者署名是岳川，書脊上的署名則是倪匡。

7 岳川：《龍翔劍》合訂本第三冊，第五三三頁。

8 金庸、岳川合著：《天涯折劍錄》，下冊，第二九〇頁，據鱸魚膾整理、子矜編輯本。按，此作原在《東南亞週刊》和《南洋商報》連載，作者署名金庸、岳川，實為岳川即倪匡獨著。下同。

9 金庸、岳川合著：《天涯折劍錄》，下冊，第三三三頁，據鱸魚膾整理、子矜編輯本。

10 金庸、岳川合著：《天涯折劍錄》，下冊，第三五二頁，據鱸魚膾整理、子矜編輯本。

11 《古劍情鴛》連載於一九六二年二月至三月間，我看的版本是香港胡敏生書報社出版的單行本，無出版時間。

12 《獨行女俠》與《孤俠》合成一集，一九七〇年春由香港武林出版社出版，環球出版社發行。

13 《孤俠》曾在香港《武俠世界》雜誌連載（連載五期，一九六九年十二月十三日至一九七〇年一月十日），並於一九七〇年春由香港武林出版社出版、環球出版社發行。

14 我看的是影印本，單行本，七十六頁，無出版資訊。封面題名是《古墓尋寶記》，與內頁《古墓探寶記》不符。

15 倪匡：《大鹽梟火拼》，「倪匡短篇武俠小說全集」之一，臺北，遠景出版事業公司，一九八〇年十二月初版。

16 倪匡：《大鹽梟》，「倪匡短篇武俠小說全集」之一，臺北，遠景出版事業公司，一九八〇年十二月初版。

17 倪匡：《殺氣嚴霜》，收入遠景版倪匡短篇武俠小說集第三卷《飛針》中，臺北，遠景出版事業公司，一九八一年四月。

18 倪匡：《飛針》，收入遠景版倪匡短篇武俠小說集第三卷《飛針》中，臺北，遠景出版事業公司，一九八一年四月。

19 倪匡：《紅梅金劍》，收入遠景版倪匡短篇武俠小說集第三卷《飛針》中，臺北，遠景出版事業公司，一九八一年四月。

20 倪匡：《劍分飛》，收入遠景版倪匡短篇武俠小說集第三卷《飛針》中，臺北，遠景出版事業公司，一九八一年四月。

21 倪匡：《奔龍》，收入遠景版倪匡短篇武俠小說集第六卷《鐵拳》中，臺北，遠景出版事業公司，一九八一年四月。

22 倪匡：《杏花劍雨》，收入遠景版倪匡短篇武俠小說集第六卷《鐵拳》中，臺北，遠景出版事業公司，一九八一年四月。

23倪匡：《劍相逢》，收入遠景版倪匡短篇武俠小說集第六卷《鐵拳》中，臺北，遠景出版事業公司，一九八一年四月。

24倪匡：《鐵拳》，收入遠景版倪匡短篇武俠小說集第六卷《鐵拳》中，臺北，遠景出版事業公司，一九八一年四月。

25倪匡：《最後一劍》，倪匡短篇武俠小說全集第十二卷，臺北，遠景出版事業公司，一九八一年四月。

26倪匡：《銀劍恨》，收入倪匡短篇武俠小說全集第十二卷《最後一劍》，臺北，遠景出版事業公司，一九八一年四月。

27倪匡：《不了仇》，收入倪匡短篇武俠小說全集第十二卷《最後一劍》，臺北，遠景出版事業公司，一九八一年四月。

28倪匡：《金腰帶》，收入倪匡短篇武俠小說全集第十二卷《最後一劍》，臺北，遠景出版事業公司，一九八一年四月。

◆董千里（東方驪珠）小說述評◆

東方驪珠，原名董炎（一九二六—二〇〇六），另有筆名董千里、項莊、鍾山舊侶、鍾靈、樂偉等，祖籍浙江，中國新聞專科學校新聞系畢業。曾考入《申報》。一九五〇年遷居香港，邊打工，邊向報社投稿。撰寫出版《藍衣人》、《雲娘》、《夜深沉》等一批三毫子小說；一九五八年開始在《香港時報》上連載歷史小說《銅雀台之戀》，次年以《成吉思汗》一舉成名，其後有《董小宛》、《馬可・波羅》、《柔福帝姬》、《玉縷金帶枕》、《唐太宗與武則天》等一批歷史小說。更出名的是他以項莊為筆名的雜文，結集有《舞劍說》、《讀史隨筆》等。

一九五六年以東方驪珠為筆名寫作武俠小說，有《紅娘子》、《瀛海異人傳》、《鴛鴦劍》、《禁宮仙蕊》等。

《瀛海異人傳》

本書共有四集，我只看了三集，缺少第二集，不知道具體內容是什麼。

《瀛海異人傳》是對還珠樓主名作《蜀山劍俠傳》的模仿之作——作者在本書的《自序》中對此也不諱言，說這樣作可以讓蜀山一脈不至於中斷——《瀛海異人傳》完全是按照《蜀山劍俠傳》的劍仙譜系，其中言及峨嵋派完全是按照還珠樓主的設計照搬。此外，《蜀山劍俠傳》中的諸多人物如鳩盤婆、枯竹老人、屍毗老人等等，也都在《瀛海異人傳》中繼續現身。

本書的主要故事情節，是講述巴塘地方少女劉玉映被惡人猥褻、繼而被惡嫂趕出家門，在深山雪地中得食三百六十年開花結果一次的仙果，又得神獸猔猔護佑，得仙女上官紅點撥，被東海枯竹老人收為弟子，命她隨上官紅學道修行。

書名《瀛海異人傳》當是從枯竹老人執掌的「瀛海教」而來，小說最後洪芝曾祝賀劉玉映和貝佳「將繼承瀛海教道統」，即是證明。所謂瀛海異人，當然是指劉玉映、貝佳這兩個人，掌門人枯竹始終是神龍見首不見尾，不算主人公。

本書雖是模仿劍仙故事，但卻並沒有放棄人世間的講述和描寫。開頭即是第一主人公劉玉映在人間遭受心地惡俗的嫂子的欺凌，讓人十分同情；被惡嫂驅逐出門後才在深山雪地中得食仙果，得到仙緣，就格外讓人羡慕和高興。

其後，是天津武義鏢局故事，有人劫鏢，總鏢頭沈士英尋鏢、討鏢、請人與劫鏢者對壘即武力討鏢等等，完全是江湖武林的正常現象，即正常的人間風光。

人間故事後面又是仙界／魔界故事，即上官紅、劉玉映、卞京、洪芝、紫丹五人大破西崑崙摩力宮故事，其中景象雖近乎人間匪窟，鬥法形式卻是法術。

其後，是野人山故事。這段故事講述野人山沙羅苗（**所謂熟苗，改邪歸正的著名仙魔屍毗老人即**

是沙羅苗出身）兩代貝佳故事，雖然富有傳奇性，即前一代貝佳是女性，且是屍毗的愛侶；後一代貝佳是男性，完全不記得前生。但這個野人山中部落的生存競爭故事，卻仍具有鮮明的人間性。

前段故事中女貝佳號召大家相應族長號召，為保衛家園而奮鬥；後段故事中男貝佳為尋找並建立新的家園即新定居點而歷險拓荒，卻被同族法師血牙懷妒陷害，一場大火不僅徹底毀滅了新的定居點，且差點將原先的定居點也一起毀滅，當然，血牙本人也在大火中殞滅。這一故事，怎麼看都是地道的人間故事，血牙的心性，是道地的普通人。

最後一段故事仍然回到仙界／魔界，講述劉玉映、洪芝、卞京、貝佳等人在楊光道士的幫助下，搗毀魔頭碧血公主的老巢六陰洞故事。只不過，六陰洞故事與摩力洞故事有些大同小異，洞主都是魔頭，都淫蕩無度；只不過，摩力洞主是雄性／男性，而六陰洞主碧血公主則是女性，因為他和她的行為破壞了仙界或人間的道德規則，因而仙界名流下令本書的修道者去搗毀這些魔窟。

本書的故事情節在仙界／魔界與人間來回遊動，好處是視野擴大，故事空間也相應擴大；但由於作者並沒有多少真正的創新之處，導致對仙界或魔界的講述並沒有新鮮故事與資訊，而對人間故事即江湖武林的講述又不專心，且不突出，似乎只是為講述仙界或魔界故事過渡，所以人間故事講述得也不好。

在這部書中，第一主人公劉玉映本是一個被惡嫂欺負的小姑娘，一旦進入雪山、吃了異果，突然就變了性格，遇到魔教祖師赤身教主鳩盤婆時惡語相對，其實有些不妥，至少是不可愛，甚至不可羨慕。好在作者又作了改進，讓劉玉映在後面的故事中恢復了十六七歲少女的心態與個性，例如愛冒險、好奇心重、且心底陽光善良等等，雖然看不出有什麼仙氣，但至少人氣稍好。遺憾的是，劉玉映還沒有成為真正的神仙，作者就讓她忘記自己的哥哥劉三——劉三當時生死未卜，劉玉映按理應該找到哥哥的下落才像個人。只是，劍仙小說不那麼寫，這或許就是劍仙小說不近人情之處。

小說中的貝佳形象有點意思。女貝佳成為修道者，即屍毗的情侶，或許是二者存在身分衝突，所以到最後，女貝佳故意不聽丈夫／師父屍毗的勸告，一定要去幫助鳩盤婆，結果是失身於東海耿鯤，羞憤之下，震破天靈蓋，自行兵解，元神慘澹。這故事似乎有點意思，只可惜作者並未深究。那時候，屍毗是仙還是魔？鳩盤婆始終不算仙道，貝佳與她交好，又算是怎麼回事呢？

再說男貝佳，此人形象基本上是按照英雄模式塑造，所以道德高尚，情操過人，行為堪稱世範。後來跟隨修仙的劉玉映，此人的形象便光彩盡失——劉玉映也存在這一情況——他是屍毗老人的關愛對象，如何成了枯竹老人的弟子？更大的問題是，此人的魅力與努力，似乎全都在創造人間天堂，即為族人謀福利，而並沒有想到要成仙，此前誰跟他商量過要帶他走嗎？

本書中有兩個神獸，一是劉玉映的狳狳（**疑為犰狳之變化**），這東西不可愛；另一是貝佳的紅猿，因為會說人話，且智力不差，就有意思了。不過，此類神獸，在劍仙小說中屢見不鮮，所以也就沒有多少好說的了。

《瀛海異人傳》算不上好小說。首先，它不過是一部模仿之作，其中有直接借用和抄襲的內容。其次，在沒有抄襲的故事中，由於對還珠樓主小說《蜀山劍俠傳》十分依賴，且作者熟悉而讀者未必熟悉，作者的某些借用的資訊內容未必能引起讀者共鳴，反而讓小說漏洞不少。最後，小說中的人物，無論是人是仙是魔，真正能給人留下印象的並不多。故事也算不上精彩，可能會邊讀邊忘記。

《鴛鴦劍》

本書是按照復仇故事模式構想的。此小說所寫，無非是主人公魏雲璉的父親被殺，然後上山學藝，然後下山報仇。這是典型的復仇故事模式。

值得注意的是，這部小說中主人公的仇人並不是虛構的武林人，而是一個真實的歷史人物，即明末農民起義軍領袖李自成。而且，主人公父親與李自成結仇的原因和過程也與眾不同，並不是李自成為了財富或美色陷害魏正達（即魏雲璉的父親），而是魏正達投奔李自成義軍，發現義軍中的政治與文化氛圍與自己的想像不一致，從而不斷給李自成提意見。李自成表面上接受，暗地裡卻將魏正達視為異己，最終將他殺害——李自成是如何殺害魏正達的，小說中沒有細說——小說中只是說李自成殺了（下令殺了）魏正達，從而是魏雲璉的仇人。

更值得注意的是，這部小說中的李自成形象，與香港新派武俠小說代表人物金庸、梁羽生小說中的李自成形象完全不同，在金庸、梁羽生小說中，李自成是一個英雄形象；而在這部小說中，李自成則是一個不折不扣的賊寇形象。這也許是傳統觀念，在明朝的官方記錄中，李自成肯定是道德卑下的流寇一流。

有意思的是，孫寒冰（導演張徹）曾專門作文談及農民起義軍領袖形象問題，主張既不能過譽為歷史英雄，也不能醜化為匪幫魔頭，而是應該實事求是。在其小說《鐵騎英烈傳》的《楔子》中，作者就再度聲明了這一觀點。

回到小說《鴛鴦劍》。胡適先生曾說過，歷史如任人打扮的小姑娘，看來歷史人物也是如此，李自成既可以被人描繪成歷史大英雄，道德高尚，人品崇高，性格有卡利斯馬典型特徵，否則就難以解釋為什麼會有那麼多人跟隨他；另一面，他當然也可以被描繪成賊子魔頭，亂世之源，心胸狹窄，目光短淺，只顧及眼前利益，否則就難以解釋為什麼進入北京後很快就如此腐化墮落，失去江山。當然還有第三條路，那就是理論上的事實求是，還其歷史真面目。但這並不是這部書的任務，這部書的作者認為李自成是個亂世梟雄或卑鄙小人，也是合理假設。

此小說與一般復仇小說不一樣，第二要點，是它有故事內核，即愛情故事，亦即本書標題所顯示的《鴛鴦劍》故事。也就是說，本書所述，魏雲璉的復仇故事線索其實只是這部小說的表層，而這部小說的裡層，真正好看的故事則是其中的兩段——兩代人所經歷的——愛情故事。

尤其是其中第一段愛情故事，即苗珠珠與管思浩（**亦即後來的峨嵋老尼與悟真老人**）之間的愛情故事。這是一個相當精彩、內涵豐富的愛情悲劇故事。這一段或這一代的愛情故事，並不是純粹的性格衝突，也不是純粹的命運衝突，而是性格與命運交融的特殊產物。

管思浩是朝廷命官、欽差大臣、年輕總兵，被派往苗寨解決問題，或者和談招撫，或者剿滅村寨。苗珠珠恰是苗寨領袖苗三祝的女兒。他們之間看似對立，卻並非水火不容，管思浩恰恰是想和談，而苗三祝等人也非常贊同和談，因為和談最符合苗寨的根本利益。偏偏苗珠珠出於少女的古怪心理，硬要從中作梗，讓相對簡單的事情變得複雜拖延。

苗珠珠並非真的想破壞和談，更不想要與管思浩、與官兵對抗，而只是把與管思浩拖延在身邊。這一拖延，引起了難以預測的後患，即荊州蔡提督堅持圍剿苗寨，使得苗寨與官軍成為敵對勢力，從而使得苗珠珠、管思浩的愛情從此斷絕。管思浩被免職後，出家當了道士；而苗珠珠也離開了苗寨，出家作了尼姑。

人們傳說峨嵋老尼性格古怪，這也基本上是事實。其中包含三個部分，一是當年苗珠珠的少女心理複雜多變，有時候難以理喻，所以古怪；二是失戀後的老姑娘或老尼姑，性格和心理自然會更加古怪難測；三是在特定人物的眼裡——例如在悟真老人即當年的戀人管思浩眼裡——從來就沒有弄懂過對方，所以古怪。

但是，在峨嵋老尼出現後，讀者並沒有覺得這個老尼姑有什麼古怪處，她對烏摩雲固然有生薑老辣的一面，但對弟子甘三姜，對落難的魏雲璉，尤其是對「害怕」她的悟真老人（管思浩），完全沒有古怪的表現。只有寬容、慈愛和深情。這是為何？也許是六十年時光改變了老人的心理心態；也許是在所有外層的古怪包裝下其實都是對人、對世間的深情，尤其是對管思浩的深情；也許，是兩者都有，經歷了大半人生，她選擇了原諒，既原諒了管思浩或悟真，也原諒了自己。如此，這一段愛情故事，就顯得更加迴腸盪氣，也就更加讓人惆悵。

在這部小說中，鴛鴦劍有了新傳人，即魏雲璉、諸相如。這是本書現在進行時的愛情故事，魏雲璉、諸相如兩人可以說是一見鍾情，只不過當時主人公卻並不知道自己的內心情感。在魏雲璉，是因為有喪父之痛，當然不會有個人情感方面的設想，所以並不知道自己愛上了諸相如；在諸相如，則因為年紀還小，只有十七歲——比魏雲璉還小一歲——因而同樣不懂得自己對魏姐姐的感情其實就是男女愛情。諸相如和魏雲璉結拜姐弟，這本身就是兩人情感的一種表達，只不過是替代性表達。其後，諸相如要陪伴魏雲璉，要將魏雲璉送到峨嵋山，而魏雲璉非但喜歡他隨行，且還在他面前不斷耍小性子，而年紀小一歲的諸相如也大度包容了魏雲璉的小脾氣，事事遷就這個喪父孤女，這些其實都是情感的流露。

進而，魏雲璉、諸相如的情感，始終在長輩的關注與引導中。悟真老人讓弟子諸相如送魏雲璉去峨嵋山，其中包含了複雜的念想，最主要的就是讓弟子諸相如和魏雲璉有更多時間在一起，彌補他本人的缺憾。另一方面，峨嵋老尼臨別時主動將鴛鴦劍送給弟子魏雲璉，這毫無疑問是一種默默的祝福，甚至是一種暗示——她希望自己的弟子能夠過上與自己不一樣的生活。

最後，魏雲璉、諸相如也如願地走在了一起，共同祭奠了魏正達，這一祭奠活動，顯然是一種儀式，是諸相如獲得魏家認可的一種證明。

本書也有不足之處。

首先，是對李自成形象過於簡單化醜化。把歷史人物李自成當作英雄豪傑，或當作賊寇魔頭，都是可以理解和接受的。如何設計李自成形象，主要是看作者的政治觀念、歷史觀念，本書作者對李自成印象不佳，並不是問題。成問題的是作者為了醜化李自成，或是為了強調魏雲璉的仇人不是好人，因而對李自成形象作了不應有的醜化，即小說前半部中安排太監舒同前往陝西見李自成，書中說李自成不但與明朝太監曹化淳勾結，且與山海關外的滿清異族勾結，說李自成要與滿清、曹化淳三家分享明朝江山。這就有些過分，李自成何至於此？又，李自成被圍困於湖北九宮山，作者還讓他左擁右抱女性，這恐怕也不合實際。

其次，是對魏雲璉、諸相如的情感關係講述，多少有些簡單化。魏雲璉離開峨嵋山，再見諸相如，發現諸相如和東海派掌門人石堅的妹妹石鳳關係密切，竟然密切到當眾相互扶肩、勾手臂——此一行為被魏雲璉親眼所見——因而魏雲璉對諸相如不理不睬，諸相如賠禮也不行，蕭弄玉勸說也不行。直到小說最後，才出現諸相如陪魏雲璉帶著李自成的人頭前往太行山祭奠魏正達。

寫到這裡，看來是鴛鴦劍終於有了一個美好的結局，即魏雲璉和諸相如終於是有情人成了眷屬。問題是，作者竟未解釋，諸相如和石鳳到底是什麼關係？兩人的關係發展到什麼程度？為什麼要當眾勾肩搭背？——這一行為在古代可說是讓人震撼。作者對此不加任何解釋，不免成為這部小說中的一個明顯的弱點。

又次，作者對時間的把握缺乏精準度。魏雲璉在峨嵋山學藝的時間是多長？書中沒有準頭，從情節中看似乎只有一年半左右，但後來卻說有幾年，再後來乾脆說是三年。如果是三年，魏雲璉技藝成熟，峨嵋老尼應該明確說讓魏雲璉離開師門去做自己想做、該做、要做的事；可作者卻不這樣寫，而是寫成魏雲璉心血來潮，在遊覽峨嵋山周圍時突然決定不再回歸師門，而要去報仇。這一寫法，不僅沒有且不能突出魏雲璉的個性，反而把魏雲璉的形象給矮化了——此女這樣做，顯得不管不顧，甚至無情無義，想怎麼做就怎麼做，沒有成熟心智。

作為小說，這部書有些虎頭蛇尾。很可能是作者的第一部武俠小說，在故事情節內容的安排上缺乏經驗，尤其缺乏將人物個性與故事情節貫通的能力，所以會出現這樣的頭重腳輕的情形。

《禁宮仙蕊》

看起來，這也是一個復仇故事。主人公凌玉蟾——江湖人稱玉蟾仙子——的父親江南大俠凌桐當年刺殺滿清攝政王多爾袞被捕身亡，女兒為父親報仇，不惜一切代價。曾混入多爾袞府上一次，暗殺未成，立即南下，另作圖謀。進而，凌玉蟾利用多爾袞強迫已經嫁人且與冒辟疆情感深刻的董小宛入宮一事，試圖以董小宛的身分混入北京，接近多爾袞，刺殺多爾袞。最後，在皇家圍獵之際，乘機射殺了多爾袞，終於報了父仇。但也落入了小皇帝福臨的溫柔陷阱中。

這部小說篇幅不長，格局也不大，卻算得上是一部上佳之作。

首先，是小說的故事情節非常精彩，從一開頭就緊緊的抓住了讀者，讓讀書人欲罷不能。開頭是北京城攝政王府的暗殺事件，作者只交代了一個玄衣女子，刺殺失敗，多爾袞大難不死，該女子立即逃開，讀者甚至不知道此人姓甚名誰。緊接著，寫蘇州官員范通調任進京，遭遇搶劫，又有女俠前來拯救，趕走強盜，救了好人。接下來的故事情節，讀者更難測度，只能跟著作者的筆墨走。

從范夫人要認凌玉蟾為乾女兒；到凌玉蟾要代董小宛應召入宮，以及凌玉蟾一路上的離奇表現，無不讓人感到驚奇，但只能接著往下看。直到故事的後半部，作者才不緊不慢地交代凌玉蟾的身分：她的父親是誰，她為何要報仇——更大的懸念是：她能報仇嗎？所有關心她的讀者都會始終為她提心吊膽。

本書故事情節的精彩，還有一個證據，那就是凌玉蟾的情感波動。開始時大家以為她與義兄范子春或許會發展成情人關係；後來又以為她和淮北一條龍馮大剛或許會發展某種情感關係，因為她曾託他到北京接應她——只可惜此事沒有下文，凌玉蟾要馮大剛做什麼？讀者始終不明白。再後來，又出現了燕山皮七，凌玉蟾對皮七的好感十分明顯，不僅與他暢談通宵，且留下了他在北京的聯絡地址——只可惜這條線索後來也沒有繼續，這兩人最後顯然沒有見面。

這部小說的真正看點，不僅在其復仇故事情節，更在於它的愛情故事。書中有關愛情的情節很少，但到最後，卻有震撼人心的力量，讓人難以忘懷。沒有人能夠猜測到，作者會把十四歲的小皇帝福臨與二十歲左右的女俠凌玉蟾的愛情故事寫得如此真切動人。福臨喜歡凌玉蟾，開始時很可能只是誤會——他以為對方是江南第一美人兼才女董小宛（實際上，誰都有此誤會），他要對方留在宮中，只是要她教他寫詩——但很快，他就真的喜歡上凌玉蟾這個人了（因為凌玉蟾有關天性不可扭曲的議論讓他產生強烈共鳴），此後，他們的情感就不斷深化。

這兩個人的情感，有幾個關鍵點，一是，當凌玉蟾射殺了多爾袞，福臨非但沒有怪罪凌玉蟾，反而要替她擔責；這是有道理的，一是福臨說她這麼做肯定有自己的理由；二是福臨自己對多爾袞何嘗不是又敬、又怕、又恨？二是，福臨說，兩個人遇到了，不論是皇帝也好，是牧童也好，就應該在一起。這也有道理，因為福臨尚未親政，且不戀權位，並不把做皇帝看得多重，因為他還是純潔或相對純潔的少年！只有少年才能如此。凌玉蟾是俠女，也是少女，難怪會跌入溫柔陷阱。

這部小說的另一個看點，是主人公凌玉蟾的突出個性。從一出場開始，凌玉蟾形象就光彩照人，讓文武雙全的紈褲子弟范子春自慚形穢。拜范夫人為義母，她是如此落落大方；代董小宛進京入宮，她是如此出人意料；周旋於多爾袞、皇太后、小皇帝之間，她是如此靈活善變；射殺多爾袞，她是如此堅定不移；而愛上小皇帝福臨，她又是如此純潔溫柔、澄澈美好！此前，她似乎無情，那是因為父仇未報，她無法釋懷，從而也忽略了自己的性別身分，只記住父仇。報仇後，尤其是面對福臨那一番出人意料的深情表現，凌玉蟾繳械投降，那是必然。

小說還有一個看點，是多爾袞也寫得很好。書中並沒有寫多爾袞有多邪惡，但作為主人公的仇人，此人又必須邪惡，作者選擇了一個最典型最節能的線索表現多爾袞的邪惡，那就是逼迫已經嫁人的董小宛進京！

小說中還有一點值得注意，那就是作者似乎並沒有把滿漢之間的民族衝突太當一回事。凌玉蟾的父親江南大俠凌桐刺殺多爾袞，很可能是出於民族仇恨，因為多爾袞是滿清入關的最高指揮者。而凌玉蟾刺殺多爾袞，就沒有把民族仇恨當一回事，她只是要刺殺多爾袞，因為多爾袞是殺她父親的仇人，至於此人是滿族還是漢族，並不在她的話下。在凌玉蟾和福臨的對話中，滿清入主中原，似乎也是一件可以理解之事，並不是家仇與國恨一體。作者有民族國家多元化一體意識。

小說中也有不足。最明顯的不足，是其中有幾條線的安排沒有落實。例如馮大剛的安排，作者讓凌玉蟾找他談話，馮大剛也答應要為她盡力，且提前來到了北京；但凌玉蟾到底讓馮大剛做什麼事？書中到最後也沒有交代，大約是凌玉蟾找到了福臨這條線，再也用不著馮大剛了，所以就不再提及此人。若是如此，凌玉蟾這個人就是一個善於利用人，且利用完之後就不管、利用不上就丟開的人，這樣的一個主人公形象肯定要大打折扣。進而，書中對皮七——燕山七雄之末者——的安排和利用也是如此，凌玉蟾問了他在京地址，但卻沒有下文。

其次，書中有些情節和細節安排，有些隨意或想當然。例如凌玉蟾假扮董小宛進京過程中，要攔截江南俠義道救援，就到一個地方去等，結果果然等到了馮大剛；在另一個地方，凌玉蟾偷偷下船去某個地方等，果然等到了在黃河中偶遇的皮七，如此巧合，當然是作者幫忙的結果。對武俠小說而言，雖不算是荒誕不經，但多少有些想當然或隨意安排的成分。

再如，凌玉蟾為了進京，故意安排對范通官船的搶劫，然後再出面趕走強盜，以騙取范通一家的信任。此安排因為在小說開頭，作者對書中人物都不熟悉，所以無法去評說。看完小說後，若是嚴格要求，就會發現小說的這一安排多少有些主觀隨意。一是凌玉蟾這樣安排，是否能騙得過范通（特別是說及自己的父親凌桐，若是刺殺多爾袞，多半是一個大案，難道范通全無印象）？二是凌玉蟾以此方式與范通一家外人變家人，難道不感到內疚？總之，其中多少有些人為痕跡。若是馬虎隨意，當然就沒有問題。

即便如此，小說中有些小小瑕疵，但整體上仍然是一部值得閱讀的作品。

◆張徹（孫寒冰）小說述評◆

孫寒冰，即香港著名武俠電影導演張徹，原名張易揚（一九二四—二〇〇二），原籍浙江青田，生於杭州，長於上海，曾滯於臺灣，成名於香港。

《鐵騎英烈傳》

本書講述「華陰四小」或「華陰四俠」故事。所謂華陰四俠，是指顧詠清、周士貴、張皮綆、顧詠絮四人，他們是同門師兄弟（妹），是華陰顧鳴皋的弟子。

四人分為兩類，一類是周士貴、張皮綆，這兩人原是太平天國的童子兵，當年隨太平天國將領李開芳北伐，周士貴十歲，張皮綆九歲。二小見證了李開芳部被圍被殲，見證了李開芳及其他將領朝廷殘殺，幸得華陰顧鳴皋收他們為徒，學藝八年後重出江湖，再次跟隨太平軍浴血奮戰，直到太平軍徹底失敗。

四人中，顧詠清、顧詠絮是另一類，詠清是顧鳴皋的侄子，詠絮則是顧鳴皋的女兒，他們是顧家子弟，只因他們的大姐，即顧鳴皋的大女兒顧詠秀與太平軍中軍師黃懿端相愛，顧詠秀為救黃懿端而犧牲，顧鳴皋才收張皮綆、周失貴為徒，而顧詠清、顧詠絮也正是為了給姐姐報仇，才參與太平軍的戰鬥。

小說的第一主人公，應該是張皮綆。小說開頭，他才九歲，是皖北雉河集大張莊的孤兒，被太平軍收入隊伍中，為李開芳養馬。張皮綆對馬的深情讓人印象深刻，馬駒小白龍的嘶鳴他都十分熟悉，清兵小頭目龍天浩想奪小白龍，張皮綆能跟對方拼命。為救李開芳等人，張皮綆（和周士貴）多次跪地哭求張鳴皋、張詠秀父女的情形，是小說前半部裡最為動人的場景。

張皮綆面目清秀、身體壯實、頭腦靈活而心腸熾熱。在顧詠清率領他們去找沙通玄報仇時，正是張皮綆發現了沙通玄的陰謀，及時破壞了弓弩埋伏，救了眾人，自己卻負了重傷。

他與周士貴一起長大，兩小情深勝於兄弟，最典型的例子，是發現周士貴喜歡小師妹，而小師妹卻喜歡跟他在一起，張皮綆多次主動退出三角地，希望小師妹轉移注意力，對周士貴好一些。無奈人的情感無法勉強。

周士貴犧牲之際，張皮綆滿懷悲憤，他可不管周士貴是自己選擇，也不管大師哥顧詠清與左宗棠有怎樣的默契，堅持不原諒、不妥協，怒殺通風報信的客棧店夥蔣八，怒殺抓捕周士貴並將他弄成殘廢的左紀仁、杜智；進而在憤怒情緒支配下，離開大師哥顧詠清，和顧詠絮一起投奔賴文光，隨捻軍與清軍作戰。歷經艱辛困苦，直到將仇人龍天浩、僧格林沁斬首，為李開芳報仇，為太平天國英魂報仇。

在某種意義上說，《鐵騎英烈傳》也可以說是一個復仇故事，僧格林沁率兵圍困並抓捕了李開芳部，龍天浩、殺通玄等人將李開芳押解到北京並讓他們死於清廷劊子手屠刀下，這幾個人都是太平天國的仇人，都是張皮綆的仇人，在多數讀者心裡，只要殺了殺通玄即是報仇，而在張皮綆，若沒有殺龍天浩、僧格林沁，就不能說是真正徹底報仇。所以，他要戰鬥到最後，他戰鬥到了最後。

張皮綆滿懷仇恨，實際上是來源於對太平天國大家庭的滿懷深情。對太平天國，張皮綆也許說不出什麼意識形態話語，在他心裡，那是他獲得溫暖飽食、關懷愛護的大家庭，李開芳就是家長，而周士貴、陳小四、萬如意乃至軍師黃懿端等人則都是兄弟。這一份家的感受，不僅是他最深刻的記憶，也是塑造他生命情感乃至人生觀念的根本原動力。

值得注意的是，這一份家的親情，在特定時刻，超越了男女愛情。他與師妹顧詠絮兩情相悅，他知道師妹愛他，也知道自己愛師妹；但在師妹說要回家時，他竟沒有聽懂，也無法聽懂師妹的真實心意（**希望得到他的愛，得到他的許諾**）。其原因，固然可能是因為少年情竇初開的季節晚於少女，更重要的原因當是張皮綆更喜歡、更願意、更熱切地期望與賴文光、張宗禹等熱血兄弟戰鬥在一起！

周士貴是這部小說中的二號人物。與張皮綆相比，周士貴更加敦厚、更加內斂、更加沉默，如果不是出人意料的最後結局，很少人會去關注他，甚至很少人會記得他。正是因為有最後出人意料的結局，才使得這一人物形象光芒照人。

與張皮綆相比，周士貴有明顯的性格差異，他似乎總是比張皮綆的反應慢半拍。雖然他比張皮綆大一歲，但在與張皮綆在一起的時候，說話出主意的常常是張皮綆，而周士貴則像是張皮綆的跟隨者。跪求顧鳴皋去營救李開芳，是張皮綆先開口，周士貴跟隨；拜張鳴皋為師，也同樣是張皮綆的主意，周士貴附議。

周士貴比張皮綆大一歲，張皮綆比小師妹顧詠絮大一歲，周、張兩人都喜歡小師妹顧詠絮，周士貴表現得更明顯。但顧詠絮從小就不喜歡與周士貴單獨在一起（也許是因為他太老實、不好玩）；而更喜歡與俏皮活潑主意多的張皮綆在一起。張皮綆曾主動退讓，周士貴心知肚明，無奈顧詠絮還是親張疏周。

在臨洛關武勝鏢局，顧詠絮和張皮綆在一起，顧詠清和余采珠熱戀，大哥顧詠清擔心周士貴感到孤單，讓他先行前往開封胡彪家等待。胡彪有一個獨生女兒胡蓉，胡蓉也很喜歡淳樸可靠的周士貴，或以為這是老天最好的安排，即讓周士貴有自己的愛人，不必再夾在張皮綆和顧詠絮之間，讓大家難受。但作者卻沒有作這樣的安排，而是神女有心、襄王無夢，周士貴仍然深愛小師妹顧詠絮。

想一想也是，若周士貴見異思遷，那就不是周士貴了。周士貴對胡蓉雖然沒有愛情，卻有一份道義乃至親情，因為胡蓉的父親胡彪臨終前將女兒交給了周士貴，胡彪既死，周士貴對其遺孤自然就有一份不可推卸的責任。旁人可以不顧這一單方面的契約，但周士貴卻不可能不顧。所以，在江南太平軍中無事之時，周士貴惦記胡蓉的傷勢，請假獨自回臨洛關，回到胡蓉身邊，照顧胡蓉，直到胡蓉離開人世。如果周士貴愛胡蓉，那麼他留在胡蓉身邊就不稀奇；正因為他並沒有愛上胡蓉卻留在胡蓉身邊照顧她到死，才充分顯示出周士貴的個性品質的高貴。

周士貴的命運陰差陽錯，遠不止是他愛之人不愛他，愛他之人他不愛，當胡蓉去世，周士貴趕回江南時，天京淪陷，天王自殺，李秀成被捕、李容發兵敗，清兵搜捕者左紀仁、杜智以為他是李秀成次子李容發，並在徽州府城客棧中乘他醉酒而將他手筋與腳筋挑斷，讓他變成廢人。若僅是如此，只能說周士貴實在是命途多舛不走運。而周士貴的選擇卻讓獨者目瞪口呆：他承認自己就是李容發。

周士貴承認自己就是李容發，第一動機，當然是希望保護李容發，希望清兵不再派人搜捕李容發，從而讓太平軍中多一位智勇過人的將領，多一份火種。但除此之外，也還有更實際的原因，那就是自己的手腳筋絡都被挑斷，從此成了廢人，與其苟活於世，不如作有價值的犧牲。冒名李容發，即是最大的價值。

進而，很可能還有更深刻的原因，那就是胡蓉已死，小師妹顧詠絮熱戀張皮綆，周士貴再次成為孤魂野鬼飄蕩在世間，與其孤獨鬱悶一生，不如冒名慷慨就義。說到底，和張皮綆一樣，他也是由太平軍大家庭收容，犧牲自己救李容發可以說是最好的選擇，也是對太平軍大家庭最好的報答。當年清廷處死太平軍將領多為凌遲之刑，即千刀萬剮，周士貴忍受活剮之痛，直至死亡，是真正英雄烈士行為。

需要說明的是，張皮綆、周士貴這兩個人物，屬於半虛半實性質，作者在本書《後記》中說，張皮綆確實是擒殺僧格林沁之人，而有關李容發的官方文獻中也確實提及周士貴這個名字，作者將這兩個人名在小說中豐富成兩個太平天國童子兵及「華陰四俠」之二，讓這兩個人物生動鮮活起來，足見作者的才智與功力。

顧詠清、顧詠絮是虛構人物。這兩個人物都是大儒顧炎武的後人，華陰顧家至此早已是武林世家——作者在前一部武俠小說《冰霜劍華錄》中似乎提及過顧家的某個先人的事蹟——顧家有嚴格的傳統家訓，那就是不許在清朝為官。對此，顧家子弟不難做到。顧鳴皋似乎還有另一規定，那就是不許自家子弟加入太平軍，甚至不許與太平軍交往，他女兒顧詠秀與太平軍將領黃懿端相愛，就始終沒有得到顧鳴皋的同意；而顧詠秀進京救情郎，也始終沒有得到顧鳴皋的幫助。直到顧詠秀犧牲，或許震動了顧鳴皋，因而收了張皮綆、周士貴兩個童子兵為徒。問題是：顧鳴皋為何不讓自家子弟與太平軍交往？這是一個值得探討的題目。

顧鳴皋不願子弟與太平軍交往，或許是不願與犯上作亂者扯上關係，從而影響自家安全和利益。這一猜測有一個矛盾點，那就是太平天國是反清隊伍，顧炎武生平最重視夷夏之辨，熱衷反清，為何不願參加且不讓弟子參加反清的太平軍呢？或許，如左宗棠寫給顧詠清的信中所說，太平天國雖然反清，但卻也反對乃至顛覆中國傳統文化，因為他們是以洋教相號召，到處焚毀文廟。

寫上一段，是為了準確地瞭解和理解書中顧詠清這一人物。此人可謂是本書的第三號人物，重要性不言而喻。顧詠清的形象，有三個要點。

要點一，是少年顧詠清與青年顧詠清有明顯不同，也就是作者寫出了此人心理成長、性格變化。少年顧詠清活潑衝動，喜歡惹事生非，典型例證是攔截素不相識的龍天浩，進而招惹臭名昭著但武功高強的沙通玄，最後，是不顧二叔顧鳴皋囑咐，即不將張皮綆、周士貴送往臨洛關，而是主動請纓與大姐顧詠秀一起北上救人，乃至敢於在北京劫法場。八年後，顧詠清從十五歲長大到廿三歲，由於顧詠秀已死，顧詠清已成顧家這一代的老大，二叔顧鳴皋也把他當作大人，所以在帶領三位師弟妹走江湖的過程中，顧詠清的心理和個性確實有了很大變化。簡單說，就是心智成熟度大大增加，再也不是那個凡是按感性衝動行事的莽少年。

要點二，顧詠清率弟妹隨太平軍作戰，雖然明顯違背了此前的家族規章，但卻並非沒有道理。其一，是二叔顧鳴皋交代過，凡是由顧詠清作主，他有一定的決策權。其二，他並沒有率領弟妹加入太平軍，而是以客人的身分為太平軍幫忙。其三，他不是直接面對清軍，而是主要針對清軍中的洋槍隊即所謂常勝軍。這就牽涉到一個價值觀問題，即所謂夷夏之防問題。對於漢人，滿清是異族，有所謂民族矛盾；但如左宗棠所說，太平軍宣揚洋教、焚毀文廟、顛覆傳統，有更多更大的夷夏之防問題；但是，清朝又請了洋人組成的洋槍隊，利用洋人來對付自己的百姓，這是明顯的罪行，讓人難以接受。顧詠清的選擇，值得審思。

要點三，顧詠清的見聞與親歷，真切見證了文明的轉化，即火器時代的來臨，亦即武士與武術的黃昏。這其實也是作者思索的要點之一（作者在本書《後記》中也明確說了這一點）。顧詠清率領師弟妹幫助太平軍專門對付清軍雇傭的洋槍隊即常勝軍，從故事情節的需求出發，作者寫了幾場華陰四俠的勝利即洋槍隊的失敗；但從根本上說，洋槍隊雖非百戰百勝，但卻不是冷兵器所能久抗。最驚心動魄的一幕，就是顧詠清的愛侶余采珠被炸得粉碎，而顧詠清本人的左小臂也被炸斷，顧詠清號稱「小霸王」，武藝上可謂當世絕頂高手，但在任何一個無名氏操縱的火槍或火炮面前卻是如此不堪一擊。這一震撼，導致顧詠清心灰意懶，更導致了對人生價值的迷茫：賴以生存的傳統已經到了道路的盡頭。

顧詠絮是書中四號人物，是顧詠清的堂妹，張皮綆的情侶，周士貴心儀的對象。四人同行，顧詠絮年紀最小，只有十六歲，是三位師兄關愛的對象，也是師兄們擔心的對象。既是黏合劑，也是小小的麻煩製造者，因為她最小，也最天真。

因為小且天真，所以不喜歡二師兄周士貴的「糾纏」，甚至不喜歡與他說話；而是喜歡三師兄張皮綆玩，並不知道她的表情與行為對周士貴有怎樣的傷害。直到周士貴犧牲後，她才開始後悔，自己不應該太任性，不該對二師哥太殘忍。

顧詠絮的「閃光時刻」主要有二。一是在徽州府城，當張皮綆決定離開顧詠清而去投奔太平軍時，她毫不猶豫地決定跟隨張皮綆。張皮綆勸說她回到師兄兼堂兄顧詠清身邊，顧詠絮根本不聽。所以如此，首先當然是因為她喜歡張皮綆，喜歡與他在一起。其次，也是因為跟隨張皮綆投奔太平軍，必定更熱鬧更刺激。

顧詠絮人生的另一重要時刻，是在太平軍待了一段時間後，突然向張皮綆提出要回家。並且為張皮綆聽不懂她的言外之意而生氣。這一時刻，可以說是顧詠絮心性成熟的關鍵點，此前根本就不會想到自己的父親已經年邁，作為女兒，有陪伴老父的情感義務與需求。另一點是，她畢竟不是張皮綆，畢竟與太平軍沒有那種深入骨髓的感情，她有自己的家，有自己的親人，有自己的生活，她需要建構自己的生活。所以，她要將張皮綆拉回家——不過是以她父親、師父的名義。

本小說中，還有若干人物形象值得欣賞，例如花稼田、花勇、花遇奇三代人，花稼田為幫助太平軍炸鐵殼洋船而犧牲，花勇又為阻止洋槍隊火炮發射而盤腸大戰——張徹電影中常常有男主人盤腸大戰的情景，或許正是從花勇的這一場景中移植而來——那一時刻，十分感人。花家第三代花遇奇的形象也很感人。

此外，值得欣賞的是，作者的情感立場顯然是偏向太平天國，但卻並沒有因此對清軍將領有太明顯的歧視與醜化。其中最典型的是對左宗棠形象，書中多有正面描寫，寫他對花遇奇、張皮綆、顧詠絮三人的態度，尤其是對華陰四俠之首「小霸王」顧詠清寫信勸導，顯得儒雅瀟灑，且公正大方。直到小說最後，左宗棠也不是小說的反面人物。

同樣，參與鎮壓太平軍的曾國藩、李鴻章等人也不是反面人物——在其他同情太平軍的小說中，曾、左、李等人都是反派，或都被當作反派處理——本書並不如此，可謂是一個突出特點。畢竟，作者曾在中央大學學過政治學，對近代史當然了然於胸，所以不大可能把曾、左、李這樣領導中國近代化即工業化的幾位幹才隨意矮化或醜化。

本書作為武俠小說，可看性較為明顯。從小說開頭，張皮綆、周士貴兩個童子的遭遇緊緊地抓住讀者，其後他們學藝成長行走江湖與戰場的過程，也就一直讓讀者難以放下。如前所述，書中張皮綆、周士貴、顧詠清、顧詠絮形象頗為清晰，算是一份不應忽略的成績。

本書也有明顯的不足之處。

最大不足，就是在歷史故事與武俠小說之間，有時候不知不覺地偏向於歷史，而將武俠的因素置於次要地位。就具體因素而言，作者對太平天國歷史顯然下了很深的功夫，對太平天國檔案也很熟悉，因而只要一提及太平天國歷史就興奮到難以自抑，言語滔滔，對與小說主線無關，即與張皮綆等人的故事無關的歷史內容，常常也不忍放下，以至於武俠成色降低。對此，作者在本書《後記》中也坦然承認。

其次，雖然作者聲稱武俠小說對歷史事實與歷史人物應該不偏不倚、追求真相，但在這部書中，作者對太平天國的情感偏向其實相當明顯。凡是寫到太平天國人物，從李開芳、李容發、李秀成、張宗禹等將領，到陳十四、萬如意等普通士兵（乃至童子兵），無不英氣勃發、光彩照人。雖然也寫到太平軍中叛徒，但總體而言，太平軍將領與士兵的絕大多數都是毫無疑問的歷史英雄。

再次，書中的次要人物，尤其是反派人物，例如沙通玄師徒、尤其是烏髮叟石瘦竹師徒，性格與形象過於簡單，過於矮化醜化簡單化，以至於無法襯托出華陰四俠的俠氣光芒來。

又次，本書的情節結構相對鬆散，有點信天游的情況。好在始終抓住了張皮綆、顧詠清等華陰四俠的行為主線，才讓作者有熟悉的路標，不至於迷路或乾脆離開。小說的《尾聲》，寫張宗禹作僧人打扮回皖北雉河集大張莊老家探訪，張皮綆相陪，似乎很有神氣，但並沒有什麼意味深長，反而有些裝神弄鬼。

◆梁楓小說述評◆

梁楓，女作家，編輯。

《丹心奇俠》

《丹心奇俠》[1]講述的是女俠飛山燕李紅霞追隨太平天國翼王石達開轉戰千里的故事。少女李紅霞的父親被武當派弟子明悟道人所殺，妹妹碧霞也被他們抓走，幸得武林高人真空長老收她為徒。回巫山途中，真空長老救助了一個叫何青的武林人，何青的英武形象從此刻印在李紅霞心中。

五年後，李紅霞藝成下山，與二師兄曹敏通一起往武當山尋找妹妹未果，再遇何青，才發現何青竟是太平天國翼王石達開。李紅霞傾心石達開，石達開卻要認李紅霞為乾女兒，李紅霞無奈答應。適逢太平天國內訌，北王韋昌輝殺害了東王楊秀清，並株連九族，將翼王石達開的家人部屬也全都殺害了。部屬及轄區百姓紛紛請求石達開舉兵靖難，石達開率部前往天京，洪秀全殺韋昌輝。

此時的洪秀全，耽於逸樂，不思進取，對石達開嚴加防範。石達開不得不離開天京，轉戰千里，試圖入川創建新的根據地。朝廷鷹犬王霸天追殺石達開，還挑撥當地土司與他為敵，四川總督駱秉章亦率大軍圍追堵截。李紅霞追隨石達開轉戰鄂、川、黔、滇，武藝精進，屢建奇功，無奈天不從人願，在大渡河全軍覆沒。長相酷似石達開的張遠明被官軍抓獲，石達開心灰意冷，決心出家；李紅霞多次拯救張遠明未果，張遠明被駱秉章殺害，李紅霞殺了朝廷鷹犬，奪回了張遠明的頭顱。最後，李紅霞也回巫山隱居。

本書學習梁羽生、金庸新法，將虛構的江湖故事與太平天國的真實歷史相結合。看點之一，是塑造了翼王石達開的形象。石達開是政治家、軍事家，也是詩人、武術家，更可貴的是，他抱負遠大，仁心愛民，口碑載道。身處逆境而百折不饒，征塵滿面也難掩其英武光輝，難怪李紅霞對他一往情深，而王天霸的妹妹王紫蘭也對他情有獨鍾。值得注意的是，作者對太平天國運動有整體性同情的理解，卻也對太平天國內訌事實，及其種種局限與不堪，如韋昌輝野心勃勃，洪秀全驕奢淫逸，洪氏諸王狐假虎威，都作了盡可能真實的呈現。

作為武俠小說，重點自然不是太平天國的歷史，而是這一歷史背景下的傳奇故事。本書的主人公，畢竟是女俠飛山燕李紅霞。開頭幾回，寫李紅霞到巫山學藝事，枯燥的學藝過程，被寫得生動有趣，可見作者筆力不凡。真空長老說李紅霞「膽夠大，心不夠細」，可以說是她最重要的性格特徵。而在學藝過程中，李紅霞聰穎靈活，讓師兄曹敏通望塵莫及，但在一個月打坐數數訓練時，曹敏通不折不扣，李紅霞卻偷懶了事，可見她性格的另一特徵。

這兩種性格特徵，都符合少女的心智特點，說明她的心智還需不斷成長。只可惜，作者把重點放在抓千年人參、探古墓得玄女劍等傳奇情節上，而對李紅霞的心智性格成長，未作持續不斷的深度刻畫。

本書的最大看點，是對李紅霞情感心思的精細呈現。李紅霞與師兄曹敏通同門學藝，一起成長，兩小無猜，曹敏通對李紅霞關懷備至，但這兩位卻沒有讀者期待的情緣。原因是李紅霞對石達開一往情深，石達開已有家室，只能認她為義女。每天面對心上人，卻只能以父女相稱，且須謹守父女倫理，對李紅霞無疑是極其殘酷的考驗。更殘酷的是，敵營中的王紫蘭對石達開情有獨鍾，石達開對王紫蘭也情不自禁，由於王紫蘭不會武功，李紅霞不得不克制自己的情感，多次拯救情敵王紫蘭。

在片面愛情的驅動下，李紅霞與長相酷似石達開的張遠明示愛並訂婚，讀者以為這是她退而求其次，卻不知她是未雨綢繆。在絕境中，李紅霞讓張遠明替代石達開被捕就義。當得知張遠明早已洞悉她的算計，卻仍心甘情願地替主帥去死，李紅霞才發現自己真正愛上了張遠明。

這一情節，是這部小說中最富天才的驚人設計，少女初戀，所愛常常是自己心造的幻象，幻象的光芒又常常遮蔽自己內心真情。李紅霞的情感突變，與其說是對石達開的失望，不如說是她的深層情感覺醒。真空長老早就說過，李紅霞膽夠大、心不夠細，只可惜，當她明白自己的真愛，卻為時已晚；她的愛情人生，開始即是結束。

除了石達開、李紅霞之外，書中還有一些人物讓人印象較為深刻。例如土司之子凌月楠和李紅霞的妹妹李碧霞，二人都是異裝症患者，即：凌月楠喜歡著女裝，而李碧霞則喜歡扮小弟。值得注意的是，這二人雖患異裝症，卻非同性戀，凌月楠愛上了呂金沅，小弟對第一個發現她真相的曹敏通也有明顯好感。

更值得注意的是，二人的異裝症，還都有其特定的心理依據。具體說，凌月楠之所以喜歡穿女裝，不僅因為他表妹眾多，情不自禁地模仿；更重要的原因可能是，他以異裝形態對土司父親強勢威嚴的逃避或反抗。與之相反，李碧霞生於兩女之家，且從小就被明悟道人綁架，內心渴望並想像自己是男兒，能夠繼承李家香火。為了維護這一自我想像，她曾一度不認姐姐李紅霞，好在最終在姐姐的勸導下，決定恢復女兒裝。遺憾的是，她與曹敏通的情感線索，沒有得到進一步展開。

小說的敘事語言也很講究。所有回目都採取九字形式，且若干回目採用疊字開頭，如第一、二回回目分別是：「僕僕征途異客悲失路」和「迷迷雲霧巫山練奇功」；第四、五回回目分別是：「悠悠五載俠女初面世」和「癡癡苦戀化作父女情」。第七、八回回目分別是：「仇仇未已弱質全大義」和「侃侃陳詞王權戲英豪」，如此等等，體現了作者文字功力。當然，有些語言，尤其前幾集中的人物對話，有時會稍顯稚嫩。例如，李紅霞說：「這裡有我爸爸的血，妹妹的仇恨，和敵人的足跡，我不讓別人滲入這恩怨園地。」這話就有濃重的學生腔。

小說中人物眾多，關係複雜，作者的敘事有時難免有所疏忽。例如，武當弟子明悟道人要找李紅霞的父親報仇，為什麼不李紅霞的妹妹李碧霞，而是要將她抓走？抓走李碧霞，為何沒有送到武當山，而是讓她被王霸天撫養長大？又如，武當烏雲道長為何讓雪峰怪俠傳授「小弟」武功？雪峰怪俠為何會答應？小弟的紙條為何讓李紅霞拾得？最大的疏忽是，反派一號人物王霸天，身為綠林中人，青葉寨寨主，為何要投奔曾國藩充當朝廷鷹犬？書中根本就沒有明確交代。如果說王霸天的山寨被太平軍所毀，王霸天為報此血海深仇而不惜借助官府之力，就很容易理解。否則，王霸天從頭到尾都在追殺石達開，卻始終說不出任何可信的理由，這一情節設計的說服力就會不足。

《劍膽遊俠》

《劍膽遊俠》[2]是《丹心奇俠》的姊妹篇，講述女俠飛山燕及其弟子的故事。具體是：飛山燕神尼的弟子、湘西鏢局女鏢師烈火鳳柳玉春為閨中密友丁綠英保鏢，金銀細軟被武陵山強盜歐陽傑奪走一半。丁綠英愛上了歐陽傑，而歐陽傑卻喜歡柳玉春。當湘西鏢局的另一支鏢被劫，柳玉春的二哥潛水蛟柳仲竹被打傷，柳玉春上武陵山，歐陽傑竟答應將一支鏢還給湘西鏢局。柳玉春押鏢回局，卻又被武家莊半路奪走，歐陽傑幫助柳玉春奪回。辰龍關總兵周奇駒要娶丁綠英為妾，柳玉春的師父飛山燕神尼巧施妙計，讓巡撫和總兵爭娶丁綠英，混亂之中，伍尚業等率領義民佔領了辰龍關。飛山燕又與曾國藩、曾國荃兄弟聯絡，希望他們成為反清領導人，結果未能如願。

王天霸是曾國藩的打手，設計抓捕飛山燕等人未果。王天霸不許弟子歐陽傑與反清武林人交往，讓歐陽傑十分為難。而飛山燕也不許柳玉春與歐陽傑交往。王天霸與飛山燕決鬥受傷，柳玉春救了王天霸。歐陽傑卻以為師父被打死，回到武陵山大病一場，武陵山弟兄要為歐陽傑、丁綠英舉行婚禮，歐陽傑答應了。但在婚禮當日，歐陽傑欲跳崖自殺，丁綠英隨之跌入山洞中。

在山洞中，歐陽傑與丁綠英經歷種種奇遇，一年後出洞，丁綠英生子，得到了老珠婆和小珠的幫助。天臺派弟子成則棟等人為劫奪《天魔心經》，奪走了歐陽傑的兒子，重傷不治的丁綠英將歐陽傑父子託付給前來救助的柳玉春。柳玉春隨歐陽傑前往天臺，找回兒子，交給老珠婆教育。其後隨師兄龍天蛟、師父飛山燕神尼一起到蒙古車臣汗部，尋找川疆雲貴地圖，聯合反清義士霍木都，與車臣汗郭伊哈克周旋。

郭伊哈克之女花蝴蝶愛上了龍天蛟，願意為龍天蛟尋回地圖，周天錫抓住的花蝴蝶。郭伊哈克救女心切，被周天錫打死，老珠婆打死周天錫，卻燒掉了地圖。花蝴蝶決心與龍天蛟一起，參加反清事業。老珠婆受丁綠英所託，希望柳玉春與歐陽傑結合，但柳玉春拒婚，要保持兄妹關係，不離不棄。

作者講述的重點，當是柳玉春和歐陽傑的情感關係。兩人相愛，但卻阻礙重重。首先是身分的對立，一為鏢師，一為強盜，如同天敵，更何況歐陽傑還曾打傷柳玉春的二哥。其次是師門恩怨，柳玉春的師父飛山燕與歐陽傑的師父王霸天，一個要反清，一個是清廷鷹犬，早在年輕時就是死敵，自不允許弟子與敵方弟子在一起。

再次是造化弄人，丁綠英對歐陽傑一見鍾情，在歐陽傑失意時與之結婚生子，鳩占鵲巢，柳玉春不得不退避三舍。丁綠英知道丈夫歐陽傑與柳玉春兩情相悅，決心犧牲自己，讓有情人成為眷屬，但柳玉春卻要信守諾言，與歐陽傑終生以兄妹關係相處。飛山燕、柳玉春師徒的情感命運如此相似，有情人不能成為眷屬，只能以父女或兄妹倫理束縛自己。很明顯，作者喜歡此調。

書中另一看點，是對歐陽傑心理的細緻描繪。歐陽傑由王天霸教育成人，師恩深重，不敢也不願忤逆。師父不許他與武林人交往，更不許他參加反清事業，與他的情感與意志相違，順從師父，於願相悖；忤逆師父，於心不忍，陷入自相矛盾的痛苦深淵。進而，在柳玉春、丁綠英（**還有一個齊韻珠，後來作者簡化了**），他愛的是柳玉春，得到的卻是丁綠英，忠實於婚姻，於情相悖；追求愛情，則於心不忍，這是另一層自相矛盾。在這部書中，歐陽傑幾乎始終處於如此自相矛盾的煎熬中，即便苦苦掙扎，也無法真正走出心理陰影。他的故事，讓人唏噓。

這部書中不乏精彩的傳奇人物、傳奇的故事段落，但作為小說，卻缺乏整體性。這部書的主人公究竟是誰？如果說是柳玉春，更出彩的卻是歐陽傑；如果說是歐陽傑，飛山燕卻又喧賓奪主；如果說是飛山燕，她又時現時隱，神龍見首不見尾。書中出現了柳玉春、歐陽傑、飛山燕三位主人公，卻沒有整體性設計安排。三位主人公的人生目標及行動軌跡都不相同，聚會與分離，都是作者即興發揮。所以，書中的故事情節，有明顯的人為拼貼痕跡。由於缺乏整體性構思，作者只得寫到哪裡算哪裡，飛山燕繼承石達開的遺志，要反滿抗清，但卻沒有政治經驗與智慧，也無可靠的謀劃，只能走到哪裡算哪裡，隨時出現，又隨時消失。

小說的其他不足是，有些故事情節，或不合情理，或交代不清，難以讓人信服，甚至一頭霧水。如：丁綠英家的金銀細軟被歐陽傑劫走一半，沒看到柳玉春討鏢；卻也沒看到丁綠英父親找鏢局要求賠償，這不合情理。進而，張家祥託保，卻被強盜、地方惡勢力、官兵搶來搶去的那支鏢，到底是私產還是官銀？更重要的是，其中川疆雲貴地圖和天魔心經從何而來？要送往哪裡？為什麼塞外的老珠婆、天臺派的成則棟等人都知道其中有武學秘笈，而保鏢的柳玉春、劫鏢的歐陽傑等當地人對此竟一無所知？

進而，齊韻珠逃婚離家，何時以及如何成了天臺劍客的弟子？書中沒有令人信服的交代。進而，辰龍關周總兵和王巡撫為爭娶丁綠英而相互火拼，導致辰龍關失守，問題是，辰龍關怎麼會有湖南巡撫衙門？進而，飛山燕要反清，竟然找清朝軍政柱石曾國藩兄弟合作，實在是異想天開。

書中出現許多武林異人，很是引人注目，諸如天臺劍客五代傳承人同堂，可謂奇觀。尤其是最後一代天臺劍客，不但年輕，且本人不懂武功，卻教出了成則棟等八位武功不俗的弟子，可謂奇異至極。問題是，天臺劍客的嫡傳，為何沒有練武？沒有練武如何能繼承天臺劍客的頭銜？又如何能教出高徒？對此，書中沒有令人信服的交代。進而，書中的黃山三老與石姑姑的仇怨，以及小說最後，柳玉春等人找黑煞星為石姑姑報仇，殺死黃山三老，與書中主要人物及主要故事情節關係不大，看似傳奇，實為累贅。

《劍膽遊俠》雖有更多傳奇故事，更多的武俠寫作招式，但卻內力分散，七拼八湊，失去核心焦點，其成就無法與《丹心奇俠》相比。

【注釋】

1本書共八集（冊）、廿四回，由香港偉青書店出版，無具體出版時間。

2梁楓：《劍膽遊俠》，香港偉青書店出版，共八集（冊）、廿四回，沒有標注出版時間。

◆風雨樓主小說述評◆

風雨樓主，生平不詳。香港偉青書店曾出版過他的多部武俠小說。

《神州英俠傳》

梁羽生為《神州英俠傳》題詞（代序）·《浪淘沙》：

風雨樓主，書成囑序，因倚此闋，既以題書，並以共勉。
極目望中原，懷古情牽，書生壯志付殘篇，閒話英雄兒女事，俠骨柔腸。
風雨度年年，故我依然，高樓一卷夜無眠，鐵馬金戈遙寄意，願共揚鞭。

——梁羽生，一九五八年四月十五日[1]

我看的版本是香港偉青書店版，沒有出版時間（書中有梁羽生的以詞代序，寫於一九五八年四月十五日）共六冊，每冊三回，共十八回。

《神州英俠傳》是滿清雍正年間爆發的文字獄、呂留良家族及其追隨者遭難，至呂留良的孫女呂四娘在大俠甘鳳池、白泰官等人的幫助下刺殺雍正的野史傳奇。這段傳奇向來是野史傳奇的熱門故事，當然也是武俠小說的熱門題材。早在一九三〇年代，鄧羽公小說《至善禪師三遊南越記》中即有敘述再現（五枚師太即呂四娘），在一九五〇年代後的新派武俠小說中則有更多人重述這個故事。梁羽生小說《江湖三女俠》中即有呂四娘、甘鳳池等人的故事。現代香港武俠小說中的呂四娘、甘鳳池等人的故事和形象，是一個值得專門研究的課題。

《神州英俠傳》的故事情節有其自身特點，作者對呂四娘的經歷有獨特設計，小說的主人公並非呂四娘，而是虬髯公、梅花神叟、魚殼、魚孃、莊雨農、玄通禪師、甘鳳池、管大娘、菩提禪師、白泰官等武林俠義道，即拯救呂四娘的那些英俠。進而，呂四娘的經歷也不是本書敘述的重點，她只是開頭被拯救，中間有大段空白，最後才出現並刺殺雍正。值得注意的是，本書中的呂四娘的師父，既非前明公主獨臂神尼，也不是甘鳳池，而是作者新創的虬髯公和嵩山菩提大師。

這部書的故事情節，大體上可以分為三個大段落，或者可以說是由三個故事連綴而成。一個故事是呂家遭滅門之禍，呂四娘因在外而得倖免，朝廷鷹爪尋找並追捕呂四娘，而虬髯公、梅花神叟、魚殼等人則不約而至來拯救呂四娘、幫助呂四娘逃難避險，直到呂四娘被嵩山菩提大師帶回河南學藝。

故事的第二段落，是甘鳳池、虬髯公等人去杭州營救被捕的車鼎賁——此人的被捕也與呂留良案密切相關，但卻是另一段故事——從而與浙江省、杭州府、大內侍衛組成的官府鷹爪展開大規模的武力衝突，直到甘鳳池等人在玄通大師的幫助下脫險，並來到安徽黃山梅花神叟處。

第三段故事，是數年之後，呂四娘在菩提大師門下學得九天玄女劍法，滿師下山，進京刺殺雍正，如願報仇。

本書第一大看點，是三段故事各有不同寫法，故事情節不斷起伏跌宕。

在第一段故事中，虯髯公來到其弟子朱蓉鏡家——呂四娘恰好在他家探訪並避難——官府鷹爪即前來騷擾，第一撥騷擾被虯髯公和朱蓉鏡打退；第二撥騷擾則是在危急時刻得到了梅花神叟的幫助而打退。其後是虯髯公、梅花神叟幫助朱蓉鏡的父母及呂四娘離家避難，避難的目的地是要到安徽黃山即梅花神叟的住地。

鷹爪似乎也很快就知道了他們的目的地，從而一路上圍追堵截，從桐廬縣的港汊，到沙洲村，到坑口鎮，到山裡小村，到十方古剎，一路都是打鬥。在避險逃難的衝突過程中，雙方都不斷有人加入，正方陸續加入的人是魚殼、魚孃一路，莊雨農、何湘師徒，甘鳳池、管大娘一路，以及菩提大師和玄通禪師等人；鷹爪一方也同樣不斷有人增援，以至於拯救者一方不得不改變行動路線。

第二段故事是甘鳳池、魚殼、車哲生、虯髯公等人前往杭州營救車哲生的父親車鼎賁。這段故事是化被動為主動——當然也是被動局面下的主動，因為官府抓捕了車鼎賁，從而不得不對他展開營救——繼而又由兩段情節組成，一段情節是虯髯公等人在臨安救人、與「臨安四虎」展開打鬥；第二段故事才是在杭州展開偵查，並邀約程嘯天幫忙，入浙江巡撫衙門劫獄，引起官府鷹爪圍攻。第二段故事的主要場景是在杭州劫獄後，虯髯公、甘鳳池等人突圍過程中不斷受到圍攻追截的過程。如果說第一段故事是游擊戰，而第二段故事就變成了陣地戰，即在同一陣地上不斷增加人手，出現新的情況和新的局面，使得打鬥延續。

第三段故事是刺殺雍正。這段故事分為三小段。第一小段是甘鳳池等人前往北京刺殺雍正，雖然進入紫禁城，但卻引起了大內侍衛圍攻追捕，行動歸於失敗，只得離開。第二小段是三年後，呂四娘藝成下山報仇，獨自前往北京，甘鳳池等人率小分隊隨之前往，由於呂四娘急於報仇，與齊荊華、魚孃前往紫禁城，暴露了行動目標，引起了皇宮衛士的高度警戒和大肆搜捕，從而不得不暫停刺殺行動，直到一年之後，等到大內侍衛的警戒稍有放鬆之時再次展開刺殺行動。

本書第二大看點，是在緊張刺激的故事情節中，有意設計了出人意料的關鍵節點，讓故事情節保持懸念及高度緊張，同時保持新鮮感和刺激性，讀者很難猜測到情節發展的具體線索。例如，在第一段故事中，幫助呂四娘脫險是最重要的任務，誰也想不到，被保護的呂四娘卻在中途神秘失蹤——她是被寶傘神珠黃慶昌抓走的，此人是書中的一個變數，他曾向虬髯公提出要幫助呂四娘脫險，被拒絕後卻反過來擄走了呂四娘，試圖前往北京邀功請賞——黃慶昌被虬髯公截下，呂四娘逃入十方古剎，遇到玄通禪師和他的師兄菩提大師，菩提大師將呂四娘收為記名弟子，要教她九天玄女劍法，成全呂四娘的報仇願望。

呂四娘已被虬髯公收為弟子，讀者以為虬髯公會教她武功，誰也想不到，真正教授呂四娘武功的卻是神龍見首不見尾的菩提大師。這一設計，極富傳奇色彩，大大出人意料。

再如，在第二段故事中，虬髯公、甘鳳池、魚殼、車哲生等人去杭州營救車鼎賁，但等他們前往府衙劫獄時，卻找不到車鼎賁的蹤影。車鼎賁去了哪裡？就成了書中的一個重要懸念，誰也想不到，甘鳳池和車哲生前往北京營救的路上，無意中跟蹤一輛馬車，發現董三娘竟然在車中，奪取馬車後，不但發現在黃山失蹤的白泰官在車中，且發現在杭州沒找到的車鼎賁也在車中。這一設計，與第一段故事中呂四娘失蹤、後隨菩提大師而去一樣，是一種傳奇中的傳奇，只不過前者為正寫，後者是反寫，即所謂踏破鐵鞋無覓處，得來全不費工夫。如此寫法，當然更加令人驚喜。

又如第三段故事中，呂四娘滿師下山，武功超群，又有甘鳳池、莊雨農、玄通大師等十幾位高手加盟，本以為可以一舉刺殺雍正，卻不料呂四娘報仇心切，齊荊華、魚孃兩個年輕姑娘亦衝動魯莽，擅自前往天牢劫獄，結果不但差點陷入重圍而無法脫身，更大的後果是使得雍正加強了警戒，只得把刺殺雍正計畫推遲整整一年。如果說前兩段故事中的「意外」帶來的是驚喜，那麼這一段故事中的「意外」帶來的則是煎熬。作者的寫法富有變化，設計可謂精巧。

小說的第三個看點，是對武功打鬥的詳細描述。從頭開始就不斷有連番打鬥，打鬥很是精彩，也很吸引人。武打的敘述占了小說的很大篇幅，如果說武打的場次多、形式活，是這部小說的最大特點，恐怕也沒有問題。很多人閱讀武俠小說的動機，正是出於對武打描寫的迷戀，只要書中開打，讀者自然就開心。所以，不少武俠小說作者都十分注重武打場面的設計、注重武打動作的細描，甚至有意無意地創造武打的機會。

本書也是這樣，在本書的三段故事中，武打所占篇幅都超過了一般小說，在多人打鬥場合，作者不僅仔細講述每一對打鬥的細節，甚至還採取「排列組合打鬥法」，即交換對手打鬥，這樣可以使打鬥篇幅延長。此外，本書還有一個特點，那就是俠義方在一般情況下，都不願輕易殺人，所以傷者多而死者少，結果就是有不少受傷者很快就能加入戰鬥，從而使打鬥延長。

為了滿足讀者的「好鬥心」，即想方設法製造打鬥機會，也會給小說帶來一些問題，首先是有為打鬥而打鬥的嫌疑，例如在第二段故事中，甘鳳池與敵方打鬥時，竟然有意「戲耍」即與敵方開玩笑，卻忘了這是生死搏鬥，是你死我活的衝突，消滅敵方一人就減少一份壓力，留下一個敵人就增加一份犧牲的危險。

其次，這樣做，無意中會形成故事情節的漏洞，例如在第一段故事中，在桐廬港汊，救助呂四娘的共有虬髯公、梅花神叟、魚殼、魚孃、莊雨農等多位高手，朱蓉鏡是虬髯公的弟子，本領也不差，敵方似乎沒有壓倒性的力量，但作者卻安排這些人全都投入打鬥，而沒有人保護船隻，使得敵方弄翻船，讓不懂武功呂四娘及朱蓉鏡父母、僕從全都落入水中。

最後，更大的問題是，由於作者故意拖延打鬥篇幅，不斷增加打鬥人手，使得敵方即官府一方的敵手走馬燈地來來去去，讀者不容易記得敵手到底有哪些人，更記不住敵方即鷹爪方究竟以什麼人為總指揮，哪些人協助。

本書的第四個看點，是對俠義中人的行為的描述。有不少武俠小說作者既然把重點放在武功打鬥上，常常會忽略俠義精神的講述。這部書雖然也有著重於打鬥的傾向，但卻沒有忘記對正面人物的俠義行為的描寫。例如在第一段故事中，虬髯公到朱蓉鏡家救人，或許還可以解釋為他關心自己的弟子；而梅花神叟、魚殼、莊雨農、甘鳳池、管大娘先後加入拯救呂氏遺孤行動，則體現了真正的俠義精神，他們是自覺自願且主動來幫助呂四娘脫險，甘冒風險。

書中的莊雨農是個隱士，但他也是個俠士，來到沙洲村的第一件事，就是幫助沙洲村民打敗了惡霸陳勇，趕走了惡霸幫凶，營建了一個和平的世外桃源。這一小段插敘並非多餘，而是書寫俠義精神所必須。進而，在第二段故事中，講述虬髯公拯救被官府強迫的張竹君父女，甘鳳池還冒險進入臨安縣衙，迫使知縣撤銷張竹君的報名表，看起來與營救車鼎賁無關，但卻刻畫了虬髯公、甘鳳池的俠義精神。進而，這段故事中的程嘯天，本來是臨安縣大捕頭關玉麟的朋友，但當關玉麟來邀約他幫忙抓捕甘鳳池時，程嘯天斷然拒絕，不惜與關玉麟斷交。關玉麟在程嘯天家裡搜出了他與秘密會黨的通信，以此要脅，甘鳳池等人又幫助程嘯天將關玉麟打敗，將秘密書信取回。

這一插曲，充分顯示了俠義道的行為與精神，使得程嘯天主動提出要幫助甘鳳池劫獄營救車鼎賁。同樣在這段故事中，在激烈的打鬥場上，甘鳳池見敵方的鐵牛羅坤心性善良，不僅在打鬥時故意留手，不傷害對方，且還好言相勸，讓對方幡然悔悟，從此轉變立場。這一細節，也展示了甘鳳池的風采。

小說的第五個看點，是敘述語言流暢而有味道。作者文筆嫻熟，雖然不及梁羽生秀逸，卻也是一流水準。尤其可貴的是，作者對江湖人的「黑話」即所謂「社會方言」也下過一番功夫，並且在小說中適當予以呈現。例如：「『你招子（眼睛）可亮？那輪盤子（車子）可盛的是老瓜子（黃金）吧？』另一人答道：『管他呢，總之是肥羊跑進爬山子（老虎）的鉗子（口）裡來了，咱們等會兒就去打鷓鴣（截道攔搶），還怕他溜了麼？』」[2]這樣的寫法，當然是增加了小說的味道。

再看下面一段：「呂四娘回到京華客店，這一晚她躺在床上，思潮起伏，心緒很不寧靜。一合眼就看見她父親滿身鮮血，披枷帶鎖，面容愁慘，站在她床前，啾啾的叫道：『兒呀，你爹死得冤屈，你切記要為父親報仇啊！』呂四娘一驚而醒，房裡空蕩蕩，什麼都沒有。窗外一輪明月，照進房中，灑得床頭爛銀也似一片光輝。」[3]這一段文字可圈可點，如此寫法，文學味道十足，足以讓人品味再三。

本書的不足之處是，書中有些情節不是十分嚴謹，恐怕經不住推敲。例如在第一段故事與第二段故事的連接處，呂四娘失蹤，甘鳳池等人卻只是派管大娘幫助魚孃將朱清濂夫婦送到烏門洞轉往黃山，對呂四娘的下落竟沒有關注，這就是一個不小的漏洞，按理說，這些人的第一目的是要幫助呂四娘脫險，在呂四娘失蹤、生死未卜之際（他們並不知道呂四娘已經脫險，且被菩提大師帶走），如何能輕鬆地轉入第二目標即去杭州營救車鼎賁？

更大的問題是，虬髯公也加入了去杭州營救車鼎賁的隊伍。虬髯公本來是送朱蓉鏡父母的，朱氏夫婦是否脫險？書中沒有及時交代。虬髯公來找呂四娘，當然也有道理。聽說呂四娘被菩提大師帶走，本要追到河南大寶山菩提寺去看個究竟，但因與石飛蟾相遇打鬥，又改主意要去杭州追擊石飛蟾。如此改變主意，目的是讓虬髯公與甘鳳池、魚殼、車哲生等相遇，但虬髯公如此隨意改變行程，卻沒有充分理由。

再如，在第三段故事中，甘鳳池召集了莊雨農、玄通禪師等十三人前往北京，配合呂四娘報仇。因為呂四娘、齊荊華、魚孃三個姑娘輕舉妄動，讓官府提升警戒，失去了刺殺雍正的機會。刺殺行動不得不推遲一年舉行。問題是：一年後，甘鳳池團隊的十三人竟然原封不動——只是增加了一個鐵牛羅坤——這十三個人是一直在六河溝蠍子領青龍會住地等待了整整一年？還是甘鳳池再次召集了原班人馬？如果是前者，他們在青龍會幹什麼呢？如果是後者，甘鳳池又是如何召集這些人的呢？書中沒有交代，形成了一個很明顯的漏洞。

小說更大的問題，是塑造俠士群體如虬髯公、梅花神叟、魚殼、魚孃、甘鳳池、白泰官、莊雨農、何湘、玄通禪師、車哲生、齊荊華、朱蓉鏡、程嘯天等俠士群像，這樣的寫法當然並非不可取，只是對這些正面人物的形象刻畫難有深度。即便是作者重點刻畫的虬髯公、甘鳳池等幾個核心人物，其形象也不能算是十分突出。正方如此，反方更是如此，如前所述，反方沒有領導人，幾乎一盤散沙，沒有一個人能被讀者清晰地記住。這是作者欠考慮、欠設計的結果。

與之相關的另一個問題是，小說中的情感描寫相對簡單。書中出現了白泰官與魚孃、車哲生與齊荊華、朱蓉鏡與呂四娘三對戀人，但沒有哪一對戀人形成故事，書中也沒有專門交代這三對戀人的故事經歷（書中寫到白泰官與魚孃在黃山上有一段單獨相處過程，算是最突出的情感場景了）。朱蓉鏡對魚孃曾有過迷戀，並為此而自責——這應該算是書中最有意思的段落，只可惜，朱蓉鏡如何從單相思中解脫出來？書中再也沒有下文。不能不說是一種遺憾。

《湖海爭雄記》

我看的是香港偉青版，共八冊，廿四回。

《湖海爭雄記》的故事主線是個奪寶故事，即無錫首富張杏邨有一件寶物七星聚寶盆，想通過尚書妻兄魏藻德獻給皇帝——一方面是因為這件寶物引起了江湖中人的覬覦，若不送走很難保住寶物；另一方面則是希望通過獻寶獲得皇家保護，從而在地方上更加肆無忌憚——並請來開封名鏢師楊公弼護送寶物進京。楊公弼保鏢進京的過程中，遭受到江湖人諸如太湖雙霸、天目三魔、黑天鵨方振華、火眼狻猊常元慶、青衣幫主梅麗英，以及南宮豹和江碧桃師兄妹等人的截擊。

這些人截擊七星聚寶盆的原因和目的各不相同，有的是為了發財，有的是為了開眼，有的是為了送人，有的是為了煉劍，有的甚至純粹是為了虛榮（如青衣幫主梅麗英）。張杏邨狡猾如狐狸，讓鏢師楊公弼護送七星聚寶盆固然是假，而讓錦衣衛暗中護送居然也是假，真正的寶物早已被送到了京城。

所以，最後高柏青、江碧桃、方振華等人最後不得不進京，先是準備到皇宮去盜寶或奪寶，後來才知道寶物其實是在魏藻德尚書府中，魏藻德請來諸多武功高手，試圖借群雄盜寶之時將這些英俠俠客一網打盡，結果當然是適得其反，俠義道付出兩人死亡、九人受傷的代價，卻盜取了寶物、打敗了官府請來的諸多高手，取得了煉劍的材料。由此可見，這部書從頭到尾都是圍繞七星聚寶盆的線索展開，是地道的奪寶故事。

但小說又不僅僅是奪寶故事，而是借奪寶故事線索展開更加廣闊的江湖社會圖景。小說取名《湖海爭雄記》，不言「江湖」，而說「湖海」，看似為了標新立異，實際上也有其具體原因。小說中不僅有超越正常社會的「江湖」，卻也有江湖之外的更廣闊的社會空間，從張杏邨——魏藻德——皇帝一條線，到江碧桃——高柏青、方振華——李自成義軍一條線，故事所涉及的社會空間，不僅包含了江湖，也包含了「江山」，所以，小說書名不用「江湖」而用「湖海」，不用「奪寶」而用「爭雄」，這表明作者別有心思。

作者想要表現從明朝皇帝崇禎到著名的起義軍領袖李自成為歷史座標的更廣闊的社會與歷史空間。有意思的是，崇禎皇帝、李自成都沒有直接出現，但書中人物要麼是支持皇帝一系、要麼是支持李自成一系，兩大系列的武林人士（包括皇家錦衣衛）和江湖黑白道相互爭雄，決定性的因素實際上正是皇帝官府和農民義軍兩大系統的矛盾衝突。

小說的故事線索是清晰而且完整的，奪寶故事貫穿全書。但小說的敘事主人公卻並不止於一人，小說的開頭部分，是以無錫首富張杏邨（即張太爺）家的武術教頭七爪鷹羅金元為敘事主人公，講述他如何不可一世地欺壓百姓，與九頭鳥彭太保兩人合稱「太湖雙霸」，由他們的故事引出七星聚寶盆線索。

小說的第二位敘事主人公是鏢師楊公弼，講述他保了七星聚寶盆前往京城途中遇到重重阻攔、步步驚心的打鬥經歷。

小說的第三位主人公是「陰司秀士」高柏青，他並不是純粹的江湖中人，而是李自成的聯絡員即從事地下活動的俠士，他與七星聚寶盆沒有直接關聯，只是偶遇失去鏢物的鏢師楊公弼而後與他同行，小說敘事即從鏢師保鏢故事一變而為錦衣衛及地方官府捕頭聯手捕殺「反賊」高柏青的故事，由於高柏青、黑天鷂方振華以及官府錦衣衛王浩恩和呂百野、捕頭的出現，形成了政治鬥爭的故事層。

小說的第四位主人公是江碧桃，書中寫她和師兄南宮豹奉師命下山，一是尋找烏金石、二是奪取七星聚寶盆、三是刺殺洪承疇。這對師兄妹從小說開始就出現在無錫街頭，借賣藝探查七星聚寶盆消息，繼而出現在楊公弼保鏢路上，一邊幫助楊公弼打退其他的奪鏢者，一邊等待機會自己奪鏢；繼而寫到他們前往浙江天臺赤城山尋找烏金石，最後又與高柏青等人會合到北京奪取寶物。

小說故事線索中的四位敘事主人公中，後三位即楊公弼、高柏青、江碧桃處於同一條戰線，所以後來的故事其實是他們聯合行動。小說的四位主人公的身分各不相同，一位是富戶的拳師，一位是鏢師、一位是職業革命者、一位是純粹的武林人，他們的身分組成了這個故事以及當時社會生態及其矛盾衝突拼圖。

書中人物的神秘性和可變性，是小說的一大看點。書中具有神秘性的人物很多，例如半瘋仙這個人物，始終是神龍見首不見尾，小說開頭就在書中出現，到結尾成為書中奪寶的關鍵人物，但誰也不知道他的行動軌跡，甚至也不知道他的行為動機。所謂半瘋仙，當是半是瘋子、半是仙人，總之不是尋常的武林人物。

江碧桃和南宮豹很早就在書中出現，他們在無錫賣藝，一直追隨楊公弼，充當楊公弼的保護者，但他們的實際目標卻同樣是要奪取七星聚寶盆。這一對人物長時間保持神秘身分，直到與高柏青相遇並相識，作者才正式介紹他們的身分及其行為目標。黑天鷂方振華出現時，也像是個強盜，硬是要向楊公弼索取七星聚寶盆看，實際上，這個人物並不是強盜，而是李自成義軍的聯絡員。

陰司秀士高柏青出場時也是十分神秘，直到錦衣衛追殺時才知道他的真正身分。江翠雲、江彩虹母女的身分也很神秘，表面上她倆只是鳳凰村的居民；實際上卻正是江碧桃的姑媽和表妹；再後來才知她倆竟都是華山神尼的弟子，而女兒江彩虹更是大名鼎鼎、武功不俗的金鳳凰。她們的故事，是書中令人難忘的線索之一。

書中最神秘的人物當是花子王和黑雞老人。這兩個人物都沒有正式出場，花子王的弟子醜叫花、小叫花出場讓高柏青等驚訝，讓哈哈先生離開，足以鋪墊花子王的影響和神奇。而黑雞老人並未出現，他的外孫女林夢茵已是神乎其神，黑雞自然更是令人神往。

更值得注意的是，書中不少人物具有可變性。例如楊公弼，他是個道道地地的鏢師，最突出的性格特點是廣交朋友、不願得罪人——這也正是鏢行中人的共同特點，只不過楊公弼的這一行為特點更為突出——在保鏢的過程中飽經憂患，不僅有開封永泰鏢行鏢師谷應龍的偷襲，更有錦衣衛不分青紅皂白的追殺，使得這位只顧謀生的鏢師變成了堅定的義軍支持者。

再如火眼狻猊常元慶，原本是個單純的黑道，出現在書中的目的也很單純，即奪取七星聚寶盆，但他被梅麗英打敗，失去七星聚寶盆；又追隨司馬兄弟成了高柏青團隊的骨幹成員，即李自成義軍的追隨者，最後為保護群雄而英勇獻身。

又如哈哈先生，他原是受聘於錦衣衛，盯梢高柏青等人，後因醜叫花、小叫花的警告而離開，繼而因花子王的影響而變成高柏青的支持者；哈哈先生的弟子黃少山也是如此，出場是為錦衣衛出力而打死司馬空明、司馬杞楠兄弟，後因師父警告而改變立場，幫助高柏青打倒多位鷹爪，當他師父哈哈先生要處罰他時，得到了群雄勸勉和司馬杏紅的諒解。

最後，書中七爪鷹羅金元和九頭鳥彭太保這兩個人物也有變化，這兩人原本是富戶張杏邨家的護院拳師，誰也沒想到，這兩人竟起意要劫奪東家張杏邨的七星聚寶盆；奪寶失敗並受傷後回到張家重操舊業，而在江翠雲報仇之際，羅金元非但不出手，反而在張杏邨被殺後立即衝入帳房搶劫銀兩、殺害帳房先生。有意思的是，劫奪七星聚寶盆的主意是彭太保想出來的，看起來彭太保似乎比羅金元更惡；但後來當張杏邨遭遇江翠雲襲擊時，彭太保挺身而出，而羅金元則貪生惜命並作惡行凶，這兩個人行為動機的「變化」，將類似人物的品行和實質寫得更加鮮活。

情感書寫並不是本書的重點，但書中幾段情感故事卻也值得一說。江碧桃與師兄南宮豹的情感，在他們的一言一行、一舉一動中，兩人同門學藝多年，早已有了兩情相悅的基礎；爾後千里同行、街頭賣藝，更是配合默契、更加親密；但縱然如此，都只是情感基礎，在這對師兄妹相處時，南宮豹仍然拘謹，反而不如師妹江碧桃放得開，書中有幾段兩人相處的尷尬情形，頗為動人。

更值得一說的是陰司秀士高柏青和青衣幫主梅麗英的情感關係，這兩人青梅竹馬，早已兩情相悅，但因梅麗英的父親當了錦衣衛，而高柏青的父親仍在江湖行俠，兩人漸行漸遠，進而相互衝突，最後同歸於盡。

這樣的「家仇」導致高柏青遠離梅麗英，多年不願見面。因梅麗英奪得七星聚寶盆，高柏青為了楊公弼不得不找梅麗英，此後梅麗英對高柏青的情感心思、高柏青對梅麗英的內心矛盾，兩人都被情仇糾纏，欲說還休、求近之心反成疏遠之舉，成了書中重點講述的情節，直到梅麗英犧牲在高柏青懷中，這段無法圓滿而又無法忘懷的情感才算是有了結論：高柏青在梅麗英的墓碑上刻下了「愛妻」二字，但已是陰陽阻隔，只能令人唏噓。

書中最讓人警醒的，是半醉道人章立平的情感故事，他因善意救助了林夢茵父女，章立平、林夢茵兩情相悅，章教林學文，林教章練武，只因林夢茵在餵招時將章立平打倒在地，傷了他脆弱的自尊，章立平不依不饒、喋喋不休地出言譏諷，終導致林夢茵離家出走，從此人海茫茫難相見。

章立平和林夢茵的情感波折，一方面是由於章立平的脆弱自尊和狹窄心胸，另一方面則是文人與武士兩個階層的文化衝突，具有一定的寓言象徵性。章立平、林夢茵的情感故事是由高柏青、方振華接龍講述，也是這段故事的一大特點。直到京城奪寶時，章、林兩人才再度相逢。經過數十年「半醉」生涯，想必章立平此後肯定會對林夢茵更加尊重且更加珍惜。

風雨樓主小說的最大特點，是十分重視武打的設置及描述。這部小說也不例外，書中的打鬥場景，自然是小說的重要看點。喜歡看打鬥描寫的讀者，在風雨樓主的書中能夠得到較大的滿足。書中的武功打鬥描寫雖無重大創意，主要是篇幅長、場景多、描寫細，能夠讓喜歡看打鬥的讀者盡興。

小說當然有不足之處。

例如，書中說，江碧桃下山時，師父要她完成三項任務，其中「……特別是第三件，要她去刺殺這賣國大奸賊洪承疇那是談何容易！京師東西兩廠，高手如雲……」[4]這一說明顯有問題，因為此時還是崇禎三年，洪承疇還是明朝延綏巡撫，是楊鶴手下幹員，即此時他不在京城，而在邊關；且於翌年，即崇禎四年擔任三邊總督（原總督楊鶴於同年被罷官入獄）。更大的問題是，洪承疇此時是殺戮農民起義軍的元凶，卻並非「賣國大奸賊」，因為此時他並沒有投降滿清，無從賣國。天山神俠白良英要弟子去刺殺洪承疇是有可能的，因為洪承疇對農民起義軍遠比前三邊總督楊鶴更加殘酷無情，作者給他安上賣國罪名卻是為時過早。

又如，開封永泰鏢局東主林永泰想將獨立鏢師楊公弼逐出開封，這是完全可能的，但他派鏢師谷應龍去刺殺楊公弼卻未必經得住推敲，一是谷應龍未必是楊公弼的敵手，二是如此做法也有暴露其身分的危險。進而，林永泰親自率人前往青衣幫總舵搶劫七星聚寶盆，從心理動機上說不無可能，因為人都貪心，林永泰或許更貪心，但要說他當著群雄聚會之機搶劫殺人，同樣難以通過推敲驗證。

理由很簡單，他畢竟是鏢行中人，而非黑道匪徒。作者可能是覺得林永泰勾結了錦衣衛，以為從此可以橫行，從而私心膨脹、利令智昏，這樣寫雖無不可，但畢竟難以讓人真正信服。林永泰的最後結局也充分證明了這一點：鏢局東主改行去搶劫七星聚寶盆，最後為此送命，這是何苦來哉?!

小說的最大問題，當然還是對主人公形象刻畫缺乏深度，無論是高柏青還是江碧桃，都沒有太多讓人印象深刻的個性描寫。所以如此，原因顯然是由於作者的創作重點是在講故事，即由故事帶動人物，而非人物帶動故事。當年的武俠小說，大多如此，即停留在武打故事的層面，能把一個故事講完整且有吸引力，就算是功德圓滿。風雨樓主也是如此。

《雪山恩仇記》

我看的版本是香港偉青書店版，共十冊，每冊三回，共三十回。每冊頁碼在七十七頁左右（這一版本比《湖海爭雄記》版本每冊一二五頁薄得多）。

顧名思義，《雪山恩仇記》當然是講述大理雪山派相關的恩怨情仇。其內核是，洛陽威遠鏢局東主兼總鏢頭姚崇武、高陵縣劍客蕭劍青同為雪山派弟子，但因這對師兄弟愛上了同一個人，即柳家姑娘（小說中並沒有寫出這個姑娘的名字，甚至也沒有說明她是柳公鳴的姐姐還是妹妹），柳姑娘愛的是師兄姚崇武，而柳家父母卻把她許配給師弟蕭劍青。在蕭劍青和柳姑娘成親之後，姚崇武和師弟蕭劍青之間當然就有疙瘩，從此不再往來。這一恩怨被黃河幫所利用。黃河幫主鄭飛龍派人搶劫了洛陽天馬鏢局的鏢銀，嫁禍於姚崇武，試圖讓姚崇武去找蕭劍青。

只是事情的發展出人意料，姚崇武還沒有找到蕭劍青，蕭劍青就被黃河幫邀請來的蜀山派高手張柳村所殺害。張柳村是用姚崇武的燕尾鏢塗毒射殺蕭劍青的（這是黃河幫主鄭飛龍的毒計，目的仍然是要讓蕭劍青的兒子去找姚崇武報仇）。結果被蕭白駒發現，蕭白駒果然中計，以為是姚崇武殺害了自己的父親蕭劍青。於是蕭白駒去找姚崇武報仇，而張柳村又利用蕭白駒與姚崇武打鬥之機，明幫姚崇武，實際上是要乘機射殺姚崇武，嫁禍於蕭白駒。

姚崇武的獨生女兒姚金鳳得知父親是被蕭白駒所殺（只能說是姚崇武之死與蕭白駒有關，卻並非蕭白駒殺害姚崇武），於是找蕭白駒報仇。此前兩人是情侶關係，雖未定親，卻已兩情相悅；但在父親姚崇武被殺後，姚金鳳就把蕭白駒當作殺父仇人，一定要找他報仇。其結果，即小說結尾，是姚金鳳和蕭白駒雙雙墜崖、落入河水激流中，不知所蹤。這一段「雪山派內的恩仇」，實在讓人感慨唏噓。

小說的開頭十分精彩。黃河幫派獨眼龍郝賓南、「青花豹」倪霸山、「金面神」侯鼎三人去搶劫天馬鏢局，又讓張華峰傳信給姚金鳳，信中寫的是：

「金鵰振翅，天馬折翼，非為天馬，乃圖女兆。蕭鳴劍響，三月草青，五五申酉，渭水之西，破帽緇衣，見者大吉。」

這讓姚金鳳莫名其妙，而讓在場的蕭白駒暗自驚心，因為他讀出了其中「蕭鳴劍響、三月草青」意指他父親蕭劍青。也就是說，這封信中暗示，搶劫天馬鏢局並不是因為天馬鏢局，而是要對付姚崇武；而要對付姚崇武的人也不是別人，正是他的同門師弟蕭劍青。

這一開頭設計，迷霧重重，小說展開自然會十分精彩，黃河幫設此毒計，目的就是要讓姚崇武及洛陽鏢局行業陷入迷津，真正的目的是要嫁禍於姚崇武，進而嫁禍於蕭劍青。要把這一陰謀揭破，不僅要有驚人的武功，更要有驚人的智慧推理能力。

只可惜，小說的故事情節並沒有按照作者最初計畫順利進展。因為第一封信中的「五五申酉，渭水之西，破帽緇衣，見者大吉。」並沒有落到實處。若按照書中人物雷音師太的說法，雪山恩仇記不僅是要講述雪山派內部，即姚崇武與蕭劍青、姚金鳳與蕭白駒兩代情仇；同時更是要寫雪山派與黃河幫、河西派、蜀山派、岷山派、西嶽派之間的恩怨仇恨，有經驗的讀者肯定會預期小說的高潮部分，肯定是八月十五雪山派與黃河幫、河西派、蜀山派、岷山派、西嶽派及大內侍衛聯盟的大決鬥。我們沒有看到這場預期中的大決鬥，小說實際上也沒有什麼高潮，只是讓蕭白駒與姚金鳳這對情人因為復仇而相互對敵，雙雙落入渭水激流之中。

小說雖然沒有按照原初計畫書寫，但完成的故事仍然有諸多看點。首先是打鬥場面很多，可以滿足好鬥讀者的期待。其次是書中的情感描寫，即姚金鳳、柳嫚兒、徐綺雲三個姑娘與男主人公蕭白駒之間的情感糾葛。其中姚金鳳是書中的第一女主角，她與蕭白駒之間的情感關係及其變化當然也就是小說的敘事重點。簡而言之，是蕭白駒幫助姚金鳳探查天馬鏢局鏢車被劫案的過程中，姚金鳳對蕭白駒產生了從來未有的情感，當蕭白駒告別時，姚金鳳諸多做作，明明是要留他與自己在一起，但卻又找不到合情合理的理由，只好說要與對方比武。

這段故事情節是書中比較動人的段落之一。其後，姚金鳳主動將自己的燕尾鏢送給蕭白駒，蕭白駒和讀者當然都明白這是定情之物，蕭白駒歡歡喜喜地接受了這一信物。後來兩人相遇，情感又有進一步的發展。只可惜，蕭白駒懷疑姚崇武殺了自己的父親蕭劍青，從而要找姚崇武拼命報仇，導致姚崇武被張柳村殺害。而姚金鳳既然知道自己的父親之死與蕭白駒有關，當然要找蕭白駒報仇，從而這對有情人非但不能成為眷屬，反而只能雙雙墜河、不知所蹤，這似乎是宿命悲劇。

柳嫚兒是小說的第三號主人公，她是蕭白駒的表妹，她喜歡表哥蕭白駒，但表哥未必知道，且表哥蕭白駒也只愛姚金鳳而並不愛她。但柳嫚兒是屬於那種只知道有自己而不知道有對方，即只懂得自己的情感而不理解、也不尊重別人情感的人（關於這一點後面還有專題分析），所以，她只能是蕭白駒情感生活史上的一段小小插曲（如果篇幅更長些，或許她還會重來糾纏蕭白駒，因為柳嫚兒做了武當北支掌門人黃石道長的弟子），但卻大大擾亂了天馬鏢局被劫案，同時也大大擾亂了蕭白駒與姚金鳳的情感關係。她的存在，相當於一種破壞力量。

書中第二號女主角是徐綺雲，之所以先說第三號人物、後說第二號，是因為第二號人物徐綺雲與第三號人物柳嫚兒形成了鮮明對比。如果說柳嫚兒是純粹情感型或情感衝動型，那麼徐綺雲可以說是情感與理智平衡型。徐綺雲也喜歡蕭白駒，多次追隨蕭白駒出生入死，似乎不計任何代價，更不求任何報酬，只要能夠與蕭白駒在一起，她就會感到幸福。可是她見到了蕭白駒與柳嫚兒擁抱在一起（那是在蕭白駒告訴柳嫚兒，她父親／他舅舅柳公鳴已遭殺害，柳嫚兒悲痛欲絕，抱住蕭白駒痛哭，蕭白駒當然不能把她推開），以為蕭白駒愛的是表妹柳嫚兒，於是徐綺雲悄然離開。

很有意思的是，徐綺雲並沒有真正離開，實際上是一直尾隨蕭白駒，只是不與他見面而已。這是尊重蕭白駒的情感選擇，同時也是為了維護自己的尊嚴，但她的情感仍然熾烈，於是暗地跟蹤。並在關鍵蕭白駒母子被鷹爪圍困之際，毅然將蕭白駒的母親救走。這是幫助蕭白駒，同時也是在幫助她自己，只要讓蕭母高興，蕭白駒必然會高興。只可惜，徐綺雲並不知道，蕭白駒所愛並非表妹柳嫚兒，而是姚金鳳。姚金鳳把蕭白駒當作殺父仇人，結局是雙雙失蹤。如果姚金鳳和蕭白駒雙雙生還，徐綺雲如何面對自己的心上人蕭白駒？那肯定是書中最為難寫但也可能是最為動人的情節。

此外，書中還有幾個次要人，乃至不起眼的人物的形象與細節頗值得一說。

首先是天馬鏢局東主龍大勇的變化。小說開頭即是天馬鏢局的鏢車被劫，鏢師郭東山、徐壽追蹤，郭東山被俘並被殺，徐壽得威遠鏢局東主姚崇武的女兒姚金鳳的救助得以生還。此時龍大勇並不知道出了什麼事，等到他知道出了什麼事之後則是驚慌失措，完全沒有一個鏢局主持人應有的沉著、主見和理智。

更有意思的是，他希望威遠鏢局的副總鏢頭唐沖為他排憂解難，並答應以一半家財作為報酬。唐沖要他立即交出一半家財，他則以鏢局規矩作為還價的藉口。這一行為使得唐沖看不起他，甚至不願與他多說話。這也是他終於死於非命的重要原因之一，若唐沖與他說話，兩人商量迎敵辦法，或許龍大勇就不會輕易被殺。問題是：龍大勇為什麼會是這樣？此前的龍大勇是這樣的嗎？從事理推測，創辦鏢局時的龍大勇肯定不是這個樣子，肯定要身先士卒，親歷親為，而且會有主見。鏢局漸漸上道之後，多年未出差錯，龍大勇才會變成這個樣子。

書中說，他每日都在酒宴中，處於半醉狀態，是所謂享受生活。這是發財後的樣子。也是很多財主的普遍表現，自己不再押鏢，讓徐壽、郭東山等鏢師去辛苦。更要命的是，事發後他也不再有勇氣和智慧去面對，而是要別人——如唐沖——去為他出力，答應以一半家財酬謝。

除了發財後養尊處優之外，還有一個原因使得龍大勇變成了這樣，那就是他躲在鏢行領導人、威遠鏢局東主姚崇武的身後，習慣於被姚崇武保護，自己也就逐漸失去了獨立意志。而龍大勇的遭遇，也是他為自己的行為選擇付出的沉重代價，龍大勇死得冤枉，卻也死得窩囊，此人形象很特別。

其次是旺三子的插曲。這是一段小小插曲，旺三子是伊河邊上一家小飯館的老闆，以蘑菇嫩雞著名，此人一向老老實實、誠誠懇懇，從未有非分之想，所以小日子也一向過得有滋有味、平平安安。但這一夜有客來，先是熟客唐沖與姚金鳳，後是四位強盜。強盜順手賞了他一個六十兩的金元寶，旺三子的故事就開始了。

他發現金元寶的第一反應，是立即與妻子分享喜悅，將妻子從睡夢中喚醒，告訴得金發財的好消息（**六十兩重的一個金元寶對普通人來說確實是發財**）。第二反應很有意思，是想到這筆橫財可能會惹上禍端，因而要將金元寶拿去告官，以免惹上官司，妻子堅決不同意，大哭大鬧（**妻子的行為符合邏輯**）。正當此時，打更老人許二叔來，旺三子的第三反應是恐懼，以為官府已經知道了他得橫財的消息，因而戰戰兢兢，一時不敢開門。

許二叔繼續敲門，旺三子不得不開門，見到許二叔之後，旺三子有了第四反應，那就是出於自我保護本能，試圖將許二叔殺死，於是向許二叔發起攻擊，但他畢竟沒有殺過人，被許二叔推倒，自己反而受傷，許二叔從容離開，並很快率領地保、捕頭將旺三子抓走。若非威遠鏢局的副總鏢頭唐沖為旺三子擔保，旺三子很可能會遭受更大的無妄之災。

旺三子的這一場災難，是普通人面對巨額（**普通人意義上的巨額**）財產時的自然反應，讀者看到他的故事，既感緊張刺激，又感到好笑，回味則是辛酸。旺三子的這段故事，不亞於美國作家馬克・吐溫的名作《百萬英鎊》（**有同名電影**）。

再次是「百眼通」柯卜靈。此人是一個江湖混混，憑著自己的眼力和記憶力在江湖上小有名氣，但因他的消息有實有虛，逐漸失去了市場，從而難以謀生。只得改行行醫兼卜卦——這兩個行業也是江湖中常見的——他當然沒有這兩個行業的專業訓練，而是依靠一張嘴騙人——證據是，書中寫到馬潑皮找他報仇，說是他將其結義大哥治死了——但騙人的事不可能長久，所以柯卜靈的生意很差，甚至混不飽肚子。

他的第一次出現，就是找威遠鏢局東主姚崇武混飯吃、混酒喝。由於他失去了起碼的信譽，以至於說真話時也沒有人聽信。最典型的例證是，黃河幫的堂主鄒孟莊要他幫忙尋找姚崇武（**密告黃河幫劫鏢及其後續陰謀**），柯卜靈恰好遇到姚崇武，但姚崇武卻不肯多聽——假如姚崇武聽了柯卜靈、見了鄒孟莊，故事的結局可能就會因此而徹底改變——原因恰恰是柯卜靈信譽太差。

但此人不是壞人，證據之一，是他準備自殺時被蕭劍青救下，蕭劍青建議他去投奔李自成，點燃了他重新做人的希望，此後的柯卜靈實際上成了一個新人。從他奮勇救助姚金鳳的行為及可見一斑，更重要的證據是，當他負傷被徐鴻鈞背負逃難，在緊急關頭，他多次要徐鴻鈞將他放下來，徐鴻鈞不離不棄，讓他深受感動，從而最終奮勇抓住敵人刺向徐鴻鈞的劍，犧牲了自己，救助了徐鴻鈞。柯卜靈的形象，在這部書中最為特殊，很難說此人是什麼樣的人：他是普通的江湖人，也是真實的江湖中人，在這個人物身上我們能夠看到更多江湖的無奈與辛酸。

最後是柳嫚兒的形象。柳嫚兒是俠隱柳公鳴的獨生女兒，也是本書主人公蕭白駒的表妹，由於從小受到父母寵愛，所以嬌寵任性、個性衝動、自我中心，做事全憑直覺。她喜歡表哥蕭白駒，於是離家出走，到江湖上來找表哥。由於她離家出走，母親每日責罵父親，以至於隱居多年不問世事的父親柳公鳴不得不現身江湖，尋找女兒，這為柳公鳴之死埋下了伏筆。

柳嫚兒見到了表哥蕭白駒，蕭白駒正好獲得了黃河幫劫天馬鏢局鏢車的確切消息，讓她到洛陽威遠鏢局去送信給姚金鳳，並以姚金鳳的燕尾鏢作為證物。柳嫚兒視姚金鳳為情敵，所以她雖然到了威遠鏢局，也見到了姚金鳳，卻不將表哥的信交給姚金鳳，反而要姚金鳳到五里亭去見面並打鬥，編造謊言說表哥要她將燕尾鏢還給姚金鳳。這一行為，不僅耽誤了威遠鏢局尋找劫匪的大事，而且引起了姚金鳳的大誤會。但這一行為卻符合柳嫚兒的個性，她把自己感情置於表哥的託付之上，視姚金鳳為情敵，當然就想不到要完成送信的任務。

柳嫚兒衝動個性的惡果遠不止於此，當她發現有人將她（表哥的）白馬擄到河對岸，立即逼迫父親過河去追馬，這就恰好中了黃河幫匪徒的奸計，即在陸地上不是柳公鳴的敵手，只好在黃河中對付他。在黃河中，柳公鳴叮囑女兒小心謹慎，但柳嫚兒卻不以為然，一小半是因為自己有兩下子，一大半則是以為父親無所不能，所以貿然發起攻擊，以至於被打入黃河，隨波逐流而去。

她這一去固然另有際遇，但卻讓父親死於非命——如果她不離家出走，父親就不會重返江湖；如果她不逼父親過河，父親就不會上船；如果她不貿然出手，父親就不會被動跟進；如果她沒有跌入黃河，父親就不會以為她有死無生從而失魂落魄，從而被令狐旦襲擊身亡。柳公鳴之死，看起來是與令狐旦打鬥時受傷，但真正的原因是他因為女兒生死未卜而心神不定，除了父親失去女兒傷心悲痛之外，還有一半原因是怕回家無法對老妻交代（柳嫚兒母親的強勢霸道書中已有簡要交代）。所以，柳公鳴之死，固然是因為令狐旦，卻也是因為柳嫚兒。世界上如柳嫚兒這樣嬌寵任性、心智幼稚而自以為是的兒女有很多，柳嫚兒是典型。

本書的不足之處如下。

一是，黃河幫的幫主鄭飛龍為什麼要對付威遠鏢局的姚崇武？小說開頭的佈局非常精彩，黃河幫派獨眼龍郝賓南、倪霸山、侯鼎三人搶劫天馬鏢局的鏢，並讓張華峰送信給姚金鳳，表明「金雕振翅，天馬折翼，非為天馬，乃圖女兆。蕭鳴劍響，三月草青，五五申酉，渭水之西，破帽緇衣，見者大吉。」即對付天馬鏢局只是一個手段，真正的目的是要對付威遠鏢局的東主、洛陽鏢行領袖姚崇武，而且在信中暗示主凶是蕭劍青。

問題是，黃河幫為什麼要假裝蕭劍青對付姚崇武？書中給出了幾條理由：

其一，姚崇武武功強、人望高，在北方無人能望其項背，所以要對付他。這條理由其實很勉強。黃河幫要搶劫，當然很正常，他們就是以此為生，但若要說他們設計謀劃對付姚崇武，則有些過分。更重要的是，若黃河幫僅僅是為了自己在北方的霸主地位而對付姚崇武，何以能動員河西、西嶽、岷山、蜀山等多個派別的高手如張華峰、張柳村、羅茂江等人幫忙？於是，書中給出了理由二——這不是作者敘述，而是借眇目神尼雷音師太之口敘述——說河西、西嶽、蜀山、岷山等派與雪山派有仇，要借此機會整治出身於雪山派的姚崇武、蕭劍青。

但，小說中並沒有更詳細地說出雪山派與上述幾派到底有什麼仇怨，以至於要如此大動干戈地向雪山派弟子尋仇？由此，書中漏洞明顯。實際上，黃河幫要對付姚崇武，還有一個重要理由書中沒有涉及，那就是蕭劍青加入了李自成的義軍，黃河幫則投向了朝廷，要抓蕭劍青，就利用姚崇武和師弟的矛盾，即利用江湖的力量來尋找蕭劍青、打擊蕭劍青。書中未說，表明設計不周。

二是，書中提出雪山派與岷山、蜀山、河西、西嶽等派的矛盾，並有八月十五之約，且雷音師太也提出要幫助雪山派祖師爺袁公俠，鐵崑崙也顯然會站在袁公俠一邊，要對付黃河幫、上述四派、大內侍衛聯手，只可惜作者的這一設計未能完成。小說沒有真正的高潮，八月十五之會沒有如期舉行，小說就匆匆結束。

三是，蕭白駒的生母去了哪裡？書中也沒有交代。蕭白駒救出母親，母親卻被鷹爪攔截，進而被「江湖一書生」即徐綺雲劫走，這段故事很是精彩。蕭白駒與母親見面，母親說她不是其生母，其生母姓柳，而她卻叫阮麗文，這也是個很好的設計。問題是，阮麗文說蕭白駒的生母在他周歲後離家出走，她到哪裡去了？是去找姚崇武了嗎？她會不會嫁給姚崇武，亦即成了姚金鳳的母親？如果是那樣，那麼蕭白駒與姚金鳳就是同母異父的兄妹了。若不是那樣，蕭母柳氏去了哪裡？她若不去找心上人姚崇武，又會去哪裡？

進一步說，若蕭母是個服從父母之命的人，她就不該在結婚生子後離家出走；若她不是個服從父母之命的人，開始就不會違心嫁給自己不愛的蕭劍青。蕭母是怎樣的人、去了哪裡，書中沒有交代，無論如何都是一個小小的缺陷和漏洞。

四是，大內侍衛喬瑛從徐鴻鈞家裡盜走隱藏義軍首領的花名冊，在徐鴻鈞最後一次遭遇喬瑛時，任憑蕭白駒與喬瑛苦鬥，以至於喬瑛在劣勢時從容逃走，徐鴻鈞始終沒有動手截住喬瑛。這段情節有明顯漏洞，作者考慮的可能是徐鴻鈞注重自己的身分和武林規則，即不能多打一。但實際的情境是：徐鴻鈞有責任、有義務奪回花名冊，以便保護義軍隱藏的領袖，把損失降到最小。也就是說，徐鴻鈞在遭遇喬瑛時，無論如何都應該不擇手段地抓住或殺死喬瑛，以便奪回花名冊。作者沒有讓徐鴻鈞這樣做，是只顧其一而不顧其二，是明顯情節漏洞。

此外，在喬瑛離開後，徐鴻鈞六神無主、毫無主張，竟然問計於蕭白駒，這一段寫法，也大大降低了徐鴻鈞其人的江湖經驗和隱藏的起義者／地下工作者的責任心。實際上是損害了徐鴻鈞的形象，這恐怕是書中的一個原本可以避免的小小敗筆。

五是，小說尾聲中，姚金鳳找蕭白駒報仇，蕭白駒心裡難過，姚金鳳的心裡更是難過。畢竟，她曾深愛蕭白駒，在第一次見面時就將燕尾鏢送給對方作表記，沒想到對方卻成了自己的殺父仇人，她不能委身事仇，必須殺他。這些都很好。問題是，蕭白駒不斷追問對方：為什麼要殺他？這就有些做作了，蕭白駒以為姚崇武殺了自己的父親，從而滿腔怒火地找姚崇武復仇，姚崇武雖然死於張柳村之手，但卻是因為他復仇而起，他如何不知道姚金鳳為什麼要與他拼命？蕭白駒並不是個糊塗人，居然不知道姚金鳳為什麼要找他拼命，實在說不過去。

進而，蕭白駒、姚金鳳的愛情故事，可以有多種設計方案，但書中選擇了讓他們雙雙墜河失蹤這一方案，表明「恩怨難明輕一死，沉冤未白恨終身」，這當然是一個可取的方案，與一般武俠小說的大團圓結局有明顯不同，與金庸小說《雪山飛狐》的結局類似。問題是，蕭白駒、姚金鳳都是性格內斂、心智健全、情感深刻之人，為何在父親遇難時竟都被盲目仇恨所驅使？

蕭白駒發現父親蕭劍青身上有姚崇武所使用的燕尾鏢，就認定姚崇武是殺父凶手，看起來似乎合情合理，但仔細想卻是大有懷疑空間。首先，姚崇武是個正派之人，在江湖中俠名卓著，如何會殘害義軍中的蕭劍青？其次，蕭白駒很早就知道了黃河幫借天馬鏢局失鏢事嫁禍於姚崇武，此次蕭劍青被殺是不是也由別人嫁禍？最後，在證據未充分之前，蕭白駒還必須考慮他對姚崇武的女兒姚金鳳的感情。也就是說，無論從理智上說，還是從情感上說，蕭白駒的衝動表現都有些單薄失實。姚金鳳也是如此，見到父親死亡就要拔劍自殺，這已不符合她的性格；聽到殺父仇人是蕭白駒而不去求證就認定蕭白駒是殺父仇人，同樣不符合她的性格、心智水準和情感。

《龍淵斬魔記》

我看的版本是香港偉青書店版，共十二集（每集七十五頁左右），每集三回，共三十六回。無出版時間。

《龍淵斬魔記》的故事情節曲折，顯在故事主線是青城派兩位年輕弟子丁昭、趙小雲的江湖歷險，隱在主線是奪寶故事——救難故事——愛情故事——抗暴反元故事。而且每一個故事線索都有多層重疊，例如奪寶故事中，開頭似乎只是羅蓋天與牟家四花打劫寶玉珍珠，分贓不均，內訌爭鬥；繼而崆峒三友與羅蓋天發生爭鬥；繼而陝南丐幫奪走寶物，相互間發生更為複雜的爭鬥。

這一層之外，是另一層，即小黑龍岳楓殺死大蟒蛇，黑風怪奪走蟒蛇珠及蟒蛇皮，岳楓堅持不懈地追蹤黑風怪，一定要奪回異寶蟒蛇皮。奪寶故事的核心層次，是爭奪龍淵劍秘圖即爭奪龍淵劍故事。之所以說這一故事是核心層，一是因為這條線索牽連廣泛，丁昭和趙小雲來找葉常青取秘圖；葉常青的秘圖被董伯豪盜走；董伯豪的秘圖又被宋玉嬋奪走；宋玉嬋的秘圖又被丁昭等人盜走，形成了一連串相關情節。

二是此一故事線索從頭到尾，丁昭、趙小雲奉命下山的首要任務，就是要找到葉常青取得龍淵劍秘圖，而龍淵劍到最後才出人意料地出現。龍淵劍的線索也與書名《龍淵斬魔記》相關，說明作者在構想整個故事的時候已經把龍淵劍的線索當作一個重點。

進而，救難故事也分為多重。首先是賽時遷被陝南丐幫弟子圍攻，青城派高手陸行仙救難。繼而是紅巾軍領袖明玉珍麾下聯絡員王少傑被范家寨二當家追殺，陸行仙等人救了他。王少傑說他是和明玉珍之子明昇一起來，明昇已被范家寨抓獲。繼而是賽時遷、王少傑先後被俘，陸行仙、丁昭等人深入邢家莊險地救難。繼而是趙小雲被俘，眾人又要救趙小雲。至於邢雲娘失蹤和被救，則是救難故事中的一段小小插曲，因為並沒有成為小說的主要情節段落，且邢雲娘被救也不是刻意為之，而是水到渠成。

在救難故事中，核心線索其實是明昇被俘——此人是歷史人物，即明玉珍之子，後來曾繼位當過夏政權皇帝——對明昇的救難，直到小說最後才完成；更重要的是，明昇的被俘與被救，與小說的另一主題線索即抗暴反元的故事線索密切相關，所以這條線索格外重要。

進而，愛情故事，這一故事線索也有多層。可見的愛情關係是有兩對。一對是邢雲娘與王少傑的愛情關係，邢雲娘是邢少谷的女兒，邢少谷派人抓捕了賽時遷和王少傑，而邢雲娘則幫助陸行仙等人救了賽時遷和王少傑。在群雄救援之前，邢雲娘就對王少傑產生了好感，除了一般性男女相戀的原因之外，更有一條是因為王少傑乃是紅巾軍的重要人物，與甘當異族鷹犬的邢少谷形成了鮮明對照。

另一對愛情關係是青城派的丁昭和趙小雲，這是一對師兄妹，趙小雲從小喜歡男扮女裝，所以在出場時也是穿女裝，讓人以為丁昭和趙小雲是一對姐妹。後來才知道趙小雲其實是男子，在小說中，我們能看點丁昭對師弟趙小雲的呵護關照，溢於言表的深厚情感顯然超越了一般師兄妹關係。

除了這兩對愛情關係之外，書中還有兩條隱藏的情感關係線索，一是鐵扇公子冷夢魂對丁昭的愛慕，鐵扇公主從出場到隱跡，始終是在丁昭前後左右，只因他是正面人物，要遵守發乎情而止乎禮的古訓，所以這條愛情線索顯得很隱晦，粗心的讀者甚至很難察覺。

另一條線索是千面觀音宋玉嬋和碧螺仙子宋玉鸞姐妹對趙小雲的愛慕，這條線索十分明顯，只不過，宋氏姐妹對趙小雲的愛慕近乎單純的欲望衝動，為此兩姐妹還有相互猜忌與矛盾。宋玉嬋、宋玉鸞都想獨佔趙小雲，先是宋玉鸞將趙小雲單獨看押，後是宋玉嬋將趙小雲擄走秘密私藏，最後，這對姊妹相互打鬥而死，大半原因正與她們對趙小雲的愛慕或欲望有關。這一線索也是書中重要風景。

抗暴反元故事，是這部小說的歷史背景，也是這部小說的核心線索，且是這部小說的終結點。小說開頭就交代了時代背景，即元順帝至正年間，此時正值元末農民起義即漢人反抗蒙元暴政的高潮時期。小說中的救難故事線索中，陸行仙、丁昭等人對王少傑、明昇的救難，則與反蒙抗元或抗暴反元直接相關，因為明昇是紅巾軍領袖明玉珍的兒子，而王少傑則是明昇的結義兄弟，也是明玉珍的重要部屬。陸行仙等人幫助王少傑、明昇，是以其實際行動支持紅巾軍，也是以實際行動參與反暴抗元事業。

書中的陳友諒和明昇，都是真實歷史人物，而書中救難情節，實際上正與抗暴反元主線直接或間接相關，書中的反派首腦，並不是直接出場的這些人物，而是在他們背後的李思齊、邢少谷、蒙古將軍哈麻禿以及蒙古王朝。書中的大部分反派人物，都是這些人物的下屬，他們抓捕明昇、王少傑、賽時遷，也都是按照主子的旨意行事；而對這些人物的救難，也正是抗暴反元事業的直接組成部分。

有意思的是，書中的所有正面人物，從最早出場的丁昭、趙小雲，稍後出場的陸行仙，到後來陸續出現的隱俠人物如葉常青、柳劍吟、上清散人郇鶴桂，都是從隱居狀態到挺身而出，為抗暴反元事業貢獻力量。小說的最後，紅巾軍領袖明玉珍麾下大將戴壽、左先鋒程通、右先鋒馬池率部攻打潼關，形成了小說的高潮與結局，上清三人郇鶴桂以酒噴出的「還我山河，驅逐胡虜」八個大字，正是這部小說的思想主題，也是《龍淵斬魔記》的具體詮釋。

小說的第一個看點，是故事情節曲折複雜，難以預測，丁昭和趙小雲出場後的經歷，驚險刺激，很難看清其路徑和方向。與看頭知尾的小說不可同日而語。

小說的第二個看點，是打鬥場面不斷，無論是奪寶還是救難，都會有打鬥發生。書中的正面人物和反面人物出場，大部分是根據打鬥要求設計的。

小說的第三個看點，是書中陝南丐幫首領獨臂神丐韋陀及其丐幫性質的書寫，丐幫形象在大部分武俠小說中都是作正面人物，但在這部小說中，無論是其幫主韋陀還是其下屬如舵主崔世生，都是典型的反面形象。這一設計，頗具新鮮感，也具有一定的可信性和可看性。

小說的第四個看點，是對邢雲娘形象的刻畫。邢雲娘的特別之處，首先是她的身世特別，她的父親邢少谷是甘當異族鷹犬、一心要當漢奸；而她的母親李夢霞則始終保持民族氣節，勸說丈夫不可倒行逆施，結果為此被丈夫暗害。母親的離奇去世，無疑影響了邢雲娘的人生選擇。其次，邢雲娘作出救助賽時遷和王少傑，既是幫助他人，也是拯救自己——她公開提出要跟隨陸行仙、王少傑等人離開邢家莊，走自己的人生路。

她能如此，一部分是由於母親的薰陶，一部分是由於師父上清散人的教誨，一部分是對王少傑的愛慕，當然重要的核心部分還是自己的主見。值得注意的是，當上清散人郇鶴桂殺了其父親邢少谷，邢雲娘仍感震驚和悲痛，因為被殺者畢竟是她的生身父親。進而，她出現了短暫的心理迷惘，覺得自己的行為與父親之死有關，所以她一度當眾表態要重新尋找自己的「歸宿」（實際上是暗示要出家，隱跡空門，懺悔餘生），這一表現，對邢雲娘的形象而言顯然十分重要。使得這一人物更加真實而生動。好在，她師父郇鶴桂發現了她的心理矛盾和迷惘苗頭，及時指點迷津，讓她的人生重回正道。

小說的第五個看點，是小黑龍岳楓的形象，這是個傳奇形象，小小年紀就學會了高深武功，並在獨自行走江湖過程中呈現出獨特的個性風采。作者喜歡此類少年傳奇人物形象，在《雪山恩仇記》中就曾出現小叫花拾遺生的形象，與這部小說中的小黑龍岳楓形象有相似之處。只不過，這部小說中的小黑龍形象更加生動。他的心理和行為，完全符合少年特徵，頑皮任性、喜歡別人表揚、不怕冒險、不甘寂寞、行為往往出人意表，從而建立奇功。小黑龍形象是書中亮點之一，此人的存在也是書中重要變數，使得小說的傳奇性效果更佳。

小說的第六個看點，是董伯豪、邱靜風這兩個人物形象。此二人的可觀之處，是他們原本是紅巾軍的骨幹，但卻私通蒙元官府，試圖另謀出路，是歷史上這一類人的典型代表。邱靜風是紅巾軍的軍師，善謀略而有心計，當他把有限的智力用在為自己謀利益時，就會出現人生的變數，從而成為小說故事情節的變數。

董伯豪盜取並私藏龍淵劍秘圖的情節（他沒有把這一消息告訴邱靜風），是書中值得注意的關鍵細節之一，充分表明了此人的自私自利心，否則他也就不會背叛紅巾軍抗元反蒙的事業而為自己謀求出路。有意思的是，董伯豪並不是真正的聰明人，鐵山公子說邱靜風盜走了他的黃金（這是私通蒙古官府的賞金），他居然就相信了。這一細節，充分表明了此人的蒙昧和貪婪，為此和邱靜風大打出手，則觸及了這類蒙昧自私者的靈魂。說到底，他並不是什麼聰明人。

小說的第七個看點，是龍淵劍秘密的設置。如前所述，爭奪龍淵劍秘圖，是這部小說的一個重要線索，正、反面人物都曾為這個秘圖而煞費心思，甚至如千面觀音宋玉嬋這類中間人物也參與其中，最後結局卻出人意料。再世華佗葉常青手裡的這份藏寶圖居然是一份假圖，真圖早已被毀，龍淵劍也早已被上清散人郇鶴桂取得。

如果說郇鶴桂將龍淵劍送給明玉珍是一個「倚天屠龍」式隱喻（**讓紅巾軍首領以此號令群雄反抗蒙元暴政**），那麼這份秘圖的真假設計則是另一種隱喻，即人們拼命爭取的所謂寶物或藏寶圖往往只是一個假象。當然，如果較真的話，讀者很難理解，為什麼三十年前武林宗師九轉乾坤劍崑崙子要將龍淵寶劍藏在雲南雪山之中？又為什麼要將藏劍之處繪製成圖，讓郇鶴桂記住之後焚毀？

小說的不足之處，是人物形象刻畫缺乏深度。

小說有很大的可看性，但耐看程度卻因人物形象刻畫、尤其是主要人物形象刻畫缺乏深度而存在明顯局限。所謂主要人物形象，是指青城派的丁昭、趙小雲這兩個人物形象。這兩個人物顯然是書中最重要的兩個人物，全書故事就是從這兩個人物奉命下山走江湖開始，直到小說結束，這兩個人物都參與了書中大部分故事。這兩個人物當是本書的敘事主人公，而作者對這兩個主人公的形象刻畫卻顯然缺乏耐心。證據是，書中對丁昭、趙小雲兩人的情感關係始終沒有明確定性，更看不到他們倆的情感關係的發展。

從小說中的蛛絲馬跡看，這兩人的情感關係存在幾大看點，一是師弟趙小雲比丁昭年輕。二是趙小雲喜歡女扮男裝，形象和性格也接近女性；而丁昭的性格則更像男子，兩人的心理與個性都有反轉的可能。三是丁昭對趙小雲明顯有情，而趙小雲對丁昭卻只有同門之誼而似乎沒有那份男女之愛。四是丁昭被鐵扇公子冷夢魂追求，而趙小雲則被宋玉嬋、宋玉鸞姐妹糾纏，使得他們倆的情感要經受重大考驗。

這幾條，都是丁昭、趙小雲形象刻畫、情感發展的重要參數，但作者卻沒有花費更多心思去處理這兩個人的情感關係，實際上是沒有花費心思去刻畫這兩位敘事主人公的形象，這就使得小說的主人公形象流於平面，缺乏個性與深度。書中其他人物如陸行仙等當然就更是如此。

正面主人公都是如此，書中的反面主人公當然就更是如此了，無論是潼關土豪李思齊，還是邢家莊主邢少谷，都沒有被認真刻畫，李思齊甚至沒有正式出場。其麾下的嘍囉出場，也大多只是作為「打手」，而非作為反派人物對待。這部書的反派人物大多如此，都是作為正面人物的打鬥對象，未見作者設身處地地描繪他們的形象與心思。所以，這部小說儘管有可看性，但卻不見得耐看。

【注釋】

1引自《神州英俠傳》第一頁，香港，偉青書店版，無出版時間。
2風雨樓主：《神州英俠傳》第五集第三頁（第十三回），香港，偉青書店，無出版時間。
3風雨樓主：《神州英俠傳》第六集第九十九頁（第十八回），香港，偉青書店，沒有出版時間。
4風雨樓主：《湖海爭雄記》第五集第十五回第九十四頁，香港，偉青書店，無出版時間。

◆石沖小說述評◆

石沖，著有《峨嵋雙秀》（全四集）、《紅衣女俠》（全六集）、《湘江大俠》（全四集）、《翠鳳銀燕》（全六集）、《少年遊俠傳》（全五集）、《劍底鴛鴦錄》、《雲海爭雄錄》等。

《劍底鴛鴦錄》

小說的故事內容是：大將軍李崇岳被殺，其屬下荊良輔化名金鳴謙，救出李將軍遺孤小鵬，在浙東石龍灣漁村隱居。小鵬聰慧過人，十二、三歲時，就已將荊良輔的武功學全，荊想帶小鵬到少林寺升造，為避大內鷹爪騷擾，決定立即離開石龍灣。一路被大內鷹爪追緝，幸得十四皇子和鷹主人小萍相助脫險；十四皇子被大內鷹爪圍攻時，小鵬和荊良輔也冒險幫助他脫困。

小鵬師徒來到嵩山少林寺，寺廟被官兵燒毀。小鵬在斷壁殘垣中發現少林拳經，被大內高手抓獲。荊良輔和十四王子上官船救小鵬。小鵬鑿沉官船，取得雍正玉璽，與師父失散，卻遇到少林寺沙彌小明。兩小決定同行，到北京與師父會合，奪回少林拳經。荊良輔、十四皇子及多位俠義中人在京聚齊，決定用玉璽換取少林拳經。雍正決定交換後將十四皇子等一網打盡，而小鵬、小明卻再偷玉璽，以此換取小萍家人的性命。

所謂劍底鴛鴦，是指十四王子和小萍。小萍當年是李崇岳家侍女，與十四皇子兩情相悅，雍正對小萍也一見鍾情，還捷足先登，娶了小萍。雍正登基後，小萍被封為貴人。小萍對十四皇子不能忘情，與雍正夫妻有名無實。雍正寡情，偏對小萍一往情深，以小萍家人為人質，迫使小萍留在宮中。三人的關係已成死結，雍正捕殺十四皇子，小萍拼死護衛心上人，妒恨交加的雍正命侍衛對小萍殺無赦。小萍與心上人並肩作戰，終於逃出牢籠。雍正宣布，小萍三天內不回宮，就要殺盡她的家人。小鵬和小明用玉璽換取小萍家人自由，遂使有情人終成眷屬。

小說故事誘人，情節跌宕起伏，可看性上佳。小說開頭，說荊良輔和小鵬隱居石龍灣，習文練武，身分成謎；繼而說大內高手來此，若即若離，危機四伏。荊良輔師徒前往少林寺的，一路艱難險阻，懸念不斷。小鵬與師父離散，遇少林寺僧小明，兩小闖江湖，風波不絕，讓人惦記，卻又小孩心性，嘻嘻哈哈，讓人開懷。雍正及皇弟允禵（即十四皇子，原名胤禵）、岳鍾琪等真實歷史人物出現在書中，與虛構的江湖人物及其傳奇故事無縫對接，江山與江湖融為一體，敘事空間更大，且可信度更高；且因小鵬師徒與十四皇子聯合與雍正對敵，小說的主題也從反清復明，提升為反抗暴政、追求社會正義，可謂別開生面。

小說的真正可觀之處，是對人物心理特點相當重視，並有不少精彩呈現。例如小鵬師徒被追捕過程中，發現有人在圍攻允禵和鷹主人，小鵬要去救援，荊良輔本想拒絕，又不願打擊小鵬的俠義胸懷，終於同意冒險，一轉念間，把人物心理展現得細膩而生動。又如，小鵬見鷹爪劉之濟中毒昏迷，是不管不顧還是施以援手？小鵬的心理矛盾重重，最後還是俠義情懷占了上風，對敵人以德報怨。

又如，小鵬和小明相互賭氣的段落，把少年心性寫得活靈活現。又如，少女魚青對風度翩翩的允禵暗生情愫，情不自知而難自禁；小萍對允禵情深刻骨，見魚青與允禵親密無間，禁不住妒火中燒。雍正陰險霸道，對小萍卻有真情，固然是人性之常，卻也是貪婪霸道，最後妒恨決絕，使得人物心理更加耐人尋味。

小鵬和小明最後與雍正交易，用玉璽換取小萍一家及他們自己的生命自由，看似匪夷所思，卻有心理和政治邏輯的依據。兩小之所以能戰勝皇帝，固然是因為兩小死地求生，置生死於度外；也因為他們給出了雍正不敢還價的理由：皇子允禵＋玉璽＋岳鍾琪的軍隊＝江山換主。雍正雖貴為皇帝，卻無法獲取小萍愛心，小萍離去了，雍正綺夢成空，正處在心情脆弱時刻，小鵬「江山換主」之說，小明「善哉，善哉」之聲，雍正寒熱交加，心驚膽顫，不得不從。這段故事，正是一場不折不扣的心理戰。若非知人知心，不可能寫得如此合情合理。

小說也有可挑剔之處。例如：雍正請來的藏僧首座，書中曾介紹說：「這名喇嘛，法號大歡，是雍和宮的住持，為西藏第一高手。」[1]但後來書中介紹第三位喇嘛時卻說：「……他和大悲喇嘛、紅雲喇嘛，並稱藏中三雄，可是入京以後，大悲最受皇上重視，自己卻落得在雍和宮做住持，不能入宮。」[2]大歡變成大悲，雍和宮住持竟有兩人，且重要性前後不一。

小說中還將西山喇嘛廟錯當作雍和宮。又如：小說的主要情節是奪取少林拳經，小明是少林弟子，且受苦修大師（鐵臂僧）之託，讓他取回拳經，傳承少林絕技；[3]但取回拳經後，直到小說結束，始終未見小明向允禵提出取回或抄錄拳經事，如此前後照應不周，實在有些說不過去。再如，明明是小鵬歷險故事，卻以《劍底鴛鴦錄》為名，如果較真，就有些名不副實。

小說主要情節無非歷險加奪寶，卻讓允禵與魚殼等江湖英雄聯手，號稱要開創社會正義大業，未免小題大做。小說的敘事空間非常廣闊，但只寫歷險並奪寶，格局較小。小鵬、小明歷險故事固然好看，但因出道時間短，江湖經驗少，未經成長而臻成熟，有些讓人難以置信。魚青在北京西山樹林中被馬猴性騷擾，以及岳敬為她擠胸療毒等情節，此類玩鬧有些無聊。

【注釋】

1石沖：《劍底鴛鴦錄》第十四章，第三集第一八五頁。

2石沖：《劍底鴛鴦錄》第廿三章，第四集第三〇四頁。

3見石沖：《劍底鴛鴦錄》第二十章，第四集第二五八—二五九頁，香港，環球圖書雜誌出版社。

◆白祺英小說述評◆

白祺英，生平不詳。

《劍馬縱橫錄》

其中篇武俠小說《劍馬縱橫錄》，自《明報》創刊號開始連載。

小說講述成都吉星鏢局接了一支怪鏢，有人以一萬五千兩銀子的價格託保二十箱茶葉到杭州，局主鄧錫昌和其幼子鄧紹英一同上路。不料來到巫山，竟遭遇震三山韓大娘、妙香幫主彭炎德和松柏山青峰道人聯手劫鏢，他們認出裝茶葉的箱子是當年川東十三家首領李來亨用來裝珍寶秘笈的箱子，逼問鄧錫昌寶物在何處，鄧錫昌無言以對，與韓大娘打鬥又落於下風，緊急關頭，當年十三家二頭領萬靈掌施令期現身，才揭開這支茶葉鏢的秘密。

這部小說寫得很好看，一個懸念接著一個懸念，讀者欲罷不能，或許正是當年金庸將其選為《明報》創刊連載作品的原因。

開頭不久，就是疑問：什麼人會花超出貨物價值三十倍以上的價格託運二十箱茶葉？更奇的是，鏢車動身之前，居然有條黃狗來搗亂，竟然連敗鏢局中的數人，連武術高手也無奈牠何；託鏢人丁濟群大夫竟說，這趟鏢交給誰，要由這條黃狗負責！鄧錫昌父子正是帶著重重疑問上路，來到巫山附近，花香撲鼻，黃狗寒軍竟然擅自跑開，鄧紹英追蹤而去，又與韓星等三位少女不明不白地打了一架；鄧紹英回到歇息處，不見父親蹤影，而一眾鏢師和鏢丁卻中毒昏迷。鄧紹英救醒鏢師，急忙尋找，發現父親身陷於山崖下的亂石陣中無法走出；出來後竟遇到韓大娘等武林高手聯合劫鏢，並訊問鄧錫昌將寶物藏在何處？直到施令期露面，才知道事情真相。

這個故事，有一段特殊的歷史背景。那就是李來亨聯明抗清，在四川與湖北交界處建立根據地，號稱夔東十三家。清廷派大軍圍剿，十三家無法抵擋，歸於失敗。韓大娘等人所說不錯，這二十個箱子確實是當年十三家用來裝珍寶的，施令期和文則隆也確實找到了十三家的藏寶之地，並將寶貝運了出去。只不過，因為有清廷鷹犬盯梢，施令期設法將鷹犬引開，由文則隆將寶物運走，約定日後在杭州相見。不料文則隆在成都患病，逝世前託好友丁濟群將二十箱茶葉運往杭州。茶葉雖不值錢，但其中隱藏了半斤紅葉，而這紅葉有顯影作用；原來李來亨等人將藏寶地圖及重要文件等用藥水寫在白紙上，需要紅葉顯影才可取得。韓大娘等人要劫奪此鏢，是要聚義反清復明，於是真相大白，危機解除，皆大歡喜。

小說的不足之處也很明顯。首先是核心情節的設計有問題，既然真正貴重之物是半斤紅葉，為何不託普通商旅攜帶至杭州，何必要用二十箱茶葉混裝？又何必要用當年裝財寶的箱子裝茶葉惹人注目？更何必大張旗鼓，用一萬五千兩銀子託運茶葉，弄得人人好奇，產生覬覦之心？其次，施令期探訪文則隆期間，裝扮成叫花子，四處打探，居然還有心教了兩個徒弟，即韓大娘之女韓星和鄧錫昌之子鄧紹英，神龍見首不見尾雖能增加故事傳奇性，卻與施令期的身分及目的不合，違背地下工作的規則。

再次，小說題為《劍馬縱橫錄》，其中既無寶劍，亦無名馬，更無英雄縱橫江湖，只不過是一段小小的保鏢傳奇而已。其中李來亨及其部屬十三家抗清歷史固然讓人肅然起敬，但與劍、馬、縱橫都無關聯。標題名不副實，要麼是另有設計而沒有順理完成，要麼是出個大題目哄人。

最後，這部書的編排也有點古怪，本書的內容分為三節，即第一節《奇鏢異犬》，第二節《煙雨戰巫山》，第三節《大聚義》，但結集本卻分為四集，[1]其中第二節《煙雨戰巫山》竟從第一集末一直到第三集末。如此編排，有些讓人摸不著頭腦。

【注釋】

1 我看的是四集合訂本，由香港光明出版社印行，無出版日期。

◆童庚金小說述評◆

童庚金，即屠光啟，知名電影導演。

《七絕地煞劍》

我看的是自印書，翻印香港武史出版社出版、胡敏生書報社發行的三卷本。上、中、下三集，共廿八回，六六六頁。

又，根據《七絕地煞劍》第一冊第一百二十頁廣告：「如果你喜歡閱讀《射鵰英雄傳》，那麼你一定喜歡接讀《神鵰俠侶》；更不能錯過情節還要精彩的《倚天屠龍記》，每集僅售港幣八角，各大書報攤均售。」可推測，本書出版不會早於一九六一年，即金庸小說《倚天屠龍記》開始連載之後。很可能晚至一九六三年左右。

此書作者為電影導演屠光啟，他是浙江人，所以書中對浙江的地理風貌和人文習俗非常熟悉。七情六欲劍中的人名如袁小田、邵小夫、李麗芳等等，都可以在香港電影中找到原型，其中袁小田（袁和平之父）的名字甚至未作變更。

本書講述的是一個少年學藝復仇的故事。學藝復仇故事是武俠小說最常見的故事模式，講這樣的故事也許是最容易的，但要將這樣的故事講好也許是最不容易的。本書學藝復仇故事講得非常有特色，故事具有吸引力。

全書可分為四大段落。前三個段落是講述主人公黃玉麟學藝經歷，最後一個段落則是講述黃玉麟復仇的故事。每個段落都有非常鮮明的特點。說前三個段落都是講述學藝的故事，是因為黃玉麟學藝過程分別有三個不同的師父，第一個師父是玉清師太即三指神尼，第二個師父是玉清師太的大師兄長眉和尚，第三個師父——正式拜師者——是長眉師弟、玉清師兄無相僧人即李啟明。作者講述黃玉麟學藝的過程，有諸多巧妙構思，每一步都有出人意料的情節設計，因而對讀者有很大的吸引力。

例如書中第一故事段落，是黃玉麟逃到杭州水樂洞三指神尼處，三指神尼雖然收留了他，卻並沒有收他為徒，實際上相反，還不允許弟子們教授黃玉麟武藝。看起來，黃玉麟這個身負血海深仇的少年無法學藝復仇了，但實際上卻另有法門。

三指神尼是想把黃玉麟造就成武林第一人，不僅讓他學習她創造的七絕地煞劍，而且還希望他學習大師兄長眉和尚的六陽天罡劍，只因玉清師太與長眉和尚的關係不怎麼親密，又知道大師兄的脾氣古怪，如果知道黃玉麟曾拜在她門下，或曾學過她的武功，肯定不會收黃玉麟為徒。於是，三指神尼玉清師太想出了一個出人意料的主意，讓二徒青靈故意霸凌黃玉麟，激起其餘六個弟子的義憤，各自設法將自己的武功教授給黃玉麟。而青靈亦設法以鸚鵡、馬猴為媒介，把自己的青靈劍法和掌法也傳授給黃玉麟。這樣一來，黃玉麟非但沒有拜玉清師太為師，實際上也沒有從玉清師太那裡學得任何技藝，卻又完全掌握了玉清師太的七絕地煞劍的全部功夫。這一段學藝的歷程，本身就是一段傳奇。

黃玉麟學藝的第二階段，同樣是一段傳奇。為了讓黃玉麟進入長眉和尚門下，青靈和水母設法讓長眉的好友殷修陽做介紹人。青靈、水母請殷修陽幫忙的過程，有點像金庸小說《射鵰英雄傳》中黃蓉向洪七公推薦郭靖的情形，黃蓉知道洪七公愛吃，所以想方設法烹飪出美味佳餚誘惑洪七公，讓洪七公教授郭靖降龍十八掌。在這個故事中，青靈、水母還增加了一個項目，那就是簫、琴合奏，畢竟殷修陽不是洪七公，而是更有修養且更文雅。殷修陽考察了黃玉麟的人品資質，並親眼看到長眉的弟子六陽童子張嘯林確實背叛師門當了鷹爪，決心成全黃玉麟。

這段故事本身就有傳奇性，更有傳奇性的是，長眉和尚並沒有立即收黃玉麟為徒，因為他曾發誓只收一個弟子，只要張嘯林還沒有被逐出師門，他就不能收第二個弟子。所以，他對黃玉麟的要求是：先學會六陽天罡劍，再去將張嘯林的武功廢了，然後才能收他為弟子。黃玉麟在北高峰山洞中學藝的過程充滿神秘感和傳奇性，青靈和水母每日給他送飯，但黃玉麟卻並不知道送飯的是她們倆。

黃玉麟學藝的第三段更為曲折，也更為精彩。為了將玉清師太的七絕地煞劍和長眉和尚的六陽天罡劍融合起來，他必須找到無相僧人所創的《精神秘錄》和《三才八卦無敵劍譜》。在前往川南雪山途中，先是遇到張嘯林、馮得勝、萬年青、李來順等鷹爪追蹤，進而遇到伏魔祖師血神子、萬妙仙子姜秀姑等人的干涉，在大雪山上更是遇到重重險阻，可謂九死一生，結果還是沒有找到秘笈和劍譜。無相留下偈語「何謂古佛心？並州蘿蔔重三斤。什麼是道，狗矢橛，狗矢橛。」看似容易找到，但偏偏無法找到，這一懸念一直延續，直到青靈用無相大師所贈寶劍自殺，才從寶劍柄上找到了《精神秘錄》。黃玉麟修練無相大師所傳神功的過程，是前往北京的路上，與前兩次完全不同。

本書的第四段故事，是黃玉麟復仇的故事。作者為黃玉麟復仇設置了一個特殊的考驗，即他的殺父仇人並不是魏忠賢，而是大內鷹爪石邦智，而此人是伏魔祖師血神子石邦藩的弟弟，即青靈的二叔，如果黃玉麟與青靈結合，那麼石邦智也就變成了他的二叔。他能不能殺青靈的二叔？與此同時，長眉和尚的弟子張嘯林與血神子石邦藩的大女兒（青靈的親姐姐）成了一對，如果黃玉麟要廢張嘯林的武功，那麼勢必得罪於血神子、姜秀姑。黃玉麟面臨極其困難的選擇，要麼是放棄與青靈的戀愛關係，要麼是放棄報仇。

在無相的指點下，黃玉麟選擇了後者，非但放棄了復仇，而且還發誓要以十死換得石邦藩、石邦智、張嘯林等人一悟。這就使得本書與其他的學藝——復仇故事有根本性的不同。是這部小說的出人意料之處，也是這部小說發人深思之處。作者的這一設計，有獨到的想法。

本書的第二個特點，是對書中人物形象的設計。玉清師太鑄造了七絕劍，發明了七絕地煞劍法，收了七個古怪精靈的弟子，並為她們取了金龍、青靈、水母、元龜、天嘯、陽魄、赤蘇等精靈古怪的名字。這七個人的個性也各有特點，金龍大智若愚，青靈心智超群，水母溫柔寬厚，元龜隱忍沉著，天嘯狂放果敢，陽魄聰明伶俐，赤蘇單純嬌憨。其中，元龜是黃玉麟的親姐姐，而對黃玉麟影響最大的則是二師姐青靈。

青靈對黃玉麟一見鍾情，為了成全黃玉麟，她故意欺凌黃玉麟，將他打得鼻青臉腫，還常常口出惡言，甚至當著師姐妹的面也這樣幹。正是她的這一行為，使得其餘六姐妹對黃玉麟更加愛護，從而設法成全黃玉麟學藝之願。

青靈與黃玉麟的關係，是一個奇特的愛情故事，為了愛而故意扮演惡人，以至於長期被所愛之人誤解，這種愛心讓人感動，同時也令人震動。尤其是，當青靈發現水母長期伴隨黃玉麟，並不知不覺中對黃玉麟產生情義時，青靈的內心矛盾衝突，讓人印象深刻。水母當然是要成全黃玉麟與青靈的愛情，青靈的苦心也是水母對黃玉麟說的，但到最後，當黃玉麟對青靈的愛不斷加深時，水母的內心又發生了微妙變化，這些變化也被作者所捕捉並描述，是書中動人的篇章。

本書的第三個特點，是對黃玉麟師輩的設計和講述。玉清師太、長眉和尚、無相僧人是同一師門的師兄弟，與他們齊名的還有另外三人，即殷修陽、伏魔祖師血神子石邦藩、萬妙仙子姜秀姑，這六個人合稱為「江南六奇」。江南六奇故事的核心，是三十年前姜秀姑與李啟明（後來的無相）、石邦藩（後來的伏魔祖師血神子）的三角戀。

這一三角戀的中心人物是姜秀姑，她在李啟明和石邦藩兩人之間遲遲難以選擇，與此同時，李啟明、石邦藩也長期處於被選擇的地位而身不由己。直到玉清警告李啟明，李啟明終於下定決心出家，姜秀姑才在別無選擇的情況下嫁給了石邦藩。很快就生下了女兒綿綿，十二年後又懷上了小女兒青靈，由於姜秀姑為幫助無相而前往大雪山，失去了長女綿綿，帶回此女青靈，引起石邦藩誤解和嫉妒，夫妻分離。

石邦藩成了道士伏魔祖師，姜秀姑也變成了幽冥洞府的隱居者。他們的關係，直接影響到主人公黃玉麟的命運。江南六奇形象的與眾不同之處，是「奇」而非俠，石邦藩、姜秀姑並不是俠，所以他們的故事就有較大的發揮空間，且有出人意料的走向。

其與眾不同的另一點，是這六個人中，有五個人都創造了獨門武功，即長眉的六陽天罡劍、玉清大師的七絕地煞劍、無相的精神功及「三才八卦無敵劍」；石邦藩即血神子創造的獨門武功是七情劍法和六欲劍法（其中含有精神功的成分），而姜秀姑則創造了「八方五步十三勢」（這一套武功是專門對付石邦藩及長眉等人的武功，但對登上大雪山也有極大幫助）。在江南六奇中，只有殷修陽一個人沒有創造出自己的獨門武功，這種寫法，在武俠小說中極為罕見，通常的武俠小說中能夠創造獨門武功者如鳳毛麟角。

本書的第四個特點，是刻畫了不少傳奇人物。長眉、無相、玉清、殷修陽、血神子、姜秀姑等六奇，金龍等七絕自不必說。書中還創造了川邊八凶，即追命女吊白素素、凶魂常陽（剩左邊）、厲魄常陰（剩右邊）、殘骸利孤（瞎子）、缺屍利寡（無四肢）、七煞蠱鬼藍辛（臉為藍色）、狼面鬼焰朱赤午（滿臉毛髮）／催命閻羅陰健，除陰健和白素素外，其餘六凶的形象都十分特別。此外，血神子的弟子袁小田等七情劍、女弟子六欲劍，名稱就極具傳奇色彩。

總之，本書的故事情節相當誘人，言語表達清晰而流暢，是一部好看的小說。

本書也有弱點，其中最大的弱點，是對無相所創武功的描寫多少有些名不副實。一是，無相的「三才八卦無敵劍」之名就非常累贅，與「無相」的境界天差地遠。二是，無相所創的「精神功」即《精神秘錄》一直被說得神乎其神，但究竟有什麼厲害之處？書中竟沒有一處寫到——在這部書中，有好幾個人都有精神功，例如伏魔祖師血神子利用精神功創造了七情劍、六欲劍，雖然沒有看到這兩種劍法的精神功到底體現在何處，但從七情、六欲這兩個名稱還能想像它們對人類情欲的激發和影響。

其次，白素素（即綿綿）和她的師父辛辰子也懂得精神功，這種精神功可以從打鬥時呼喊敵方姓名、讓敵方精神恍惚的事實中得到印證。無相的精神功是什麼樣的？黃玉麟學習精神功之後有什麼變化？這種精神功對黃玉麟融合地煞劍、天罡劍有怎樣的幫助？書中根本就沒有提及。

本書的另一個弱點，是對張嘯林、白素素的描寫過於簡單。這兩個人的身分設計非常精彩，張嘯林的父親同情黃人瑞的遭遇，即不忍看到黃人瑞斷子絕孫，決心將自己的兒子替換黃人瑞的兒子黃玉麟去送斬（這大約是從《趙氏孤兒》故事中得到啟發）——只不過年齡上稍有點問題，因為張嘯林明顯要比黃玉麟大得多，黃玉麟還是少年時，張嘯林就已經成名了（六陽童子）——長眉和尚不忍看到林義士的兒子遭受斬殺，救出義士之子並收他為徒。然而張嘯林在成年之後，卻不耐山中寂寞，投入鷹爪陣營。問題是，若他的父親林義士也是官府中人，那麼他的兒子張嘯林成年後再為官府服務，怎麼談得上是「背叛師門」？選擇去做官雖然未必很好，但總不是欺師滅祖大罪吧。書中所寫的張嘯林，似乎是為壞而壞的壞人，幾乎全無心肝。

白素素的身分也設計得很好，她是血神子、姜秀姑的女兒，十二歲時被母親帶到川南大雪山下，寄養在苗民家裡，被辛辰子發現並收她為徒，因自幼流離失所而改變本性，長期與川邊八凶相處而沾染一身惡習，這都是可能的。問題是，十二歲時，對自己的身世肯定有清晰的記憶，父母是誰，肯定應該記得，而書中卻沒有注意這一點，白素素好像完全忘記了自己的身世，顯然不大合理。至於她認父之後，嫉妒妹妹青靈，尤其是在黃玉麟殺死她的師父辛辰子之後，她對黃玉麟、青靈的痛恨無以復加，必欲將他們置於死地而後快，這種感情倒是可以理解的。只不過，書中對此沒有作深入揭示，未免遺憾。

本書的最後，寫黃玉麟、青靈等人進京，試圖感化青靈的叔叔石邦智、姐姐白素素（綿綿）、姐夫張嘯林，但沒有任何機會，故事就結束了，顯得過於匆忙。尤其是，黃玉麟苦練武功，到最後竟然沒有發揮自己武功的機會，未免有些讓讀者失望。雖然，在無相《精神秘錄》中說「天下第一武功即係無武功」（這話近乎「無招勝有招」，但沒有後者合理），看起來神乎其神，實際上卻違背了武俠小說的基本規則——武俠小說的讀者都想看到黃玉麟以超卓武功征服張嘯林、白素素、石邦智乃至石邦藩，而後再諒解他們也不遲。

小說最後暗示，此書還有後傳「天罡地煞戰群魔」，即血神子石邦藩揚言十年之後要找無相大師復仇，不知道作者是不是寫了後傳？

◆高天亮小說述評◆

高天亮，生平不詳。

《刀下留痕》

我讀的版本是香港環球圖書雜誌出版社版，共四集，十三回（每集二至四回不等），全書二一七三頁（累計頁碼），無出版時間。

《刀下留痕》講述的是一個江湖傳奇，接近於行俠——復仇故事類型。故事情節相對簡單，篇幅也不算太長，只有四集，介乎中篇小說與長篇小說之間。

故事情節主線是奇門刀客岑白羽被風雪阻礙行程，偶然得到山東響馬計畫劫持濟南宣威鏢局消息，出於仗義行俠的第二本能，他主動前往響馬方城幫老巢，探聽到確實消息。準備給宣威鏢局報訊，但鏢局總鏢頭劉振牛氣哄哄，居然擺架子，把岑白羽當作打秋風的人，拒絕接見。

岑白羽的第一衝動是不管此事，任憑響馬劫鏢。因聽說宣威鏢局局主劉振的女兒八臂嫦娥劉幗英美貌驚人，有求偶衝動，是以應聘宣威鏢局擔任鏢客，目的是有更多機會接近美人劉幗英。在以方城幫主銅頭太歲彭勇為首的八路響馬圍攻鏢隊時，岑白羽大顯身手，打退響馬，保護了鏢隊。為了確保鏢隊安全抵達目的地，劉振總鏢頭在老鏢師屠雲的建議下，決定將女兒劉幗英許配給岑白羽，從而得到岑白羽的全力相助，使得鏢隊安全抵達目的地，圓滿完成這一次保鏢任務。這段故事可以說是整個故事的序幕。

故事的核心段落，是老鏢頭劉振因想要借嫁女而大擺排場，耽誤了女兒的佳期，以至於濟南血滴子首領金八爺的兒子金亮海見到劉幗英而覬覦其美色，跟班于麟串通濟南府捕頭毛公甫為了自己升官發財，決心成全金亮海的色心，主動承擔做媒任務，並陷害岑白羽。鏢頭劉振為了攀附權貴，默認了于麟和毛公甫的毒計，以至於岑白羽陷於不白之冤。

宣威鏢局老鏢師屠雲在濟南府副捕頭梁道安幫助下，從府衙牢獄中救出了岑白羽。岑白羽從此開始復仇。先是到鏢局中追殺老鏢頭劉振，繼而斬斷血滴子緹騎于麟雙腿、殺捕頭毛公甫全家、割了知府嚴伯文的雙耳。當岑白羽到紅葉山莊找金八爺父子報仇時，再度被抓捕。鏢師屠雲、響馬頭子彭勇為拯救岑白羽而犧牲，梁道安為拯救岑白羽不惜投身於血滴子組織，終於再次救出岑白羽。

血滴子的總頭目雲中雁欣賞岑白羽的高超武藝，得知岑白羽的冤情，親自查明案情，抓捕了草菅人命的金八爺，為岑白羽洗清冤情。進而勸說岑白羽加入血滴子組織，以便獲得報仇雪恨的合法機會。最後，岑白羽終於殺了大仇人金八爺，並獲皇帝頒旨與心上人劉幗英結婚，並讓他接替金泰成為山東紅葉山莊主人、山東血滴子首領。

這個故事算不上十分新奇。新奇的是作者的寫法。

首先，是主人公岑白羽的個性與眾不同。此人並不是一心助人為樂的傳統俠客，當然更不是施勇作惡的壞蛋，而是一個名聲顯赫的江湖中人。他是中間人物，雖然本質上是個正派人物，但因年輕氣盛、性格衝動，有自己獨特的心思和行為方式，顯得與一般武俠小說主人公個性不同。具體表現之一，是他好心報訊被拒絕、應聘鏢行被低估之後，對宣威鏢局總鏢頭劉振產生了強烈反感，因而在響馬劫鏢之際並不馬上出手，而是要等到鏢局遭受巨大劫難和損失之際才動手，以便顯得更加難能可貴，讓劉振更加重視自己。也就是說，他的行俠行為的首要目標並不是助人為樂，而是把自己的面子放在首位。

表現之二，他幫助宣威鏢局的動機也不是十分單純，而是因為看上了劉振的女兒八臂嫦娥劉幗英，也就是說，他之幫助宣威鏢局，有利益交換的嫌疑，與真正的俠義之士有明顯區別。

表現之三，是遭受于麟、毛公甫陷害，而後被屠雲、梁道安拯救出獄時，他不顧任何人的勸阻，一心報仇，不僅讓自己陷入危機，而且讓拯救他的恩人屠雲、梁道安等人也陷入危機。也就是說，此人在強烈復仇情緒的衝動之下，失去理性，罔顧他人安全，這也與真正的俠義之士有很大區別。

表現之四，岑白羽外號是奇門刀客，號稱自己從不殺人，而是「刀下留痕」，只是打傷敵手，讓敵手無法再戰。但實際上，他並不總是能做到這一點，例如在神彈子秦天桂拒絕放下武器時，他追上去殺了對方。更令人髮指的是，為了報仇，他不僅殺了濟南捕頭毛公甫本人，而且還殺了他的全家，包括尚在幼年的毛公甫之子。

表現之五，岑白羽的故事結局出人意料，為了向血滴子頭目金八爺報仇，自己卻在血滴子總頭目雲中雁的勸說下加入了血滴子組織，這一選擇，與一般武俠小說的價值觀大相徑庭。

小說的第二個看點，是小說的價值觀與眾不同。簡單地說，在這部小說中沒有絕對壞的人，只有相對的壞人。證據之一，是在一般小說中，要麼是站在響馬的立場，將鏢局中人視為沒有骨氣的武林敗類；要麼相反，站在鏢局的立場，視響馬強盜為匪類。而這部小說中，則並未選擇非此即彼，而是具體寫到兩個對立團體中各有好人和壞人，例如鏢局中既有劉振這樣好擺架子、攀附權貴、見利忘義的人，也有屠雲這樣的見義勇為、敢於擔當、甚至為拯救岑白羽而不惜犧牲自己的俠義英雄。而在響馬隊伍中，既有朱豪、小鴿子金亮這樣劫財兼劫色的地道匪類，也有彭勇這樣願打服輸、慷慨義氣的好漢。

證據之二，在一般武俠小說中，官府捕頭要麼被寫為官府鷹爪，即純粹的壞蛋；要麼被寫成是維護一方平安正義的俠義群體（**如溫瑞安小說中的四大名捕、西門丁小說中的雙鷹神捕等**）；而在這部小說中，捕頭中既有毛公甫這樣品質卑劣、為一己之私而不惜陷害良民的壞蛋；卻也有梁道安這樣胸懷正義且見義勇為的俠義人物。

證據之三，清朝雍正時期的血滴子組織，在幾乎所有武俠小說中都是惡人集團，亦即武林正派人士的共同敵人，但在《刀下留痕》這部書中，既有于麟、金八爺、吳官憲這樣作惡多端、殺人如同兒戲的惡魔式人物，卻也有雲中雁——他還是血滴子組織的總頭目——這樣具有正義感、願意為國為民做好本質工作的人：正是他幫助主人公岑白羽洗清了冤情，抓捕了為非作歹的金八爺，將心地光明的岑白羽吸納到血滴子組織中來。

血滴子組織在武俠小說中名聲極壞，大部分作家都不假思索地將血滴子寫成罪惡的淵藪（**這樣寫當然有一定的道理**），但這部小說中卻寫出了這一組織中的好人，這一點尤其難得。

最後，在一般武俠小說中，尤其是在新派武俠小說中，作者大多是站在漢民族立場，視滿清統治者為敵，專為為滿清統治者偵查並屠戮反清復明義士的血滴子組織當然更是敵對集團，而這部小說的作者並不以反清復明作為思想主題，小說的主人公最後結局，可能更接近社會與人生現實。

小說的第三個看點，是對惡人的罪惡心思的描寫與眾不同。在這部小說中，並沒有天生的惡人，大多數為惡者都是受具體的欲望驅使而為惡，這就很不簡單。進而，在為惡之際，也不是簡單地受罪惡欲望的直接驅使，多數為惡者都曾有過自我掙扎。

證據之一，是金亮海覬覦劉幗英驚人美色，這可謂人之常情，在于麟提出讓他奪取劉幗英之際，金亮海的第一衝動是興奮；第二層心思是覺得這樣做不妥，因為劉幗英已經許配給岑白羽，為人豈能奪人所愛？更何況劉幗英也未必會甘心嫁給自己。但在于麟的勸誘之下，金亮海又有了第三層心思，終於臣服於強烈的情感欲望，同意于麟去為他安排。

這樣的寫法，把金亮海的心思層次寫出，使得這一人物更接近於真實。值得一說的是，在他娶了劉幗英之後，雖然是霸佔良家婦女，但卻並不是典型的紈褲作風，更沒有喜新厭舊，而是對劉幗英相當珍惜。以至於劉幗英殺他之後，不忍立即離開金家（**這段故事是小說中最讓人意外但也最讓人觸動心思的情節**）。

證據之二，于麟找到捕頭毛公甫，毛公甫的第一衝動是拒絕，經于麟說服並點燃他升官欲望才勉強同意；進而他也並不是馬上就付諸行動，而是徵求副手梁道安的意見，雖然最終並沒有接受梁道安的建議，而是服從於自己的升官欲望去陷害岑白羽，但因有這一自我掙扎的過程，使得這一人物的行為有更加扎實的心理依據。

證據之三，金八爺在聽說兒子要奪人之愛的消息後，第一表現是反感和震怒，覺得兒子的做法不妥；耐不住妻子苦勸、兒子憔悴，最後才選擇自私自利、罔顧他人性命與清白名聲，在罪惡的路上越走越遠。金八爺是本書中最大的壞蛋，即使是這一人物也不是天生壞種，而是有作惡的實際原因和心理依據。

證據之四，捕頭毛公甫找劉振說媒時，劉振的第一反應是驚詫，第二反應是拒絕，第三反應才是心動，最後才決定為了攀附權貴而不惜參與陷害岑白羽的陰謀，這一人物的心理與行為，與真實的江湖中人更為貼近。

小說的不足之處如下。

首先是一些細節的缺陷。例一，書中有這麼一句話：「正月十八日的早晨，天氣晴朗，朝陽似火，瓦面上的薄層積雪，已有融解的趨勢……」[1]正月十八，而且是早晨，居然「朝陽似火」這一寫法讓人瞠目。作者心裡的相法可能是日出之後冰雪開始消融，有火一般的作用，但即便如此，朝陽似火的說法也不妥。

例二，書中寫到血滴子組織中，有十幾個骨幹人物，前面說是有「十二太保」即十二個骨幹或上、中層領導；但到後來卻變成了「十三太保」——十三太保的說法來自唐末節度使李克用的十三個義子，這一說法更容易讓人接受——到底是十二太保還是十三太保？到書的結尾也沒有給出標準說法。

例三，血滴子的大頭目或總頭目究竟是雲中燕還是雲中雁？前面有幾次都說是雲中燕，但到岑白羽見到真人時卻改為雲中雁，並且說雲中雁、雲中燕、雲中鵠是三兄弟，似乎三兄弟都在血滴子組織中任職——至少有兩兄弟在其中任職，即雲中雁是血滴子總頭目，雲中鵠是血滴子派駐河北直隸的地方大頭目——但前後的說法不統一，總是不好。

其次，方城幫幫主銅頭太歲彭勇出頭拯救主人公岑白羽，並為此而光榮犧牲。這段情節頗為生動，但細想起來卻覺得多少有點問題。因為彭勇是響馬頭子，而岑白羽是宣威鏢局總鏢頭的女婿，二者關係向來如同天敵。更何況，岑白羽還曾破壞過彭勇精心策劃的劫鏢行動，且還打敗並抓捕過彭勇，雖然岑白羽後來釋放了彭勇，那也是他不願意斬盡殺絕而已，說不上有多大恩惠。彭勇從此不再去找岑白羽報仇雪恨也就罷了，若說他從此對岑白羽心懷敬意或愛意則怕不太可能。

從這一意義上說，彭勇主動出頭邀請屠雲一起去拯救岑白羽，並不惜犧牲自己的生命，這一俠義行為的書寫，顯然缺乏扎實的情感或理性的依據。作者要寫彭勇拯救岑白羽當然也不是不可以，若要這樣寫，至少應該對此情節作出必不可少的鋪墊，即讓人看點彭勇要這樣做或不能不這樣做的理由。

進而，書中還說，除了彭勇之外，還有幾路響馬頭子也來到濟南，準備營救岑白羽，這段提示帶來了兩個相關問題，一是到底是哪些人策劃營救岑白羽的行動？為什麼他們並沒有參與彭勇的營救行動？二是，他們為什麼要營救岑白羽？——岑白羽是他們的天敵，而且還曾阻礙過他們、羞辱過他們啊！——難道這些響馬改行當俠士？若書中對此沒有進一步的明確解釋，未免有信口開河之嫌，至少是思慮不周。

【注釋】

1 高天亮：《刀下留痕》第一集第二十頁，香港，環球圖書雜誌出版社。無出版時間。

◆西門丁小說述評◆

西門丁（一九四九－），原名王余，福建泉州人，一九五九年隨母親赴香港。一九八〇年開始武俠小說創作，因創作「雙鷹神捕」系列成名，共創作長、中篇武俠小說一百四十餘部。除西門丁外，作者還有南宮烈、葉展彤、王一龍、端木翊斐、高健庭、唐煌、石鎮等筆名。

「雙鷹神捕」之《龍王之死》

推理武俠小說雖非由作者首創，但西門丁的創作無疑豐富了武俠小說的景觀，應時而變，富有特色。《龍王之死》是「雙鷹神捕」系列的第一篇，作者構想和寫作當十分認真盡力。本篇講述太湖龍王項天元之子項平東弒父殺弟，情節懸疑重重，結局觸目驚心，兄弟鬩牆的原因，是權力爭鬥。

項平東雖然武功不是最高、才幹不是最強、心胸不是最廣，作為長子，本以為太湖十三寨等巨大遺產當由他繼承，不料父親卻有意廢長立幼，要讓四弟項平北繼承大首領職位，這讓項平東十分失落而又十分憤懣。項平東早有預謀，招募死黨，成立秘密組織，目的是「伏虎降龍，威震江浙」。

「龍」是他的父親太湖龍王，「虎」則是他的兄弟們，早在弒父之前，他就安排死黨截殺四弟項向北。

俗話說，打虎親兄弟，上陣父子兵，項平東的做法不僅違背人倫，而且違背常理，是自毀長城。在強烈權勢欲的支配下，產生弒父衝動，在古代政治史上並不罕見。此種行為遵循的是叢林法則，為當叢林之王，可以不擇手段。平西、平南、平北、五郎等人，雖沒有做出弒父行為，但兄弟之間親情淡漠，爭權奪利，劍拔弩張，隨時可以拔刀相向。太湖龍王的一生，也是按照叢林法則行事，所以，他的死，也算是一種報應。

這個系列故事的最大特點，是引入「雙鷹神捕」破案情節。本篇中出現的江南總捕頭千面神鷹管一見，是名滿天下的「雙鷹神捕」之一。一九八〇年代香港社會現實生活，對作者的小說創作產生了間接影響，證據是，偵探推理的證據觀念，和市場經濟的契約精神。捕頭本是官方執法者，但「雙鷹神捕」在為官府辦案之餘，也接受民間委託，只不過要價高昂。本篇中，管一見把同一件案子分為四個案子，即殺父凶手一案、殺項平南凶手一案、求證齊雲高是否凶手一案、「降龍伏虎」組織一案，每案收費四萬。管神捕這樣做，並非趁火打劫，而是願者上鉤，也算是君子愛財取之有道，太湖十三寨總寨主家肯定不缺少銀子，且這些銀子顯然並非來自公平買賣。管一見生活講究，看他品茶的精到，即可見一斑。他有一個工作團隊，包括高天翅、端木盛、皇甫雪、夏雷、風火輪等人，這個團隊的費用都要由管一見支付，所以，他之偵探費用高昂，也就不難理解。

本篇的故事情節相當吸引人。雖然偵探與推理部分並不是十分出色，但將偵探推理與武俠打鬥結合起來，足以滿足一般武俠小說讀者的閱讀需求。

「雙鷹神捕」之《虎父犬子》

這部小說的故事情節曲折迷離，原因是案中有案。前後兩次盜竊明月園的黑衣蒙面人，其實並不是一個人，而是兩個人，前者是梅任放，後者是應陽天。兩個人及其故事有相似之處，那就是盛名之累。應陽天劫富濟貧，被人稱為及時雨，問題是，他與妻子馬淑君有模範夫妻之名，卻在外養了情人，還生育了兩個孩子。好友金刀大俠程萬里知道這一訊息，應陽天為了維護自己的名聲，將程萬里殺害。沈鷹部屬追捕他，他以為是殺害程萬里案，所以自殺謝罪。梅任放有「賽孟嘗」之名，雖然富有，但養士上千又招待八方，終於入不敷出，不得不盜竊金銀來維護賽孟嘗的名聲。在明月園曾露過半張臉，害怕被認出，所以要殺害秦雪嶺、虞子清、宋玉簫。應陽天、梅任放都是兩面人，一面是天使，一面是魔鬼。

本篇是江北總捕頭沈鷹第一次出現，作者對此有精細安排。沈鷹與管一見都是神捕，但一個禿頭、一個有髮，一個嗜酒、一個喜茶，兩人雖然並未共事，但卻相互較勁。

與管一見的出場不同，沈鷹很早就出現在故事中，他是梅園主人梅任放的座上賓，與應陽天也是相識。所以，當沈鷹發現殺害秦雪嶺等人的凶手是梅任放時，要面臨情、理、法的內部矛盾。所以，當應陽天認罪自殺，沈鷹希望委託人楚英南不要張揚，儘量不讓應陽天的好名聲毀於一旦。而在梅任放要他動手殺死自己，沈鷹無法下手，幸而有楚英南幫忙。這些，都說明沈鷹外冷內熱，重法、重理也重情。最後一段，讓這個冷酷的故事有了一點溫馨。

書名為什麼叫《虎父犬子》？開始不知所云，最後才揭曉，「虎父犬子」之說，是江湖中人對梅氏父子的評價。這評價，有反諷意味。梅任放因為養士、講排場、仗義疏財以至於入不敷出、盜竊他人乃至殺人害命，是所謂「虎父」；而其子梅百侶因為節省開支、驅逐食客、量入為出，竟成「犬子」。正是這種社會輿論，造成了梅任放的盛名之累，也成了梅任放殺人滅口的間接原因。

書中有「江北七省巡撫張光宗」[1]，此說恐怕不確，沒有哪個時代有這樣的官職。又，「北上晉東登華山」[2]，此說也不妥，華山在陝西華陰，不是晉東。又，書中有「從鄂北襄陽到皖西的淮南」[3]，同樣不妥，淮南在安徽中部，不在皖西。

「雙鷹神捕」之《雙鷹會江南》

大江幫的這個案子，看起來很像是推理小說中的密室謀殺案。第一嫌疑人是二幫主姚百變，第二嫌疑人是大幫主鐵凌威的妻子梅傲霜。因為只有他們倆才能在謀殺成功之後獲得直接利益，即接掌大江幫。有意思的是，這兩個嫌疑人竟然先後請來神捕偵探此案。從理論上說，嫌疑人通常不敢請神捕偵探。他們請了，表明他們沒有嫌疑，或嫌疑不大，誰是犯罪嫌疑人就變得更加難找。就這一意義說，本篇小說的佈局非常之好。接下來就看如何破案了。

像雙鷹神捕系列的多數作品一樣，這部作品中也有兩個相互關聯的案子。即密室謀殺案和秋菊死亡案。通過偵探揭秘，我們知道大幫主鐵凌威有一個情人郭小娥，郭小娥的「娥」與密室中的「鬮」字有關，而她的住處又有「春蠶到死絲方盡，蠟炬成灰淚始乾」的對聯，春蠶也與「鬮」字有關，於是郭小娥自然就成了嫌疑人。

小說到此，其實還只是找到了一層，即密室——秘道——鐵凌威的情感秘密。通過郭小娥的日記，看出鐵凌威想要清除大江幫的二、三兩位幫主，莫朝天的死因找到了，而鐵凌威的死因也不難找到。梅傲霜作為最大嫌疑人，她有雙重作案動機，一是出於權力欲望，一是嫉妒心及復仇衝動。也就是說，梅傲霜做案，不僅是權力鬥爭，同時還有性別鬥爭，這就更有意思了。

閱讀這篇小說，讀者多半還有一個期待，那就是江南總捕頭管一見與江北總捕頭沈鷹的衝突、分工、合作與競爭。大江幫新領導人梅傲霜委託江南總捕頭管一見抓捕犯罪嫌疑人姚百變，而姚百變竟又委託江北總捕頭沈鷹偵探大江幫兩位幫主的死亡案，沈鷹既然接受此案，就意味著要保護委託人姚百變的安全；而要保護姚百變的安全，就與江南總捕頭管一見的利益發生直接衝突。

又，管一見與沈鷹齊名當世，必然形成競爭關係，誰的本領更大，在共同偵破一個案件過程中必然要顯示出來，且必然要形成競爭關係。而他們之間，也必須有分工與合作。只可惜，作者在這方面似乎沒有過多考慮，他們倆的利益衝突，也只是用一段稍有火藥味的對話就解決了。其後他們就只有合作，但沒有分工，也沒有競爭。

書中有一個重要情節，那就是管一見曾勘查過密室現場，沒有找到秘道；沈鷹在勘查時卻發現了秘道。這是不是意味著沈鷹比管一見更高明？或者，這是不是作者的一個疏忽？因為，管一見身為神捕，居然沒有找到密室秘道，這有點說不過去。更說不過去的是，管一見沒有找到的秘道而沈鷹找到了，作者居然沒有注意到沈鷹的得意（**在競爭中領先**），也沒注意到管一見的失望。

書中對郭小娥與鐵凌威的情感關係，寫的也不是十分清晰。郭小娥是巨鯊幫幫主的表妹，而巨鯊幫與大江幫乃是對立關係，郭小娥為何愛上了鐵凌威？鐵凌威是不是知道郭小娥的身分來歷？這些都沒有寫細、寫透，從而缺乏深度。

「雙鷹神捕」之《血洞房》

本篇小說的看點，是洞房凶殺案發生後，歐陽家族及歐陽長壽的岳父趙容國等人毫不猶豫地認定鄭州司馬城為凶手，理由是，司馬城是案發後唯一離開歐陽莊的人，且司馬城當年曾追求過新娘巢小燕。沒有任何有力證據說明司馬城是凶手，歐陽莊和河北趙家即率人討伐鄭州司馬莊，由此結下深仇。這是武林人習慣的思維方式和行為方式。正是因為有這樣的思維和行為習慣，金玉堂的陰謀才能得逞；換句話說，金玉堂的陰謀，正是要利用武林人頭腦簡單、性格衝動的特點。

假如中州大俠崔一山不建議劫後餘生的司馬城去找神捕沈鷹偵探此案，司馬城很可能會像歐陽氏和趙容國等人一樣盲目復仇，從此冤冤相報。也正是因為有這樣的習慣方式，神捕沈鷹等人才有用武之地。作為神捕，沈鷹等人的思維方式和行為方式與普通武林人最大的區別是，他們講究以證據說話，通過證據鏈尋求事情的真相。作為協力廠商，他們立場中立，頭腦冷靜，不受主觀情緒支配。

這篇小說也是案中有案。歐陽鵬夫婦死於新婚洞房中，繼而老莊主歐陽長壽又死於書房裡，幾乎人人都以為凶手必是同一個人或同一夥人。其實卻不是。歐陽鵬夫婦死於他殺，而歐陽長壽則是自殺。歐陽長壽自殺的原因，是發現自己的兒媳竟是自己的親生女兒，亦即自己當年的風流造成了兒女亂倫。

本篇小說最精彩且最出人意料的情節是，在歐陽長壽死後，其夫人趙四娘竟與歐陽莊褚領班（易白）私通。在易白方面，這是通過與歐陽夫人的私情控制歐陽莊的有效手段；在趙四娘方面，因為兒子、丈夫慘死，情緒茫然、心理脆弱、精神空虛，需要刺激和依靠。實際上，這也是對風流人生的一個諷喻，歐陽長壽風流一生，結果是兒女亂倫、自己自殺、妻子與人私通。與歐陽長壽結婚二十年，趙四娘未必不受此風流觀念的影響，所以與褚領班（易白）私通，卻不料此人正是殺害自己兒子的凶手。於是，趙四娘既愧且悔，只能自殺。

另一個值得一說的細節，是趙四娘的父親趙容國，在外孫、女婿死亡後，力主去鄭州找司馬千鈞報仇。司馬千鈞夫婦死後，他才開始覺得事情有些不對頭。真相大白後，趙容國前往鄭州，厚葬了司馬千鈞夫婦，並留下了自己的一隻手臂謝罪賠禮。這一細節表明，趙容國性格衝動，容易犯錯，但也勇於擔當，能夠認錯悔罪，不失為正派武林中人。

這篇小說也並非沒有弱點。仔細想來，金玉堂要在洛陽、鄭州開辦妓院、賭場，為何一定要找歐陽莊、司馬莊、崔一山家的麻煩？作者的假設是，這三家在這兩座城市裡影響巨大，若不剷除他們，金玉堂就難以發展，更無法獨霸。問題是，歐陽莊、司馬莊、崔一山都算是正派中人，並不插手妓院、賭場經營，也就是說，與金玉堂不構成同行冤家的競爭關係。至於利用歐陽莊作為據點，或要控制歐陽莊，那當然是另一回事。

小說的另一個弱點是，金玉堂秘密的最早發現者，並不是沈鷹及其部屬，而是司馬城。這一設計，有幾點不好。一是，金玉堂要大發展，必然有其秘密聚會地點，不應該到飯館裡密談，因為飯館是公眾場所，而非秘談之地。二是，金玉堂的秘密是本故事中最重要的資訊，應該由沈鷹及其部屬調查所得，而不該由司馬城無意中聽到。司馬城只是委託人，他能獲得的資訊，神捕沈鷹及其下屬居然沒有率先獲得，豈不是說神捕沈鷹有些名不副實？

「雙鷹神捕」之《玉佩疑雲》

這個故事的與眾不同之處是，委託人皇甫懷義是管一見下屬皇甫雪的叔叔。這就預設了情感立場，皇甫雪肯定會站在他叔叔一邊，皇甫懷義很像是受害者。實際上恰恰相反，殺人者正是委託人皇甫懷義。他要委託皇甫雪找管一見參與破案，一方面是自己沒有把握找出與霍水仙私通的人，需要專業人士幫忙；另一方面，則是一種很好的自我掩護手段，人們通常不會懷疑委託人就是殺人凶手。

皇甫懷義殺人，表面原因是妻子與人私通而懷孕，妒火中燒，因而殺人洩憤。實際上，他殺人的真正原因，是因為他心理變態。說他心理變態，是因為他喜歡殺人。小說開頭，他約孟剛決鬥，孟剛問：「孟某與你有仇？」他回答說：「笑話！倒在某家追命槍下的人十九都與我沒有仇恨。」他要殺人，當然就要加倍練武，而加倍練武的結果，卻導致他喪失性功能。性能力的喪失，導致他進一步心理變態。

妻子與人私通，不僅傷害了他的面子，更傷害了他的自尊，且還破壞了他的自我期許和心理平衡。說他心理變態，是因為他不僅要殺害妻子，還要殺害對妻子有好感的人，要殺害知道妻子懷孕以及知道自己失去性愛能力的醫生雲天高，還要殺害不僅會用槍、而且會用劍的好友江露天，甚至還要殺害一心幫助他的堂侄皇甫雪。

這個故事之所以如此神秘曲折，就是因為他想以詐死的方式，便於暗中偵查，找出妻子的姘夫。他不僅欺騙了霍家人，也欺騙了自家侄子皇甫雪。最後，他找出並殺死了姘夫，自己也被岳父霍傳世殺害。

像神捕雙鷹的其他故事一樣，本故事也有另一個故事，那就是數十年前的衛家血案。皇甫懷義想找到妻子的姘夫，綁架了霍水仙的乳娘，他雖沒有找到需要的訊息，但管一見及其部屬卻由此獲得了另一場血案的資訊。即：霍傳世娶了衛家女兒，懷疑妻子與人私通懷孕，於是殘酷地將衛夫人及其全家殺害並將房舍燒毀，只留下了剛出生的女嬰，即霍水仙。

據霍水仙的乳娘說，當年衛夫人並未與人私通，而是霍傳世的另一位夫人柳夫人懷孕後，柳夫人怕影響胎兒，故商請衛夫人李代桃僵，由衛夫人暗中陪侍霍傳世，從而懷孕。霍傳世得知這一消息後，知道自己錯殺了衛夫人一家，才在小說最後自殺謝罪。霍傳世懷疑妻子紅杏出牆，以至於在妒心支配下殺人的故事，與皇甫懷義嫉妒殺人故事交織在一起，不僅可以相互印證，也可以互相說明。

「雙鷹神捕」之《刺客驚龍》

這個故事是神捕雙鷹繼《雙鷹會江南》後的又一次連袂演出，破案的過程雖談不上多麼精彩，但卻不乏緊張與刺激。刺客不僅來自皇宮之中，且還是被皇帝寵倖的美麗妃子，就使得這個故事與眾不同。管一見、沈鷹設計讓皇帝「賜死」，而後易容留在皇帝身邊，以便在暗中觀察皇宮刺客的蛛絲馬跡，亦使得這個故事的神秘性、曲折性明顯增加。大內總管黃山松自己抓不到刺客，只能推薦江南、江北總捕頭來做；但在管、沈來到皇宮之後，又怕兩位奪去了自己的權勢與地位，從而與管、沈兩位神捕暗中較勁，也增加了小說的趣味。官場齷齪，可見一斑。

小說中有言，紅葉山下楊家堡，紅葉山上千日好。這是說，在紅葉山上，居住著外號「在家千日好」的常溫，這個外號言簡意賅，說明常溫其人喜歡隱居在家，而不喜歡走江湖冒風險，不在意能否揚名立萬。由於皇宮中的秘密地道最遠端出口就在紅葉山附近，惟我尊任四海要在這裡建立根據地，於是抓了常家莊所有的老人，迫使莊主常溫及年輕壯丁為其所用，常溫不得不從，內心鬱悶無比。也就是說，他即使在家，也沒有得到「千日好」，而是日子難熬。常溫的故事頗有象徵意義，當有人要爭奪江湖或江山時，人們在家裡也難過上好日子。

如果僅僅是看熱鬧，這篇小說稱得上熱鬧好看。若是看後還要推敲，那就不無問題：任如花身負使命進入皇宮，若想刺殺皇帝，何不在與皇帝一起就寢時一刀解決？以她的武功，要殺死皇帝肯定沒有問題。若按其祖父任四海所說，要等到搜集到足夠資訊才下手，那她為何不借與皇帝親近的機會獲取情報，卻偏要扮演刺客、打草驚蛇？由此可見，貴妃任如花當刺客一事，是由於作者思慮不周。

再說，任如花身邊的四個武功不俗的婢女，若是由她從宮外帶來，就有一個問題，沒聽說入宮當貴人還能自帶婢女；若是宮中選派的，那就有另一個問題，她想要訓練這些宮女，如何能保證不為人知？她不怕這些宮女出賣她嗎？當她與皇帝對抗時，這些宮女哪來的膽量敢與皇帝對抗？

此外還有一個問題，那就是紅葉山上的秘密，並不是由管一見、沈鷹主動調查或順藤摸瓜所得，而是由公孫良經過此山時，偶然想要探訪楊家堡才發現此處發生過血案。也就是說，這些是由作者安排，而不是神捕偵查所得，看似減省了神捕們的工作，實際上剝奪了神捕出彩的機會。這麼做，豈不是得不償失？

「雙鷹神捕」之《毒人毒計》

這是個復仇故事。復仇是武俠小說最常見的故事模式，這個復仇故事別出心裁。毒娘子花弄影為了報仇，先是將仇人白樂天、石中玉、汪瀚的幼兒抓來，花費十八年時間教他們練武，並說他們的父親就是他們的仇人。十八年後展開報復，無論是兒子殺了父親，或是父親殺了兒子，都會讓仇家痛不欲生。所以，她在西門怨的錦囊中，寫下「二十年來，今日最高興」的話。她又以毒針、毒藥，把高恨天當作復仇工具，讓他殺死多事和尚、錢塘釣叟等多人，無論高恨天殺人還是被殺，都是她樂意見到的。

花弄影的復仇計畫，讓人毛髮悚然。實際上，毒娘子花弄影早已陷入魔障，她只想到情人北宮盛被殺，根本不會去想北宮盛作惡多端，以至於引起武林公憤；她只記得自己流產的痛苦，卻偏要製造父子相殘的慘劇。花弄影是選擇性記憶，是強烈的仇恨情緒導致其心理和人格變態。

這個故事別出心裁，不僅因為復仇故事本身，也因為管一見偵探推理的細緻。從毒針的鑒定，「二十年來，今日最高興」字條的思索，對風大娘開棺驗屍及對遺體手部的觀察，對白衣人沒有喉結的關注，到對錢塘釣叟錢三魚生平五次行走江湖的詳細考察，對北宮盛與毒娘子情人關係的回憶，以及二十年前江南正派武林集體圍攻雪山神魔北宮盛的往事，以完整的證據鏈鎖定嫌疑人的身分。繼而又以錢塘釣叟被救活及即將揭秘的傳言，誘捕花弄影，並利用她的得意心理，誘使她說出做案的真相與細節。作為偵探推理故事，這篇作品算是上佳。

在本故事中，高恨天、張仇石的形象刻畫，也值得欣賞。他們雖是花弄影／風大娘的復仇工具，但他們的靈魂卻未被污染，他們的心智和理性也沒有被扭曲，因而在復仇之際，非但沒有性格變態，反而與「仇家」用心交流，張仇石甚至接受了石中玉要他幫助尋找兒子（其實就是他自己）的委託，且意識到，自己雖然學了武藝，但卻沒有生活經驗和價值觀的習得，所以特別用心。高恨天中了毒針，但凡能夠忍受，就堅決拒絕白衣人的控制。張仇石多次申請加入神捕團隊，就是他自救本能及未泯良知的充分體現。當他們知道自己是殺父罪人，其震驚和痛苦可想而知。好在他們還年輕，當能在管一見等人的幫助下，治癒傷痛，健康成長。

「雙鷹神捕」之《魔障》

強姦殺人，在任何文明社會中都是嚴重犯罪。佛門弟子強姦殺人，則罪過更大，被視為「魔障」。坐蓮大師是正派武林中的領袖級人物，大師本人也正氣凜然而和藹可親，但他的關門弟子向佛卻被魔障控制。坐蓮大師以為，向佛之所以如此，是由於其父母都是淫賊，與其血統有關。是否如此？我們不得而知。我們知道的，父母師長對弟子的寵愛和放任，是弟子放縱犯罪的重要原因。

向佛犯罪，坐蓮大師有不可推卸的責任。之所以這樣說，是因為坐蓮大師明知道向佛犯了強姦殺人罪，非但不去阻止，反而還幫他遮掩，甚至不惜殺死與向佛通姦的盧氏，最後還試圖以自殺掩蓋向佛的罪行。正因如此，向佛犯罪，不但為所欲為，簡直肆無忌憚，他甚至試圖向沈鷹的女助手雲飛煙下手。如果說向佛有魔障，坐蓮大師同樣有魔障：他早就知道向佛不能且不願控制自己的性欲衝動，既沒有停止教授他武功，也沒讓他還俗結婚。假如沈鷹沒有抓到真正的罪犯向佛，坐蓮大師死後，豈不是有更多女性要遭受其害？

書中的孔乾坤，既是受害者，也是魔障中人。他與神捕沈鷹不睦，是因為沈鷹當年曾將其犯強姦罪的侄子繩之以法，他也像坐蓮大師一樣，對犯罪成癮的侄子百般縱容。甚至在他被抓獲之後，仍然試圖讓沈鷹枉法放人。沈鷹沒有這樣做，孔乾坤從此把神捕當作陌路人。有意思的是，當他女兒被別人強姦後，孔乾坤從害人者家屬變成受害者家屬，他的立場與觀點立即逆轉，對強姦犯深惡痛絕，發動大規模報復行動，不惜流血犧牲。問題是，即便如此，孔乾坤也沒有將侄子犯罪與女兒受害這兩件事聯繫起來，形成嚴密的思想推理，仍然是橋歸橋、路歸路，此一事與彼一事好像是兩回事。這種思想推理的無能者，為數眾多。

書中的關正思，單戀義嫂馮氏，以至於年過三十仍不願娶妻成家。義兄劉志達死後，他就更要贍養義嫂母子，不會考慮結婚。愛情不是罪過，單戀也不是，如果自始至終發乎情、止乎禮，關正思就真正讓人欽佩。問題是，馮氏被殺後，關正思終於無法控制自己的衝動，玷污了義嫂馮氏的身體，以至於沈鷹一度將他列為強姦殺人案的第一嫌疑人。小說最後，關正思寫信向沈鷹懺悔其行為，並閹割了自己，以此謝罪。此人的衝動行為，也是一種魔障。如何評說？值得深思。

神捕沈鷹在本書中的表現，有兩點與以前不同。一是當他發現嫌疑人武功勝過自己後，立即向坐蓮大師、青虛道長、古逸飄等高手請教。二是在向佛伏法之後，他當眾檢討自己犯了錯誤，推理不夠嚴密，以至於一度將坐蓮大師當作犯罪嫌疑人，並看著他散功自殺。沈鷹自曝其短，足見其超越常人的胸襟與智慧。

「雙鷹神捕」之《陵墓驚魂》

這個故事看起來極為神秘，衡山、黃山、括蒼、少林、武當等各大門派都有弟子失蹤，實在是聞所未聞的武林大事。因為他們失蹤有半年之久，雙鷹神捕找不到偵查此案的蛛絲馬跡，盧文章／白布衣所提供的是唯一線索，遂有此陵墓驚魂。說穿了其實也不難理解，盧文章策劃周密，先是利用人類貪心，說秦陵中有靈藥和武功秘笈，讓各派青年自動前來送死；後則故意製造謊言，喚醒人們對流星神教的恐怖記憶，又利用靈藥和秘笈收買潘志海、易寒光兩個內奸，混在群雄之中，製造混亂和恐懼，讓群雄自相殘殺，於是群雄一路驚恐，走向死地。

這也是個復仇故事。只不過，白布衣的仇恨有些特別，既非殺父之仇、更非奪妻之恨，更不是毀容或滅門，而是在他十七歲時到各大門派求學被拒絕。各派自有收徒門規，有人被拒絕並不少見，當這位十七歲少年再三再四乃至再七再八被拒絕，雖非滅頂之災，卻也實在難以消受。

這一經歷，一定嚴重傷害了白布衣的自信心和自尊心。而白布衣顯然不是個身心健康、胸襟開闊的人物，當年「受辱」的經歷，一直無法自我消化，以至於歲月蹉跎，一事無成。等到他年紀漸長而身患不治之症，他可能把這一不幸都歸咎於當年求學被拒。於是就產生了本書中這個前所未有的復仇計畫。白布衣的仇恨導致了心理變態，變態導致復仇。

這是雙鷹神捕第三次合作破案。在這個故事中，雙鷹神捕似乎完全無能為力，只得被復仇者盧文章／白布衣牽著鼻子走。一方面，是因為白布衣的復仇計畫確實相當周密，另一方面，則是因為雙鷹神捕並非神仙，只能實事求是。即使是在完全被動的情況下，雙鷹神捕也並非完全無所作為。首先，他們坦誠面對現實，承認自己無從下手，並且為此不安。其次，他們始終對盧文章其人保持高度懷疑和警惕。再次，在群雄恐慌之際，他們仍保持鎮靜頭腦和敏銳觀察能力，找出混跡在群雄隊伍中的內奸。最後，他們在絕境中沒有氣餒，最終率領倖存者走出絕境。本故事中，雙鷹神捕看似無所作為，實際上仍然表現出他們的心智品質和人格力量。

「雙鷹神捕」之《連環殺》

武俠故事中，有人謀求武林盟主、江湖霸主，這不稀奇。稀奇的是，竟然有武林中人謀求江山霸主、奪取皇家社稷，且為此奮鬥了六十幾代！本篇中的青竹莊主熊震南、熊雄父子，就是這樣的人。熊雄化名楚六七，說他是楚王第六十七代孫，其父親熊震南自然就是第六十六代。是否真有其事？並不重要，重要的是作者如此設計，注重的是它的可能性。權力欲望是人類最強烈的欲望之一，而復國夢想更為權力欲望塗抹上燦爛金色，讓人如醉如癡，為達目的，不擇手段。

本故事中人就是這樣，為了與姑蘇慕容（或許借鑒了金庸小說《天龍八部》的創意）合作，最簡單的方式就是聯姻。熊雄要想娶慕容家的姑娘，必須先將妻子紫玉霜殺害，為避免岳父紫超追責，將被害的紫玉霜偽裝成自殺當然就是最好的選擇。熊家人為了復國夢，早已未雨綢繆，將堂侄送給馮家寄養，而後讓他當上丐幫的飛鴿堂主，以便奪取丐幫大權，掌握數十萬生力軍。丐幫長老獨孤明被殺，固然是因為他對紫玉霜自殺有所懷疑，從而必須消滅；更重要的原因，是要為馮景堂當上丐幫長老掃清障礙。至於讓熊英代替熊雄詐死，出兩萬兩銀子委託神捕探案，而後主動將青竹莊燒毀，無非表明熊震南父子為了實現夢想，不惜一切犧牲。只可惜，權慾薰心的熊氏父子忘記了：魔高一尺，道高一丈。復國夢終成癡心妄想。

偵探推理故事的精彩之處，是能夠找到關鍵細節，並由此探索出真相的蛛絲馬跡。本故事中的《兩片竹葉》一節，講述管一見從竹枝上摘下兩片竹葉，與因打鬥落地的竹葉進行比較實驗，就是這樣的關鍵細節。熊震南說熊雄死於三天之前，而地上、枝頭的竹葉的枯黃程度卻相差無幾，這表明打鬥現場是人為佈置的，進而說明有人在作偽。神捕管一見正是由此而確定了偵查方向。

西門丁寫武打，此前從不用招式名稱，這篇作品有些例外。在熊震南與丐幫幫主龍蓋天打鬥時，使用了一些招式名稱，例如熊鎮南的刀法，有「逐鹿中原」、「醉扶美人」、「楚王問鼎」、「王妃獻酒」等招式名；而龍蓋天的打狗棒法，則有「趕狗入窮巷」、「狗仗人勢」、「打狗出門」、「狗急跳牆」等招式。這些招式，不僅是描寫刀法、棒法，實際上也是在寫用刀的人、用棒的人。熊震南一心奪取江山，所以他的刀法中有對王者的模仿；龍蓋天是丐幫幫主，棒法中當然只有俗世平民的日常景觀。如此對敵，頗有象徵意義，只是作者沒有金庸那樣嫻熟老到。

書中寫到江南三大神偷，即破千門向子湮、走千戶盧成、摸千袋廖之南，破千門善於開鎖，走千戶善於輕功，摸千袋善於妙手扒竊。雖然後兩者在書中沒有出現，破千門向子湮在書中的也只有一場戲，並沒有給人留下多麼深刻的印象，但作者關於三大神偷的設想，頗有創意，值得一說。

「雙鷹神捕」之《玉佛謎》

本故事包括兩個層次，一層是卓湛要沈鷹調查追殺雲燕十八騎的莫史刀，另一層是請沈鷹調查殺害其父親卓康福、母親蔣玉梅的凶手。兩個案子其實是一個案子，幕後元凶也只有一個人，那就是少林寺僧百度，俗名駱淼，此人三毒俱全、心靈扭曲。他強姦了蔣玉梅，本該還俗，偏偏又想學少林武功絕技，從而毀掉了蔣玉梅的一生。

在少林寺學藝也還罷了，偏偏又想競選少林寺住持，派弟弟駱峰殺害了蔣玉梅夫婦，想尋回玉佛，消滅罪證，因而造孽多端。可以說，百度殺害了蔣玉梅兩次，第一次是毀滅了她的情感心靈，第二次是毀滅了她的生命。百度要當少林掌門，為何要殺蔣玉梅夫婦、一定要尋回玉佛？或如沈鷹所問：為什麼等到當上少林掌門之後才去尋找玉佛？這問題值得深思。一方面，百度顯然俗緣未了，塵心不斷，所以派弟弟駱峰戴面具驅使卓湛回家；另一方面，百度有古怪的心思，以為消滅了罪證，就能抹殺犯罪事實，所以要殺蔣玉梅夫婦。

卓湛的母親蔣玉梅，是小說中的一個看點。首先，她與百度之間的關係值得探索，按說，她被百度強姦，對百度應該痛恨才是。但事實並非如此，從她書寫的「是情非情，靈台不明；是緣非緣，苦海無邊」條幅可知，她自始至終都無法判斷自己與百度之間究竟是什麼關係，甚至無法決定自己的態度，是情非情、是緣非緣。所以如此，可能是因為百度曾答應過要與她結婚，讓她原諒了百度，因而她接受了百度的資助；還有一個原因是，她懷了百度的孩子，百度是她孩子的父親，讓她不得不對百度產生期待。其次，她與表哥卓康福的婚姻，顯然是有名無實，自從生下孩子，她就在家帶髮修行，把自己的住處變成了佛堂。問題是，她是虔心向佛，還是以此方式懷念百度、並期待百度到來？我們不得而知。事實是，百度派弟弟來了，不過不是來安慰她，而是來殺她。

這篇小說的不足之處，是駱峰甘當哥哥駱淼／百度的殺人工具，理由不夠充分。駱峰外號慈心大俠，應該心地仁善，為什麼會變成冷血殺手？他給自己取了個新外號，叫「無可奈何」，到底是什麼原因讓他背離本心？是因為兄弟情深？還是因為哥哥曾送他少林寺武功秘笈抄本需要還情？到底是什麼原因，讓這個慈心大俠變成無可奈何的殺手？為什麼神捕沈鷹找上門來，他寧可犧牲自己仍要維護哥哥強姦、殺人的秘密？作者欠一個清晰的解釋。

此外，百度為什麼一定要找回玉佛？似乎也沒有充足的理由。

「雙鷹神捕」之《泥菩薩》

本故事的最大看點，當然是兩位當紅神捕被人陷害，需在逆境中找出元凶，自證清白。故事出人意料，迷霧重重，可謂驚險刺激，自不消說。

大內總管黃山松其人，曾在《刺客驚龍》中出現過，此人對雙鷹神捕的態度，也早就有所表現，既希望雙鷹神捕找到刺客，又怕他們因找到刺客而受皇帝重視。由於雙鷹神捕在刺客案中曾戲耍過黃山松，他當然會懷恨在心，此人心胸肯定不夠寬廣，否則也就不會被雙鷹戲耍。此次陷害雙鷹神捕，主要原因當然還是官場競爭，裴貴妃提議要換掉這位大內總管，最佳替換人當然是雙鷹神捕之一。所以，設計讓人刺殺裴貴妃的哥哥裴培正，嫁禍於神捕沈鷹，可謂一箭雙鵰。黃山松身為大內總管，有權有勢，又不擇手段，以錢財和官位誘使司徒嚴、徐中平等多位邪派高手，又迫使刑部尚書、鄭州通判等人與之合作，要陷害雙鷹神捕，自非難事。

本篇名為《泥菩薩》，是因為有人分別送給管一見、沈鷹泥菩薩，塑造成主人公模樣，內裝炸藥，稍有不慎就會爆炸。最初的目的，當是希望泥菩薩能夠炸死雙鷹神捕，如此就事半功倍。所以，這一情節是可行而且可信的。泥菩薩還有象徵意義，如俗話所說，泥菩薩過江自身難保，或是隱喻雙鷹神捕的官場地位。一來是伴君如伴虎，二來是因為同儕嫉妒，弄不好就會身敗名裂。刑部尚書蘇振邦家裡也有泥菩薩，說是將貢品占為己有，又被神捕無意中獲得，未免有點人為痕跡，並且顯得有點多餘。蘇尚書的孩子被綁架，就足以讓他參與陷害雙鷹行動。

沈鷹在本故事中的表現，有些出人意料。一是在鄭州通判焦建章率人抓捕他時，他差點就束手就擒，還是司馬城提醒，讓對方拿出抓捕的聖旨，沈鷹才醒悟過來。沈鷹的這一行為，似乎與他神捕的身分和名頭不大匹配。另一個細節，是沈鷹主動去見刑部尚書蘇振邦，居然毫無防備地喝茶，以至於中了麻藥，被關入黑牢。這一行為，同樣也不大像是神捕所為。只不過，這兩個細節，也可以作另一種解釋，即焦建章是官府代表，而沈鷹沒有殺人、更無反叛之心、又一貫尊重法紀，所以會受習慣本能所支配，願意跟對方去見皇帝。同理，沈鷹見蘇尚書，沒有防備之心，是因為蘇尚書表現得入情入理，也因為沈鷹心裡坦蕩無私。說沈鷹不懂得官場黑暗當然不合適，只是他沒想到蘇振邦尚書竟如此卑劣。

這個故事相當精彩。如果說有什麼不足，那就是沈鷹、管一見屬下的探案調查能力沒有得到充分發揮。大名鼎鼎且才智出眾的端木盛、蕭穆、顧思南等人，在本故事中的作用，還不如司馬城大，恐怕有點說不過去。

《最後一劍》

《最後一劍》[4]是個典型的殺手故事，主人公老五也是個典型的殺手。太監喜安把他當作朋友，而他為了混入皇宮，竟毫不猶豫地將喜安殺害，其冷酷令人髮指。更重要的是，他奉命去殺太監王振，並不是出於道義，而是為了金錢。於是，大俠郭連城等人邀他合作刺殺王振，他一口拒絕；進而，蘭花刺殺王振時，他非但不幫忙，反而救了王振。所以如此，是要獨立完成殺人任務，以便獲得殺人酬金。

郭連城俠名卓著，老五也知道他是堂堂正正的英雄，但為了自己的利益，老五還是毫不猶豫地殺了郭連城。進而，又不假思索地接下刺殺行俠仗義的邵興武，直到邵興武發現殺手竟是失蹤的兒子邵揚文，出於父子天性，老五才不忍向父親下手，將最後一劍刺向自己。值得注意的是，他雖有高超的殺手技藝，但在與彭氏結婚隱居數月後，不僅武功殺技明顯生疏，且殺心殺氣也明顯衰退。所以，老頭命他殺人之前，還要經過專門訓練。第一次讓他練武恢復殺技後，去殺郭連城；第二次更是故意製造險惡壓力，迫使他恢復殺手敏感及凌厲殺氣。這些細節，顯示出這個殺手故事的「專業性」，即便是超級殺手也須訓練，才能保持殺技及殺氣。

殺手固然可惡，更可惡的卻是雇主。書中的尚雲道長，即是最可惡的典型。此人最大的特點是偽善，表面上是郭連城、邵興武等大俠的好友，暗地裡卻雇凶殺人。尚雲雇凶刺殺郭連城，是因為武林中將要推選盟主，而郭連城是最熱門的人選。只要郭連城在世，尚雲道長就無法沾上武林盟主的邊。進而，要刺殺邵興武，目的之一也是與武林盟主人選有關，在郭連城被殺後，邵興武就將成為熱門候選人。尚雲要殺邵興武，還有更為隱秘的內在原因，那就是邵興武於他有奪妻之恨，即他的意中人香雲嫁給了邵興武，讓他失意出家，成為今日的尚雲道長。

所謂奪妻之恨，其中還有奧秘，香雲出嫁時年方十七歲，六年前尚雲入山學藝，香雲年方十一歲，根本談不上兩情相悅。也就是說，尚雲對香雲的愛戀純粹是他的單相思，而邵興武奪妻之說亦是他的想當然。亦即，他是把自己的一廂情願當成了既成事實，所以當香雲嫁給邵興武，他不但恨邵興武，同時也恨香雲，進而將邵興武和香雲的兒子邵揚文盜走，交給殺手之父。尚雲則一直扮演邵興武的好友，最後才露出凶殘面目。尚雲之惡，既是道德敗壞跡象，也是心智和人格缺陷。

書中殺手之父形象，也有特點。

撫育孤兒並將孤兒培養成殺手，讓孤兒殺手去為他殺人賺錢，這一點與其他殺手故事中的殺手之父兼經紀人沒有兩樣。與其他殺手之父不同的是，他不願退休不僅僅是因為貪婪，且因為雇主的強勢壓迫。雇主尚雲雖不是他的主人，但卻掌握了他的身分秘密，從而掌握了他的命運，若他不服從雇主之命而妄圖退休歸隱，肯定逃不出尚雲的魔爪。因為尚雲俠名遠播，隨時可以用俠道名義號召武林消滅不聽話的殺手之父。書中的這個老頭，固然可惡，卻也可憐，可以說是殺手故事中從未有過的形象。

本書也有弱點。最明顯的是，邵興武在京城時不僅見過老五（邵揚文），且見過老五手臂上的三點痣，但邵興武竟對此毫無反應，回頭看，就有些不合情理。邵興武的獨子邵揚文從小失蹤，且有明顯標記，這位父親本應有所察覺才是。進而，小說最後，邵興武自殺情有可原，邵揚文即殺手老五也隨之自殺，這顯然是作者精心設計的結果。最後一劍刺向自己，既為其殺手生涯贖罪，也控訴殺手製造者尚雲老道的罪孽，只是這一設計多少有些人為痕跡。

《第三類殺手》

《第三類殺手》[5]確實是另類殺手故事。胡虎八歲時，被義父司徒不樂故意流放在虎島，從此與虎、蛇為伴，學習虎、蛇的搏擊技藝，並以蛇肉為食、虎皮為衣。由於長時間孤身成長，胡虎連話也說不利索，也不懂得人世禮儀，更沒有區別是非善惡的能力。他天性淳樸，本能發達，殺人技藝超群，遂被前天魔教主胡萬年所利用。殺手接單殺人，要麼是為老闆賺錢，要麼是為自己賺錢，而胡虎成為殺手，根本沒有賺錢的想法，一心只想為常恨春復仇，錢邱叫他殺誰就去殺誰，無論多麼危險都在所不惜。是名副其實的「第三類殺手」。

《第三類殺手》並非單純的殺手故事，而是個復仇故事。胡萬年是二十年前的天魔教主，在武林興風作浪，被九大門派聯合打落懸崖。他之復出，並不是要找九大門派復仇，更不是要復興天魔教或建立江湖霸業，而是要找表弟司徒不樂復仇，因為他奪走了胡萬年的妻子琦玉。司徒不樂邀集武林各派掌門人，共同研究破解「博浪十擊」的技法，固然是要防止胡萬年復仇，同時也要找胡萬年復仇，從他的表述中，我們知道琦玉是他的戀人，被胡萬年強娶為妻。所以，胡萬年於他有「奪情」之恨。司徒不樂是否有復興天魔教、獨霸武林的野心？不得而知。

最無辜的，當然是本書的主人公胡虎。胡虎孤身流落荒島，是拜他義父司徒不樂所賜。司徒不樂所以如此，是他以為胡虎是胡萬年的兒子（所以取名胡虎），證據則是由胡虎的母親琦玉所提供。殊不知，胡萬年沒有生育能力，也就是說，胡虎不可能是胡萬年之子，而是司徒不樂本人的兒子。琦玉為什麼將司徒不樂的兒子說是胡萬年的兒子？當然是對司徒不樂強行佔有她有極大不滿和怨恨。讓司徒不樂將自己的兒子放逐到海上荒島，且與虎蛇為伴，也算是琦玉對司徒不樂的嚴厲報復。只不過，父輩仇怨徹底改變了胡虎的人生，胡虎何辜？

本故事的內核非常好，但故事的敘述算不上十分出色。主要原因，是對八歲開始荒島生涯的主人公胡虎的心性把握得不十分準確，胡虎來到荒島畢竟已經八歲，說他對人世習俗完全不懂實在是說不過去。古人云，三歲看大，六歲看老，兒童成長到八歲時，社會化程度應該已經很高，不可能是一張白紙。作者對主人公心性把握不夠準確，深層原因是並不當真關心主人公本人，而是關心利用主人公的這段經歷演繹傳奇故事。胡虎向飛魚幫主常恨春求歡，當是胡萬年在暗地裡下了春藥，讓胡虎情欲衝動不可遏制。證據是，胡虎向徐曼珠求歡正是胡萬年有意為之。胡萬年為何要這麼做？作者沒有深入思考，只是要寫傳奇故事。

作者有一籃子好菜，卻沒有作出應有的品質，雖然有色有香，味道卻算不上佳餚。

《殺手悲歌》

《殺手悲歌》[6]構想相當奇特，主題卻十分鮮明：即殺手沒有未來，只有無盡悲歌。誰也想不到，為武林立下赫赫功勳的大俠丁謙，竟是當年的殺手之王卞子謙。換個角度說，當年的殺手之王卞子謙為了洗白自己的身分，不惜為武林正道浴血奮戰，殺太行五狼、破洞庭十三寨、誅嶺南三毒、戰風雲七大盜，最後與四大派掌門聯手誅殺乾坤三魔，才博得大俠名聲。不料仍有人要雇凶殺他，並威脅揭露他的老底。而被雇傭殺人的索世雄，也正是想完成最後一次殺人任務，爭取自由身，重新做人。

第三位殺手之王柳鐵堅，為了洗白自己，化名邵啟龍，不惜為惡棍何老九（**徐老九**）當打手。但最終，這三代殺手之王，都無法擺脫自己的厄運，只能在徐老九的地下室內等死。實際上，他們作為殺手，早已是徐老九等人的殺人工具，想要自主人生，難如登天。唯一的安慰，是他們在臨終之前，曾為自己的夢想拼搏，而且能與真正的惡魔元凶同歸於盡。

書中人物的若干細節，給人留下較深的印象。一是丁謙在洛陽受百姓歡呼擁戴時的微妙心理，一方面十分享受這一刻，另一方面則提醒自己不可張狂，當大俠就要讓自己的言行舉止都符合大俠的規範，其實很累人。二是殺手索世雄為了成名成功，嚴格管控自己的欲望，從不酗酒、賭博，更不涉足花叢，卞子謙帶他到妓院，第一次接觸妓女時的那種童男表現，讓人莞爾，也讓人心疼。

在洛陽武林中，也有幾個人物。一是賽雲長張羽，迎接丁謙大俠的是他，不惜花費鉅資賺取虛榮讚美，搜捕殺手卞子謙的還是他，固然是要為自己贖罪，同時也是想抓住又一次出風頭的機會。只可惜，為了虛榮，送了性命。另一人物是旱天雷項軍，此人頭腦簡單，個性魯莽，但卻心腸耿直。面對大俠丁謙，他崇拜得五體投地，願效犬馬之勞；而當他得知丁謙竟是殺手卞子謙，便毫不猶豫地在他的酒中下蒙汗藥；但在卞子謙、索世雄的英雄氣概的感染之下，終於做出了自己的最終選擇，即幫助卞子謙脫困，最終犧牲了自己，卻證明了他與追逐虛榮的張羽並非一路人。項軍真心敬愛英雄，而他自己也成了英雄。

書名《殺手悲歌》，表明了作者的情感態度，對書中的三位殺手之王充滿了同情與理解。更難得的是，與此同時，作者並未因自己的同情心而失去理智，深知殺手所欠血債太多，以死贖罪，才是真正公平的結局。

《蝙蝠・烏鴉・鷹》

《蝙蝠・烏鴉・鷹》[7]的最大看點，是匪夷所思的殺手世界：蝙蝠、烏鴉、鷹是個嚴密的殺手組織。鷹指揮烏鴉，烏鴉指揮蝙蝠，蝙蝠是烏鴉訓練出的殺手，卻從未見過烏鴉的真面目，更不知道烏鴉背後還有鷹。蝙蝠都是孤兒（他們的孤兒身分是否被烏鴉製造則不得而知），第三代蝙蝠共有七人，分別是洪如焰（紅）、黃金盛（黃）、陸無涯（綠）、藍天雲（藍）、紫玉花（紫）、墨有光（黑）、白若冰（白），全都被烏鴉訓練成殺手。

與通常的同門師兄妹不同，這七位蝙蝠殺手之間沒有多少同門情誼。這固然是因為殺手必須無情，更是因為根據既往經驗，合同完成之日，非但不能如願獲得自由，反而是蝙蝠喪命之時。為了殺人，更為了自己生存，蝙蝠之間非但不露情感心跡，甚至隨時可能互相殘殺。所以，即便紫玉花、白若冰都對陸無涯有好感，甚至有情意，但不到絕境就不會表露。而且，我們也不知道，她們對陸無涯的愛，是出於正常情愛，還是出於生存本能。殺手蝙蝠全都是烏鴉手裡的殺人工具，蝙蝠的命運註定身不由己，而且曇花一現。

書中七位蝙蝠殺手，分別以紅、黃、綠、藍、紫、黑、白等七種不同顏色為代號，與他們的姓氏洪、黃、陸（南方口音與「綠」相同）、藍、紫、墨、白相關。之所以如此湊巧，是因為這七位殺手都是孤兒，他們都是由烏鴉命名，他們的姓氏自然也都是烏鴉所賜。蝙蝠殺手有共同的特徵，卻也有不同的個性特點，洪如焰頭腦簡單而心胸狹窄，黃金盛魯莽衝動，陸無涯冷靜深沉，藍天雲單純質樸，紫玉花驕傲矜持，墨有光陰險歹毒，白若冰冷若冰霜。有些是真實天性，有些則是人為的面具，無論如何，都是在生存競爭壓力下的產物。

主人公陸無涯與其師兄弟不同，是因為在他麻木的面具下，保留了正常的人類情感。證據是，他會出手拯救孕婦韓勝珠，且在面具脫落、真面目暴露後，竟然沒有殺人保密。由於建立了這樣一個正常化的社會關係，陸無涯就逐漸變得愈加不同：面對純潔無瑕的韓如玉，他為自己的殺手身分而自慚形穢；聽到七師妹白若冰的真情表白，他會怦然心動；與五師妹紫玉花結為夫婦雖屬被動，但短短三天的夫婦生活足以重塑他的靈魂，讓他體驗到正常人的歡樂與悲傷。

與韓如玉結為夫婦，並與其大姐韓勝珠一起隱居，讓陸無涯成了真正的正常人。隨妻子回娘家，這個當年的殺手，成了俠義偵探。他追殺烏鴉姜子凌，進而與鷹決鬥，不止是為自己報仇，而是為了所有蝙蝠，也是為了潛在的無辜受害人。這個故事，是蝙蝠殺手陸無涯心靈蘇醒的故事，是殺手蛻變故事，也是自我塑造的故事。

本故事中有三段愛情線索，主線當然是陸無涯與韓如玉的愛情，但最讓人心動的，卻是紫玉花和陸無涯的短暫婚姻。當紫玉花摘下驕傲的面具，露出少女的真實面目，我們發現，她的愛情選擇如煙花般眩目而短暫，震撼心弦。

本故事最出人意料之處是，名滿江湖的大俠一劍震長江韓師道，竟然是整個殺手組織的幕後操縱者。看起來令人難以置信，從而也就格外震撼人心，人世間有很多人都具有類似的兩面性，一面是天使，一面是魔鬼。韓師道的魔鬼性一面，其實早有端倪，他的女兒韓勝珠為追求自主婚姻，寧可與父親斷絕往來；他的另一個女兒韓如玉也想逃離家庭，嚮往隱居生活。這些線索都有暗示作用。

進而，韓師道精心培育的第四代蝙蝠，竟玷污了他的女兒韓如玉。韓師道的魔性，來自家長的權威，更來自他對武林霸主威權的想往和追求——他的代號「鷹」，即是一種明顯的權欲符號。韓師道的故事充分表明，權欲扭曲人性，並讓人心理變態。把無辜的孤兒訓練成冷血的殺人工具，已是罪惡；而當蝙蝠完成十三次殺人任務時，非但不如約讓殺手恢復自由，反而要毀滅蝙蝠殺手，更是罪大惡極。

《無情殺手有情人》

這個書名與古龍小說名作相印成趣，即：多情劍客無情劍，無情殺手有情人。小說也名副其實，寫殺手岑三郎的情感蘇醒及恢復和發展過程，可謂絲絲入扣。作為殺手，岑三郎無論如何都想不到，自己竟然會被全然不懂武功的農婦許巧娘所救，想不到許巧娘對他如待親人，溫暖的情感竟能融化殺手內心的冰層。更想不到的是，許巧娘的丈夫齊荊恰恰是被自己所殺，如此恩仇，不僅讓岑三郎震撼，也讓他愧疚，更讓他深思。發現待自己如同親姐的許巧娘一家被人殺害，岑三郎的震驚和憤怒就可想而知。他要與殺人凶手鐵羅漢拼命，自然不難理解。

小說的另一條重要線索，是書中兩個殺手的愛情故事。女殺手刁嬋與岑三郎的第一次約會並不成功，原因很簡單，因為當時岑三郎還是個道地的殺手，不能亦不敢與任何人建立情感聯繫。第二次相聚是刁嬋救了岑三郎，最後仍黯然別離，原因是岑三郎尚未正式脫離殺手生涯，怕給刁嬋和自己帶來不幸。待到他們第三次相見，之所以能獲得團圓結局，是因為他們之間情感既深，而岑三郎的自由意志亦已堅不可摧，因而不惜與師父／老闆鐵羅漢決鬥，亦不惜責罵刁嬋的母親沒有人性，總之他將要為愛情和自由而戰。他要戰勝宿命，自主人生，這結局十分提氣。

女殺手刁嬋的命運更加令人同情。因為她是被自己的母親訓練成殺手，母親不僅是她的師父，也是她的經紀人和老闆，如此宿命更加無法擺脫。更可怕的是，母親還向她灌輸一個信念，即：男人沒有一個好東西。所以，刁嬋號稱「三不留」，即一不留名、二不留情、三不留線索。奇妙的是，刁嬋的情感天性，並未被殺手生涯徹底泯滅，對殺手岑三郎一往情深，而且無法自拔。於是，她主動約會岑三郎，雖未獲得如意結果，她也不改初衷。

進而，她追蹤岑三郎，拯救了岑三郎，並盡心盡力地侍候岑三郎養傷，充分表現出愛意溫情，終於讓岑三郎在不知不覺中愛上了她。只不過，岑三郎尚不敢表白情意。待到第三次見面，情況就完全不同了。刁嬋不敢設想挑戰母親、挑戰命運，徹底擺脫殺手職業，過上普通人的正常生活，對岑三郎的愛，不過是希望在殺手生涯中獲得短暫的撫慰或麻醉。但岑三郎卻不是這樣，一旦心靈自由，就勇敢追求自主人生，向師父、岳母發起挑戰。最終，命運幫助了岑三郎和刁嬋，讓他們的愛情和人生如其所願。

這個故事中最驚人的秘密，是殺手之父鐵羅漢／澹台鵰，竟然就是刁嬋之母余曉君的丈夫，亦正是刁嬋的父親。只因為澹台鵰移情別戀女殺手韓明，離開余曉君，才使得這對有情人先後成了無情的殺手，而且還把自己的女兒和徒弟也都訓練成了殺手。

這個故事中的四個核心人物，即澹台鵰、余曉君、刁嬋、岑三郎全都是殺手，也全都是有情人。只不過，澹台鵰的情感淺薄，余曉君的情感偏激，因為有情而先後成為殺手，而殺手生涯卻扭曲了他們的情感心靈。好在，他們並非無可救藥，岑三郎責罵他們沒有人性，這話如同針灸，讓余曉君首先恢復良知，決定犧牲自己保全女兒的生命；澹台鵰亦追隨其後，願意以自己的死換取女兒、女婿的生。澹台鵰、余曉君雙雙自殺且相擁而逝，讓人感慨萬千。

書中還有若干看點，例如雙劍莊莊主齊弦、張菁菁夫婦雖享有俠名卻作奸犯科，實情敗露後又試圖殺人滅口。又如，真假蔣肖龍，其實是澹台鵰為殺害不聽話的殺手岑三郎而布下的陷阱，直至岑三郎與真蔣肖龍相遇，才明白其中究竟，這一段是書中最精彩的情節設計。又如，在一般殺手故事中，正派中人似乎無人干涉，而在這部書中，王布衣、公孫隱等正派人士卻主動追捕殺手余曉君及澹台鵰，顯示了武林正義的力量，並由此表明了作者的立場。

《最後的刺殺》

《最後的刺殺》[8]講述黃蜂殺手集團的十一號殺手唐十一郎接受最後一次暗殺任務的故事。暗殺的對象是金國吏部侍郎梁乙匡，此人深知自己身為漢奸而被同胞仇恨，因而廣泛羅致武功高手為自己的侍衛。想要殺他，一個問題是難以近身；另一個問題是即使得手也難以逃出燕京城。本書的看點之一，是唐郎執行最後刺殺的過程一波三折，情節出人意表。唐郎設法成了禮部郎中崔振中的高級護衛，但這一身分根本無法真正接近梁乙匡，為此懸心之際，崔振中卻出人意料地將唐郎推薦給梁乙匡。當人們以為唐郎很容易完成任務時，卻被盧勝搶先，而終歸失敗。這是一折。

當唐郎與柳青青成婚隱居，沉浸在難得的日常生活之中，似要放棄刺殺任務，白冰冰被梁府殺手追殺，迫使唐郎改弦更張，重返燕京，在元宵節戲臺上殺了票戲的梁乙匡。這是又一折。完成刺殺任務，順利離開燕京，本以為萬事大吉，卻得知白冰冰為協助他而去了燕京，唐郎不得不三至燕京，進而面對白冰冰之死。這又是一折。最後，唐郎和柳青青還先後面對黃蜂殺手和梁府殺手的兩次襲擊，前一次以幸運告終，後一次卻終於妻離子散。

本書的最大看點，其實是殺手間的愛情。殺手本該無情，黃蜂殺手集團中同門間也沒有什麼感情可言，但行業規則和環境壓力都不能徹底改變男歡女愛的人類本性。十八妹柳青青和十七姐白冰冰兩位少女，對殺技超群、行為灑脫的唐十一郎心儀已久，即使戴著身心雙重面具，也還是無法抑制強烈的情感衝擊。柳青青很快就放下矜持，愛意溢於言表。所以如此，恰因身為殺手，生命可能隨時終結，不敢期待未來，只能抓住當下，讓一生的情感於瞬間釋放，其故事也就格外淒美動人。

白冰冰的行為更具典型性，這位平日高傲冷漠的女性，竟然自願成為春藥的解藥，主動讓唐郎強暴。原因是，她愛唐郎。若非殺手，白冰冰當然不可能這樣做，更不可能心甘情願地與柳青青分享一個丈夫。正因為她是殺手，所以在結婚數日後即重傷不治，卻為能夠死在唐郎懷中而心滿意足。如此曇花一現的婚姻，如流星劃過天際般明亮璀璨，既讓人心痛，卻也讓人心動。

唐郎即螳螂，取義於「螳螂捕蟬，黃雀在後」。唐郎與所有黃蜂殺手一樣，無法自主人生，為爭得自由，必須用生命去冒險。因為他的命運，被幕後經紀人全面掌控。在黃蜂集團中，殺手被稱為孫悟空，而幕後老闆則被稱為如來佛，孫悟空縱有七十二變，卻無法逃出如來佛的掌心。本書主人公唐郎之所以能掙得更多同情分，是因為他最後刺殺的對象是漢奸梁乙匡，也因為他在冷血表象之下的善良天性得以展示。如來佛竟然放過了破壞規則的唐郎和柳青青，是因為白冰冰的那個隨身玉佩，其中奧妙，在其後傳《太監頭陀劍》中才得充分揭示。

《武林謎圖》

《武林謎圖》[9]的看點，是融合了奪寶故事、爭霸故事、復仇故事、情愛故事乃至偵探故事等多種故事模式。情節曲折，變化多端，讓人目不暇接。

從書名看，這應該是一個奪寶故事，焦點是武林及江湖中人夢寐以求的武林謎圖，謎圖指向包括武功秘笈、金銀財寶及可以號令武林的神木令。長龍幫主駱致遠得到了武林謎圖的消息一旦洩露，引起無數江湖中人覬覦並爭奪。有人投靠長龍幫試圖分一杯羹；有人決心與長龍幫作對，希望武林謎圖為己方所得；有人坐山觀虎鬥，試圖左右逢源，結果卻身敗名裂。駱致遠的叔叔駱長沙助紂為虐，最終卻兔死狗烹。得到武林秘笈的駱致遠，卻讀不懂「無招勝有招」的高深寓意，因感到「荒謬」而發瘋。其中有寓言意義，荒謬的不是秘笈，而是人的行為。

從駱致遠的行為看，這個故事其實是爭霸故事。武林謎圖及其寶藏秘密，只是一條引線，駱致遠的目標不僅是要發掘寶藏，而是要以武林謎圖的寶藏引誘江湖中人，擴大其影響，以便稱霸長江流域，進而成為武林盟主。一般武俠小說中的圖謀爭霸者，多半是為了爭霸而爭霸，即為了武林盟主的權力與聲譽。而駱致遠之稱霸，除了權力與聲譽外，有更具體的原因，那就是佔領更多更大的生存地盤，以便獲得更大的利益。其爭霸圖謀，有政治與經濟兩重目標。證據是，在他佔領的地盤內，由長龍幫骨幹對商家富戶強行徵收保護費及生日禮金。

從主人公楚天翔的故事線索看，是復仇兼除霸故事。長龍幫要在長江上建立霸業，勢必要征服長江沿岸的幫會，巨蛟幫首當其衝。楚天翔擔任巨蛟幫幫主後，首要任務是復興巨蛟幫，進而向長龍幫復仇。

復仇故事是武俠小說中最常見的模式，武林中人容易結怨，復仇衝動也就層出不窮。巨蛟幫原幫主上官百拜剛愎自用，看不起女性幫會，從而與五毒教產生了無謂之爭，即便五毒教主白髮娘子首先伸出和平之手，但他仍懷恨在心，以至於五毒教主動前來幫助他們對抗長龍幫時，他仍然將盟友關入地牢中。如此復仇，令人齒冷。

楚天翔率巨蛟幫復仇，則與上官百拜的復仇有天壤之別。首先，楚天翔同意擔任巨蛟幫幫主，是路見不平拔刀相助的俠義行為。其次，楚天翔率巨蛟幫向長龍幫復仇，不僅是為了巨蛟幫，也是為了整個武林的和平，因而其復仇行為含有明顯的為武林除霸目的。

在楚天翔的故事中，還有數條情感故事線。那就是楚天翔與巫山姥姥的弟子朱乙乙的情感關係發展線索。巫山姥姥向白衣神劍袁鐵舟提親，即希望朱乙乙與楚天翔結合。楚天翔不以為然，自然不放在心上，當然也不會主動去找巫山姥姥及朱乙乙。不料與朱乙乙相遇，相互間產生好感，得知對方身分後，更是不由自主地相互關切，進而相愛。

值得注意的是，朱乙乙的師父巫飛仙與楚天翔的師父袁鐵舟，原本也是一對戀人，只因小小誤會，巫飛仙個性剛愎，不聽袁鐵舟解釋，以至於有情人難成眷屬。巫飛仙向袁鐵舟提親，有彌補自己遺憾之意，這就使得楚天翔與朱乙乙的情感承載著兩代人的期望。遺憾的是，由於本書的情節主幹是奪寶、爭霸與復仇，書中的愛情故事所占篇幅有限。楚天翔與五毒教主白髮娘子的姐弟關係建立，也有不少亮眼細節。

除上述奪寶、爭霸、復仇、情愛等多種故事線索外，書中還有偵探故事情節。小說開頭所寫天威鏢局前總鏢頭戴朗星等人追蹤仇家邵凌霄即趙光白，就是典型的偵探故事。楚天翔、劉西、白英等人偵查邵凌霄、駱致遠的去向，也含有明顯的偵探元素。此外，書中武打場景的描寫，也很有特色。在長龍幫中的正邪大戰，參與人數之多，參與者態度之複雜，打鬥場景之變化，以及打鬥段落敘述之長度，都極其罕見。楚天翔與朱乙乙雙劍合璧，並沒有讀者預期的那樣所向披靡；白衣神劍袁鐵舟鬥不過駱長沙，而巫山姥姥巫飛仙不敵駱致遠，也都出人意料。

本書的不足之處也很明顯。主要缺陷是，駱致遠詐死情節，看起來神秘精彩，懸念跌宕，但細想起來卻頗有討論餘地。駱致遠既然以長江霸主乃至武林盟主為奮鬥目標，自必要注意建立並維護其武林聲譽。對付仇家萬千歲，暴露其懷有武林謎圖的秘密，不講信用而公然詐死，對駱致遠的聲譽明顯弊大於利。假如駱致遠從此埋名，在暗中進行其爭霸勾當倒也罷了，問題是，他詐死之後不久即起死回生，如何向其同道解釋？

進而，駱致遠得到武林謎圖已有十二年，為何不去黃山發掘藏寶？若說他十二年間都沒有弄清武林謎圖的秘密，十二年後又是如何解開秘密的？對此，書中沒有作任何交代。假如駱致遠想獨佔武林謎圖，他就不該公開提出與同道分享。總之，有關武林謎圖線索的設計，存在明顯漏洞。進而，書中人物萬千歲，與武林謎圖關係密切，與駱致遠仇深似海，但在揭開駱致遠詐死秘密後，卻莫名其妙地要將自己一身武功教授給駱致遠的七子駱河，並幾乎放棄了與駱致遠的爭鬥。最後他雖出現，但目的曖昧，作用十分有限。最後，主人公楚天翔雖然愛看熱鬧、愛管閒事，但讓他成為巨蛟幫幫主及復仇反霸者同盟，卻缺乏更加扎實的依據，多少有些人為的痕跡。

《無畏殺手》

《無畏殺手》[10]是個另類殺手的故事。通常的殺手，只是接單殺人，不問雇主是誰，更不問對象是否該殺。本書主人公楊開心與眾不同之處就在於，他只殺可殺之人，且一定要雇主提供對象可殺的證據。迄今為止，他非但沒有殺錯一個人，且把自己殺人酬勞的大部分都用於救濟貧困和公益事業，因而博得了武林讚譽，甚至有人稱他為大俠。但在此案中，楊開心終於殺錯了人：事實證明，華山派掌門人胡樹華並沒有犯強姦罪，而楊開心卻斷他手臂、毀他聲譽、迫他自殺。這就產生了一連串的問題：其一，既然胡樹華沒有犯罪，為何不替自己辯護反而要自殺？其二，峨嵋尼姑清音為何要陷害胡樹華？其三，找楊開心殺人的委託人是誰？他為什麼要這樣做？其四，真正的強姦犯究竟是什麼人？

為了聲譽，更為了良知，楊開心不得不就此懸案展開調查。所以說，這是個另類殺手的故事。不僅殺手另類，故事也很另類，主要內容不是如何殺人，而是在殺人之後開始調查錯殺的原因和強姦案的真相。如此，與其說這是個殺手故事，不如說是個探案推理故事。調查過程艱難曲折，故事線索撲朔迷離，但事實真相卻非常簡單，原來胡樹華有一個不為世人所知的孿生哥哥胡樹英，此人從小被仇家所擄，性格頑劣不堪，胡父臨終之前才對胡樹華說出這一秘密，讓胡樹華照顧自己的哥哥胡樹英。所以，胡樹華經常前往商丘，教哥哥武功，供哥哥生活費。當清音說出嫌疑人臀上胎記時，胡樹華就已知道強姦嫌疑人是他的哥哥胡樹英，但他既不願揭露自己的哥哥，也不甘脫褲檢驗受辱，只得為哥哥的罪行埋單。

此案還有一個問題，那就是找楊開心殺人的委託人是誰？他為何要花如此大的代價幫助清音？事實也很簡單，幫助清音的人，正是她的生身之父趙峻嶺。因為與尼故有私情，被崆峒派逐出師門，為了尋找妻女，他化身為隴西大俠梅嶺生及黃河大俠梁展南，一邊行俠江湖，一邊尋找妻女。見到清音的玉佩，知道她是自己的女兒，當然要想盡一切辦法為失聯多年的女兒討還公道。有意思的是，在這個另類愛情故事之後，還有一個另類情感故事，那就是清音雖然對強姦犯充滿痛恨，但在有了兒子之後，卻不願讓兒子從小就沒有父親，也就是說，她不僅要原諒強姦犯，且希望與強姦犯一起生活。清音的另類選擇，頗為發人深思。

本書的不足之處，是商丘調查中，枝蔓過多。鐵劍岑維義、江帆、沈孔明，傅玄德、陸將星，傅三陽、符輔富，趙峻嶺、清音（范懷峨）等人都來到商丘，相互掣肘，枝蔓衍生，大大增加了故事情節的複雜性，但其中有些枝蔓，並不十分合理，例如鐵劍岑維義、江帆、沈孔明組合，既然要幫助華山掌門人胡樹華洗脫罪名，卻不與胡樹華夫人合作，甚至處處添亂，所為何來？本書的另一問題，是胡樹華為何不將自己有個哥哥的秘密告訴妻子劉英玲？假如他與妻子關係不睦倒也還情有可原，問題是，他與妻子的關係正常，卻不把自己的家史與家事告訴妻子，這就不合常情，也不合常理。這一設計，人為痕跡相當明顯。

《鳳凰劫》

《鳳凰劫》[11]講述的是鳳峰生、洪小凰的悲劇愛情故事。悲劇的成因，是父輩的欲望情仇。鳳翠池嫁給洪世英，有夫妻之名而無夫妻之實，洪世英將性無能的歉疚轉化為冷暴力，以至於鳳翠池在活寡之外，更添屈辱。洪世英的下屬馮毅、馮靖（清江）兄弟都同情並暗戀鳳翠池，鳳翠池與馮毅婚外戀，有了兒子鳳峰生，交給馮毅的弟弟馮靖撫養。洪世英發現後，密謀害死馮毅；馮毅大難不死，強暴了洪世英的妹妹洪梅影，遂有了私生女兒洪小凰。

鳳峰生、洪小凰的父母都在人世，但這兩位主人公卻都從小成了孤兒，這已經是一重人生悲劇。進而，鳳峰生成了殺手、洪小凰成了妓女兼殺手經紀人，則是他們孤兒悲劇基礎上的另一重人生悲劇。更可怕的悲劇是，洪小凰懷孕之後才得知，心愛的丈夫竟是自己的同父異母哥哥，他們的關係屬於亂倫。於是，這個故事的結局讓人唏噓無言。

這個故事還有兩位受害人，那就是被馮毅強暴的洪梅影（四娘），以及洪梅影的丈夫歐陽信。洪梅影被強暴後產下洪小凰，自覺對不起丈夫歐陽信，於是出家為尼；而歐陽信在遭受打擊後也心理變態，並將養女當作妻子的替身，稱呼養女為四娘，多次強姦自己的養女洪小凰，發洩心中的不滿，以至於洪小凰成了妓女。在這一層面看，洪小凰才是受害最深的人。洪小凰兼做殺手經紀人，努力賺錢贖身，自我拯救，結果卻懷上了哥哥的孩子，靈魂墮入深淵，無法救贖。

本故事的講述方式，仍然是殺手故事加偵探故事。鳳峰生作為職業殺手，轉而被人追殺，為了自救，不得不偵查雇主的身分真相，從而展開一系列歷險。鳳峰生的偵查歷險，即是這部小說的情節主幹。在這一情節主幹之外，還有愛情線索，除了鳳峰生、洪小凰的非常愛情，還有莫憂的盲目愛情。不同的是，鳳峰生、洪小凰是悲劇愛情；而莫憂對鳳峰生的片面愛情則是喜劇故事。

莫憂的形象，是這個故事的一個看點。莫憂天生麗質，但卻幼稚單純，對鳳峰生一見鍾情，卻又是一廂情願。鳳峰生在西湖中救她時觸碰過她的身體，她就以此為理由要嫁給鳳峰生，莫憂逼迫鳳峰生娶她的場景，是小說中最具喜劇性的片斷。莫憂的行為，固然是因為單純無知，表現出的則是愛情與人生的盲目。這可能也是整部小說作品深藏不露的思想主題：在這部作品中哪個人的行為不是盲目的呢？

洪世英、馮毅分別是紅鷹、黑龍兩大殺手集團的門主，看似可以主宰一切，實際上卻無法主宰自己的人生。洪世英夫婦有名無實，馮毅與鳳翠池則有實無名，相互爭鬥了一生，其實不過是盲目的欲望和仇恨所推動，到頭來是一場空。洪世英之死，固然是被馮毅擊打受傷的必然結果，卻也是深深的絕望所致：驀然回首，發現自己一無所成。馮毅看起來是勝利者，到最後才發現自己親手製造了兒女亂倫的悲劇，不得不自殺以贖罪。馮毅的一生，顯然是極端盲目的一生。

【注釋】

1西門丁：雙鷹神捕系列之一《龍王之死》，第一四九頁，福州，福建人民出版社，二〇〇〇年。
2西門丁：雙鷹神捕系列之一《龍王之死》，第一五〇頁，福州，福建人民出版社，二〇〇〇年。
3西門丁：雙鷹神捕系列之一《龍王之死》，第一五一頁，福州，福建人民出版社，二〇〇〇年。
4西門丁：《最後一劍》，附錄於《活死人》一書，香港，武林出版社，一九八七年夏季初版。
5西門丁：《第三類殺手》，收入《雙龍闖關》一書，香港，金剛出版社，一九八七年夏季初版（環球出版社發行）。
6西門丁：《殺手悲歌》，收入單行本《黃雀》，香港，武林出版社，一九八七年秋季初版。
7西門丁：《蝙蝠．烏鴉．鷹》，香港，環球出版社，一九八九年秋初版。
8西門丁：《最後的刺殺》，香港，環球出版社，一九九〇年夏季初版，共一冊。
9西門丁：《武林謎圖》，香港，環球出版社，一九九一年夏季初版，共二冊。
10西門丁：《無畏殺手》，香港，環球出版社，一九九四年夏季初版，共一冊。
11西門丁：《鳳凰劫》，香港，環球出版社，一九九五年春季初版，共一冊。

◆黃易小說述評◆

黃易（一九五二—二〇一七），原名黃祖強，生於香港。一九七三年進入香港中文大學藝術系就讀，一九七七年畢業。一九八六年底開始武俠小說創作，後成為開宗立派的武俠小說大家。

《破碎虛空》

《破碎虛空》這一書名，來自佛偈「明還日月，暗還虛空」。生命的本質和自然的真相，有一個重要秘密，那就是宇宙的本質並非日月等有形之物，而是包裹這些有形之物的虛空。只有明瞭虛空，才能窺得宇宙本質真相。進而，生命的本質亦如是，不在有形之身，而在無形之心靈，心靈的極境在生死邊界之外的虛空之中，因而只有躍入死亡線外的虛空之中，即「破碎虛空」，才能達到道的境界，獲得徹底解脫。《道德經》中說：人法地，地法天，天法道，道法自然。作者抓住了佛教與道教中的這些閃光思想，展開其藝術想像，構成本書的思想基礎。

書中有兩種人，一種是求道之人，接近於超人；另一種是求功之人，即俗人。求道超人的代表性人物，是書中的主人公傳鷹、八師巴、蒙赤行、厲工，以及有跡無蹤的令東來等寥寥數人。最成功者是只有傳說而不見其人的令東來，在十絕關中，傳鷹和厲工也只能見到他的遺書，卻見不到他的遺體，此人已在虛空中。因為求道，厲工從此留在十絕關中，要追隨令東來的腳步。

除了令東來，八師巴、蒙赤行、厲工等三大高人都是傳鷹的現世敵手。但這敵對關係只限於現世。身為蒙古國師的八師巴，曾帶自己的四大弟子即赫天魔、鐵顏、白蓮珏、宋天南追蹤傳鷹，但真正見到傳鷹時，八師巴並沒有對傳鷹動手，而是讓傳鷹明白，在現世之前的世代輪迴中，他們之間的關係十分複雜，某一世是敵手，某一世是兄弟，某一世甚至是夫妻！所以，八師巴並沒有殺傳鷹，傳鷹當然也沒有殺八師巴，而八師巴立即辭去了蒙古國師之職，回到西藏進入破碎虛空之境。

求道超人之間的關係，與世俗中人的情仇心理大相徑庭。最好的例證是，陰癸派掌門人厲工的兩個師弟，即畢夜驚和烈日炎都是蒙古王子思漢飛（旭烈兀）手下幹將，被漢人高手所殺，厲工率弟子出山，要找令東來、傳鷹報仇。他的弟子李開素被赫天魔所殺，另一弟子鄧解被傳鷹所殺，但當傳鷹提議與他一起找令東來時，厲工毅然放棄仇恨，不再與傳鷹為敵。隨即我們知道，厲工一心要找到令東來，其實也不是為了報仇，而是要再次印證心靈感應，與令東來比試修道境界的高低。所以，厲工與傳鷹不僅共同對付飛馬會凶徒，且拒絕與蒙古高手木霍克等人合作，而是與傳鷹並肩戰鬥，將蒙古高手木霍克等數十人擊斃。在十絕關中，見到令東來的遺書之後，厲工決定留在十絕關中，追隨令東來的修道之路。

在修道者中，唯有繼任蒙古國師蒙赤行曾與傳鷹一戰。此戰的形式超乎尋常武功，也超乎一般人的想像。蒙赤行已經練成精神力量，僅靠精神力量即可克敵制勝，而傳鷹則學會了利用自然之力，即用鷹刀將雷電導向蒙赤行，將蒙赤行的白臉燒成黑臉，而傳鷹也身負重傷。這一戰誰勝誰敗？誰也說不清。

除了這些大師級超人，其他人物都是俗世中人，亦即歷史現實中求功之人。俗世中人分為兩大陣營，即以思漢飛（旭烈兀）為首的蒙古陣營，目的是消滅南宋殘餘勢力，征服漢人社會。與之對立的是以龍尊義為首的漢人反抗者陣營。

小說開頭，說驚雁宮的地宮中藏有武功秘笈《戰神圖錄》和軍械製造秘笈《岳冊》，漢人韓公度邀約田過客、直力行、碧空晴、橫刀頭陀和傳鷹等武林高手前往驚雁宮取寶。蒙古王子思漢飛（旭烈兀）率崔山鏡、宿衛都統領赤札力、畢夜驚、烈日炎、博爾忽等高手及萬餘元軍先行一步，對韓公度等人展開圍攻。這是典型的武俠小說場景。傳鷹進入地宮，修成戰神圖錄，取得《岳冊》，並將其交給祁碧芍，讓她轉交給漢人反抗聯盟領袖龍尊義，這也是武俠小說的通常形式。其後，八師巴離開，蒙赤行繼任，並且邀約傳鷹在長街決戰，更是武俠小說的高光時刻，作者對此也作了很多的鋪墊，只不過，其結果出人意料。

小說作者的創新意圖相當明顯。小說的創新嘗試，是試圖將玄幻思想與武俠故事相結合，具體說，是將修道者／超人故事與求功者／俗人故事結合起來。所以，在小說開頭，作者虛構了驚雁宮這一特定場所，此宮的神奇之處，是不知道由何人於何時建構。黃帝的老師廣成子的遺體也在地宮之中，這說明此宮早在黃帝時代之前，即文明時代之前就已經建成，這個虛構之所，即道的實際象徵。

漢人和蒙古人先後趕到此處，爭奪《戰神圖錄》和《岳冊》，其中有求道之人，也有求功之人；

目的是爭奪含有岳飛兵器庫藏及軍械製造秘笈的《岳冊》，但傳鷹卻同時得到了至高無上的武道與天道合一的寶典《戰神圖錄》。傳鷹其人，是作者精心塑造的求道之人，出現在驚雁宮，是因長輩親屬囑託，也是求道的關鍵。

小說的主人公傳鷹，正是連接求道者的精神世界與求功者的現實世界的關鍵樞紐。爭奪《岳冊》是連接的起點，其後，又有若干連接點，諸如，征服追殺者白蓮珏，拯救被畢夜驚追殺的祝夫人蕭楚楚，被高典靜救助而後又拯救高典靜，拯救祁碧芍並將《岳冊》交給她、與祁碧芍再見並因人生目標不同而分道揚鑣、再次拯救祁碧芍並為她報仇（殺思漢飛），等等。如此，小說分為求道者故事層和求功者故事層，這兩個層面的故事相互交織，雙線展開。

但這部小說寫得相對稚嫩，不足之處明顯。

首先，由於作者寫作重心是傳鷹求道故事，從而漢人抗蒙故事只能簡寫，以至於這一故事過於簡略，不能詳細展開，失去了諸多看點。例如，祁碧芍顯然是世俗故事中的關鍵人物，這個人物有個外號叫「紅粉豔后」，她的這個外號從何而來？她嫁人了嗎？為什麼叫「豔后」？書中沒有作明確解釋。看起來，這個外號有些邪氣，但祁碧芍本人卻是胸懷家國的巾幗英雄，與「紅粉」之說毫不相干。

又如，思漢飛使用間諜史其道，先是瓦解了陸秀夫的抗元計畫，如今又混到了抗元聯盟統帥龍尊義身邊，並迅速成了龍尊義的副帥，大肆排擠龍尊義的左膀右臂譚秋雨、祁碧芍，不但讓潭秋雨白白送死，還乾脆將龍尊義殺害。思漢飛的間諜戰術當然是可能的，問題是，史其道這個人迅速獲得龍尊義的信任，那麼龍尊義又是怎樣的一個人？書中只是說，在獲得《岳冊》之後，龍尊義性格大變，為什麼會變？如何變？書中都沒有說及。龍尊義只有一次出場，就是被間諜所殺。

其次，書中的求道故事，其實也沒有寫好。書中的求道者行為神乎其神，但讀者常常莫名其妙。例如蒙赤行與傳鷹長街決戰，傳鷹以鷹刀和自身作為導體，導引雷電點擊蒙赤行，在科學上說不通，在玄學上固然可以想像，但卻無法真正動人。又如，厲工的師弟畢夜驚和烈日炎都是蒙古人的幫凶，且都被漢人殺害，厲工本人出山時也信誓旦旦地要找令東來、傳鷹報仇，但最後卻完全不是那麼回事，這是思想轉折？還是心靈的深層揭秘？書中並沒有給出令人信服的解釋。

又如，漢人絕世高手令東來在書中沒有直接出現，從頭到尾都是個傳說，他在十絕關中修道。作者暗示說，他修道之處與驚雁宮有相似之處，但卻沒有說他修的是什麼道？修道的路徑是什麼？他如何在十絕關洞窟中進入虛空？

更重要的是，書中對主人公傳鷹的形象刻畫，雖讓讀者刮目相看，但卻無法找到共鳴點，只是作者一廂情願的神話。修道的前提是無情，即克服本能欲望、消除人類情感、擺脫肉身的局限，所以，作者說，傳鷹在父母去世時沒有悲傷，這已經讓人難以共鳴。進而，祁碧芍曾熱切希望與他共同抗擊蒙古侵略者，為漢族人民排厄解難，而傳鷹也無情地拒絕了，不僅是對一個相愛的女性無情，更是對千百萬同胞的無情，這就不僅讓人難以共鳴，甚至會讓人反感。

進而，有意思的是，傳鷹與世俗中人的每一次接觸，都會對一個女性產生意動。例如，走出驚雁宮不久，就遇到了白蓮珏色誘，而傳鷹與之交配，征服了對方，並讓白蓮珏懷孕。又如，在拯救祝夫人時，他再次產生意動，只是為了求道，才託付與他對立的赫天魔將祝夫人蕭楚楚帶走；再次相遇時，再次意動，但看到蕭楚楚與赫天魔已經兩情相悅，才再次克制了自己、成全了對方。

又如，他與高典靜的關係也是如此，聽高典靜奏琴，他產生意動；高典靜離去，他也悵惘；無意間與高典靜、周城宇再相遇，他亦是克制自己，成全他們。又如，他在哈拉湖畔遇到維吾爾少女婕夏娘、婕夏柔，再次意動，很可能與這對姊妹花發生性關係，發現只有短暫激情，而沒有永恆，於是毫不猶豫地捨之而去。

或許，作者將傳鷹的這些經歷，都當作修道過程中的魔障，需要克服和超越這些誘惑，才能抵達道的彼岸。問題是，傳鷹從十絕關出來之後，道心仍不堅定，還是要去找祁碧芍，並讓祁碧芍死在他的懷中。在祁碧芍死前，他問對方：要不要他將眼前的這些人全都殺死？祁碧芍說不要。在這一場景中，讓人感動的是祁碧芍，她反抗蒙古侵略者，只是為了自己的同胞，並不是與蒙古人本身有不共戴天之仇，更不是嗜好殺人。在生命最後一刻，她寧願在心上人的懷中安靜地死去，而不願再殺人。此刻，修道者傳鷹的形象，在祁碧芍形象的光芒閃爍中，變得十分暗淡而鄙俗。

出現這樣事與願違的情形，可能是作者對「道」的理解過於簡單化。人法地、地法天、天法道、道法自然，而自然無情，即「天地不仁，以萬物為芻狗」。問題是，人法地，但人不是地；正如地法天，但地也不是天。人畢竟是人，地畢竟還是地。進而，對道的追求，固然需要克制本能欲望，但卻並不是徹底否定和捨棄人的本能，更不是徹底否定和捨棄人類情感。尋求自我超越，也不是否定基礎性的身體欲望和社會化情感，而是要在身體欲望和社會化情感的基礎之上建構靈性精神的殿堂。具有諷刺意味的是，傳鷹之道渺茫，但他的兒子鷹緣才實際延續了他的生命，延續了他的道，直至永恆。

作者黃易對「道」的思索達到怎樣的程度，並不是小說批評與研究要討論的重點。小說批評的重點，是藝術的本性即人性的書寫；而且，小說藝術的目標，是對形而下世界的呈現與洞察，而非對形而上玄學的抽象演繹。《破碎虛空》張揚求道者的靈性精神，固然是人性的一部分，但小說中卻因主人公求道而否定了人類感情和世俗目標——在書中，最讓人惦記的乃是在蒙古鐵騎踐踏之下的漢人命運——主人公傳鷹對此漠不關心，從而喪失了最基礎的共鳴點。

金庸小說《天龍八部》中也洋溢著佛教哲學精神，但作者精心刻畫的卻是人性的弱點，少林寺方丈玄慈居然曾與無惡不作葉二娘偷情，其中奧妙讓人思緒萬千。這樣的小說才是真正的小說佳作。與之相比，《破碎虛空》的稚嫩顯露無遺，甚至可以說，這部小說，故事情節方面是「破碎」，而思想主題方面則是「虛空」。

小說的結局，是傳鷹殺了思漢飛，為祁碧芍報了仇，後被思漢飛的侍衛追殺，最後躍入虛空。看起來，這是一個非常美妙的結局。仔細想，卻可作另一種解讀。傳鷹殺思漢飛為祁碧芍報仇，表明他未能忘情，離道的極境尚有距離。而傳鷹最後躍入虛空，則有阿Q「精神勝利法」的味道：蒙古鐵騎踏破了千千萬萬漢人的頭顱，而漢人卻在歡呼自己的英雄傳鷹躍入虛空、成道成神。這就像十九世紀的中國人面對西洋文明的衝擊時，無法對抗強大的西方，只能靠想像自己「道德優勝」來平衡自己、安慰自己、麻醉自己。這種麻醉，比痛苦更可悲。

《烏金血劍》

《烏金血劍》是黃易早期作品，那時候作者還沒有掌握講好故事的方法與技術，因而這部作品的成色一般。書中有幾條故事線索。

其一，是講述居住在川南山區青年獵人兼採藥人風亦飛的傳奇，風亦飛居住在山林中的雲上村，父親風山是著名獵人，因追殺危害村民的「魔豹」而失蹤，哥哥風亦樂也在此次追殺「魔豹」過程中失明，風亦飛立志要為村民殺死魔豹。

其二，雲上村底下有烏金礦藏，鑄造高手鐵隱在此開採烏金，並不斷進行烏金劍鑄造試驗。川南王爺朱勝北要謀反，需要大量兵器，鐵隱的同門師弟、兵甲派神仙手宗丹告訴朱勝北，雲上村有烏金礦藏，若能開採烏金並鑄造出銳利兵器，就能如虎添翼。所以，川南王朱勝北指使當地首富唐登榮高價收購雲上村土地，讓村民擇日搬遷。收購計畫遭到村民反對，於是朱勝北就派屬下高手戴虎利用宗丹製作的豹爪等器具冒充「魔豹」，殺死村民，製造緊張氛圍，迫使村民離開雲上村。

其三，萬惡魔尊歐陽逆天與川南王朱勝北沆瀣一氣，由於他魔功絕世，戰勝了白道第一高手宋別離，隱居在當地的武林高手江湖第一才子慕農、夜盜千家蕭長醉（蕭良）等都不是他的對手，這兩人有心要將身體素質絕佳、且又食用過無名花果的風亦飛培養成絕世高手，對付歐陽逆天。因此，主人公風亦飛不僅要對付魔豹，同時要對付試圖謀反的朱勝北，還要對付邪派第一高手歐陽勝北，而他最後也實現了目標。

作為一個傳奇故事，或者說，作為一個童話，這部作品有一定的可看性。生活在森林邊緣的主人公風亦飛，如同自然的精靈，在身體上、心理上、個性上都與一般武俠小說中通常的江湖人物有所不同。這一人物身上，有金庸小說《俠客行》主人公狗雜種即石破天的影子，但作者將自己對自然天道的思考和想像賦予了他，使得他能夠在短時間內完成從自然之子到武林高手、人間英雄的蛻變。

蛻變之所以能夠完成，部分原因是由於他的天賦異稟，另一部分原因是由於他身邊有諸多江湖高人，如江湖第一才子慕農、夜盜千家蕭長醉（蕭良）、兵甲門傳人鐵隱，外加途經此地的白道第一高手宋別離。這些人或是拓展了風亦飛的視野，或是以自身內力幫他療傷驅毒，或是用「陰陽璧合大法」讓他內氣納入自身環流常軌，或是留下靈劍製作秘訣而讓他如虎添翼。這些人的存在，還有一個重要作用，那就是為自然之子風亦飛樹立了人間榜樣，讓他獲得新的人生目標。

小說的不足之處非常明顯。首先，是小說時空設計有問題，簡單說，就是空間太小，這是說小說故事情節只發生在雲上村與川南王城之間的小小空間之內，雲上村附近居然隱居了蕭長醉、慕農、鐵隱等眾多知名人物，未免有些局促。更何況，蕭長醉和慕農之間還曾反目成仇，讓他們隱居在如此狹小的同一空間之內，未免有太多人為痕跡。進而，白道第一高手宋別離也來到這一空間中，在王城救助風亦飛，被魔尊歐陽逆天發現，劇戰而死。

這一情節設計，作者人為痕跡太過明顯。宋別離的出現，無非是要讓風亦飛將烏金劍交給他與歐陽逆天比武，從而讓朱勝北及宗丹發現烏金劍的存在，並推理出此地有烏金以及宗丹的師兄鐵隱必然在此地作打造烏金寶劍的試驗。問題是，宋別離為何到此？書中沒有交代。

其次，是時間太短，故事發生得太匆忙。這個故事發生的時間，前後不過數月。在數月之中，風亦飛從一個不懂武功的青年，變成可以與武林超一流高手歐陽逆天對敵，並以驅劍之術駕馭靈劍殺死歐陽逆天，從時間上說幾乎不可能。

再次，是核心情節設計過於神話化。風亦飛是否能在短短數月內成為可以與成名數十年之久的武林超級高手歐陽逆天抗衡？作者的回答當然是：可以。依據是作者創造的「玄幻邏輯」，那就是風亦飛身體素質和智力天賦絕佳，又食用過無名花果，從而使其內氣超越常人；進而因為受傷，得到江湖第一才子慕農的幫助，使得他的內氣部分納入正軌；進而因為再次受傷昏迷，使得他的內氣自動衝破督脈玄關，又得到蕭長醉以「陰陽璧合大法」將內氣完全打通，從而極大提升了風亦飛的內力水準；進而又得到宗丹鑄成的靈劍，最終打敗歐陽逆天。這樣的故事，從單純的童話傳奇層面說，一切想像都無不可。只不過，這個故事的想像有些過於神話化。

《破碎虛空》的主人公傳鷹的修道，畢竟有將近二十年武功與文化的修練基礎，又在驚雁宮中見識過《戰神圖錄》，才有可能悟道。而《烏金血劍》的風亦飛則一切從零開始，要在短短幾個月內成為超級高手，這只有在神話中才有可能。在武俠童話中這樣寫，未免讓人難以置信。更讓人難以置信的是故事的結尾，當唐劍兒死後，風亦飛竟抱著女友遺體跳下懸崖，難道他也要像《破碎虛空》的傳鷹那樣走向虛空？風亦飛的故事，在武功、心智兩方面都不大可能。

在武功方面說，武俠小說有其基本假設和基本邏輯，要戰勝歐陽逆天這樣的絕世高手，在體能（內力）、技術、經驗、兵器等方面都要具備合理性要素，就算風亦飛內力超人、兵器超人，但他如何在短短數月內積累可以與歐陽逆天對抗的打鬥技術和打鬥經驗呢？更何況，風亦飛並非修道人，最終如何能夠悟道？僅僅從慕青思那裡聽說過「桃花源」，就跳下懸崖去追尋「心中的桃花源」？

實際上，書中唐劍兒與風亦飛的情感線索，也有人為痕跡。唐劍兒是川南首富唐登榮的女兒，美貌如花，武藝不俗，如何能一眼看中採藥為生的風亦飛？從第一次見面，唐劍兒就搶走了風亦飛的藥，誘他去追，那時她就對風亦飛產生了愛情？這怎麼可能？惟一解釋是，作者如此設定，人物如同玩偶。類似跨越階級局限的愛情，與金庸筆下黃蓉與郭靖的故事相比較，其高下就清晰可見。

《荊楚爭雄記》

《荊楚爭雄記》講述主人公郤桓度復仇故事。滅門——復仇，是武俠小說最常見的基本故事模式。只不過，本書主人公復仇，被鑲嵌在歷史故事的框架中。楚國的令尹囊瓦專權，聽信費無極讒言，滅了司馬郤宛家族，郤宛之子逃往吳國，這都是歷史事實。只不過，郤宛之子名叫伯嚭，而伯嚭在吳國雖然很成功，但他的名聲卻不好；更重要的是，伯嚭並未復仇，費無極、鄢將師的家族都是被囊瓦所滅。所以，作者虛構了郤宛之子郤桓度這個人物，作為復仇主人公。如是，春秋時期吳國攻克楚國郢都的歷史故事，就由此變身為武俠小說。

攻克郢都的真正主人公是伍子胥，伍子胥挖楚平王墳並將其鞭屍三百的故事也膾炙人口，為什麼作者不以伍子胥作為主人公，講述伍子胥復仇？原因可能是，這樣一來，本書就不再是武俠小說，而是道地的歷史小說了。進而，伍子胥故事流傳千古，讀者早已耳熟能詳，重新講述伍子胥復仇的故事，恐怕很難寫出新意。

為了把歷史故事改編為武俠小說，本書作了一個重要設計，那就是囊瓦、郤宛、費無極、裏老是楚國四大頂尖武功高手，化軍功為武功，化歷史人物為武林人物。

本書最大的創意，是讓虛構主人公郤桓度變身歷史人物孫武。書中郤桓度逃亡到宋國，孫武也逃到宋國，由於郤桓度的長相與孫武有幾分相似，還曾被人誤認。孫武被追殺傷重而亡，郤桓度發現了他的遺體，從他的懷中取得《兵法十三篇》，並成功地逃到齊國，熟悉了齊國的語言和風俗之後，再往楚國，變身孫武。這一設計，是《荊楚爭雄記》的關鍵，與《尋秦記》中將趙盤變身嬴政有異曲同工之妙。如此就不再是講述真實歷史，而是武俠傳奇，是對歷史的改寫和戲說。

郤桓度形象設計，頗有特點。作為郤宛的第四子，郤桓度與三個哥哥不同，只喜歡練武，但不喜歡兵法。他的行為卻得到了父親郤宛的默許，看起來，似乎有悖於郤家傳統，但到滅門時才看出郤宛的高明。因為郤桓度不懂兵法，沒有軍功，一直默默無聞，反而成了郤家復仇的種子。郤宛或許早已看出，郤桓度雖然一直混跡於脂粉堆裡，但卻天資聰穎，如渾金璞玉，一經打磨便會光芒璀璨。郤家滅門之際，郤宛讓家將中行、卓本長率二百家兵隨郤桓度從密道逃出，開始傳奇歷險，也開啟了本書最大的懸念。

此時的郤桓度，還是個什麼也不懂的公子哥，既不知道如何逃生，不知道何處該紮營，也不知道在陽光下舞劍會暴露自身，更不知道、且不相信家將中行竟然會被囊瓦收買而成為叛徒。但真正大難來臨，郤桓度勇敢地面對現實，他的心智迅速成熟，其形象也在迅速改變中。郤桓度的快速成長，看起來有點「龍生龍，鳳生鳳」的血統論味道，但其實質卻是良好家教及童年與少年時的所見所聞。

本書看點，當然是郤桓度如何逃生、如何復仇這一情節主線的最大懸念。但與此同時，還有一個重要看點，那就是郤桓度氣質變化與能力提升。在逃亡過程中，不懂兵法的郤桓度，創造性地將劍法運用於兵法之中，抓住瞬息萬變的逃生機會；獲得孫武的《兵法十三篇》之後，不僅迅速成為兵法行家，且將兵法運用於劍法，讓他的武功得到迅速提升。

小說中，郤桓度對「微乎微乎，至於無形；神乎神乎，至於無聲，故能為敵之司命」「攻而必取者，攻其所不守也；守而必固者，守其所不攻也」「其疾如風，其徐如林，使掠如火，不動如山，難知如陰，動如雷震」（**下集第六章《情場戰場》**）等等兵法之道的思索和領悟，並將它們成功地運用於劍道之中，應是本書中最重要的創意和看點之一。

進而，郤桓度學習《兵法十三篇》，不僅提升了他的兵法智慧和軍事能力，同時提升了他的劍道水準和武打能力，同時也改變了他的人生態度。也就是說，郤桓度將兵法運用於他的社交生活、政治運籌中，要點是：隨機應變。這樣，郤桓度與孫武就有內在精神氣質的高度吻合，故事的可信度也就大大提升。

進而，書中還有一個看點，即郤桓度的情感生活。首先是對襄老寵妾夏姬的情感態度，郤桓度鑽入夏姬的車底，是置於死地而後生。夏姬對襄老厭惡至極，是她與郤桓度產生感情的重要基礎。夏姬是絕世美女，郤桓度鍾情於她並不稀奇，真正稀奇的是，郤桓度從克制不住欲望衝動，學會對情感的控制。當夏姬隨巫臣從晉國出使楚國，郤桓度對夏姬的情感態度即成重大懸念。最後結局出人意料，郤桓度與夏姬相擁之際，夫概王之女舒雅突然出現，郤桓度當機立斷，讓夏姬離開，並囑咐夏姬好好對待巫臣，他對夏姬的纏綿情感從此了斷。繼而，郤桓度迅速征服桀驁不馴的舒雅，正所謂出其不意、攻其不備，與舒雅成了夫婦。

《荊楚爭雄記》作為武俠小說的最後一點，是小說結局，郤桓度殺了襄老，攻入郢都，追殺囊瓦之後，並沒有以孫武的身分繼續留在歷史的舞臺，而是向夫概提親，與舒雅、夷蝶一起退隱江湖。江湖，是武俠人物的最終歸宿。

本書的不足，是故事情節相對簡單。郤桓度復仇故事與他的成長經歷不成比例。例如，郤桓度與孫武的交集過於戲劇性，主人公郤桓度與孫武甚至沒有真正的交集。郤桓度如何變身孫武，本當是這個人物成長的重大關鍵，但小說作者講述的重點是復仇，而非人物成長和蛻變，因而對郤桓度在齊國的半年生活即郤桓度蛻變成孫武的關鍵時段乾脆予以省略。這樣的省略，固然使小說的情節簡化，節奏加快，但同時也使得郤桓度這一人物的成長經歷出現明顯斷層。

此時，作者學會了講故事，但還沒有學會更好地講述故事，所以，《荊楚爭雄記》算不上是真正的好故事，只能算是《覆雨翻雲》、《尋秦記》等好故事的習作與草稿。

《覆雨翻雲》

《覆雨翻雲》是作者早期長篇小說。小說如一幅以電影蒙太奇形式徐徐展開的歷史傳奇畫卷，具有令人印象深刻的廣度和複雜度。

小說共廿九卷，前兩卷講述怒蛟幫故事，分兩個層面，一是怒蛟幫的世代衝突，即以幫主上官鷹及翟雨時、戚長征和梁秋未等年輕一代，與以浪翻雲、凌戰天、龐過之為代表的老一代骨幹之間的衝突，看起來，似是上官鷹等年輕一代自以為是，排斥打擊老幹部，凌戰天等人憤怒不已，偏偏老一代核心人物浪翻雲卻因妻子紀惜惜亡故，而對眼前的新老骨幹間的權力鬥爭無動於衷。

另一層次是，與怒蛟幫齊名的乾羅山城、尊信門覬覦怒蛟幫的江湖地位，必欲滅之而後快。乾羅將自己的乾女兒乾虹青嫁給上官鷹——此人是鼓動上官鷹等新生代骨幹排擠老幹部的策劃者和鼓動者——而後乘凌戰天被外調、浪翻雲沉淪醉鄉之際，向怒蛟島發動突然襲擊，不料被浪翻雲發現並擊敗。繼而，尊信門主赤尊信率眾攻擊怒蛟島，在怒蛟幫危急時刻，凌戰天、浪翻雲先後出現，扭轉乾坤，化解了老幹部和新生力量之間的矛盾。年輕人覺察到自己的不足，而老幹部看到了年輕人的成長。

這僅僅是序幕。怒蛟幫仍在危機中，只不過，危機並不來自黑道，而是來自朝廷。從第二卷開始，隨著六〇年來武林第一高手魔師龐斑的出現，大有一統江湖黑道的趨勢，故事情節的複雜度陡然上升，而講述故事的方式也發生了明顯變化，出現了蒙太奇結構形式，即便在短短的一章之內，也會有多個不同場景的連綴，使得小說故事情節的頭緒愈來愈複雜紛繁。

在怒蛟幫、尊信門、乾羅山城之外，又出現了魔師府、邪異門、魅影派、萬惡沙堡、雙修府等黑道組織，同時白道門派組織如西寧、長白、少林、武當、古劍池、雁蕩宮、入雲庵、丹青派、菩提園、書香世家，以及超然於白道幫派之上的慈航靜齋、淨念禪宗等組織陸續出現。繼而，魔師龐斑的弟子方夜雨率領蒙族武士、藏族喇嘛、色目人、花刺子模人、女真人等多民族高手出現在中原武林中。再加上來自高麗的盈散花、來自東瀛的水月大宗等等，形成了多民族甚至多國別武林高手博弈格局。

人們很快發現，由於龐斑的大弟子楞嚴是朝廷錦衣衛大頭領，方夜雨團隊與朝廷錦衣衛的關係密切。繼而，人們又發現，朝廷中也分為錦衣衛系統、御林軍系統、鬼王（威武王）府系統，以及藍玉集團、胡惟庸集團、燕王朱棣集團、天命教暨皇太孫朱允炆集團。故事的複雜性不僅在於如此之多的江湖幫派與政治勢力集團，而且在於這些幫派與政治勢力之間的複雜關係，例如：怒蛟幫早在朱元璋打天下時就叛離了朱元璋，從而成了朝廷的眼中釘，朝廷專門成立了以錦衣衛大統領楞嚴為首的「屠蛟小組」，必欲消滅怒蛟幫而後快；但鬼王虛若無、朱元璋、燕王朱棣卻先後利用韓柏，讓戚長征、浪翻雲等怒蛟幫骨幹成為打擊藍玉集團、胡惟庸集團、天命教與皇太孫集團的有生力量。錯綜複雜的派系網路，讓人眼花繚亂，隨時理清故事的頭緒和線索就非易事，更何況蒙太奇形式，還使得敘事複雜度成倍增加。

本書故事情節的核心，是對明朝初年歷史的改寫和戲說。歷史事實是，一、丞相胡惟庸早在洪武十三年（一三八〇年）就被朱元璋處死，並沒有活到朱元璋去世的洪武三十一年（一三九八年）。二、大將軍涼國公藍玉也是在洪武二十六年（一三九三年）就被處死，離朱元璋去世還有五年時間。而且，藍玉的姐姐即常遇春的妻子，還是太子朱標的岳母，亦即皇太孫朱允炆的外婆。三、朱元璋去世，朱允炆登基，史稱建文帝。建文帝要削藩王，派人監視燕王朱棣，且要調走燕王的軍隊，燕王朱棣發動靖難之役，並於一四〇二年登上皇帝寶座。

《覆雨翻雲》將藍玉、胡惟庸、燕王朱棣謀反的時間，或延遲、或提前，集中到朱元璋逝世的這一年即洪武三十一年。這是改寫。進而，在歷史上，建文帝上臺後，實施了「建文新政」，改革了不少弊端，朱棣發動靖難之役謀奪帝位，使得建文帝成了皇家權力鬥爭的犧牲品。人們通常同情建文帝，武俠小說中尤其如此，但《覆雨翻雲》卻反其道而行之，雖說並不把朱棣當作正面人物來寫，但卻對這一段歷史進行了戲說。

要點是，虛構了以色相媚人的天命教，教主單玉如將自己和邪佛鍾仲游（李景隆）的女兒嫁給太子朱標，又讓太子妃恭夫人誘惑公公朱元璋，生下朱允炆。也就是說，在小說中，朱允炆並不是朱元璋的孫子，而是他的私生子。朱元璋之所以要在太子朱標死後立朱允炆為太孫，就是受這一私心的支配。

世事如棋局，誰是下棋人？這是一條很重要的閱讀和研究思路。本書的主人公，並不是怒蛟幫幫主上官鷹、軍師翟雨時以及上一代高手凌戰天等人，而是出身於邪異門而又背叛邪異門的風行烈、出身於武昌韓家的韓柏，和怒蛟幫的年輕幹將戚長征。但這三個人卻不是真正的下棋人，這三個人的成長路徑和人生去向雖然占了書中大部分篇幅，但其命運的大部分股權卻掌握在其幕後的那些下棋人手中。

看起來，每個人都是棋手，都在下棋，但再看下去就會發現，這些下棋人其實不過是更大棋局中的小小棋子。

真正的下棋人，只有少數幾個，首先是龐斑，作為蒙古族大師蒙赤行的弟子，龐斑在隱居二十年之後突然出山，放任自己的兩大弟子楞嚴、方夜雨在明朝的江山、江湖間同時作亂，目的之一就是要擾得明朝統治者不得安寧，試圖漁翁得利、火中取栗。最高目的，當然是希望重建蒙古王朝；最低目的，則是讓明朝統治者從此無力對蒙古等遊牧民族趕盡殺絕。與龐斑對局的，其實並不是浪翻雲，而是明朝開國皇帝朱元璋。他利用龐斑的弟子楞嚴綁架浪翻雲的傾慕者左詩，並在左詩身上下毒，將浪翻雲誘至京師，就是朱元璋最重要的一步棋。

朱元璋的目的，是在他去世之前，消除一切叛亂隱患，從而鞏固朱家天下，為此，他放任楞嚴、胡惟庸、藍玉乃至燕王朱棣等所有叛逆集團得勢，讓他們作各種公開表演，以便在他七十歲生辰慶典之際作收官之戰，即利用各派之間的複雜博弈，達到安定並鞏固朱家天下的目的。

在這一跨越江山與江湖的巨大棋局中，來自慈航靜齋的秦夢瑤，和幫助朱元璋打天下的鬼王虛若無，也是參與棋局者，只不過，他們不是真正的棋手，而是給棋手支招的人。秦夢瑤智退紅日法王、說服方夜羽、說服朱元璋、解散白道八派、定計除掉單玉如，數日間扭轉乾坤，如古人所言，善戰者無赫赫之功。虛若無是另一個支招者，他是書中最懂得政治謀略的人之一，因為與朱元璋在建都、立太子兩大關鍵問題上意見不同，得不到朱元璋的信任和重用，但也正因如此，他在旁觀者的立場上，反而能夠通觀棋局，成為最重要的支招者。

值得注意的是，在這部小說中，很多人既是棋手，又是棋子。例如丞相胡惟庸，他以為自己是棋手，實際上卻是天命教的棋子；即便是權力至高無上的高明棋手朱元璋，在這個大棋局中，其實也是天命教主單玉如的棋子，他與自己的兒媳恭夫人通姦生子，繼而將自己的私生子作為王位繼承人，無不是天命教棋局中的步驟。然而，無論是朱元璋，還是天命教主單玉如，最終卻又都死於命運的棋局中。其他人物，無不如是。這，或許是本書最重要的思想主題之一。

《覆雨翻雲》這一書名，似是書中使用覆雨劍法的浪翻雲的專屬，又似是暗示書中淫棍英雄韓柏與諸多女性覆雨翻雲，實際上還有一重意義，那就是這個詞的本意，也就是：變。黃易喜歡易經，以至於將自己的名字也改為黃易，易者，變也，覆為雨、翻為雲。小說由怒蛟幫內亂故事，一變而為黑道乾羅山城、尊信門對怒蛟幫的入侵，再變為江湖黑道與白道之間的衝突與競爭，三變為朱明王朝與元朝餘孽及邊疆少數民族的衝突，江湖衝突變成江山動盪，這些都是變。對「變」的捕捉和描述，也是本書的重要主題。

在講述朱明王朝故事之後，小說還有最後一變，那就是歸結於龐斑和浪翻雲的攔江島之戰。這一戰在小說開頭不久就已作出預告，到小說最後終於實現，可以說是小說結構上的自我實現，同時也是小說由形而下層次向形而上層次的昇華。高手比武，本是武俠小說中最常見亦最典型的情節，但成名六十年之久的武林第一高手龐斑，與一生未嘗敗績的浪翻雲的比武，卻非尋常比武，而是這兩位神話中人物由武道晉升「天道」的路徑。

作為武俠小說，俠義元素自然是一個寫作和批評的要點。書中當然有作者的道德判斷。只不過，這部書中的道德判斷卻不是一般武俠小說那麼簡單，書中的正面描寫對象，是黑道組織怒蛟幫，但這一黑幫中人，卻並非道德邪惡者，而是正義凜然。乾羅山城城主乾羅利用美人計入侵怒蛟島，看似書中的大反派，但此人到後來卻成了戚長征的義父，不僅有英雄本色，且情義深長。尊信門主赤尊信看上去蠻橫霸道，入侵怒蛟島時讓人切齒，但後來又恰是此人成全了主人公韓柏，那種自我犧牲精神讓人印象深刻。相反，書中的白道人物卻不那麼道德，首先是出現在韓家的凶案，即少林派弟子馬峻聲殺害長白派弟子謝青聯，進而嫁禍於韓家僕人韓柏，令人切齒，也令人不齒。

馬氏父子為奪取鷹刀的行為，顯然大大突破了最基本的道德底線。魔師龐斑是黑道第一高手，在武功打鬥時從不違背武林規範，反倒是白道八大門派培育出的十八個種子選手中，有些人顯得猥瑣。在這部書中，白道人物常常被人感慨說是一套、做是另一套。書中當然沒有從一個極端走向另一個極端，沒有說白道中人都不好，黑道中人反而好，而是對白道和黑道一視同仁，只能在具體情境中的個人行為去判斷道德善惡及品流高下。

尤其值得注意的是，在政治衝突中，在民族矛盾中，作者也沒有簡單化地認定某一方為正義、某一方為邪惡，而是根據不同的民族或政治立場，予以不同程度的理解與尊重。朱元璋、朱棣父子不是正面表彰的道德英雄，方夜雨領導的多民族聯合反叛群體也不是十惡不赦的道德反派。方夜雨陣營中的鷹飛凶殘暴戾，可能是書中最讓人不齒的敗類之一，書中的主人公韓柏、戚長征等人，在道德上也有瑕疵。

書中人物的道德風貌，呈現了人性的複雜性和多變性。例如，乾羅的乾女兒乾虹青，被派往怒蛟幫臥底，身為幫主上官鷹的妻子，卻從事顛覆怒蛟島的罪惡勾當，且勾搭曾述予，陷害老幹部，從怒蛟幫幫主上官鷹角度看，此人無疑是道德敗壞的邪惡之徒。但她被師父／情夫乾羅拋棄後，由浪翻雲委託封寒保護她，卻也甘於和封寒在幽谷裡過平淡的生活。更出人意料的是，在封寒戰死之後，她又回到了上官鷹身邊，且得到了上官鷹的諒解。所以如此，是因為她有了根本性的改變。

另一個例子，是乾羅的另一個乾女兒／徒弟／情婦掌上舞易燕媚，曾一度被方夜雨誘惑（又或許是想走出被乾羅掌控的命運），以至於在乾羅身陷困局中時，假意救助，實則行刺，讓乾羅身心俱傷。從乾羅角度說，易燕媚的行為是在情感上和道德上的雙重背叛，實在難以原諒。有意思的是，當易燕媚得知乾羅受傷，想到乾羅是為救助自己、自己反而將他刺傷，尤其是想到方夜雨不可能專心愛她，於是大為後悔，決心再度改弦更張，離開方夜雨，一心跟隨乾羅。而乾羅居然也諒解了易燕媚的行為，真心誠意地重新接納了她。

對兩性關係的描寫，是本書的一大特色。書中對性關係的描寫，介乎情色與色情之間，形成本書的一大看點（至少對於男性讀者而言）。書中三大青年主人公即韓柏、戚長征、風行烈，至少有兩個是好色之徒。其中最不好色的風行烈，也先後與慈航靜齋的靳冰雲、雙修府的谷倩蓮、雙修公主谷姿仙、白素香、小玲瓏等五位處女發生過性關係，後四者還主動做了他的妻妾。

第一主人公韓柏，由於被赤尊信下了魔種，且要在兩性關係中修練成長，其好色與好淫更是獲得了作者特許的「合法性」，因此，他不但有柔柔、朝霞、左詩、秦夢瑤、虛夜月、莊青霜、韓寧芷七位妻子，有夷姬、翠碧、小菊三位通房丫環，此外還曾與花解語、七夫人撫雲、秀色、媚娘等多位女性有過性關係。來自江湖幫派的草莽英雄戚長征作為好色之徒，不僅自然而然地征服了鷹飛的情人水柔晶，而且還與丹青派掌門寒碧翠、湘水幫主尚亭夫人褚紅玉、宋玉的妻子韓慧芷、古劍池派的薄昭如等人結為夫婦。

書中的另一看點，是對友情的書寫。最典型的當然是「老賊頭」范良極與「小淫棍」韓柏之間，心心相印，生死不渝，卻偏偏插科打諢、沒有正經。兩人相互挖苦打趣的情形，是書中讓人開心的篇章。進而，范良極、韓柏、戚長征和風行烈之間也逐漸形成了一種率真坦蕩而又自由不羈的兄弟關係，雖然范良極的年齡遠比後三者大，但由於范良極不以年紀大小為意，而以心理年紀為謀，所以他們最後結拜兄弟，也就順理成章。

他們在一起的時候，成了小說中最讓人開心的片段。只有古龍小說中的友情堪與之相比。進而，本書還有超越古龍對友情描寫的地方，那就是男女之間的友情，范良極對韓柏的妻妾如柔柔、朝霞、左詩乃至虛夜月等等固然是以老哥哥自居，從而言行無忌，風趣動人。即便是戚長征、韓柏與對方的妻妾之間，也放膽調侃，樂而不淫，風情動人。

《覆雨翻雲》中刻畫得最成功的人物形象，當然是韓柏。韓柏由一個富家僕役變身為武林名人，社會地位的巨大變化，時常讓他如在夢中。他在書中的表現，與《鹿鼎記》中的韋小寶頗有相似之處，那就是在變化莫測的人生經歷中，不斷磨礪其「混世」的才能。好在他心地善良，本性醇厚，雖被播下「魔種」，卻也能與「道胎」相互融合。因為只想混世，所以並不把功名成就放在心上，無形中就超越了許多烈士梟雄。即便面對朱元璋、朱棣這樣的絕世梟雄，也能保持平常心。

因為心地善良，所以並不嗜殺，總是得饒人處且饒人，尤其是對女性，這位著名的淫棍，常常表現出驚人的紳士風度。例如他對高麗美女盈散花、天命教主白芳華以及諸多敵對的美女，即使在生死拼殺之際，非但不會趕盡殺絕，反而找機會救助對方。他對入雲觀名列天下十大美女的小尼姑雲素的欲望意動，可以說是書中最動人的篇章，但他終於沒有屈折雲素的個人意志，更沒有去玷污雲素的清白，這應算是魔種韓柏最大的驚人之舉。

此外，韓柏對韓家的感恩，也是讓人感動，雖然韓寧芷曾對他落井下石，但他最終還是冒生命危險將她救出虎穴，即是他不忘初心的最佳例證。韓柏被鬼王虛若無所看重，虛若無出人意料地將自己美麗的女兒虛夜月託付給他，看準他是「傻人有傻福」的福將。韓柏的福氣，說到底，是由於他知足常樂，沒有非分欲望，從而不會成為欲望的奴隸。也正因如此，他既無心做下棋人，也不會永遠做棋子，能自由出入於天下棋局之間，既是這一棋局的關鍵參與者，也是這一棋局的最佳鑒賞人。

作為武俠小說，本書在可看性方面可得高分。但本書也有明顯弱點。例如，敘事主人公韓柏的來源與去向，有較多人為痕跡。例如，獨行盜范良極與韓柏在年齡、資歷、經歷、個性等方面都天差地遠，但這兩人居然一見如故，其中顯然有作者故意安排的因素。進而，范良極同情陳令方的小妾朝霞，要韓柏將她拯救出來，也有明顯的人為痕跡——這個黑榜高手獨行盜，對朝霞的「父女之情」有些讓人難以置信。進而，范良極與韓柏冒充高麗使者，若是為逃避方夜雨等人的追蹤，暫時扮演外國使者，混出武昌城，只有一個小小疑問，即高麗使者為何走到了武昌？如果說這還情有可原，他們在逃離武昌之後，繼續扮演高麗使者進南京，人為的痕跡就更加明顯了。

范良極要繼續扮演外國使者，或許是因要借這種身分入皇宮偷盜，但范良極是名人，而韓柏又是方夜雨的眼中釘，他們如何能逃出方夜雨等人的追蹤與揭露？既然所冒風險遠遠超出了常規，他們為何還要這麼做？原因只能是作者如此安排，人物不得不做。又，書中戚長征，在怒蛟幫生死存亡的關鍵時刻，居然獨自離開幫主上官鷹，獨自去殺馬峻聲，這一線索也有人為痕跡。一是，戚長征與馬峻聲之間似乎沒有那麼大的仇恨，戚長征丟開需要他的戰友去殺他，沒有充足的動力。二是，怒蛟幫處於危機之中，戚長征仍然要獨自離開，將本幫存亡和兄弟情義置於度外，也不符合他的個性。

浪翻雲同意他離開大家去獨自歷練，這也是作者的觀點；在怒蛟幫所處的實際情境看，有戚長征在，他們的安全才多一份保障。問題是，戚長征若不離開，他的故事就無法展開。《覆雨翻雲》中風行烈、戚長征、韓柏三位主人公，與金庸小說《天龍八部》中的段譽、蕭峰、虛竹有一定的可比性，戚長征、韓柏的經歷，與段譽等人被命運所綁架支配、身不由己的情形，即可見作者情節構想周密性的高下。

進而，這部書更大的問題是，言靜庵、靳冰雲、秦夢瑤等慈航靜庵高人的故事，可以看，卻說不上好看，因為她們的故事離凡人太遠，無法真正感人。言靜庵周旋於龐斑、浪翻雲兩大絕世高手之間頻露色相，到底是什麼緣故？或許有人說，這是她神仙修道途徑，也是她下棋的手段，凡人讀者或許會覺得欽佩，但卻不會動心，甚至覺得這位女師父莫名其妙。靳冰雲被師父言靜庵發往龐斑處，成了龐斑的弟子，多半是要以色相誘導龐斑，偏偏龐斑要練「種魔大法」，故意讓靳冰雲與風行烈發生性關係，靳冰雲是什麼感受？書中絲毫沒有觸及。後來韓柏在慈航靜齋中見到曾與他有肌膚之親的靳冰雲，此人表情如冰，心思如雲，根本就不食人間煙火。對所謂「高人」的如此寫法，看似神奇，實際上脫離了對人性的書寫，變成純粹的臆想，當然也就無法感動人心。

秦夢瑤倒是放下了名校才女的架子，與無賴淫棍韓柏廝混，看起來，似乎只是利用韓柏為她療傷、幫她完成修道作業，她的臺詞和行為，都只是按作者編好的劇本表演，看不到真實人性的意動。所以，她傷癒後回到慈航靜齋修寂滅之道，韓柏和讀者一樣莫名其妙。金庸的《天龍八部》利用佛教概念揭示人性，《覆雨翻雲》則反其道而行，利用人生故事演繹佛教概念，走的是非文學乃至反文學的路子。

書中的龐斑和浪翻雲，也是半人半神，且只有一小部分是凡塵中人，有一大半是神話中人。神話中人雖然令人敬仰和遐想，卻無法令人真正地親近和感動。浪翻雲與紀惜惜、憐秀秀兩位青樓才女的關係，就接近於神話，那時的浪翻雲不像是怒蛟幫的武士，更像是天宮中的文曲星下凡。

《尋秦記》

《尋秦記》是黃易知名度最高、影響力最大的小說。黃易以玄幻小說知名，但這部最知名的小說卻並不玄幻。最少，是有幻而無「玄」。小說最大的幻技，是其主人公項少龍從廿一世紀被科學家以時光機器送回兩千多年前的戰國時代。這一幻想，並非玄幻，而是基於科學幻想。此外，書中有項少龍和紀嫣然設計水中黑龍，以人造的異獸，製造嬴政「受命於天」的假象，打擊呂不韋及其《呂氏春秋》造成的影響。

由於這一黑龍是人造的，且人造黑龍計畫有多人知道，所以這一情節顯然也不是玄幻，而只是項少龍利用當時人們的迷信心理而想出的一個為嬴政造勢的計策而已。書中有鄒衍的著作《五德終始說》，也同樣被項少龍利用來對付呂不韋及其《呂氏春秋》，以此製造玄幻的苗頭，由此可知，《尋秦記》書中所寫，完全沒有「玄」的內容。

書中確實有「幻」。最大的幻，當然是廿一世紀的特種兵精英項少龍穿越到西元前三世紀，由此產生「夢裡不知身是客」或「莊周曉夢迷蝴蝶」的傳奇效應。項少龍經常有不知道到底什麼是「現實」、什麼是「夢幻」之感。

書中的另一大「幻想」，是書中寫到朱姬（即歷史上的趙姬）夫人身邊的嬴政並非真正的嬴政，真正的嬴政送給別人收養了，而被人收養的嬴政已夭折，於是項少龍只好將趙奢與趙妮的兒子趙盤當作嬴政帶到秦國冒充嬴政。也就是說，中國最知名的歷史人物秦始皇，竟然不是秦莊襄王之子，而是趙奢和趙妮之子。這當然是開歷史玩笑，亦是書中之「大幻」。

妙的是，這一設計頗有情理依據。首先，朱姬作為人質的母親，為了確保兒子的安全，不敢將真兒子留在身邊，只能將親生兒子交給他人寄養，這種做法是符合人性的。其次，如果真正的嬴政已死，而項少龍又需要借用呂不韋的力量率領烏氏家族回到秦國；同時他對趙妮、趙盤母子感情很深，趙妮已死，他勢必要將趙盤養大成人，借此機會讓趙盤假扮嬴政就是最佳選擇了。也就是說，書中最重要的虛構，並非完全不可信。

讓虛構主人公將虛構的趙盤帶到秦國，變身真實歷史人物嬴政即後來的秦始皇，是這部小說最大的創意。若沒有這一虛構，本書就算不上是令人讚嘆的傳奇小說了。二十世紀和廿一世紀的讀者，當然都有分辨歷史和傳奇的能力。作者為此還伏有另一線索，那就是讓主人公項少龍的妻子將養子項寶兒取名為項羽——這又是一個最知名的歷史人物——這既是對前者的呼應，也是對前者的解構。

是耶非耶，誰能論定？也正是這部小說的真正妙處。首先，主人公參與了戰國的歷史，甚至創造了戰國的歷史，但卻又沒有改變戰國歷史進程與歷史結果。如作者所說：「某一程度上，項少龍其實是為歷史盡忠。一切早給命運之手安排好了，而他只是一個忠實的執行者。」（第廿二卷第一章）在書中，項少龍本人也曾對歷史命運有如下思考：（項少龍）「回心一想，縱是自己知道歷史的發展，最後還不是絲毫改變不了歷史的發展。命運從不因人的努力或意志有分毫改移。人們以為自己在創造命運，皆因他們根本不知道命運朝哪個方向走，是什麼一回事。唯有自己才能深深體會到個中滋味。」（《尋秦記‧後記》）

進而，作者對著名的歷史事件焚書坑儒也作了有趣的戲說：嬴政所以如此，是由李斯出謀，要從各國史書中抹除項少龍的痕跡。同時當然也是要徹底抹除他有趙國血統的身分真相。由於歷史是當權者書寫，任何古代史書中都有選擇、諱言甚至虛構，誰敢說有關秦國歷史中沒有選擇、沒有諱言、沒有虛構？如此一來，本書自然趣味大增。

本書作者對戰國時代的歷史，顯然作了扎實的功課。若非如此，就不會有這樣真假難辨的歷史外殼。書中玲瓏燕鳳菲曾對項少龍說：「直至來秦見過嬴政後，妾身才明白為何先後有商鞅、公孫衍、張儀、甘茂、樓緩、范睢、蔡澤、李斯、呂不韋、項少龍眾多人才，甘為秦室所用。而趙國空有李牧、廉頗而仍連場失利，信陵君落得飲毒酒而死，韓非則在韓國投閒置散，燕人無自知之明，齊人奢華空想，楚人耽於逸樂。東方六國大勢去矣，我鳳菲何必要枉做小人，還得賠上性命呢？」（第二十卷第八章）作者按此說書寫各國情形，近乎史實。

本書的看點，不是歷史外殼，而是傳奇故事情節。其精彩之處，是讓主人公項少龍自始至終都在生存危機中。項少龍從廿一世紀來到西元前三世紀，時空迴異，一切都要重新適應，充滿危機。接觸的第一個女性美蠶娘就被地痞欺負，要與美蠶娘長期廝守，就不得不與地痞大打出手。被烏氏牧場的執事陶方雇傭，不僅要面對內部的競爭，更要面對外部馬賊灰胡的堵截。來到趙都邯鄲後，立即成為烏氏家族內部紅纓公子連晉、烏廷威等人的眼中釘，若非烏應元慧眼識英雄，項少龍在烏家必無立錐之地。好在項少龍身強力壯，且受過廿一世紀特種兵的嚴格訓練，在格鬥武打方面有其特長，且受過墨家鉅子元宗訓練，劍法一日千里，所以終能戰勝連晉。

但一個危機剛剛終結，另一個危機立即開始，項少龍成為趙王的侍衛，從此捲入趙國宮廷鬥爭。送公主趙倩出使魏國，是一段危機；帶朱姬（趙姬）、嬴政（趙盤）回秦國，是又一段危機；受朱姬之命回趙國，假扮董馬癡殺將軍樂乘、抓巨鹿侯趙穆，是更大的危機；回到秦國後，被呂不韋設計陷害，捲入秦國宮廷政治與軍方的複雜鬥爭漩渦，更是危機重重，讓人難以喘息。其後，項少龍追殺田單至楚國，獨自逃亡到齊國；以及回秦後不僅要面對呂不韋、嫪毒的反叛，還要面對秦王的滅口，情境不同，對手不同，危機一浪高過一浪。

本書的另一看點，是故事中的情色線索。項少龍從廿一世紀來到戰國時代的趙國，第一站就是美蠶娘的床上。在書中，項少龍先後有美蠶娘、婷芳氏、舒兒、素女、烏廷芳、春盈、夏盈、秋盈、冬盈、趙雅、趙妮、趙倩、翠桐、翠綠、善柔、善致（趙致）、田貞、田鳳、紀嫣然、李嫣嫣、琴清等二十多位美女有過性關係，「少龍女郎」的數量，不下於二十世紀聞名世界的「龐德女郎」。

所以如此，有幾個原因。一是主人公項少龍是個年輕的特種兵，身強力壯，性欲旺盛，因受社會風尚及嚴格軍紀的雙重約束而不得不克制自己，一旦有性愛自由的可能，自然會有如此表現。二是先秦時代，文明初興，性愛與婚姻風俗在形成過程中，大多數女性要依附男性生存，在社會風俗中常常將女性作為貨物或禮物相互贈送，所以主人公有較多性愛的機會。三是作者的特殊心思，自己在閱讀武俠小說時曾渴望看到有關性愛的描寫，將心比心，推己及人，寫故事時自然會在這方面多加筆墨，滿足自己同時也滿足讀者。反之也能成立，即滿足讀者亦滿足自己。作者的這一心思和書中描寫，不僅有可看性，而且有利於文化風氣的開放。

儘管如此，書中的項少龍雖然看似一匹種馬，卻並不真的是一匹種馬。他與異性的性關係並非毫無基礎，更非毫無節制。上述與他有性關係的女性，無不有一定的情感關聯。無論是開始時面對美蠶娘、婷芳氏、素女，還是後來對烏廷芳、趙倩、紀嫣然、琴清，其中愛情的成分愈來愈重。即便是對春盈、夏盈、秋盈、冬盈及田貞、田鳳等丫鬟婢女，也是一視同仁。進而，更好的證明是，面對趙王后韓晶、平原君夫人、秦莊襄王的夫人朱姬（趙姬）等女性，即便這三人都是王后級美人，且都充滿性渴望，項少龍都沒有染指。

項少龍與朱姬的關係，尤其值得一說，他之所以逃避與朱姬的性愛，部分原因是身邊已有多名美女，更重要的原因是他對朱姬的丈夫即秦莊襄王有好感，將他當成了朋友，有了內心的倫理自覺。這也客觀促成了朱姬對嫪毒的依戀關係愈發泥足深陷。

在項少龍的性關係史中，還有兩個人的故事值得一說。一是趙雅，她是趙括夫人，年輕守寡，又是公主，百無禁忌，所以性關係十分開放。她的男友知多少？這需要專題研究。項少龍是她看中的又一個滿足欲望的對象，在與項少龍的性關係中，感知項少龍與眾不同。但這不足以讓她忠實於愛情，在趙穆的威脅下，她不得不對項少龍下毒，做了趙穆的幫凶；進而，在與項少龍出使魏國時，又與信陵君餘情未了，再次背叛項少龍。但當她得知項少龍的消息，卻又掛念不已，甚至不惜與董馬癡（項少龍）作交易。知道董馬癡就是項少龍，她也下定決心要與項少龍在一起，但再度來到魏國，竟又與信陵君情火重燃。算起來，趙雅不僅性關係紊亂，且在與項少龍交往之後還有三次背叛。但項少龍還是愛她憐她，把她接到咸陽烏氏牧場，讓她死在自己懷中。

這兩人的性愛與情感關係有很大的闡釋空間。在趙雅而言，一是王家性愛紊亂，二是性欲無法滿足心靈，三是無顏面對烏廷芳等人，四是不敢相信項少龍會不計前嫌，五是對項少龍刻骨銘心。在項少龍而言，一是應付，二是嫉妒，三是誘惑，四是舊情難忘，五是理解對方的身世遭遇和心理矛盾，從而充滿悲憫憐惜。在這一性關係中，有深刻的人性揭示。

另一個人是善柔。此人是善蘭和趙致（善致）的姐姐，原為齊國貴族，且是劍聖曹秋道的弟子，為了報仇，多次刺殺田單和趙穆。為了報仇，她將自己的性欲和愛情置於次要地位；為了報仇，她也願意犧牲色相，公然以董馬癡的妻子自居，卻又不讓對方佔有自己。

此人最突出的特點，是有其獨立的人格意志，看起來像是二十世紀、廿一世紀的女子，甚至有些像先秦的女權主義者。她未嘗不愛項少龍，但卻不甘依附，即便有了性關係，仍然保持獨立性。在刺殺了假田單之後，她也沒有留在項少龍身邊，成為伴月眾星之一，而是獨自回到齊國，與解子元結婚生子，並對這個丈夫嚴加管束。與項少龍重逢之後，她也不因自己的選擇感到尷尬或自卑，而是把項少龍當作朋友和親人。有意思的是，她還提出要與項少龍發生性關係，是項少龍克制自己，把兩人的關係保持在床下。

這一人物形象也有可闡釋空間，善柔的獨立人格和獨立意志，首先來自其專業訓練，不必依附於男子而生存；其次是有復仇目標，不以嫁人為終點，且在任何時候都不出賣自身主權。先秦時代未必沒有這樣的女性，當然要到二十世紀或廿一世紀才能被理解和接受。好在，項少龍正是來自廿一世紀，所以他對這一特立獨行的女子能夠深刻理解，且尊重她的自主選擇。在「少龍女郎」中，善柔形象真正是獨一無二。

小說的第三個看點，是項少龍的成功因素及其成長歷程。書中的項少龍是廿一世紀特種兵中的佼佼者，形象英俊，身材高大威猛，體力超人，訓練有素，精力旺盛，在戰國時代的武力競爭中具備了明顯優勢。更大的優勢是，他來自廿一世紀，通過《秦始皇》這部電影，對戰國風雲及其歷史走向有「先見之明」。

除了軍事技能之外，項少龍並無其他專長，但他有廿一世紀青年的平均素養，憑其隻言片語，就能打動人心。最典型的例子，是他隨口說出阿克頓勳爵的名言「絕對權力導致絕對腐敗」，征服大美人紀嫣然的芳心。書中項少龍背誦先秦以後的名言警句而讓人震撼欽佩的例子，舉不勝舉。在這方面，作者並沒有浮誇項少龍的心智水準和知識素養，而是帶著調侃的筆調講述主人公的「才子」風貌及「先知」神話。在武力格鬥方面，項少龍利用廿一世紀的知識經驗，發明新式武器，創造新式格鬥方式，也都合情合理，並沒有超出這個人物的心智可能性。

比較難得的是，本書故事情節中，隱約展示了主人公項少龍心智成長和個性變化的歷程。在小說開始之際，項少龍從廿一世紀來到戰國時代，固然是進入了一個陌生的環境，需要適應；同時又因失去了現代社會規範及軍隊紀律的嚴格約束，如同一次「解放」，他的表現，很像是一個不負責任的頑童，一方面需要他掙扎求存，另一方面則欲望賁張，行為恣肆，幾乎百無禁忌。在性愛方面的初期表現，就很好地證實了這一點。那時候，項少龍的人生理想，除了生存下來並與更多美女做愛之外，幾乎別無他想。

隨著他率領烏氏牧場順利遷徙到秦國，尤其是面對呂不韋的陰謀陷害，使得他不得不考慮如何面對更大的生存危機，學會克制自己的本能欲望，並在複雜且劇烈的政治鬥爭中再度社會化，使這個來自廿一世紀的頑童在戰國時代長大成人。進而，隨著他建立更大的功業和名聲，他開始有了更加豐富的內心生活，也學會了自我反省，更逐漸樹立了自己的人生目標。其標誌是，對大自然越來越熱愛，對戰爭和權謀愈來愈厭倦，對自由而平凡的家居生活愈來愈渴望，並且決心為實現自己的人生理想而努力奮鬥。此時，主人公項少龍再也不僅僅是歷史的被動參與者，而變身為在特定歷史情境裡的積極奮鬥者。從一個廿一世紀的職業特種兵，變身為戰國時代的力求歸隱者，這就是成長。

從本質上說，項少龍是廿一世紀人類文明的產物。奇妙的是，如果沒有穿越，在廿一世紀的軍人生涯中，項少龍或許永遠會是一個習慣於訓練、打架、泡妞和罵長官的戰士，一個長不大甚而不願意長大的頑童。正因為來到了戰國時代，陌生的歷史社會及其生活環境，使得他要不斷思索自己何去何從，由此獲得了自我反省、自我認知、自我建構和自我實現的機會，從而長大成人。

另一方面，又因為他畢竟來自廿一世紀，人類文明的價值觀諸如自由、平等、博愛、和平等等早已有所認知，從而讓他成了戰國時代的奇人、俠者和英雄。雖然項少龍是經過嚴格訓練的戰士，到戰國時代可謂是如魚得水，但他對充滿血腥殺戮的戰爭逐漸失去了興趣，廿一世紀的文化「模因」變得更加活躍而積極，從而使得他成了那個時代不可再得的超人與俠者。他的俠義精神，來自他的人道精神價值觀。

項少龍的人格成熟歷程，伴隨著人道精神的不斷提升。開始時的項少龍，是個恩怨分明、睚眥必報的個性衝動之人，對灰胡、連晉、趙穆、囂魏牟等人的刻骨仇恨即是證明。但是後來對韓國韓闖、楚國李園、魏國龍陽君及呂不韋屬下第一殺手管中邪等人的態度卻截然不同，他在對抗五國聯軍的戰爭中，冒著殺頭的危險私自釋放了戰俘韓闖，可視為一個標誌性事件。此時的項少龍，已能把人際關係與國際關係作出明確分別，不把國別戰爭與個人仇怨混為一談。正因如此，他才能在楚國與自己的政敵兼情敵李園合作，幫助莊氏重掌滇國政權，粉碎春申君的陰謀，成功地刺殺田單的替身。進而，當他遭遇龍陽君下毒、韓闖出賣、李園再耍陰謀之際，他能夠充分理解其不同的立場，只有對人性弱點的感嘆和同情，而沒有怨恨。最突出的例子，是他將情敵兼政敵管中邪擒獲後，非但沒有殺他，甚至也沒有羞辱他，而是出人意料地讓他帶著妻子呂娘蓉去楚國。

書中最讓人難忘的段落，是項少龍率兵攻取中牟，又被趙國名將李牧打敗後千里逃亡，而後化名沈良，作為玲瓏燕鳳菲樂舞團的馭者，最終保住了樂舞團，順利回歸秦國的情節。千里逃亡故事所以精彩，一是讓項少龍作為特種兵精英的野外生存能力得到了最大限度的考驗和展示，一是讓項少龍在極度危機中經歷龍陽君下毒、單美美感恩等令人心潮起伏的人間冷暖。還有一個重要原因，是讓項少龍跟隨鳳菲樂舞團離開魏國，逃出三晉官方的搜索包圍圈。

在鳳菲的樂舞團中也有權力鬥爭，項少龍很快脫穎而出，成為樂舞團的大管事。在其後的故事中，項少龍有兩大明顯變化。其一，是面對鳳菲、董淑貞、祝秀真、幸月、小屏兒等眾多投懷送抱的美女，雖未做到無動於衷，卻始終克制著自己的情欲，未與任何一個美女發生性關係。

其二，是不惜自己冒險，也要無條件地幫助樂舞團的成員。即便是受雇於鳳菲，而鳳菲的選擇與董淑貞、祝秀真的選擇互相矛盾；即便董淑貞與祝秀真之間也有矛盾；即便這些人全都不完全相信他，從而腳踏幾隻船，項少龍仍然義無反顧地幫助她們達成自己的願望，具體說，就是幫助鳳菲達成安全退隱且不至於有後顧之憂的願望；同時保護董淑貞、祝秀真等人不至於被當作犧牲品，進而幫助她們繼續樂舞團事業，從而繼續自主掌控人生。

項少龍為這些女性提供幫助，可以說是無條件的，是一種典型的人道主義俠義行為。在這段故事中，我們不僅看到了項少龍的成長，同時也看到了他的自我實現。好色的項少龍不再如種馬般受本能支配，而是自主克制了自己的欲望，拓展並堅持欲望與情感平衡的道德立場，這就是成長的標誌。而他無私助人，則標誌其自我實現。

書中嬴政是由趙盤扮演，可謂「黃易版嬴政」。趙盤與項少龍的關係，頗值得一說。一開始，趙盤是個典型的問題少年，其母親趙妮找項少龍當他的老師，師徒間有尖銳對立。項少龍用強制方式征服了趙盤，而後恩威並濟，讓趙盤口服心服，以至於不自禁地將項少龍當作了父親的替代品。趙盤出言懇求項少龍與其母交歡，就是最好的證據。當趙妮被殺，徹底變成孤兒的趙盤對項少龍的依戀進一步加深；當項少龍將趙盤帶回秦國，讓他擺脫趙國壓抑而充滿危機的環境，進而讓他變成秦國儲君嬴政，項少龍在趙盤心裡的父親地位就更加鞏固。

趙盤與項少龍關係的第一道裂縫，是項少龍沒有如他所願地與朱姬建立性愛關係（所以如此，是因為項少龍對秦莊襄王有好感，從而有心理上的倫理禁忌），從而呂不韋找到可乘之機，讓嫪毐進入皇宮，變成朱姬的面首，這讓趙盤如骨鯁在喉。趙盤與項少龍關係的破裂，是由於呂不韋散佈嬴政不是秦莊襄王之子的流言，而趙盤的真實身世只有項少龍及烏廷芳等極少數人知曉。即將正式登上秦國王位的趙盤，不能容忍知道他真實身世的人存在，所以他派人去將嬴政的養父母殺害，並設計對項少龍及其家族殺人滅口。趙盤要殺項少龍，是因為他已成年，且已從一個逃亡少年變身秦國君主，政治功利的權衡大大超過了個人內心情感。

趙盤不得不殺項少龍，而項少龍作為本書主人公當然不能就此被殺，為解開這一矛盾死結，作者使用了高超的藝術技巧，讓趙盤發現其母親趙妮的靈牌，從而下令放棄追殺。在與李斯的對話中，趙盤找到了徹底「抹殺」項少龍的方式，那就是日後焚書坑儒。這一情節段落，不僅解決了趙盤與項少龍不能並存的矛盾，也為中國歷史上著名的焚書坑儒事件找到了一個有趣的解構性詮釋。這一解釋也進一步提醒讀者，這部書所講述的不是真實歷史，而是虛構的武俠傳奇故事。

項少龍與呂不韋的關係，是本書故事情節的重大關鍵。項少龍及其烏氏家族從趙國回歸秦國，是通過與呂不韋的合作才達成的。即烏氏家族和項少龍幫助呂不韋將朱姬和嬴政安全地從趙國帶回秦國，作為交換，呂不韋在秦國為烏氏家族安排落腳之地。也就是說，呂不韋與項少龍是合作者，站在同一立場，擁有同一目標，那就是要讓嬴政（趙盤）成為秦國王位繼承人。但在項少龍率人從趙國將趙穆成功俘獲之後，呂不韋讓項少龍出使東方六國，並設計將項少龍等人置於死地。從此，項少龍與呂不韋就有了不共戴天之仇。

問題是：呂不韋為什麼要這樣做？他難道看不出項少龍有巨大潛力，能夠成為他掌控秦國的重要幫手嗎？書中的解釋是，呂不韋看到項少龍能力太強，害怕喧賓奪主，所以要將他殺害才能放心。這當然是個合理解釋。但這一理由還不充分，至少還有一個重要理由，那就是身為大商人的呂不韋絕不能眼看著另一大商人烏氏家族在秦國落地生根，成為他的競爭對手。

烏氏家族與呂不韋的競爭，不僅僅是商業上的競爭，而且會是政治權力方面的競爭——書中呂不韋、烏氏家族、蒲鵠、仲孫龍等幾大商業鉅子，無不捲入本國的政治權力鬥爭之中，不僅要尋找權力靠山，而且要製造當權者。投資製造嬴政，就是呂不韋最重要的一筆冒險投資，他這樣做，當然要防止其他人也跟著這樣做。所以，他要未雨綢繆，將立足未穩的烏氏家族打垮。由此說來，呂不韋陷害項少龍，就不是一個偶發性小機率事件，而是必然性選擇。

本書也有不足。最細微的不足，是在項少龍穿越時空後，作者沒有注意他的頭髮。作為職業軍人，肯定是短髮，穿越到戰國時代之後，他的髮型肯定會讓人感到奇怪。但作者沒有注意到這一點，因而沒有對此專門作出解釋。另一個不足，是在項少龍穿越之後，再也沒有提及廿一世紀事，項少龍的特種兵部隊及馬克研究所的科學家如何面對穿越事故？是否曾努力將項少龍從戰國時代帶回來（試驗開始時馬克曾說只需要他去一小段時間）？更重要的是，假如廿一世紀召喚項少龍回歸，項少龍將會如何選擇？他會選擇擁有大群嬌妻美妾的戰國時代，還是選擇回歸廿一世紀？他的心理和情感將有怎樣的矛盾衝突？這些，都因為作者沒有作出設計，因而無法獲得這些有趣問題的答案。此外，書中對才女紀嫣然的形象刻畫，也說不上很成功，一是她文武全才，不僅是藝術家，而且是思想家，多少有些神化；二是在她嫁給項少龍之後，其才女光彩多少被項少龍所掩蓋。

《大劍師傳奇》

《大劍師傳奇》算得上是一部奇書。本書的奇異之處，是將尋常武俠小說的空間和時間徹底改變了。通常的武俠小說，有一條不成文的約定，那就是武俠小說的故事空間，都是發生在中國國土之上，只不過是在不同的歷史時空。雖然有些小說的主人公或重要人物的經歷遠至高麗、東瀛、俄羅斯、尼泊爾、印度等鄰國，但大部分故事還是發生在中國本土之上，尤以中原地帶為多。而這部《大劍師傳奇》的故事卻發生在全球，且對全球地理進行重新命名，將全球分為帝國本土、大洋洲、小洋洲三塊大陸——與我們熟知的五大洲並不一致——這樣設想的依據，是人類文明曾經毀滅，大劍師蘭特的時代，是文明毀滅後的時代，誰知道那時候的地球大陸有怎樣的變化呢？這也就是說，《大劍師傳奇》將武俠故事的空間從一個國家拓展到整個地球。

而且，作者對地理過度進行了重命名。小說中的帝國、魔女國、閃靈國、夜狼國、淨土國、大洋洲黑叉國、紅魔國等等，都是完全陌生的地名。更重要的是，這部小說還改變了武俠小說的時間。一般武俠小說的時間通常都是在過去的某個歷史時期，即便是《尋秦記》這樣的穿越小說，也不過是從廿一世紀穿越回戰國時代，故事發生的時間是在西元前三世紀。而《大劍師傳奇》故事發生的時間是在什麼時候？顯然不是過去，而是在未來的某個時間，是在現今的人類文明毀滅之後的某個時間。這就是說，黃易不僅通過武俠小說講述過去的故事，而且可以用小說講述未來的故事。結論是，黃易的這部小說，「架空」了歷史，從而大大拓展了玄幻武俠小說的時空，這一貢獻不可忽視。

要討論這部小說，有兩個問題需要略加討論。一是：《大劍師傳奇》是科幻小說，還是玄幻小說？二是：它是玄幻小說，還是玄幻武俠小說？

《大劍師傳奇》是科幻還是玄幻？這不難論證。關鍵是，書中講到地球文明的毀滅，但卻沒有說是因為什麼原因毀滅。地球文明如果當真會毀滅，原因不外乎三種，一是地球上發生核戰爭，玉石俱焚；二是地球資源枯竭，無法供應人類生存之需，從而導致人類戰爭，直至人類文明毀滅；三是外星文明入侵。黃易的小說並沒有講述地球為什麼毀滅，而是著眼於地球毀滅之後如何重建人類文明；進而，作者也沒有建基於地球文明毀滅的原因及重建的基礎，而是將地球文明重建工作委託給幻想與傳奇。如此，結論就很明顯：這是玄幻，不是科學幻想。

這是玄幻小說，還是玄幻武俠小說？這個問題也不難解決。玄幻小說包含玄幻武俠小說。《大劍師傳奇》的命名，即可看出作者書寫武俠的意圖。首先，書中出現的兵器是冷兵器，而沒有槍炮火箭，更沒有核武器。

其次，書中的基本故事模式，是復仇——尋寶——除霸——伏魔。逐一說：先說復仇。小說從主人公逃難開始書寫，他之逃亡並非僅僅為了生存，而是為了復仇，帝國大元首殺了蘭特的父親蘭陵，所以主人公蘭特決心要殺掉大元首，為父親，也為帝國子民復仇。再說尋寶，這裡的寶物，不僅是指尋找《智慧典》，更是指尋找父神廢墟所在地，尋找復仇的力量。

再說殲霸與伏魔，這可以分項說，殲滅霸主，包括對沙漠之王杜變的消滅，也可以包括對閃靈族、夜狼族乃至淨土國傳統霸主的打擊；伏魔，則是貫穿全書的主線，那就是對帝國大元首的追殺，以及對大元首的製造者和主宰者巫帝的尋找和消滅（雖然大部分時間是被巫帝所追殺）。結論是：《大劍師傳奇》是一部特徵非常突出的玄幻武俠小說。

這部小說的看點，首先當然是它的傳奇情節。本書的主要故事情節，是主人公蘭特的一連串歷險。一開頭，就是蘭特從幾乎不可能逃亡的帝國逃亡出來，得到西琪和祈北的救助，然後到魔女國，然後到閃靈族聚居地，再到夜狼族居住地，再穿越沙漠到淨土國，幫助淨土國居民抗擊夜叉人的侵略，並順手消滅了第一個大仇人帝國大元首。而後重歸帝國故土，幫助魔女國復國，驅逐帝國的入侵者，並且重新分配了帝國與鄰國的土地。繼而到大洋洲，在紅魔國征服了巫師狂雨，找到了巫帝存身的地穴磁場，而後再回淨土國，接著是追擊巫帝，而又被巫帝所追擊，直到沙漠腹地的廢墟，即父神所在地，與巫帝作最後決戰。這一連串的故事，無不充滿凶險，懸念重生，隨時隨地都會為主人公蘭特的安危擔心。

小說的第二個看點，是書中的情色描寫。情色描寫並不是黃易所有小說的共同特徵，而只是《覆雨翻雲》、《尋秦記》和《大劍師傳奇》等少數幾部小說的共同特點。在這部書中，主人公蘭特作為帝國第一劍士蘭陵的兒子，從小經歷苛酷的訓練，且身為公主的未婚夫，在男女關係方面頗為潔身自好。但當他逃離了帝國，遇到西琪，尤其是遇到魔女百合之後，他的性情逐漸改變了，在男女性關係方面變得愈來愈開放，也愈來愈放任。

在這部書中，先後與他有性關係的女性多達二十餘人，她們是：西琪、華茜、麗清郡主、魔女、采柔、妮雅女公爵、紅月、龍怡、凌思、雁菲菲、寒山美、美姬、榮淡如、素善、魔女百合、戴青青、小風后寧素真、倩兒、連麗君、花雲祭司、沙娜、沙豔、公主等等。這些人不僅包括帝國、魔女國、閃靈人、夜狼人、淨土人、大洋洲黑叉人和紅魔人、小洋洲人；還包括能夠長生不死的魔女百合、活了兩千年的沙豔。主人公蘭特的豔遇和豔福，比《覆雨翻雲》中的韓柏、戚長征、風行烈以及《尋秦記》中的項少龍有過之而無不及。問題是：這樣的情色描寫應如何評說？

書中給出了主人公蘭特豔遇和豔福的充分理由。

其一，人類文明重建時期的人類，如同原始人類，性關係十分開放。例如閃靈人、夜狼人，實際上，正是因為閃靈人的英雄按照其部族習俗將自己的妻子采柔送給蘭特，才使得蘭特的兩性觀念由拘謹到開放，他曾拒絕與采柔做愛，甚至當采柔追隨他深入夜狼人聚居地，他仍苦苦抗拒采柔的誘惑。直到見識夜狼國人的性開放程度，得知戰恨有三十多位妻子，才逐漸改變了相對保守的性觀念，與采柔發生性關係後，在性行為方面也逐漸開放甚至放浪起來。

其二，這是一個戰爭時代，其結果是男少女多，到處都是戰爭寡婦，人類的性觀念、性態度、性關係和性行為自然也就與和平時代有很大的不同。

其三，主人公的個性，與《尋秦記》的主人公項少龍有相似之處，懂得憐花惜玉，與閃靈人巨靈、夜狼人戰恨有所不同。如書中蘭特本人所說：「當劍刃出鞘後，我是冷血無情的可怕劍手；但當劍回到鞘內時，我卻多情而善感，否則也不會對每段感情難捨難離。」（第二卷第一章）

其四，也是最重要的一點，那就是，在這部書中，蘭特的性開放或性放縱還找到了一條最重要的理由，也即人類之愛是克制巫帝的有效手段。由此，蘭特形成了一種類似性愛宗教般的特殊價值觀，如書中所說：「來自魔女刃帶著百合真愛的異能只是一把火，它的作用是燃著愛的藥引，把深藏的能力釋放出來。現在生命的烈火已經熊熊燃燒起來了，再沒有什麼能阻止它的奔騰擴散。人類應該擁有這奇妙的能力的，只是自己不知道，還習以為常地不知道能夠得到更多更美好的東西。那是每一個人在孤寂的晚上一直哭泣著追求的美夢。那才是真正的愛，其他都是虛假和幻覺，會因時間和加深的瞭解而減退、消失，甚至會變成深刻的互相憎恨。」（第十卷第五章）

小說的第三個看點，是主人公蘭特身分的變化及品質的不斷提升。在小說開頭，蘭特僅僅是個逃亡者，唯一目標就是從帝國武士的追逐下逃生。在被西琪和祈北救助後，尤其是得知祈北的身分和教誨之後，他的身分有所改變。即從一個純粹的逃亡者，變成了一個身負重任的復仇者。這不但堅定了他逃亡的信心，更重要的是讓他找到了逃亡的目的，找到一個重要的人生理想，那就是復仇。為了復仇，他要付出艱辛的努力，他也願意付出艱辛的努力。在見到魔女百合之後，他又變成了一個情人，對魔女百合的愛與欲，成了他身心奮鬥的動力源泉。進而，與魔女的短暫關係，還讓他有一次重要的心智升級，魔女告訴他說：「事實常比任何人想像的更離奇，只不過人只揀選他能明白的去相信，而忽視了神秘的本質。」（第一卷第七章），由此，他開始了對自身命運和世間事物的深入思索。

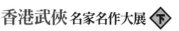

主人公蘭特最重要的身分轉變，是年加暗示他是淨土瑪祖預言中的聖劍騎士——瑪祖預言的具體內容是：「直到持著聖劍的偉大騎士，在千里駝的引導下，越過連雲峰，踏入淨土，以他偉大的心胸，高超的智慧，不世的劍術，無盡的哀傷，使果實重新在泥土中茁長出來，河流回復清澈，生命回復快樂，他會訂立大地的新制度，確立和平幸福。」

蘭特進入淨土不久，就被人當作聖劍騎士。這對淨土人驅逐黑叉人的戰爭有著關鍵性的作用，此前的淨土人雖然愛好和平，但卻並非沒有權力鬥爭，南方淨土與北方淨土的權貴之間有著深刻的利益和立場矛盾。只有出現預言中的聖劍騎士，才能讓淨土人真正地團結起來。否則，淨土人就不可能打贏這場反侵略戰爭。另一方面，蘭特要充當聖劍騎士，就必須按照聖劍騎士的身分要求自己、塑造自己，學會像聖劍騎士那樣去思考問題、處理矛盾糾紛。在這一過程中，蘭特的視野、心胸、氣質和精神境界有了關鍵性變化。

蘭特從逃亡者、復仇者、大劍師到聖劍騎士的身分變化，也是他心智品質提升的重要線索。此外，他還有幾種身分，諸如情聖和超人。所謂情聖，也可以說是超級巫師，以征服秀麗法師榮淡如為標誌，榮淡如這位巫國大巫師，能撩撥人類欲望而自己不動心，終於被大情聖蘭特所征服，讓她恢復了人類情感，由此恢復了人類本性，蘭特的「巫術」顯然比秀麗法師的巫術更勝一籌。

因此，他才女在秀麗法師的幫助下，先後戰勝陰風法師、狂雨法師，完成「師巫之長以制巫」的光榮偉業。但這仍不足以與巫帝對抗，因而，作者必須讓蘭特繼續升級，在追擊同時逃避巫帝追殺的過程中，蘭特學會了吸收太陽能，進而學會吸收月能，進而將太陽能、月能、魔女刃的異能、人類體能、智慧、愛能等多種不同能量融會貫通，成為前所未有的超人。也只有這樣，才能戰勝巫帝，拯救人類。這樣，蘭特就不僅僅是淨土人的聖劍騎士，而是成了全球人類的拯救者。

小說的第四個看點，書中蘭特與飛雪、大黑這一人、一馬、一狗之間關係的描寫。不難看出，作者是將戰馬飛雪、黑狗大黑當作兩個重要角色進行刻畫。尤其是，大黑與蘭特、采柔、紅月等人之間的關係描述，可以說是書中最動人的篇章。大黑是大元首大屠殺的唯一倖存者，蘭特給牠餵食，成了牠的救命恩人；而大黑也從此跟著蘭特，成了蘭特忠實夥伴及具有特異功能的偵察兵——蘭特對大元首的氣息十分敏感，無論大元首隱藏在什麼地方，大黑都能找到——其後，更成為「蘭特家族」中最重要的一員。無論是采柔還是紅月，又或者是其他「蘭特女郎」，無不把大黑當作蘭特的好夥伴乃至好兄弟，精心呵護，關懷備至。

從而，書中大黑的表現，無不帶來歡笑與溫馨。戰馬和狗，早已是人類最忠誠的夥伴，蘭特一家對飛雪和大黑的態度，其依據或意義均無須多言。需要注意的是，由於蘭特所處的時代是人類文明毀滅後的重建時代，人類文明毀滅，多半也是地球生物的災難，這部書中雖然沒有提及人類之外的生物毀滅或留存的情況，但從邏輯上說，人類重生以及文明重建，也意味著對地球生物圈的重建。所以，書中的戰馬、忠犬，即是人類之外生物的代表。也就是說，蘭特及其家人對待戰馬飛雪、和黑犬大黑的態度，也就是人類對其他生物應有的態度。地球不僅屬於人類，也屬於飛雪、大黑等其他生物。書中的「犬馬之勞」表明，戰馬和黑犬也在為人類文明重建貢獻了自己的力量。對大黑的態度，也即人類善待其他生物的正確態度。

本書還有一個看點，那就是書中對兩大反派，即帝國大元首和巫帝的形象刻畫。這兩大惡魔，可以看作是邪惡的代表，但他們對蘭特的態度，以及蘭特對他們的態度，有某些出人意料之處，值得思索和討論。帝國大元首是書中最早出現的大惡魔，此人是「半人」形象，另一半是什麼？就值得思索，或許是半人半獸，或許是半人半機械，或許是半人半魔，總之，此人徒具人形，但卻戰袍不離身，其行為簡直沒有人性。

此人的另一半究竟是什麼，直到其生命結束，作者也沒有真正說清楚。這可以說是作品的一個弱點。但是，作者對此人有自己的設計，那就是當他被蘭特打敗，臨終前突然恢復了神智，也恢復了人性，對蘭特懺悔此前的所作所為。我們才知道，他原本是父神製造，專門對付巫帝的，但他不是巫帝敵手，反而被巫帝所利用，被巫帝作了神經軟體改裝，變成了令人髮指的大惡魔。在生命結束前的那一刻，邪惡神經被毀，人性迴光返照，才會有懺悔之舉。也就是說，帝國大元首這個人物，雖然十惡不赦，卻非天生的惡魔。

真正的大反派是巫帝，按書中介紹，牠並非人類，而是人面毒蜘蛛。人面毒蜘蛛有其生物特性，最突出的特點，是雌雄蜘蛛交配後，雌蜘蛛會將雄蜘蛛吃掉。這一生物特性讓人毛骨悚然，但書中巫帝卻並非自然生物，而是在人類製造的污染環境中產生了極大變異，獲得了超能力，並且試圖毀滅人類及地球上的一切。有意思的是，這一人面毒蜘蛛失去了自己的身體，只能在特定磁場中才能生存，進而把具有異能的公主作為其寄生的載體。

值得注意的是，由於牠把公主的身體作為寄身之所，對人的能力和天性由堅決排斥到有條件接受，從而使牠具有了一點點人性。正因為有了這一點點人性，蘭特才有與牠交流協商的可能。在持續不斷的對抗中，蘭特對牠的態度也有關鍵性的改變。開始是勢不兩立、不共戴天，必欲將牠徹底毀滅而後快；最後則是與牠協商，在盡可能的情況下，保留其物種，只不過要進行某些品質改良。這也就是說，蘭特不僅要將其「愛的哲學」或「愛的宗教」在人類中推廣，而且要在所有生物中推廣。蘭特勢不兩立的並非某個物種，而是物種代表者要消滅人類的邪惡目標。蘭特接受帝國大元首的懺悔，又與巫帝達成某種妥協的行為作風，與一般武俠小說有明顯的區別。

本書當然有不足。

諸如，書中對蘭特與眾女的情色描寫，就存在若干問題。首先是缺乏新鮮特色。在蘭特色情生涯及其情色故事的開始，帝國麗清郡主的作風，與《尋秦記》中的趙雅有相似之處；而閃靈族勇士巨靈的妻子采柔，與《尋秦記》中的善柔有相似之處；這倒不成問題。問題是，當蘭特來到淨土，並廣納姬妾後，他與眾女的關係就越來越缺少特色，男歡女愛的場景一再出現，因缺乏特色，從而失去新鮮感。

其次，是情色描寫有些過度，作者為「蘭特女郎」設計了不同的種族如巨靈族、夜狼族、淨土族、黑叉族、紅魔族等，又設計了不同的身分如巨靈之妻、女公爵、公爵之女、淨土女將軍、黑叉女將軍、淨土女祭司等，但她們與蘭特的關係卻大同小異，無不呈現「一見蘭特，欲令智昏」的狀貌，結果是毫無保留地對蘭特投懷送抱。男歡女愛的情色內容固然「好看」，不斷重複非但沒有令人驚奇的描寫，還會產生很明顯的副作用，即容易帶來「男性意淫」之譏，在女權主義者眼裡，恐怕會成為男權世界的殘渣與「罪證」。

再次，蘭特與魔女百合、西琪、公主三人都有性愛關係，而西琪和公主都是魔女百合的女兒，儘管魔女說她與西琪、公主並沒有「血緣」關係，但在人類而言，西琪、公主畢竟是她所孕所生，因而蘭特與這母女三人發生性愛關係，在現代人看來，仍會有倫理方面的問題。

進而，本書的突出特點之一，是使用了第一人稱敘事，讓主人公蘭特以「我」的口吻講述自己的故事。平心而論，這是作者的一種大膽嘗試，即探索武俠小說的可能性，從而值得稱道。武俠小說很少以第一人稱敘事，本書的敘事形式讓人感覺新鮮。只不過，第一人稱敘事最大的特點，是以限制作者的全知視點，增強人物心理探索的便利，即便於展現敘事主人公的思想、情感及其微妙心理。

從這一點說，本書的第一人稱敘事算不上成功。首先是降低了小說敘事的複雜度，無法使用行之有效的蒙太奇結構，從而限制了作者對主人公蘭特之外的其他人物的深度展現，尤其是限制了對陰風法師、狂雨法師、巫帝等重要反派角色的深度揭示。其次，書中對蘭特的思想情感和微妙心理，並沒有專門展示，從而失去了這一敘事方式的最大優勢。再次，本書使用了第一人稱，讓讀者隨著蘭特的敘述，雖有身臨其境之感，但因為這個「我」是大劍師、聖劍騎士、地球拯救者、人類大救星，同時也是少見的「情聖／淫棍」，讓人覺得這像是一個成功者的自吹自擂，其敘事效果自然會大大變質，甚至適得其反。

《大唐雙龍傳》

《大唐雙龍傳》講述寇仲、徐子陵這兩個揚州市井小混混成長、成才及參與爭霸天下故事。全書六十三卷，長達四百八十餘萬字，是篇幅最長的黃易小說，也是黃易最知名的小說之一。

小說獲得極高的知名度，部分原因是小說故事情節精彩好看、主要人物經歷傳奇且個性突出；部分原因是古典小說《說唐》、《大唐秦王詞話》和評書《隋唐演義》傳播廣泛，早已深入人心，十八路反王故事深入人心、耳熟能詳；還有一部分原因，是香港電視廣播有限公司根據小說原作改編的同名電視劇（蔡晶盛導演，林峰、吳卓義主演，二〇〇四年首播）的播出和影響。

寇仲和徐子陵是兩個虛構人物，作者成功地讓他們躋身於隋末爭霸天下的英雄之林，最終成為聞名天下的超級明星，成功要訣在於「遊戲」二字。其一，是主人公寇仲和徐子陵的人生態度和成長軌跡，秉持的是遊戲心態，遵循的是遊戲策略。如書中寇仲對徐子陵說：「……此亦是這個爭天下的遊戲最逗人之處。我知你不滿視爭天下為遊戲，但在我而言，生命本身亦不過是遊戲一場，並不存在尊者與否的問題。只有當作是遊戲，我才可以玩得有聲有色。」（第廿七卷第六章）更重要的是，作者創作寇仲、徐子陵的傳奇故事，亦是按照遊戲規程設計。

作者設定的是「通關遊戲」，是否能夠通關，不僅是要獲勝避負，多數時候更關乎他們的生死。更重要的是，這部小說是要讓主人公在不同維度、不同戰線上打通關。概括地說，寇仲和徐子陵面臨五個維度、五條戰線的通關遊戲。

具體說，其一，是要面對普通的江湖幫派，例如海沙幫、巨鯤幫、彭梁會、大江會、巴陵會、竹花幫、鄱陽會、鐵騎會、飛馬牧場，以及弘農會、京兆聯……等數十個幫派。

其二，是面對爭霸天下的各種勢力，諸如瓦崗寨、王世充部、宇文家族、獨孤家族、李淵家族、宋氏家族、杜伏威部、輔公佑部、竇建德部、李子通部、蕭銑部……等近二十個割據的政治軍事勢力。

其三，是要面對魔門兩派六道，即陰癸派、花間派、邪極、滅情、真傳（**分為道祖真傳和老君觀**）、補天、天蓮、魔相的勢力，尤其是要面對邪帝石之軒和陰癸派的祝玉妍和婠婠，還要面對域外大明尊教的魔門勢力。

其四，是要面對異族的勢力，諸如東突厥的頡利、突利，西突厥的統葉護可汗、國師雲帥，以及吐谷渾的伏騫、靺鞨族的拜紫亭及其國師伏難陀、室韋族的夫妻惡盜深末桓和木鈴、以及契丹之友別勒古納台和不古納台兄弟、回紇族菩薩……等塞外多個游牧民族的複雜衝突。

其五，是寇仲和徐子陵決心幫助李世民，即要面對李淵家族中的太子李建成、王子李元吉等勢力，看起來這只是李淵家族的接班人之爭，實際上李建成、李元吉勢力中，包含了江湖幫派勢力、爭霸勢力、邪門勢力、異族勢力的複雜組合。寇仲和徐子陵在這些複雜壓力中打通關，不僅險惡重重，同時也驚喜連連。上述不同維度或不同戰線本身，也是矛盾重重，相互制約，寇仲和徐子陵正是利用不同戰線中的複雜狀況，聯合可聯合的力量，對抗不得不對抗的勢力，被聯合者不見得就是永恆之友，而對抗的雙方也不見得是永恆之敵。在不同情境下，敵友關係時常轉換，更增加了通關遊戲的複雜性和不可預測性，使得小說的故事情節十分精彩，極具吸引力。

小說的主要看點，是作者對寇仲、徐子陵這兩個主人公的形象設定，主要包括，其一，他們出身卑微。其二，他們天資超群。其三，他們重情感恩。其四，他們個性互補，友情牢不可破。其五，他們福大命大。下面具體說。

寇仲和徐子陵是揚州城裡的兩個孤兒小混混，出身十分卑微。他們人生的首要目標，是每天都要考慮如何填飽肚子。進而，他們一直在投奔某個幫派、學文考取功名之間猶疑徘徊，其中任何一個目標對他們而言都是難以企及的，近乎白日做夢而已。然而，他們還有更進一步的目標，即要爭霸天下。這一目標更是難如登天，聽起來讓人難以置信。惟其如此，才算得上是驚世傳奇。

這樣的形象設計有多個妙處，首先是卑微出身有利於所有讀者的代入，從卑微人成長為大英雄、大明星的傳奇，正如《灰姑娘》故事，是人類百看不厭的母題。其次，卑微出身的主人公，有其獨特的言語及生活趣味，例如，他們把宇文化及稱為「宇文化骨」，把海沙幫幫主韓蓋天稱為「韓撲地」，將割據一方的軍閥李文通稱為「李不通」、把異族超級劍客跋鋒寒稱為「風濕寒」……如此油嘴滑舌，是來自社會底層的詼諧幽默，另具風味。

再次，正因為他們出身卑微，所以他們的心智和情緒格外敏感，看事物看世界的角度與眾不同，常常會給人帶來與眾不同的人生與人世解讀。例如，饑餓、失敗、來自他人的侮辱等等，於他們是家常便飯。對於他們而言，死亡也並不可怕，而只要不死，就不怕沒有翻本的機會。最後，寇仲、徐子陵這樣的出身卑微的青年，竟然要與群雄爭霸天下，這樣的人物怎麼可能達成目標？是書中最大的故事懸念，形成獨特的吸引力。他們不斷成功，讀者驚喜不斷翻倍。

書中對寇仲和徐子陵最重要的一個形象設定，是他們天資超群。如書中所言，「這人天資之高，已到了駭人聽聞的地步」（**第一卷第六章《九玄大法》**）這是寇仲、徐子陵傳奇人生的基礎設定，若非如此，他們就不可能成為超級英雄，亦不可能完成那凡人幾乎不可能完成的目標任務。

寇仲和徐子陵天資過人的最好證據，是他們在武功方面不斷提升，固然有羅君綽、李靖、宋缺等人的指點，跋鋒寒、侯希白等人的啟發，但更重要的是他們以超群的智慧無師自通，不斷思索、不斷感悟、不斷研討、不斷提升。寇仲和徐子陵武功升級，是書中重要的敘事線索。其中包括多個節點，首先是他們學習《長生訣》，找到適合各自修練的圖譜，而後各循其道，練成九玄大法第一層。

此事看似簡單，卻正是寇仲和徐子陵兩位主人公超群心智的初步體現。進而，他們在遊戲之中，從飛鳥、游魚學得古怪身法，兩人仍然是按照各自的天性，衣人模仿飛鳥，另一人模仿游魚，這正是多數人類智者的學習路徑。進而，他們在觀測井中月時，感悟到武功真諦，看起來似乎有些虛玄，其實揭示了人類學習求道者的共性，在抵達某一境界時，能從尋常事物中獲得靈感。

進而，書中寫到寇仲在學習了魯妙子留下的兵書之後，先是以兵法融入刀法，後又將刀法融於兵法——寇仲自創「井中八法」：不攻、擊奇、用謀、兵詐、弈棋、戰定、速戰、方圓（第廿七卷第三章、第三十六卷第九章）即是最佳例證——使得他在刀法和兵法兩方面都得到提升，充分顯示出他們的卓越天資。

書中第三個設定，是主人公重情感恩。寇仲、徐子陵可謂是武俠世界中最重感情的人。證據之一，是他們對曾經救助過他們、教授過他們，且為他們犧牲的高麗美女羅君綽的情感。在羅君綽生前，他們就稱呼她為娘，雖然羅君綽比他們大不了多少，看起來也不像是母子，但從小沒有娘親的寇仲和徐子陵是真心實意地將她當作娘親。也許正因為他們真摯質樸的情感感動了羅君綽，使得羅君綽當真把他們當作自己的弟子，從而對他們格外眷顧，甚至不惜為他們犧牲。

寇仲和徐子陵對羅君綽的感情，不僅表現對羅君綽的情感態度上，更表現在對羅君綽的師妹羅君瑜、羅君嫱的態度上，儘管這兩位對寇仲、徐子陵似乎沒有多少好感，但寇仲、徐子陵對她們卻始終敬愛有加，無論羅君瑜或羅君嫱對他們如何冷淡或羞辱，但他們始終如一地以愛報怨，不敢有絲毫不敬，更不願有絲毫的埋怨。這是典型的愛屋及烏。

證據之二，是對素素姐弟情。素素曾與他們一同逃難、曾關心照顧他們，甚至願意為他們獻身，這份危難中的真情，被寇仲和徐子陵當作人生最重要的情感財富，素素也成了他們感恩報答的對象。他們的報恩行為包括，其一，對未曾與素素結為連理的李靖長時間不能原諒，以至於要與李靖斷交，甚至試圖打殺李靖。其二，對欺騙素素情感的香玉山心懷仇恨，無時無刻不想找香玉山報仇，徐子陵願意與雷九指合作揭露香家販賣婦女罪惡，固然是因為對這一古老罪行的憤恨，更重要的原因，則顯然是將對香玉山的憤恨推移至整個家族。而他們對香玉山、對香家的憤恨，說到底是因為素素。其三，他們對壞脾氣翟嬌的容忍、謙讓和敬愛，當然也是因為素素，因為翟嬌是素素的東主。在素素死去多年，他們仍然聽翟嬌的話，按翟嬌的指示去做，原因當然是把對素素的愛轉移到翟嬌身上。其四，他對素素的兒子陵仲關懷備至，把他送到翟嬌處扶養，在條件允許時則接到身邊，親自教養成人，原因很簡單，因為這是素素的孩子。

證據之三，是他們對貞嫂的感恩。貞嫂是揚州的「包子西施」，平日對寇仲和徐子陵（尤其是徐子陵）關愛有加，經常賒帳，在兩小無錢時，也照樣供給包子，對他們非但毫無歧視，反而有家人般的情感，這份感情，始終存在寇仲、徐子陵的心底。直到發現貞嫂成了宇文化及的寵妃衛夫人（貞嫂的原名是衛貞貞），他們發現貞嫂對宇文化及的感情，竟然放下了對宇文化及的刻骨仇恨（這份仇恨與羅君綽之死有關），讓宇文化及自殺，並將貞嫂與宇文化及葬在一起。他們對貞嫂的感恩之情，超越了對宇文化及的不共戴天之仇。

證據之四，是他們對杜伏威的父子情。杜伏威是割據軍閥之一，為了獲得楊公寶藏的線索，一心要抓捕寇仲和徐子陵，原是他們的仇人。但武功高強的杜伏威始終無法打殺兩小，更無法抓捕兩小，為了掩人耳目，說兩小是他的兒子。這似乎是個玩笑，但因杜伏威是梟雄，而非小人，在不斷的糾纏與衝突中，寇仲和徐子陵對他也產生了複雜而隱秘的情感。真正的原因是，寇仲和徐子陵沒有父親，無形中把這個不可一世的梟雄當成了自己的可惡老爹。到最後，他們與杜伏威之間的情感，竟弄假成真。寇仲和徐子陵真心實意把對方當作爹，而杜伏威也把他們當作兒子，成了兩小的支持者和保護人。寇仲、徐子陵與杜伏威之間的情感，是小說中最為感人的故事線索。這一份出人意料的感情，是寇仲、徐子陵對父親的隱秘渴望及感恩之心的最佳表達。

證據之五，是與跋鋒寒等人的兄弟情。寇仲和徐子陵的兄弟感情，是這兩位主人公情感的核心模式，在他們奮鬥過程中，把這種核心情感模式作了推廣。跋鋒寒雖然與羅君瑜一起刺殺過寇仲和徐子陵，由於兩小把羅君瑜當作師姨，對跋鋒寒也沒有仇恨之心，因而在跋鋒寒遭遇大江聯高手圍攻之際，寇仲和徐子陵毫不猶豫地救助了跋鋒寒。

他們的救助行為，也許是對羅君瑜的報答；對羅君瑜的報答，當然是對羅君綽的報答。但這份報答，又轉化為新的情感資源，寇仲、徐子陵的兄弟之情，感動了獨狼式英雄跋鋒寒，而跋鋒寒真摯赤誠的回報，亦使三人行的故事變得更加美妙動人。寇仲、徐子陵與劉黑闥、侯希白、可達志等人的兄弟情感，可以說是兩小兄弟之情的推廣和延申。寇仲、徐子陵重情感恩，是小說中最重要的故事線索，也是小說中最感人的篇章。而寇仲和徐子陵對人與人之間情感的敏感和珍惜，亦使得他們的情感境界不斷提升，最終達到對識與不識的人類同胞的同情憐憫之心，這份同情憐憫，使得他們做出放棄爭霸的最終選擇。

書中的第四個設定，是兩位主人公個性互補，友情牢不可破。寇仲和徐子陵的個性截然不同，簡單說，寇仲外向，徐子陵相對內向；寇仲更具英雄氣概，霸氣外露，徐子陵則長相俊俏，儒雅風流。所以，在練習《長生訣》時，他們並不是修練同一幅圖譜，而是按照直覺選擇適合或匹配各自本性的圖譜修練。進而，他們在向大自然學習過程中，寇仲選擇學習飛鳥，而徐子陵選擇學習游魚，這與他們的個性關係密切。既可以說是各自個性的必然選擇和自由發揮，同時也是對他們不同個性的生動描繪。

寇仲和徐子陵個性最大的不同，是寇仲把爭霸天下作為自己的夢想追求，而徐子陵的最大夢想則是隱居山水自然之中練武修道，鍛煉身心。更重要的是，儘管兩小個性差異明顯，但從小相依為命，不是兄弟勝似兄弟，友情牢不可破。一方面，只要這兩人相互配合，幾乎戰無不勝；另一方面，無論兩人之間有怎樣的意見不一，他們從不會因為意見不一而相互懷疑。寇仲的口頭禪「一世人兩兄弟」，似乎就是這對兄弟情感的設定密碼，也是他們之間深刻情感的咒語。正因如此，儘管徐子陵對爭霸天下沒有興趣，也會跟隨寇仲一起去爭霸天下；同理，儘管寇仲對爭霸天下興趣濃厚，當徐子陵勸說他改變立場，全力支持李世民時，寇仲也會毫不猶豫地照做。對寇仲、徐子陵這兩位主人公個性差異和骨肉相連的情感設定，是這部小說中最重要的形象預設。

小說的第五個設定，是寇仲、徐子陵福大命大的設定。這一點很容易理解，如果不是福大命大，這對揚州小混混隨時隨地會遭遇滅頂之災，根本就不可能有命苟活下去，更遑論成為爭霸天下的英雄。

說他們福大命大，證據之一，是武林中人無不覬覦《長生訣》，但最終竟被寇仲和徐子陵盜取。證據之二，江湖中有傳言，「楊公寶庫，和氏寶璧，二者得一，可統天下」，而這二者竟都被寇仲和徐子陵所得。更神奇的是，和氏寶璧即秦王玉璽，本來是爭霸天下的權威憑證，到了寇仲、徐子陵和跋鋒寒手裡，竟變成了「能量池」，被他們輸入體內，改變了他們的經絡結構和身體素質。

證據之三，早在他們獲取和氏璧之前，他們已從《長生訣》中獲得了先天之氣，不僅讓他們突破少年沒有練武即不可能達到極境的局限，且讓他們獲得了一種神奇能力，無論多重的外傷或內傷，都能很快自癒。最後，寇仲、徐子陵這兩位主人公之所以能夠不斷歷險、連續打通關，無數次避免死亡陷阱，顯然是由於作者始終在為他們保駕護航。他們福大命大，說到底，只不過是作者的一種設定。沒有這一設定，他們的故事無法繼續，更不會如此精彩。

除了上述幾點重要設定之外，寇仲和徐子陵的愛情故事也值得一說。寇仲、徐子陵都是重情輕欲之人，在一定意義上說，這也是一種設定。黃易此前的小說中，其主人公多為欲望恣肆之人，《尋秦記》和《覆雨翻雲》的主人公即是典型。按理說，寇仲和徐子陵處在亂世之中，隨時要面對生死考驗，難免會產生及時行樂的價值觀及與之匹配的行為模式，寇仲更該如此。但在這部書中，兩位主人公雖說不是禁欲之人，其自我克制的程度卻超出了人們的預料。美女素素與他們一起逃亡，曾公開提議「服侍」他倆，但他倆卻毅然謝絕，這或許是他們重視與素素之間的姐弟之情。這正是重情輕欲的典型例證。

進而，在他們遇到的美人中，有不少個性開放、性行為開放甚至淫蕩的人，例如巨鯤幫幫主雲玉真、彭梁會風流堂主任媚媚、李密的俏軍師沈落雁、巴陵幫的美人兒蕭環，飛馬牧場場主商秀珣，海沙幫的美人魚游秋鳳，陰癸派的超級美女婠婠等等，面對這些與他們打情罵俏的美人，兩小居然守身如玉。這不僅超出了寇仲應有的個性，也超越了一般人的克制能力，固然可以說是因為他們要爭霸天下，不得不如此，更當理解為作者的一個設定。故意要讓這兩位主人公經受住性誘惑和欲衝動的考驗。與此同時，作者還有另一設定，那就是讓寇仲和徐子陵具有現代紳士的價值觀，即便這些美人對他們如何不善，甚至威脅到他們的生命，他們都無怨恨，更不忍心加以殺戮。

更好的證據，當然還是寇仲和徐子陵的愛情，寇仲對李秀寧、趙玉致、尚秀芳的愛，徐子陵對師妃暄、石青璿的愛，值得作專題分析和研究。簡單說，寇仲對李秀寧的單相思，影響了他的一生，大有「曾經滄海難為水，除卻巫山不是雲」之慨。寇仲對宋玉致的愛，從一開始故意與世家高閥開報復性的玩笑（**宋玉致的身分地位與李秀寧相似**），進而有政治婚姻的交易性質，對宋玉致的情感遠不如對李秀寧那樣純粹和深刻。但隨著年齡的增長和心智的成熟，寇仲逐漸意識到自己對宋玉致的愛並非自己想像的那樣輕淺，失去宋玉致的愛將會讓自己永久性失去愛和幸福，於是改弦更張，不僅親赴嶺南，而且最終竟以放棄爭霸天下換取美人心。

這一傳奇式愛情，是對寇仲個性的生動刻畫，也是對情感心理的重要發現或發明。徐子陵對師妃暄和石青璿的愛，顯然是寧靜而深刻的，甚至可以說是被動的，師妃暄的一個冷淡的臉色，石青璿「此生不嫁」的簡單一句話，都足以讓徐子陵傷懷乃至絕望。在這一情感故事中，徐子陵的自卑敏感、脆弱自尊，表現得生動淋漓。惟其如此，獲得美人青睞，才會格外欣喜珍惜。

書中數百上千人物，大部分是簡單化、概念化的，這是武俠傳奇小說的常規。但其中也有若干人物的個性心理被深刻揭示並生動描繪，於是有意外驚喜。書中對邪派人物如祝玉妍、婠婠的情感，就有若干動人的表現。更突出的，則是對邪王石之軒個性分裂與心理矛盾的深度刻畫。作為邪王，石之軒聰明絕頂，武功超群，是以慈航靜齋為代表的正派武林的噩夢。也正因如此，出身於慈航靜齋的碧秀心，才會以身飼虎，與石之軒雙宿雙飛，讓他耽於美人情感數十年。

處於「事業與愛情」矛盾中的石之軒，最終還是選擇魔門使命，以《生死卷》讓碧秀心英年早逝，邪王石之軒重出江湖。但他與碧秀心的女兒石青璿，卻成了石之軒武功道行的惟一破綻，同時成為書中武林衝突乃至天下爭霸的最大變數。石之軒曾多次要殺害徐子陵又多次放過徐子陵，正是石之軒內心矛盾及精神分裂的實際呈現。為了事業與使命，石之軒必須殺死擋道的徐子陵；而為了女兒石青璿的幸福，他又不能不放過徐子陵。這一矛盾衝突一直延續到最後，當石之軒發現魔門奪取李唐政權計畫被寇仲和徐子陵破壞，尤其是聽到石青璿在母親靈前的簫聲，石之軒才做出最後選擇，那就是放棄自己的使命，向宿命投降，成全自己對女兒的愛，成全女兒對徐子陵的愛。石之軒的行為，既是精彩故事，也是生動寓言。

婠婠對徐子陵的情感，也值得專門討論。

《大唐雙龍傳》的重大轉折，是寇仲、徐子陵突然放棄爭霸大業，轉而一心幫助最大敵手秦王李世民爭奪大唐最高權力，有不少讀者認為這一轉折有些突兀，讓人一時難以接受。有些讀者乾脆說，此一轉折是這部小說較大的弱點。

果如是否？可以討論。《大唐雙龍傳》之所以出現這一轉折，最大的原因，是作者可以戲說歷史、把歷史當作遊戲，但不可以改變歷史的基本真實，那就是，隋末爭霸事業的最終勝利者當是李世民建立唐朝政權。無論如何，作者都不可能改寫歷史，讓寇仲登上皇帝寶座，創建自己的王朝。假如那樣寫，作者就無法向熟悉歷史真實的讀者交代。既然如此，作者就只有三個選擇：一是李世民戰勝寇仲的少帥軍加宋家軍，最後統一大唐，這樣的結果讀者無法接受，因為這與作者設定的遊戲規則不符，在作者設定的遊戲規則中，寇仲、徐子陵應該是不可戰勝的。假如他被李世民戰勝，讀者會十分失望。

另一個選擇，是寇仲戰勝李世民，而後將皇帝寶座交給李世民，自己則瀟灑地轉身離開。這一選擇雖然比第一種選擇稍好，但仍難讓人滿意，因為李世民也是不可戰勝的。這不僅是遊戲規則，同時還是歷史事實，作者如何能破壞遊戲規則並違背歷史事實？再說，若寇仲在戰勝李世民後轉身離去，他怎能挽回宋玉致的芳心？又能找到怎樣的理由？所以，只有第三種選擇，即書中所寫，在寇仲和李世民未分勝負之際，徐子陵和寇仲先後出人意料地改變立場，從李世民的頭號大敵轉變為並肩作戰的盟友。

作者這樣寫，不但有深入構想，且有充足理由。一是，徐子陵之所以首先改變立場，決心勸說寇仲與李世民合作，實有可觀的原因。首先，是外敵寇邊，突厥的頡利可汗召集四十萬大軍，在邊境虎視眈眈，隨時會南下。假如寇仲仍然要爭霸天下，與李世民為敵，相互對峙，內戰不可避免，而突厥頡利可汗的軍隊就會勢不可擋，中原大地就會被突厥鐵蹄踐踏，陷入分裂與戰火中。只有寇仲轉變立場，與李世民合作，才可避免中原百姓免於萬劫不復之難。徐子陵之所以轉變立場，是因為他不忍百姓遭受戰火塗炭。所以如此，固然是因為徐子陵有心繫百姓的慈悲憐憫之心，也因為徐子陵和寇仲親身經歷過戰亂苦楚，身臨其境，有切膚之痛。沒有比避免戰禍更好的理由。其次，徐子陵這樣做，是因為他真正理解了師妃暄的心意。師妃暄選擇支持李世民，正是因為李世民有戰略家的智慧和明君胸懷氣度，支持李世民可以減少戰爭殺戮和災難。

而徐子陵處於好友寇仲和戀人師妃暄之間，矛盾重重，一直想找到逃避路徑，開始時決心幫助寇仲取得楊公寶藏之後就離開；後來又改變主意，決心幫助寇仲站穩腳跟就離開；再後來才明白，他在寇仲事業水落石出之際，根本無法離開寇仲。若不離開寇仲，勢必大大得罪於師妃暄，這是徐子陵最不願做的事。直到得知頡利大軍蠢蠢欲動，才真正明白師妃暄選擇的意義。她不是看重李世民這個人，而是為天下百姓著想。直到這時，徐子陵才找到解決問題的可行途徑，那就是勸說寇仲轉變立場。再次，徐子陵有把握勸說寇仲改變立場，是因為他是寇仲摯友，知道寇仲參與爭霸天下遊戲，並不在乎權力，而是在乎爭霸過程可以實現其生命價值。當然，徐子陵之所以覺得有把握勸說寇仲改變立場，是因為他是徐子陵，是寇仲的至交好友。

進一步的問題是，寇仲為什麼會被徐子陵輕易說服？也有充分理由。首先，勸說自己的是徐子陵。其次，徐子陵知道，寇仲自己當然更知道，他之所以參與爭霸天下遊戲，目的不在於爭霸，而在於遊戲。假如當年寇仲第一次見李秀寧時，李秀寧的追求者柴紹不在場，情況可能會大不一樣。也就是說，寇仲之所以離開李世民，後來成為李世民最大敵手，與李秀寧、柴紹的刺激有關，不僅是情感失意的刺激，更是高貴門閥的作風對貧寒子弟的刺激，寇仲受不了這樣的雙重刺激，才決心要參與爭霸天下遊戲，證明出身卑微的自己，可以憑自己努力奮鬥而揚眉吐氣。

其次，徐子陵有把握說服寇仲，是因為看中寇仲不願當皇帝。寇仲不願當皇帝，並不是不喜歡權力，而是害怕當皇帝太辛苦、不好玩——這是「寇仲式理由」，看起來讓人難以置信，但卻十分真實可靠，否則寇仲就不是寇仲。再次，寇仲之所以能被說服，除了理解徐子陵對百姓的慈悲憐憫之心（他自己也同樣有慈悲心腸）、不願看到頡利鐵蹄踐踏中原，以及如此可以早些免除當皇帝、做統帥的辛苦麻煩之外，還有一條重要理由，那就是這樣做可以找回宋玉致的愛情。支持李世民、避免分裂戰爭及外族入侵，是寇仲送給宋玉致的一份大禮。由此說明，寇仲並不是把宋玉致作為爭霸天下的籌碼或紅利。事實證明，在寇仲轉變立場之後，宋玉致對他的情感態度果然有明顯的轉變。寇仲立場的轉變，是從爭霸天下的政治軍師立場，轉到珍惜個人情感及生命價值的人文立場。

最後一個問題是，寇仲可以轉變立場，天下四閥之一的宋閥之主宋缺如何能接受寇仲的這一轉變？尤其是，他訓練多年的宋家軍已經全部送上了前線，而以寇仲為代表的漢人主宰江山的理想大有實現的可能，宋缺怎麼可能轉而去支持李世民？只要仔細想，就不難明白其中因由。首先，消極方面，師妃暄讓寧道奇挑戰宋缺，結果兩敗俱傷，按照約定，宋缺再也不能過問爭霸天下事；且實際上，宋缺要療傷，對爭霸天下事也確實沒有精力過問。

其次，仍是消極方面，知道寇仲在徐子陵勸說下改變了立場，宋缺能怎麼辦？他自己無法親臨前線，宋家沒有任何人有少帥寇仲那樣可以號召天下的影響，沒有寇仲，宋家縱有精兵數萬，實際上也沒有爭霸天下的社會資本。再次，宋缺支持寇仲，不僅是支持女婿，而且是支持漢人統治天下的正統；寇仲改變立場，並不是對宋家的背叛而是有讓他耳目一新的價值觀，一是以天下蒼生為念，而是胡人漢化的「新漢人」觀念。宋缺堅持漢人正統，是血緣與血統上的正統，而李世民所代表的胡人漢化觀念，則是文化上的漢人正統。既然胡人能夠漢化且已經漢化，再強調漢人血緣或血統還有多大的意義呢？

又次，無論是寇仲，還是李世民，都對宋缺及其家族表達了充分的尊重，否則，他們就不會在相互敵對、形勢不明的情況下，連袂前往嶺南，誠心拜見宋缺。李世民冒險謁見宋缺，表達了他對宋缺極大的尊重；而李世民的新穎觀念和豁然大度，也讓宋缺為之心動。最後，也是最關鍵的一點，即宋缺本人並無政治野心，作為閥主，他必須為宋家未來做出選擇。李世民謁見宋缺，宋缺表明李世民的支持，其價值過於雪中送炭，可保宋家未來無虞。在這樣的情況下，宋缺做出支持李世民的決定，可以說是理由充足，順理成章。

綜上所述，書中對寇仲立場轉變的敘述，並非心血來潮的隨意之舉，而是有其精心策劃與構想。作者對此感到不解，甚至不滿，固然可能是因為作者對徐子陵、寇仲的立場突轉缺乏鋪墊，讓人難以適應；更可能是由於讀者完全沉靜在寇仲、徐子陵爭霸天下的遊戲之中，樂而忘返，從而無法接受。也就是說，被許多讀者詬病的「突轉」，可能並不是這部小說的真正弱點。

《大唐雙龍傳》情節精彩紛呈，卻不是沒有可挑剔之處。這部小說毫無疑問很好看，是否耐看？很可能會仁者見仁、智者見智。

小說的弱點之一，是篇幅太長。篇幅長本身當然不見得是缺點，但若作者為了延長篇幅而故意敷衍拖遝，甚至故意節外生枝，就是明顯的弱點或缺點了。例如，書中寫到寇仲和徐子陵去關外的情節，長達數十萬字，雖然故事情節不乏看點，但這樣寫的理由卻並不充分：寇仲和徐子陵的關外之行，是因為大小姐翟嬌羊皮被劫、自己也被人打傷，翟嬌要寇仲和徐子陵前往關外為她找回公道。且不說寇仲的爭霸事業並未完成佈局，甚至立足未穩，照理無法脫身離開；翟嬌一向把支持寇仲爭霸作為自己的理想，怎麼會在這個時候讓寇仲和徐子陵離開？作者借寇仲之口說，此次出關，是要學習草原民族的戰爭技藝，這種解釋，恰是作者試圖自圓其說的證明。

從事理上說，寇仲、徐子陵的關外之行，簡直如同兒戲。又如，寇仲、徐子陵二入長安，即徐子陵扮平遙典當商司徒福榮和申文江到長安與池生春賭博，也有太多遊戲成分。徐子陵入長安，是要找出香貴家族販賣人口的證據，希望將他們的惡行公之於眾，看似意義重大，但卻並非當務之急。在爭霸天下的關鍵時刻，徐子陵、寇仲居然有此閒心，冒巨大風險，玩扮演富商偵探販賣人口罪證的把戲，未免有些遊戲過頭。更重要的是，此次徐子陵、寇仲再入長安，實際上一事無成，只有一番沒有任何實際效果的冒險而已，香家的秘密沒有找到，徐子陵與石之軒有過幾場莫名其妙的打鬥，如此情節，實屬冗餘。

小說弱點之二，是書中若干情節與細節仍然超出了作者的設定。即便寇仲和徐子陵聰明絕頂且福大命大，畢竟學識有限。但書中對寇仲的政治軍事知識的敘述，不知不覺間有令人難以置信的誇大。例如，寇仲給由隋朝逃兵組成的東海幫幾位首領作報告說：

「誰能奪得關中，誰就可以成為新朝的帝君。欲得天下而不懂天時、地利、人和這三宗事者，猶如瞎子騎馬，夜臨深淵。長安位於關中平原，地當渭河之南、秦嶺之北，沃野千里，群山環抱。自古以來就是交通和軍事要地，周、秦、漢均以此為都，不斷修建擴充。現今的長安再經楊堅興建新城，不但其規模乃天下之冠，又開通廣通渠引渭水東流至潼關入黃河。以交通論，洛陽或者猶勝三分，但若以軍事形勢論，則瞠乎其後。當年秦始皇之能一統六合，掃滅群雄，原因就在『地沃人富，有險可

守』這八個大字。」（第六卷第十二章）

就算寇仲和徐子陵曾偷聽過私塾先生講課，也不可能對政治局勢及軍事地理有如此清晰的瞭解。這段話，並不是僅憑聰明就能說出。問題是，此時寇仲並沒有見到魯妙子，更沒有讀過魯妙子留下的兵書，他的這番見解從何而來？

無獨有偶，書中有一段對徐子陵的講述，說「他的目標在於探索這個奇異的人世，探索武道的最高境界，堪破生命的奧秘。但他從來沒有強迫自己，一切都隨遇而安，就像以前寇仲要他去偷聽老儒講學，要他去偷學武術，他便去聽去學。直至學曉《長生訣》秘不可測的功法，他才把生命掌握在自己手上，有了自己的想法和目標。」（第六卷第九章）這段話，可能是作者把自己的人生設計硬套在徐子陵頭上，問題是，徐子陵並沒有機會到香港中文大學求學，甚至沒見過圖書館。

本書弱點之三，是作者對主人公的技術性設定，有時候會與常規的人情物理有矛盾或縫隙。最突出的例子是，羅君綽怎麼會將楊公寶藏的秘密告訴寇仲和徐子陵？羅君綽想奪得《長生訣》，不得不幫助寇仲、徐子陵脫險；在與兩小相處的過程中，羅君綽對兩小產生感情，也不難理解。但一向敵視漢人的羅君婥居然將楊公寶藏的秘密告訴兩個生命不保的小混混，無論如何都讓人有些難以置信。假如羅君婥與兩小相處的時間足夠長、情感足夠深，以至於讓她對兩小的情感超出了其民族仇怨，或許還可以接受。問題是，小說中寫到羅君婥與兩小相處的時間實在太短，相互間的情感根本沒有時間進一步發展深化，羅君婥的行為就超出了人之常情，變成了作者的又一項人為設定。而這一設定，人為的痕跡過於明顯，於是成了小說中的一處破綻。推而廣之，小說的主要不足，正是人為設定超越了人之常情；進而是小說以故事情節的廣度，替代並犧牲了小說人性描寫的深度。

《邊荒傳說》

《邊荒傳說》是一部有些被低估的黃易作品。其實際成就，應不在大名鼎鼎的《尋秦記》與《大唐雙龍傳》之下，甚或猶有過之。

這部小說最突出的特色與成就，是想像並創作出邊荒、邊荒集這樣一個特殊的空間。首先是一個具體的地理空間，即在淮泗之間的一塊三不管地帶。正因為三不管，所以是獨立於南朝與北朝的政治控制之外的江湖空間，是天下冒險家、商人、逃犯、盜賊、間諜、投機者和自由人的樂園。邊荒集有不同的幫派組織，例如祝天雲領導的漢幫，拓跋儀領導的鮮卑拓跋族的飛馬會，慕容戰領導的鮮卑慕容族的北騎聯，赫連勃勃領導的匈奴幫，呼雷方領導的羌幫，哈力行領導的羯幫，以及郝長亨代表的兩湖幫、屠奉三代表的桓玄勢力，等等。

與此同時，邊荒集也是個商業貿易空間，南北貿易的樞紐及轉運站。其中經營妓院生意的紅子春、經營錢莊的費正昌、經營兵器的姬別等等，經營說書館的卓狂生，經營酒樓的龐義，從事消息買賣的高彥，等等。上述漢幫及其他幫派，也各有其生意之道。

進而，在南朝漢人政權與北朝少數民族政權的擠壓下，邊荒集又變成了一個重要的政治空間，邊荒人團結成一個不可輕視的政治軍事團體，為保衛其生存、自由、公義和榮譽而共同奮戰。邊荒集這個獨特空間，有點像美國建國前的北美大地，也有點像拉斯維加斯，還可以說是香港隱喻。

在此前的武俠小說中，從沒有人創造出這樣一個充滿想像力的江湖空間。邊荒集是怎樣的一個空間？書中借幾個進入過邊荒集的外人給出過解釋和說明。其一，劉裕說：「當我第一次來邊荒集前，有經驗的前輩告訴我，假設你在邊荒集橫衝直撞，碰跌十多人，其中至少有一個是殺人如麻的大盜，一個是偷雞摸狗的小賊，一個則是被某方政權追緝的逃犯，另一個是江湖騙子，還有一個是某方派來的探子，其他的便是渾水摸魚的投機者。」（第六卷第七章）這是一個帶有正統觀念的觀察者的看法，早期的邊荒集，或許就是這個樣子。

其次，兩湖幫幫主聶天還的女弟子小白雁尹清雅說：

「……在邊荒集這個無法無天的地方，只有足夠實力的人方可出人頭地，全沒有僥倖可言。所以能在邊荒集打響名堂的，都是有真材實料的人。這令邊荒集能人盡其才，出現百花齊放的局面，故而一旦荒人團結在一起，荒人便成為一股不可輕視的力量，因為每一個人都能盡展所長，其環境可令荒人盡情發揮各自的長處，在公平競爭下，優劣勝敗一目了然。」（第三十五卷第十章）

這說明，邊荒集是天下各種人才的彙聚之地，更重要的是，邊荒集不僅是一個自由空間，且有自由競爭的獨特規則。

再次，秘人中的秘人向雨田說：「邊荒集是個奇妙的地方，很合我的喜好，離奇的玩意到處都是，集內在一片萎靡頹廢、醉生夢死的氛圍中，偏又充滿追求自由的活力，人人都可以放手幹自己所喜歡的事，只要依足規矩，便沒有人干涉。我一直以為沒有任何人或事可以改變我，但我剛才竟感到對你有點心軟，由此我便知道自己有些兒被改變了，邊荒集的感染力真厲害。」（第三十六卷第十章）這說明，邊荒不僅有自由，而且有魅力，即邊荒人所說的「公義」，如不問他人的過去，不問別人的隱私，不干涉他人自由，個人奮鬥，充分享受生命，等等。

最後，邊荒在兩次被佔領又兩次光復的過程中，邊荒人群體經歷了兩次重組與生死考驗，發生了驚人的社會變遷。用邊荒商人紅子春的話說：「……現在邊荒集徹底改變了，所有人都是兄弟，什麼事情都可以和平解決，成了人間的樂土，只有蠢材才想到離開這裡。」（第四十三卷第五章）由此證明，邊荒集從罪惡淵藪，已變成了人間桃花源。《邊荒傳說》，寫的就是邊荒社會變遷的歷史。

《邊荒傳說》的故事情節，是由主人公燕飛和他的兩個好友，即南朝漢人劉裕、北方鮮卑拓跋部的拓跋珪，共同串聯起來的。小說開頭，講述燕飛、劉裕、拓跋珪三人在肥水之戰中初會於邊荒集，一起浴血奮鬥，逃出邊荒，並且幫助東晉的謝玄打贏了這場以少勝多的戰爭。獲益者不僅是南方的謝玄，還有北方的慕容垂。間接獲益者，當然是南方的劉裕和北方的拓跋珪。肥水之戰是劉裕和拓跋珪建在南北兩地功立業的開始，而收復邊荒的戰鬥，不僅讓他們與燕飛的關係更家密切，更獲得了邊荒人的信任與友情。此後的故事，就是燕飛及邊荒人投桃報李，先是幫助劉裕在東晉謝家北府兵中迅速躥升，進而乘東晉政權內憂外患之機，奪得北府兵的軍事指揮權，平息孫恩起義、桓玄叛亂，從而統一南方。接下來是燕飛和邊荒人幫助拓跋珪在與慕容垂的軍事對峙中獲得勝利。

在兩次收復邊荒、劉裕打敗孫恩與桓玄、拓跋珪戰勝慕容垂這一故事主幹之外，書中還有若干情節藤曼纏繞。

一是東晉內部的階級鬥爭及權力鬥爭，如孫恩對東晉王朝的挑戰；司馬道子對謝家及其北府兵的算計、桓玄對司馬道子的挑戰；北府兵當權者劉牢之、何謙、孫無終之間的權力鬥爭；謝琰、謝混父子對劉裕的階級歧視及情感衝突，等等。

二是燕飛與彌勒教竺法慶、尼惠暉、赫連勃勃，天師道的孫恩、盧循，以及魔門聖君慕清流、譙縱（連時應）、譙奉先、譙嫩玉、清談女王李淑莊等人之間錯綜複雜的矛盾衝突及武力比拼。

三是多條情感線索，例如邊荒集高彥與兩湖幫尹清雅，燕飛與萬俟明瑤、紀千千、安玉晴，劉裕與王淡真、謝鍾秀、江文青、任青緹，屠奉三與李淑莊，拓跋珪與楚無瑕，等等。

本書將傳奇故事與歷史故事融為一體，並不是簡單的拼貼，而是將真實歷史人物及其真實歷史故事化入小說傳奇的魔幻空間，劉裕、拓跋珪、孫恩、桓玄、慕容垂等都是歷史人物，他們的故事也非完全虛構，但卻非精確的歷史事實，而是納入小說的「魔幻時空」。例如，從肥水之戰（三八三年）到桓玄被殺（四〇四年）有二十年時間，但在書中好像不過幾年而已。又如，慕容垂死於三九六年，比桓玄早死八年，但書中桓玄死後，慕容垂還在與拓跋珪打仗。慕容垂和桓玄之死，當然也都不是小說中所寫的那樣。但這並不重要，重要的是，小說中的這些歷史人物比歷史書中更加形象鮮活，生動可感。

本書的另一特色成就，是主人公燕飛形象的塑造，有三重特殊性。

首先，他的身分非常特殊，其原名是拓跋漢，因為他的母親是鮮卑人，但他的父親是漢人墨夷明，這種特殊身分，使得他不僅把拓跋珪當作自己的族人（母親的血緣），同時也可以把劉裕當作自己的族人（父親的血緣）。他既是拓跋珪的朋友，也是劉裕的朋友。這意味著，假如劉裕和拓跋珪衝突，他不會站在拓跋珪一邊對付劉裕，亦不會站在劉裕一邊對付拓跋珪。

其次，雖然是劉裕、拓跋珪的朋友，並且多次與拓跋珪、劉裕並肩作戰，但燕飛與劉裕、拓跋珪卻並不是同類人。這不僅是因為燕飛是虛構的江湖人物，而劉裕、拓跋珪是真實歷史人物；更重要的是，劉裕、拓跋珪是政治中人、權力中人，而燕飛卻對政治衝突、權力鬥爭沒有興趣，他是自由人。燕飛和劉裕、拓跋圭的關係，與《大唐雙龍傳》中徐子陵和寇仲的關係有相似之處，燕飛很像徐子陵，而劉裕和拓跋珪則比寇仲更加在意本民族的生存權利及其政治鬥爭。

再次，在與劉裕、拓跋珪的比較中，燕飛更接近於邊荒人。但燕飛與邊荒人卻又有所不同，劉裕、拓跋珪及所有的邊荒人都是現世中人，而燕飛卻不僅屬於此世，而且屬於永恆——燕飛已獲不死之身，隨時可以打開仙門——這使得他的身分在凡人與非凡人之間。正如書中紀千千說：「他再不是個凡人，而是大地遊仙式的絕世高手，他的成就將會超越當世所有高手。」（第十二卷第九章）燕飛確實成了超越當世所有高手的第一人，殺不可一世的彌勒教主竺法慶、天師教主孫恩和戰無不勝的慕容垂，就足以證明這一點。

燕飛有此成就，是因為他有效法自然、接通天地的天賦或仙緣。其天賦仙緣有三個關鍵點，一是他「在一明月當空的清夜，悟通有無之道，創出日月麗天大法，日月為有，天空為無，以有照無，明還日月，暗還虛空，虛實相輝，自此初窺劍道殿堂之境。」（第一卷第七章）這一情況，與《破碎虛空》中的傳鷹相通，看似更玄，但卻更可信。

二是他無意中服了「丹劫」，經歷九死一生，卻也由此脫胎換骨。三是在與孫恩第二次比武時，恰遇天佩、地佩、心佩合一，窺見仙門打開，從此長生不死。燕飛只是練武者，並非修道之人，只是在練武過程中得「仙緣」之助（當然是出於作者的精心策劃安排），由練武之人變成得道之人，獲得打開仙門的能力，從而使得他在人世間的感受和思考變得與只有一生一世的凡人徹底不同。這不同，在於他雖然可以全心投入凡世凡事（包括軍事偵查、武功比拼等等），卻又超然物外。燕飛的這一異能，使得他成了半人半仙，與小說中的其他人有明顯區別。

燕飛的經歷與成就，是書中最為「魔幻」的故事。燕飛或許相信自己經歷的魔幻故事，因為他是西元四世紀的古人。問題是：作者是否也相信這樣的故事？恐怕未必。證據是，書中雖然多次提及，燕飛與紀千千、安玉晴相約，要打開仙門，投入不朽的世界，但在這部小說的結尾，作者卻沒有寫到這一幕，只說燕飛和紀千千不知所終。這一寫法的妙處在於，對燕飛開仙門事，讀者可以選擇相信，也可以選擇不信。選擇相信，那是閱讀武俠小說即成人童話的正常態度，即欣賞人類幻想。選擇不信，亦有依據，那就是藝術創造，本就在真假有無間，借助燕飛不死這個神話，品評在世者的行為及其價值，會有超越性的視野及永恆價值的思索。

總之，燕飛半胡人半漢人、半政治人半自由人、半凡人半仙人的形象，使得他在這部武俠小說中獲得極為特殊的地位和作用。既是聯結所有故事的樞紐，同時也是審察和反思所有故事的視點所在，亦即解構此故事的金鑰。

劉裕形象刻畫，亦可圈可點。如果說燕飛形象的變化是由政治人蛻化為自由人，從凡人演進為仙人；劉裕則恰恰相反，他是從自由人逐漸演變成純粹的政治人，從寒門秀士逐漸成為南方之主。小說開始時，劉裕不過是謝玄統領的北府兵中的一個偵查軍官，由於戰功顯赫，讓謝玄刮目相看，且逐漸成為謝玄精心培養的接班人。進而，由於天地佩與心佩爆炸，被演繹成「天降異象，地必應劫」，後來被邊荒集說書人卓狂生演繹成「劉裕一箭沉穩龍，正是火石天降時」，暗示劉裕是能夠印證異象的真命天子，結果，劉裕果然成了北府兵的新領袖，並且率領北府兵將士打敗了孫恩的起義軍，進而打敗桓玄，成了南方之主。

歷史上的劉裕是怎樣的一個人？我們不得而知，在這部小說中，劉裕原本只是一個出身寒門、好學上進、用心奮鬥的青年，由於種種機緣，他被奉為收復邊荒的統帥，從此走上了超越宿命的人生路。從書中的情況看，劉裕原本沒有明確的政治理想，只是被謝玄看重，繼而被荒人看重，尤其是被屠奉三看重，亦被北府兵中胡彬、何無忌、劉毅、魏泳之等將領所看重，才成了真正的政治家劉裕。也可以說，劉裕實際上是被謝玄、宋悲風、卓狂生、屠奉三、江文清、胡彬、何無忌、劉毅、魏泳之乃至劉穆之、任青緹等人共同塑造出的人間領袖。這可謂最生動的歷史揭秘。

劉裕與王淡真、謝鍾秀、江文清、任青緹四位女性的感情，亦是瞭解和理解劉裕這個人的重要線索。首先，劉裕對王淡真的愛，是劉裕人生故事的重大關鍵，也是理解劉裕這個人的重大關鍵。書中對這一愛情線索講述並不多，只是寫到劉裕見王淡真，王淡真對他的注視讓他心跳。進而是與王淡真的一次接觸；進而是王淡真約他私奔；進而是劉裕在私奔時被謝玄攔阻；進而是聽說桓玄要娶王淡真，劉裕營救王淡真，卻被王淡真拒絕，她要為家人的命運承擔責任；最後是聽說王淡真自殺。

故事線索如此簡單，為什麼會是劉裕故事的重大關鍵？不僅是因為王淡真的驚人美貌，也不僅是因為王淡真的高貴氣質，更重要的是王淡真的高貴身分：她是王恭的女兒。劉裕與王淡真的愛情，是高門名媛與寒門子弟之間的跨越階級壁壘的愛情。其激動人心之處，不僅在於愛情，更在於打破階級禁忌。

獲得王淡真的愛，不僅是一份男女之情，更重要的是獲得一份來自高門名媛的肯定和期許，這是鼓勵劉裕為身分進階而奮鬥的隱秘動力。正因為要打破禁忌，使得這一愛情出現一個奇特的悖論：

假如劉裕和王淡真私奔成功，他們都會成為不容於社會的罪人；只有暫時放棄王淡真，完成謝玄交付的使命，即統一南方並成為南方之主，才能獲得迎娶王淡真的合法身分與資格。而一旦放棄王淡真，王淡真的命運就不能由自己掌握，最終落入桓玄之手，結局是自殺身亡。王淡真之死，是劉裕最大的心靈之痛，同時也成為劉裕奮戰到底的重大動力：找桓玄報仇。在這個意義上說，劉裕與王淡真的愛情，是塑造劉裕形象、鼓舞劉裕奮勇挑戰命運的關鍵因素。

劉裕與謝鍾秀的愛情，與劉、王之愛有相似之處，更有相關性。謝鍾秀愛劉裕，一方面是與王淡真相似，即不想重複謝道韞、謝聘婷的婚姻悲劇，對建康高門嚴重失望，從而渴望打破階級壁壘，渴望與真正的英雄人物結成同心，避免因門當戶對的婚姻老套乃至婚姻陷阱。另一方面，謝鍾秀是劉裕與王淡真私奔的破壞者，正是她向父親謝玄告密，讓謝玄攔阻劉裕，從而讓劉裕和王淡真從此有緣無分。謝鍾秀為什麼要這麼做？此事有想像空間，除了謝鍾秀所說的害怕挑戰命運之外，似乎還有潛意識因素，那就是她也看好劉裕——劉裕是她父親謝玄選中的事業接班人——甚至也愛劉裕，由於下意識嫉妒，要破壞劉裕的私奔計畫。

另一種可能，是當時她並沒有嫉妒，只有害怕，在王淡真自殺之後，謝鍾秀內疚深重，渴望對劉裕有所補償。還有一種可能，那就是上述兩種因素皆備，證據是，謝鍾秀非但沒有表達自己的愛，且嚴詞拒絕了劉裕的示愛。這一行為，證明了謝鍾秀對劉裕愛意至深，正因為愛劉裕，才不得不拒絕劉裕，不得不把雙重的痛苦留給自己，一份是對王淡真的歉疚，另一份是親自葬送自己真愛的悲傷。

最終，謝鍾秀被這雙重悲傷壓垮，只有在臨終時才說出真情。剩下的問題是：劉裕對謝鍾秀的愛，是否對王淡真之愛的替代？事情可能沒有那麼簡單。謝鍾秀與王淡真是建康有名的名門雙姝，劉裕見到謝鍾秀的機會更多，愛上謝鍾秀的機會更大，之所以沒有表達，原因很簡單，那就是階級壁壘加上對謝玄的忠誠與感恩，使得劉裕對謝鍾秀的愛成為雙重禁忌，不得不壓抑到無心無意的程度。直到謝玄去世，王淡真自殺，劉裕成為改變東晉王朝命運的關鍵人物，他對謝鍾秀的愛情才會泛上心頭。他沒想到，仍然會遭到謝鍾秀的拒絕。直到旁觀者告訴他，謝鍾秀拒絕他的愛情並非真意，劉裕才再次振作，努力成為命運的主宰。

劉裕與江文清的愛情，沒有階級壁壘，沒有社會禁忌，劉裕是北府兵英雄，江文清是江湖兒女，他們之間發生任何事都不會有嚴重障礙。更重要的是，劉裕和江文清是命運共同體，為了收復邊荒集，為了替江文清之父即大江幫幫主江海流報仇，他們要相互合作、並肩奮鬥。有意思的是，江文清喜歡女扮男裝，開始時以「邊荒公子」的身分出現，對自己有一份超越性別的期許。父親江海流被殺，將她打回原型，讓她意識到自己畢竟是涉世未深的女子。憑江文清的能力，要找聶天還、桓玄報仇，幾乎是不可能完成的任務。身邊的劉裕，成了她關注的目標和愛情投注的對象，也就成了必然。

劉裕不僅具有英雄氣概，得到所有邊荒人的支持和敬仰，且有「劉裕一箭沉穩龍，正是火石天降時」的異兆相伴，得婿如此，夫復何求？有意思的是，江文清並沒有急於表白自己的愛情，而是耐心等候水到渠成。江文清沒有急於表白，固然是由於少女的矜持和自尊的個性，實際上也是因為劉裕態度曖昧，不知道如果表白會有怎樣的結果。劉裕所以曖昧，主要是因為王淡真，繼而是因為謝鍾秀，同時也因為戰事倥傯。直到最後，所有內在與外在的壓力解除，這對英雄兒女才得相互表白，並結為夫婦。

劉裕與任青緹的關係，最具傳奇性。任青緹是逍遙教主任遙的妹妹，也是曹魏王朝的嫡系後人，他們的奮鬥目標，當然是要復辟曹魏王朝。簡單說，任青緹是劉裕的對頭，從第一次在邊荒集見面時起，任青緹就利用了劉裕和燕飛，後來甚至還曾試圖暗殺劉裕。在任遙被孫恩殺害後，任青緹曾與聶天還、桓玄等人合作，尋找靠山，繼續奮鬥，而這些人無不是劉裕的大敵。直到最後，任青緹才以幫助劉裕清除魔門高手李淑莊為條件，成為劉裕的外室。

任青緹這麼做，完全符合她的行為邏輯，因為此時的劉裕已經是最有可能成為南方之主的人物。任青緹的奮鬥目標，是獲得政治權力，即便不能親自掌權，也要成為當權者的枕邊人。劉裕之所以接受任青緹，固然是任青緹能幫助他清除李淑莊，解除魔門威脅；還有一個不可忽視的原因，那就是任青緹美貌如花，是世上少有的性感尤物。也就是說，劉裕與任青緹的關係，是欲望與權力的交易。有意思的是，任青緹不僅成了劉裕的秘密夫人，同時也成了劉裕的政治指導員，她似乎比劉裕更懂得權力鬥爭的規則與技術，從而能為政治戰線上的生手劉裕出謀劃策。

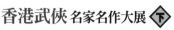

劉裕與任青緹的關係，與拓跋珪的楚無瑕的關係，可以相互參照。任青緹與楚無瑕，身分、作風、奮鬥目標都很相似。在身分上，任青緹是逍遙教的骨幹，而楚無瑕則是彌勒教的骨幹。在行為作風上，她們都是魔門浪女，在男女關係中遊刃有餘。在奮鬥目標上，她們都是追逐權力或追逐當權者的人，任青緹找到了南方之主劉裕，而楚無瑕找到了北方之主拓跋珪。

與任青緹、楚無瑕形成對比的是安玉晴，她是丹王安世清的女兒，其身分與任青緹、楚無瑕有相似之處。不同的是她們的行為作風和奮鬥目標，安玉晴一直戴著神秘面紗，不願意以真面目示人，更不會主動親近任何男子，她的目標是追求永恆，她對燕飛的愛戀也只是精神之戀。燕飛與劉裕、拓跋珪的不同，不僅是自由人與政治家的區別，且是出世者與入世者的區別。安玉晴與任青緹、楚無瑕的不同，也是如此。當劉裕、拓跋珪分別登上南北兩地權力巔峰時，他們身邊的任青媞、楚無瑕會有怎樣的作為？她們會導演並演出怎樣的故事？頗有讓人期待與想像的空間。對此，作者有一個小小的暗示，那就是：南方之主劉裕，正是徹底終結邊荒歷史的人。

書中的高彥形象，也值得一說。本書的主人公燕飛、劉裕、拓跋珪，都不是真正的邊荒人，邊荒人的真正代表，應該是高彥。他是邊荒集的首席風媒，亦以收集並出賣情報與資訊為生。高彥的生活方式非常典型，簡單說，就是拼命地掙錢，然後拼命地花錢。在遇到小白雁尹清雅之前，高彥的錢多半花在邊荒集夜窩子的青樓中，他是個毫無疑問的好色之徒。當他遇到跟隨郝長亨來邊荒歷練的尹清雅，竟從此改弦更張，這位好色之徒，變成了天下知名的大情聖。

有意思的是，當他第一次見到尹清雅，就毫不猶豫地認定尹清雅就是他命中註定的女主角，進而展開糾纏不休的苦苦追求，即便尹清雅拒絕了他一百次，他仍會做第一百零一次努力。即便尹清雅曾試圖謀殺他，他先是不知情，繼而不相信，最終是不在意。追求尹清雅，成了高彥最重要的人生目標，為了追求尹清雅，他可以不惜一切。高彥求愛過程，即著名的「小白雁之戀」，是這部小說中最浪漫的傳奇，也是最動人的篇章。

其浪漫與動人之處，是不僅高彥一個人在追求尹清雅，而是邊荒集的重要人物全都投入了這一動人故事之中。首先是燕飛，居然在百忙之中抽空陪伴高彥前往兩湖幫駐地，創造機會讓高彥見到心上人；在高彥被俘之後，燕飛以其高超的武功和更為高超的智慧，救回了高彥，並與聶天還訂約，讓他不要干預高彥和尹清雅的情感發展，為「小白雁之戀」創造了堅實的基礎。其次是卓狂生，不僅為高彥出謀劃策，而且把高彥對尹清雅的追求當作是所有邊荒人的共同心願，從而創作《小白雁之戀》話本，故意讓它自由傳播，吸引尹清雅的注意力；進而借高彥被刺以及「邊荒地穴遊」的商機，大造聲勢，終於成功地將尹清雅吸引到邊荒集來。從而創造了尹清雅與高彥再次見面的機會，為他們的愛情創造氛圍。

尹清雅對高彥從無情到動情的過程，也是這個故事的重要關鍵。她曾刺殺高彥，是害怕高彥燒掉木筏，破壞了兩湖幫參與的反攻邊荒集的大計。那時候，她只是一個專心的特工，並沒有考慮過高彥的追求及自己的情感。所以如此，首先是因為尹清雅年紀尚幼，情竇未開；其次是因為她自以為是，並不知道自己的情感潛意識。有意思的是，刺殺高彥一事，成了尹清雅的一個心結。發現高彥不在意她曾刺殺過他，把對她的愛情置於自己的生死之上，衝擊了她的情感心扉。

在這一過程中，高彥也發生了根本性的變化，從一個追求欲望的人變成了一個追求愛情的人，從肉體之欲到精神之戀，從自我滿足優先到滿足對方優先。在這一過程中，高彥成了真正的英雄。「小白雁之戀」的故事，不僅是高彥、尹清雅兩個人的故事，也是所有邊荒人參與的故事，可以說是邊荒傳奇中最動人的篇章。

書中屠奉三的形象及其出人意料的愛情故事也值得一說。屠奉三的形象，有過幾次明顯的轉變。當他以振荊會主的身分出現在邊荒集，強買店面開設刺客館時，他是個不折不扣的殺手。當桓玄與兩湖幫主聶天還結盟時，他感到自己被出賣；而當他得知自己全家數百口被桓玄殺害，他成了堅定不移的復仇者。當他堅定地站在劉裕身邊，願意為劉裕的事業衝鋒陷陣，他的目標並不是未來的政治權力或商業利潤，而是實現對桓玄復仇的心願。

當屠奉三這個典型的硬漢，在燕飛的鼓勵下，竟對建康城清談女王李淑莊產生真情，有震撼人心之效。屠奉三與李淑莊之間，不僅有政治差異和階級鴻溝，更有道德壁壘——李淑莊這個清談女王不僅是魔門高手，且曾人盡可夫——當這種不可能的愛情成為現實，自然會讓人刮目相看。有意思的是，當劉裕奪取北府兵統領之權，成為東晉王朝的真正主宰之際，其首席功臣屠奉三竟然要求攜李淑莊隱退。屠奉三從權力狂到鍾情人，固然是因為李淑莊的驚人魔力，更是因為邊荒集徹底改變了屠奉三，讓他找到了人生的真義與真趣，找到了生活的目標與方式，這正是邊荒集的典型方式。

書中還有一個重要人物不能不提，那就是邊荒集說書館主人卓狂生。與高彥一樣，卓狂生也是典型的邊荒人；與高彥不一樣的是，卓狂生比高彥擁有更高的文化水準，更大的創造能力，和更大人格魅力及其社會影響力。卓狂生是邊荒生活的重要設計者，也是邊荒集真正的精神領袖。首先，他創造了夜窩族，即打破邊荒集的幫派壁壘，讓漢、匈奴、鮮卑、羌、羯、氐等各個幫派之人都有機會成為夜窩族成員，從而形成凝聚邊荒人的生活中心和精神中心。

其次，他創建了邊荒集的鐘樓議會，邀請各派各幫及各個利益團體成員參加，協調邊荒集的利益分配，解決邊荒集的各種矛盾衝突，在邊荒集遭遇危機時則商討邊荒集的共同對策。鐘樓議會是邊荒集的一大政治創舉。這一創舉，雖然參考了現代民主政治體制，卻也正是解決人才群集而矛盾紛繁的邊荒集社會問題的真正金鑰。

再次，卓狂生還有一大創造，那就是他的說書館，平日他是以說書賺錢，而在這個故事中，他不只是個職業說書人，同時還是邊荒集的歷史參與者、創造者和記錄者——他不僅書寫並講述了高彥和尹清雅的《小白雁之戀》，書寫並傳播了事關東晉命運的「劉裕一箭沉穩龍，正是火石天降時」，還完成了整部邊荒集史書《邊荒傳說》——恰好與這部小說同名。可以說，卓狂生乃是小說作者的替身。

卓狂生說：「我會走遍天之涯、海之角，踏遍窮鄉僻壤，把我的說書廣傳開去。我說書的對象再不是付得起錢的人，而是沒法接觸外面世界，又對外面遼闊的天地充滿好奇心的小孩子，讓他們曉得真正的英雄是怎樣的人。告訴他們，最一無所有的人，如何成為公侯將相；出身布衣貧農者，也可以成就帝王不朽功業；花心的小子，竟有可能變得情深如海。我會在孩子們的心中播下創造命運的種子，讓種子將來有開花結果的一天。」（第四十三卷第十一章）這話，可謂《邊荒傳說》的思想主題。

小說的不足之處，一是篇幅太長，且有故意拉長篇幅、故意放慢節奏並延宕故事情節發展之嫌疑。故事中涉及的民族很多，頭緒複雜紛繁，要把這段歷史說清楚，自是需要較長的篇幅。但這部小說所講述的其實只有邊荒集兩次危機，加上劉裕平定南方、拓跋珪與慕容垂的關鍵決戰，只這幾個故事線索是否仍需要這麼長的篇幅？大有討論的餘地。例如，在書寫劉裕故事線索時，幾乎在每個章節中都要以蒙太奇形式講述紀千千與慕容垂的片斷、拓跋珪的片斷，以及燕飛與紀千千、安玉晴以及孫恩等人的片斷，使得主要故事情節即劉裕故事陷於停滯。

蒙太奇之妙，不僅在於隨時能照應不同的情境與角色，更在於能借此節省篇幅，留出供人想像與思索的空間。但這部小說則相反，無論是否必要，總是要盡可能將各個情境中的人物狀態作詳細交代。好處是增加篇幅，讓讀者閱讀到不同情境中人的生活細節；副作用是，拖慢節奏，影響故事情節發展，且填得太滿，讓讀者沒有想像與思索空間。正負相權，有不少段落恐怕會得不償失。

小說的另一個不足，是故事廣度有餘，而人物描寫深度不足。

《雲夢城之謎》

《雲夢城之謎》是黃易玄幻之作，共六卷六十三章。講述五遁盜烏子虛、皇家殺手辜月明、大河盟軍師阮修真及二當家丘九師等人的故事。故事線索有兩條，一條線索是五遁盜殺了大河盟盟主皇甫天雄的兒子皇甫英，皇甫天雄命軍師阮修真、二當家丘九師不惜一切代價追殺五遁盜；另一條線索是皇宮權宦鳳公公派皇家殺手辜月明前往雲夢澤，追尋十年前得而復失的楚盒。緝凶線索和奪寶線索交集於逃入岳陽城的五遁盜烏子虛，名妓百純、復仇女無雙女、廠衛統領季聶提、岳陽布政使司錢世臣，以及錢世臣的師兄戈墨等也捲入其中。

這個故事的關鍵人物，是五遁盜烏子虛。其行為及其故事的關鍵字是：鬼使神差。他來到岳陽之後的行為幾乎完全是身不由己，被神秘的力量所控制。殺大河盟盟主皇甫天雄的兒子皇甫英，就是十分蹊蹺，他從來不殺人，卻殺了皇甫英；他賭博時從來不嫖，卻情不自禁地受陌生美女的誘惑；他與皇甫英往日無仇、今日無怨，卻隨手一揮就殺死了對方。此後就是一路逃亡到雲夢澤，撿起楚盒上的珍珠，看到一千五百年前楚國車騎及絕世美女——即所謂雲夢女神。

烏子虛喜歡賭博，卻是九流的賭徒，每賭必輸；但這一次卻用僅剩下的一兩銀子，連贏七番，剛好贏得五百兩（**賭場上的老千們也是鬼使神差，完全無法控制自己的千術**）。進而來到岳陽，欲將夜明珠賣給當地首富、布政史司錢世臣。為達目的，冒充畫仙郎庚進紅葉樓當畫師；畫技平常的他，竟然在紅葉樓中超水準發揮，畫出讓人讚嘆的精美畫作《雲夢女神》。發生在烏子虛身上的一切，都無法按常理解釋，諸如，既然知道自己受到通緝，為什麼還要混入危機重重的岳陽城？又如，他已有贏來的五百兩銀子，還有紅葉樓畫師的八錠金子，為什麼還要出售夜明珠？後來的事實證明，發生在烏子虛身上的一切，確實是鬼使神差。如書中所寫：

「一切都不是偶然的，每一個夢境，每一個幻覺，每一個零碎的前世片斷，即使發生在他們各自的身上，其間亦有微妙的聯繫。」（第六卷卷第六章）

這個故事的另一個關鍵字是：前世今生。烏子虛的畫作《雲夢女神》讓辜月明、百純、無雙女等故事中的幾位關鍵人物心神震撼，並不是被畫作的美感所震撼，而是被畫中人啟動了模糊而零碎的前世記憶。如今的皇家殺手，正是一千五百年前楚國顓城的第二代城主；如今的紅妓百純，正是當年顓城城主夫人的侍女；如今的無雙女，正是當年為顓城城主殉情自殺的人；而如今的五遁盜烏子虛，則是當年與顓城城主並肩作戰但卻暗戀城主夫人的人。

書中雲夢女神說：「每一個生命，每一段旅程，都有其使命和意義，只是我們不瞭解，才會為失敗而沮喪，為死亡而悲泣。你所置身的人世，只是生命的一種形式，在這種形式之外，還有無數的生命形式，等待你去經驗，等待你去品嘗。」（第六卷卷第十章）這段話，應視為小說《雲夢城之謎》的重要思想主題之一。

小說的敘事重點，前世對今生的影響。其中最突出的，是皇家殺手辜月明，向來我行我素，獨來獨往，不懼死亡，甚至追求死亡；但他有一個心結，那就是極度厭惡戰爭，他接受鳳公公的囑託前往雲夢澤尋找楚盒，交換條件就是從此退休，不上戰場。之所以如此，是因為他在一千五百年前的前世，作為顓城城主，因為一己貪念，引發了長達八年的顓城之戰。

五遁盜烏子虛也有一個隱秘，那就是與任何美女歡好，都找不到真正的幸福歸宿，而是在第二天醒來，立即就要逃離。之所以如此，是因為他的摯愛因為吃了楚盒中的湘果，化作不死的鬼神，留在了雲夢澤中。他之鬼使神差，就是雲夢女神對他的呼喚，而他之身不由己，也正是要回歸雲夢澤來重續前緣。

無雙女對男子不假辭色，甚至想殺害對她產生好感的辜月明，表面原因是錯以為辜月明殺死了她的舅父，真正的原因是對辜月明前世絕情的報復。好在，辜月明也記起了前世因緣，從而改變了無雙女和他本人的命運。無雙女的奮鬥目標是查清父親死亡真相，並努力為平反、報仇，但舅父薛廷蒿的死亡，讓她失去了偵查父親死亡真相的線索，也失去了為父親平反昭雪的奮鬥目標。是辜月明的熱情點燃了無雙女的生機，從而一起抵達顓城，終於查清了父親死亡真相，報仇雪恨的願望也終於可期。這一切，都是由於前世因緣。

烏子虛、辜月明、百純、無雙女都與顓城即雲夢城有關，這幾個人都算是解開雲夢城之謎的關鍵線索。此外還有一條線索，那就是大河盟的軍師阮修真，他與古代顓城沒有什麼關聯，但此人心智超人且精通卜卦，由於連卜三卦都得到「三鬼齊動」的卦象，讓他意識到自己在與超人的力量競爭，從而在最關鍵的時刻，意識到要與超人的鬼神合作，才能擺脫眼前的危機。所以，他出人意料地毅然放棄對烏子虛的抓捕，選擇與烏子虛、辜月明合作，終於避開了命運的危機（**也即大河盟盟主皇甫天雄出賣了他們**），贏得了生命及其命運的主宰權。如此，雲夢女神的鬼神力量，讓阮修真、丘九師加入了烏子虛、辜月明團隊。

這個團隊的最大特色，就是化敵為友，讓原本敵對的力量團結在一起。具體說，烏子虛是賊，辜月明是官方名殺手，本是天敵關係；阮修真、丘九師的行為目標，是要抓捕並誅殺烏子虛，因為他殺了大河盟主皇甫天雄之子；無雙女以為辜月明殺了她舅舅，因而要殺辜月明；但由於雲夢女神的力量，讓他們成了相互合作的夥伴。

與辜月明團隊作對的，是季聶提團隊。季聶提團隊包括鳳公公、季聶提、錢世臣、戈墨、皇甫天雄。這是個官方團隊，其核心是鳳公公，季聶提是鳳公公手下的第一紅人，錢世臣是布政史司，都是官方人物。戈墨是錢世臣的師兄，皇甫天雄則與季聶提暗通款曲。這個團隊的情形，與辜月明團隊截然相反，如果說辜月明團隊是化敵為友，那麼季聶提團隊則是各懷機心，最終四分五裂。

鳳公公派季聶提到雲夢澤，是要他找到楚盒，讓鳳公公獲得湘果，以便長生不死。季聶提卻將尋找楚盒視為次要任務，首要任務是想借皇甫天雄的力量逼迫阮修真、丘九師造反，從而「平叛」立功。錢世臣明知鳳公公需要楚盒，但他卻欲將楚盒據為己有。錢世臣找師兄戈墨合作，原本以為師兄戈墨全力相助，沒想到戈墨卻另有打算，壓根兒就沒想將楚盒交給師弟錢世臣。皇甫天雄與季聶提合作，並不是真的忠誠於皇權官府，而是為了維護自己在大河盟的權力與地位。

由於這些人各懷私心或貪念，使得團隊變成一盤散沙，非但不能有效合作，反而相互欺騙與迫害。典型的例子，是季聶提迫使錢世臣自殺，從而洩露天機。皇甫天雄雖然抓獲了阮修真，卻敗於丘九師的號召力。戈墨取得楚盒，並刺死烏子虛，但死於辜月明之手。鳳公公迫使辜月明獻出楚盒，但最終一無所得，絕望瘋狂而死。

最終獲勝者，是代表皇帝的太監冀善和他的弟弟岳奇。由於權傾朝野的鳳公公死亡，皇帝終於成功地奪回自己的權力，從而可以實施改革朝政的理想。也就是說，冀善和岳奇的勝利，就是皇帝的勝利；而皇帝的勝利，是天下百姓的福祉。如此，阮修真、丘九師不戰而勝，不必起義造反，即可讓朝政清明、百姓安樂。在這一意義上說，雲夢城故事，即是朝廷政治鬥爭故事的催化劑。

假如沒有鬼神因素，這個故事也會很精彩。其中有大盜、有皇家殺手、有一心要為父親夫猛將軍復仇的百戲團奇女子，有權閹鳳公公，有京城與岳陽城名妓，有貪婪而輕狂的地方官，有大江盟主之類的江湖梟雄、有隨時準備起義的英雄……這些人物各具個性，且相互關係錯綜複雜，他們的衝突故事必定可觀。

只不過，在寫作這個故事之前，作者早已選定了敘事策略，《雲夢城之謎》這個書名，足以證明作者必定要借鬼神及前世今生之說製造魔幻。證據是，這個故事中的朝廷，沒有明確的時代背景。書中提及楚國顯城距烏子虛、辜月明故事開始約有一千五百年左右時間，或可推測書中今生故事發生於中國歷史上的宋代即西元十一世紀。但這只是推測，因為書中的朝廷是宋或是明——由於書中提及異族入侵的危險，故推測書中朝廷應該是漢人皇帝的朝廷——對雲夢城之謎的故事不會有重大的影響。

作者講述的重點並不是現世政治衝突，而是魔幻時空中的生命故事。雲夢城的魔幻性，在烏子虛逃亡中見到雲夢女神時就有正面描寫，而鳳公公派辜月明前往雲夢澤時的提示，阮修真所卜「三鬼齊動」卦象，錢世臣對顯城歷史的講述，正是不斷完善有關雲夢城魔幻時空的拼圖。無論是宋代或是明代，當時人肯定會相信鬼神的力量，以及前世今生的說法，也就是說，作者寫作這樣的故事，對書中人而言，是沒有問題的。作者信或不信，也沒有問題。

問題是，作者寫這個故事，究竟有什麼意義？換言之，作者讓雲夢女神施展鬼神力量，將主人公烏子虛逼迫或誘惑到雲夢澤來，究竟要達到什麼目的？這個提問，主要是針對雲夢女神與烏子虛的前世關係，他們是真正的戀人，雲夢女神召喚烏子虛來究竟是要做什麼？若僅是為了與她團聚圓夢，就不該引來那麼多人，造成如此大的風波；若是為了揭開雲夢城即顓城的歷史秘密，那就不該讓引路人烏子虛死去，而讓自私自利而引發戰爭和瘟疫的顓城城主辜月明活著享受人生。

書中的烏子虛之死值得專門討論。戈墨要刺殺辜月明，辜月明原本可以避開，但因無雙女在他身後，他不忍心犧牲心愛的無雙女，從而沒有躲避；戈墨的行為與烏子虛原本沒有關係，但烏子虛與辜月明結成好友，不忍看好友死去，毫不猶豫地以身擋飛刀，以自己的死換取好友辜月明的生。烏子虛這樣做，或許是因為他在今生為救友而犧牲自己；或許是因在前世是城主侍衛而本能地捨身救主；又或許是因為他曾暗戀城主的妻妾而贖罪；又或許，只有烏子虛死去才能夠與雲夢女神相會，並永遠在一起。無論是因為什麼，小說第一主人公死去而沒有明白交代，總是小說的一大遺憾。

真正的原因，很可能是作者自己也沒有想清楚。烏子虛這個名字，顯然是從「子虛烏有」的成語簡化而來；五遁盜本人說這是他為自己取的化名，實際上不大可能，因為誰都聽得出這是個化名，沒有人相信烏子虛是他的真名，那麼他取這個名字還有什麼意義呢？惟一的意義，就是借用這個名字的象徵意義，即這個人子虛烏有，實際上不存在，他的存在，只是象徵。那麼，他到底象徵著什麼？雲夢城之謎到底有什麼意義？答案是混沌。

前面說到過，鬼神之能及前世今生之說，在書中人而言當然沒有問題，在作者而言則是一種製造魔幻的手段；廿一世紀的讀者則只能將此類魔幻當作童話看，這就回到老話題上：這個童話有什麼意義？答案依舊是混沌。

實在說，作者寫《雲夢城之謎》時，可能遇到了創作的瓶頸。證據是，此後停筆長達六年之久，作者對此曾有某個解釋，真正的原因應該是遭遇創作瓶頸。

《日月當空》

《日月當空》是黃易在寫完《雲夢城之謎》，停筆數年後再重振雄風的作品。《雲夢城之謎》雖不無奇思妙想，但總體上卻不如人意，標明作者的寫作進入瓶頸。在歷史的縫隙中書寫傳奇，則是作者十分熟悉的路徑，於是開始《盛唐三部曲》的寫作。

作者早在《大唐雙龍傳》的結尾，早已埋下了伏筆，陰癸派掌門人婠婠讓小女孩明空給徐子陵送鮮果，這個叫明空的小女孩，應該就是《日月當空》中的女帝武曌，即中國歷史上第一個女皇帝武則天。明空，是武曌之「曌」的拆分。

黃易已是武俠小說的資深作家。更重要的是，寫道「盛唐三部曲」，作者找到了黃氏傳奇故事的獨特配方，從而可以進行大規模傳奇故事生產。「盛唐三部曲」即黃氏配方的產物。這一配方是：《大唐雙龍傳》寇仲式英雄＋《覆雨翻雲》韓柏式情色＋《邊荒傳說》向雨田／燕飛式神秘與魔幻。下面具體說。

首先，《日月當空》延續了《大唐雙龍傳》成功的敘事模式，即讓虛構的英雄人物遊走在真實歷史的縫隙之中，似乎隨時隨地都在改變歷史，到頭來卻發現歷史並沒有被主人公真正改變。歷史＋傳奇的敘事模式，並非黃易首創，唐傳奇中已有端倪，《水滸傳》中亦有發揮，金庸、梁羽生更將這一敘事模式運用得更加嫻熟，甚至一度成了新派武俠小說的圭臬。黃易的貢獻，是塑造魔幻式超級英雄，例如《大唐雙龍傳》中的寇仲和徐子陵，《日月當空》中的龍鷹。有意思的是，在《日月當空》

中，很多人都認為龍鷹是「寇仲再世」，如狄仁傑就曾說過，龍鷹是另一個寇仲。甚至大江聯的二把手寬玉也說，龍鷹是另一個寇仲。這樣的類比，有利於讀者理解和接受。

在《日月當空》中，不僅有再世寇仲這樣熟悉的人物，還有與之相關的人物也能在《大唐雙龍傳》中找到原型，例如，慈航靜齋的端木菱，個性介乎《大唐雙龍傳》中的師妃暄與《覆雨翻雲》中的秦夢瑤之間。又如，僧王法明的「不碎金剛」，很容易讓人想起《大唐雙龍傳》邪王石之軒的「不死印法」，作者在有意無意之間，也常常會提及後作與前作間的相互關聯。龍鷹和寇仲的相似性，一言以蔽之，就是天縱英才、戰無不勝，這是通俗傳奇作品主人公的最佳人選或最佳配方。

《日月當空》中的龍鷹，《大唐雙龍傳》中的寇仲、徐子陵讓人更容易接受，原因是，其一，龍鷹在被太平公主和胖公公抓獲之前，曾博覽群書，曾勤奮修練，且曾孤獨思索，使得他比寇仲有更扎實的知識儲備，從而他的天縱英才也就更加可信。相比之下，寇仲的天才全靠作者人為設定。其二，龍鷹雖然戰無不勝，但作者並沒有將他當作全知全能的超人，而是明確地刻畫了他知識和才智的局限，在武功方面和軍事方面雖然有超人氣質（**其中也還有他曾博覽群書的基礎**），而在政治方面卻常常是糊塗蟲，幸而他有武曌、狄仁傑這樣貨真價實的政治家，還有胖公公這樣在權力場上奮鬥掙扎過半世紀的秘密高參。即使是在大江聯內部，他也得到了寬玉的顧問或提示。

其次，龍鷹與寇仲還有明顯的不同點，那就是，寇仲雖然多情，但卻不縱欲，而龍鷹卻是典型的多情且縱欲者。書中「龍鷹女郎」，簡直不計其數。僅在《日月當空》之中就有：人雅、麗麗、秀清、美修娜芙、奚王妃姿娜、奚王侍衛長泰婭、太平公主、上官婉兒、狄藕仙、青枝、花間女夢蝶、閔玄青、明惠、端木菱、花秀美、彩虹夫人、玉芷、（**南詔**）丁娜、丁慧、丁麗、丁玲、（**大江聯**）花簡寧兒、康康、惠子、萬俟姬純、依娜、貝貝、丹丹、小香、苗大姐、小圓、沈香雪……等等（這一統計數字很可能還有所遺漏）。

作者如此配方，重演《尋秦記》、《覆雨翻雲》等書的情色配方，似是故態復萌，卻也有新的構想。龍鷹所以如此好色，是因為他有「邪帝」身分，修練過「道心種魔大法」，這就使得他像《覆雨翻雲》中好色的韓柏，有「合法好色」的充分理由，非如此，就算不上「邪帝」。值得注意的是，在「龍鷹女郎」中，大部分屬於露水姻緣，有一部分是不得不接收的「禮物」（例如人雅，甚至美修娜芙），還有一部分是「鬥爭需要」（如湘夫人、沈香雪），只有一部分是需要龍鷹去追求的情感欲望。

進而，在龍鷹的性愛故事中，固然有體現其時代的男性中心的影響，但也有超越漢族男性中心的線索，諸如少數民族女性對性愛的主動，以及女性自主選擇和追求（如小魔女狄藕仙等女性即是如此）。進而，龍鷹雖然好色，但卻不是無止境的貪婪，有時候他也適可而止，甚至有出人意料的行為，例如，他向武則天討得七位宮女，而後託付他人給她們找歸宿；又如，胖公公將服侍自己的兩位侍女小慧、小嬌託付給龍鷹，龍鷹將她們送給覓南天。

更重要的是，龍鷹的情色故事，雖然基於性愛欲望，卻並不止於性愛欲望，而是會產生情感關懷，甚至會由此產生對生命和自我的新鮮經驗及感悟。最典型的例子，是對大江聯中突厥美女花簡寧兒的性愛追求，一小部分是性欲衝動，大部分是鬥爭策略；一旦發現對方由欲生情，他的情感態度即發生重大變化；而當他發現花簡寧兒為追探真相而犧牲，他對她的情感發生了根本性的改變，對她的欲望徹底昇華為同情和憐憫。花簡寧兒之死，成了龍鷹永久的心痛。與太平公主的關係，是對龍鷹情感的誘惑，更是對他自尊與自私心的折磨，卻也是對他生命體驗的擴張。總之，「龍鷹女郎」故事線索，需要專題研究。

再次，龍鷹與寇仲的另一個不同點，在於龍鷹故事有其明顯的魔幻維度，即與《覆雨翻雲》中的韓柏及《邊荒傳說》中的向雨田有直接的關聯，而與《破碎虛空》及《雲夢城之謎》等小說中人有間接的關聯。龍鷹與韓柏的直接關聯，是他們都有「道心種魔大法」。不同的是，韓柏的「道心種魔大法」的赤尊信在牢獄中強行灌注，故事中有太多離奇巧遇，顯然是出自作者人為設定，只能姑妄聽之、姑妄信之；而龍鷹的「道心種魔大法」則是自己修練而成，是一種武功種類和修行方法，符合武功修練的一般規律，即要不斷修行、不斷提升，所以，書中為《道心種魔大法》設計了十一重，從第四重結魔，到第七重養魔、第八重催魔、第九重成魔、第十重魔極、第十一重魔變，至道心魔種真正融合的最高境界。

這使得讀者不僅看到可信的發展變化，同時還看到了主人公的成才與成長。與向雨田的直接關聯，是因為龍鷹在其批註中發現向雨田是魔門中第一個練成「道心種魔大法」的人（**韓柏的明代人，遠遠晚於龍鷹所生活的唐代，所以韓柏雖然是黃易小說中最早的「道心種魔大法」的傳人，但卻不是龍鷹的「前輩」**）。而龍鷹也把向雨田作為自己的師父，因為他在練習「道心種魔大法」的過程中，不僅參考了經典原文，同時也參考了向雨田的批註。

實際上，龍鷹不僅把向雨田當作武功方面的師父，同時也把他當作自己人生的榜樣，向雨田是第一個沒有任何邪氣與惡行的魔道中人。龍鷹與向雨田的關聯，還有另一維度，那與打開仙門的燕飛相關。這一關聯並不是龍鷹的發現，而是與龍鷹為敵的道尊競爭者席遙的發現，他在道門史書中發現在孫恩與盧循師徒的記載中，有打開仙門的重要線索，而後在《邊荒傳說》中發現了燕飛與孫恩比武的神秘真相。於是感悟前世今生，這不僅對龍鷹產生了巨大影響，對武則天、胖公公乃至法明等人都產生了巨大影響。

這種影響，並不是讓這些人去尋找打開仙門、得道升仙的方法，而是讓他們的思想增加了一個重要維度：假如真有仙門，那麼他們在人間的種種爭鬥與利益的價值就需要重新評價。簡單說，打開仙門的故事，為他們的思索提供了一條十分重要的輔助線。實際上，打開仙門的故事，早在黃易的第一部武俠小說《破碎虛空》中就已經出現了，小說主人公傳鷹——與龍鷹同名——的最後結局正是破碎虛空即打開仙門而去。只不過，小說的這一結局，只能讓讀者看到傳奇，但卻不能讓讀者動心。在《邊荒傳說》中，燕飛與孫恩打鬥中由天佩、地佩、心佩合一而產生巨大能量造成大爆炸後的「天坑」，從而發現開啟仙門的方法，以至於孫恩放棄了此生的追求，一心一意要打開仙門而去，而燕飛和他心愛的紀千千最後也一起打開仙門而去。

他們的故事雖然比《破碎虛空》更進一步，但仍然恍兮惚兮，並不真正動人。《日月當空》中的龍鷹聽到邊荒傳說主人公的故事，雖然並沒有當真打開仙門，甚至也沒有花費心思尋求仙門所在，但因為有打開仙門這一線索，使得他對自己現世人生的思索和評價有了全新的立場和角度，讓龍鷹備受震撼，甚至動搖了生命價值的根本，這才真正打動人心。

每個在凡塵中掙扎的讀者，對龍鷹的這種震撼應該感同身受。也就是說，所謂打開仙門之說，直到龍鷹故事中，才有了真正能打動人心的藝術效果，即不是導向對仙門的嚮往，而是導向對此生的深刻思索和體驗。在《龍戰在野》中，龍鷹與大明尊教的原子符太的談話中說：

「我們眼前的天地，本身已是一個無窮無盡的謎，要揭開這個謎團，唯一的出路是從我們的自身去尋找，是唯一的起點，也極可能是終結的所在。正因為我們存在著，方可以探索不存在。武功的極致，是超越自己，從而超越生命。我不知道這條路會引領我們到何處去，但至少活得有趣多了。」（《龍戰在野》第三卷第五章）

說龍鷹故事與《雲夢城之謎》有間接聯繫，是指龍鷹對前世今生的發現。這一線索的源頭，也是席遙與龍鷹的對話，席遙發現自己的前世就是盧循。由於事關打開仙門，龍鷹深受震撼，但彼時卻是將信將疑，直到風過庭講出自己的心底秘密及其夢境，即與南詔眉月的戀情以及自己夢到某個不知名的山谷，促使龍鷹與風過庭、萬仞雨的南詔之行，結果當真找到了風過庭至愛眉月的轉世美女月靈。

前世今生的轉世故事，在《雲夢城之謎》中只是推動故事情節發展的一個設定，最後的結局讓人迷茫，所以藝術效果十分有限。而《日月當空》中講述龍鷹幫助風過庭找到轉世戀人的故事，則不僅完成了一樁美麗愛情的義舉，同時也大大豐富龍鷹人生體驗的維度，假如生命可以轉世輪迴，那麼此生痛苦悲傷或喜悅滿足的體驗，都不過是過眼雲煙。反之，要想窮盡生命的奧秘，卻又必須對此生經驗加以深刻體驗和思索，這就從另一面強調了此生的獨一性與重要性。

總之，道心種魔、破碎虛空、打開仙門、前世今生的玄幻，雖然在《破碎虛空》、《覆雨翻雲》、《邊荒傳說》、《雲夢城之謎》等小說中早已播種，卻是在《日月當空》及「盛唐三部曲」中才得以真正的開花結果。龍鷹故事的玄幻維度，值得專題研究。

又次，小說的看點和龍鷹的個性，還在於主人公對人間友情的重視及結交朋友的超凡能力。《大唐雙龍傳》中寇仲和徐子陵的友情，無疑是感動讀者的重要因素，而《日月當空》中龍鷹與風過庭、萬仞雨的兄弟情誼，則可謂更上層樓。如果說《大唐雙龍傳》是雙主角，《日月當空》則是「三人行」。此前，作者也曾試驗過三人行的寫法，例如《覆雨翻雲》中的韓柏、戚長征、風行烈，以及《邊荒傳說》中的燕飛、劉裕和拓跋珪，乃至《雲夢城之謎》中烏子虛、辜月明、丘九師，努力痕跡明顯，成績卻不見得如意。

《覆雨翻雲》中的三位主人公的社會關係沒有那麼密切，他們的個性也不是真正融洽，把三個人聯繫在一起，顯然有作者人為因素。

《邊荒傳說》中的三大主人公成績最好，劉裕、拓跋珪都是真實歷史人物，即南朝、北朝的開創者，燕飛曾與劉裕和拓跋珪在肥水之戰時的邊荒並肩作戰，只是書中的一段引言，在後面的大部分故事中，劉裕和拓跋珪再也沒有見面，只是由燕飛從中穿針引線，即要麼是燕飛幫助劉裕平復江南東晉的亂局，要麼是燕飛幫助拓跋珪對付不可一世的慕容垂。更重要的是，燕飛與劉裕、拓跋珪並不是一路人，只是因緣巧合，讓他們曾一度並肩戰鬥。

《雲夢城之謎》中的三位主人公只是在前往雲夢城途中才得並肩，實際上，真正將他們聯繫在一起的並非烏子虛、辜月明、丘九師，而是大河盟的軍師阮修真。

《日月當空》中最動人的風景，正是龍鷹、風過庭、萬仞雨三兄弟情投意合、並肩作戰的情形。無論是在洛陽共同對付武氏家族，還是去東北對付契丹王李盡忠及其大將孫萬榮，或是去吐蕃對付竊取政權的欽沒晨日，或是去南詔對付宗密智，他們始終都在一起。龍鷹、風過庭、萬仞雨可謂是「無敵組合」。更難得的是，他們不僅都個性突出，且都武藝超群，風過庭是皇家第一劍術高手，萬仞雨是關中第一刀。

有意思的是，皇家第一劍手風過庭出身草根，而民間的萬仞雨恰恰出身名門，這兩人既有現實社會地位的懸殊，更有門閥傳統的差距，只有龍鷹才能將這兩個地位懸殊、身分差距明顯的人捏合在一起，從而形成張力十足的無敵三人組。龍鷹撮合萬仞雨、聶芳華的愛情，已是書中動人的情節；而龍鷹、萬仞雨幫助風過庭去遙遠的南詔尋訪轉世戀人，更加震撼人心。由此可見，他們的合作非止於戰鬥需求，更有兄弟情誼作為基礎。

龍鷹與寇仲確有相似之處，那就是他們都有天生的領袖氣質，隨時隨地能呼朋喚友。龍鷹更是把這種結交兄弟朋友的能力發揮到了極致，不僅能在同一陣營中找到朋友是死心塌地的追隨者，如武則天御林軍侍衛中的令羽、小馬、小曾、小徐；更有化敵為友的超級技能，例如對吐蕃的橫空牧野，對龜茲的荒原舞，對突厥陣營中的吐火羅高手覓難天，無不是從敵對者轉化為情同兄弟的生死之交。

即便是對一些次要人物，如大江聯裡的殺手天龐、情報員宋言志、天竺高手烏素、突厥人羌赤和復真，他也總是能減少敵意、傳播友情，方法是儘量減少殺戮，理解對方的立場，尊重對方的情感。例如龍鷹為復真追求風月樓的翠翠，不惜得罪壇級更高的夫羅什，甚而不惜挑戰地位崇高的九壇高奇湛，不僅讓敵手震撼，讓復真感恩，也讓寬玉欣慰釋懷並引為心腹知己。龍鷹與上述諸人的交往過程，無不形成非常動人的故事，這些故事不是來自龍鷹的心智機巧，而是來自他與生俱來的真性情。

書中有個幽默的片斷，武則天問龍鷹為什麼會與某個人結為朋友，龍鷹不假思索地說「因為他也說粗話」，這一回答讓武則天十分意外，但卻也覺得十分可信。因為龍鷹就是這樣一個人，把會不會說粗話，作為關係遠近的判斷標準之一，表現的不僅是龍鷹的草根性，更表現出龍鷹的真性情——只有那種具有真性情的人才會如此不顧社會文化劇本的規定，粗話脫口而出。

《日月當空》及「盛唐三部曲」的成功，基於作者成功地塑造了主人公龍鷹這個人。瞭解並理解龍鷹是怎樣的一個人，也就成了瞭解和理解《日月當空》及「盛唐三部曲」的關鍵。那麼，龍鷹是怎樣的一個人？真相應該是：他是個現代人文主義者，或者乾脆說是作者黃易想像性自我的替身或化身。證據是，他與法明對話，法明問龍鷹最重視的是什麼，龍鷹不假思索地說：自由。

自由雖然是莊子及其後世追隨者的共同理想，但漢語言中「自由」的概念卻是到十九世紀後半葉才開始流行。只要仔細觀察龍鷹這個人，就不難看到，這個人的價值觀的行為方式，無不具有二十世紀乃至廿一世紀現代人的特徵。從他的自我生命審思到對女性的同情，民族觀念和政治理想到處理人際關係的靈活態度，無不體現出他的現代性。這也就是說，龍鷹形象實際上是從現代社會向唐代社會的神奇穿越，與《尋秦記》中講述的現代特種兵項少龍穿越的故事不同，龍鷹的穿越不是他的肉身，而是他的靈魂。

龍鷹的穿越，當然是基於作者「魔法」，這也意味著，作者要為這個故事的主人公建構一種特殊的身分，且主人公本人也在不斷地進行自我探索和及其身分認同。

龍鷹的身世非常特殊，首先，他是個孤兒，似乎生來就沒見過自己的父母，甚至不知道自己的父母是誰。其次，他從小被師父聖帝杜傲撫養並教導，但杜傲之於龍鷹卻既無教導之德、更無養育之恩，原因是杜傲是地道的魔門邪帝，一向薄情寡恩，他雖培養弟子，只不過是要把弟子作為實現其夢想的工具或階梯，故毫無恩義可言。如此，龍鷹其人，如同《西遊記》中的孫悟空，毫無世間親情牽掛。直到被太平公主和胖公公率人將他抓獲，讓他來到武則天面前，為武則天書寫《道心種魔大法》武功秘笈，他才開始有了屬於自己的社會關係和社會身分。由於胖公公、太平公主和武則天都把他當作邪帝，因而他的社會身分變得十分超然。

他的第一重社會身分，是武則天大周王朝的國賓，即除了要與武則天合作之外，他不受大周王朝的體制與禮法拘束或限制。從一開始，他就是個精神獨立的自由人，即便成了大周的國賓，仍然是獨立自由人一個。其後，龍鷹與武曌女皇展開合作，首先是代女皇出征，大勝契丹王李盡忠及其不可一世的大將孫萬榮。

龍鷹選擇了兩個重要身分，一是在漢族與異族的衝突中，他選擇了自己的民族身分，即中原漢人身分。二是在大周王朝內部，在武氏和李氏的接班人之爭中，他選擇了擁李派立場，因為這是小魔女狄藕仙的父親狄仁傑的立場，也是他的好友萬仞雨及整個關中劍派的立場，實際上也是當時朝廷內外多數人的立場。值得注意的是，龍鷹的民族身分和政治身分，都有一定的超然性。作為漢人，他赴邊禦敵，並非為了忠君，更不是為個人建功立業光宗耀祖，而是要保家衛國，讓天下百姓安享和平。

他參戰目的，並不是要消滅所有異族，而是要打擊突厥默啜可汗的幫凶，維護北方多民族勢力平衡，限制突厥勢力發展，確保中原和平。進而，他雖然是擁李派，卻不是基於對李氏家族盲信與愚忠，一旦發現武曌的權力繼承人李顯懦弱無能，且被奸邪包圍，他就毅然選擇與法明合作，刺殺李顯。更重要的是，他支持李氏繼承權，是因為看到了李旦之子李隆基才識超群，有可能為中原王朝帶來長治久安，天下百姓可以長時間享受太平。這當然是作者的後見之明，目的是刻畫龍鷹的超人洞見，以及為天下百姓的博大襟懷。

此外，龍鷹還有幾個化身，化身之一，是醜神醫王庭經；化身之二，是打入大江聯內部的玩命郎范輕舟；化身之三，是魔門胖賈安隆的弟子毒公子康道生。這幾個化身，首先當然是龍鷹的工作需要，即隱藏自己真實身分而發揮自己的能力與作用；但這幾個化身也未嘗不是龍鷹形象的邊界輔助線：醜神醫王庭經是濟世救人的正人君子，玩命郎范輕舟是亦正亦邪的江湖浪人，毒公子康道生卻是肆無忌憚的邪派高手。這三個人與龍鷹的個性都有部分近似，三者合成，即是龍鷹超群個性的真實邊界線。他不是通常意義上的正人君子，更不是通常意義上的邪魔外道，而是既有道心、又有魔種、心性善良而行為放恣的自由人。

《日月當空》及「盛唐三部曲」的女主人公，並不是任何一個「龍鷹女郎」，而是真實歷史人物即中國歷史上第一個女皇帝武則天。《日月當空》及「盛唐三部曲」的故事主線，正是男主人公龍鷹與女主人公武則天之間的合作與衝突故事，龍鷹東奔西走、南征北戰，無非是與武則天合作的故事；而龍鷹生死禍福、左右為難，則是因為與武則天之間的矛盾所造成。這部小說對武則天形象的刻畫，頗值得專題討論。作者將她設定為魔門——書中武則天、胖公公等人都自稱之為「聖門」——領袖，首先當然是書寫傳奇的必要設定，同時也是對武則天這位歷史上的第一個女皇帝的「文化心理不適症」的巧妙詮釋。

一個女性，承歡兩代，女奪男權，進而公然改朝換代，以周代唐，一般人無法理解，儒學正宗更無法接受。若說是魔門詭計，如《大唐雙龍傳》結尾所暗示，武則天改名武曌，乃是魔門陰癸派絕世高手婠婠的弟子和女兒，因為她出身魔門，本就是以統一魔門、統一江湖、奪取江山為其奮鬥目標，這就相對容易理解了。這種設計，看似與傳統觀念及其文化心理不適有關，實際上卻是對理解武則天這一歷史人物提供了一條有效的輔助線。武曌奪取政權之後，最突出的行動之一就是掃蕩魔門，目的是要將魔門《天魔策》十冊全部奪得，並作統一收藏。本書主人公龍鷹之所以被捕，就是要逼迫他默寫這一派的重要經典《道心種魔大法》。

武曌不是統一魔門，而是要掃蕩魔門，與原初的目標似乎不同，是因為武曌有了第二種身分，這就是政治身分，她已是大周皇帝，所作所為要為大周政權考慮，即把她的大周政權鞏固作為頭等大事。掃蕩魔門的真正原因，除了要搜集《天魔策》全本，以便成為真正的魔門第一人外，更重要的原因是保護自己建立的大周政權，因為魔門中人都想追求權力，若不加以掃蕩，就會政局不穩，後患無窮。武曌掃蕩魔門，是以法明、薛懷義為幫手，一旦魔門掃蕩乾淨，而法明野心勃勃、薛懷義作惡多端，武曌的下一個行動目標，就是讓龍鷹公開處決薛懷義，並親自警告法明。作為政治人物，一旦政權穩固之後，又要面對另一個重大問題，即古代專制政治的重大政治歷史難題：接班人問題。她年事已高，即便能長命百歲，總不可能萬壽無疆，因而必然要把接班人問題提上議事日程。

在這一問題上，武曌再次遇到身分衝突問題：除了魔門領袖、大周皇帝兩個身分之外，武曌還有第三種身分，即作為武氏家族的血脈繼承人；和第四種身分，即作為中宗李顯、太子李旦的母親。作為母親，她當然要照顧兒子的利益；但作為大周皇帝，尤其是作為武氏家族成員，則要考慮武氏家族的利益，即必須選擇武氏弟子作自己的接班人。在傳統社會中，家族利益總是大於個人利益（包括母子關係）。假如她選擇自己的兒子為接班人，她的兒子姓李，一旦接班，必然要恢復李氏王朝，即棄周復唐，那麼她改唐為周就變成了一個笑話。

她毫無疑問想讓自己的侄子武承嗣、武三思接班，但這又遇到諸多難題，一是朝廷內外都有擁護唐朝的勢力，且這種勢力不可壓制，只能博弈周旋。二是武氏弟子非但無德無能，不得人心，弄不好就會天怨人怒，若她一意孤行，很可能會導致朝廷分裂、天下大亂。三是突厥默啜可汗崛起於北方，不僅騷擾邊境，且對中原王朝虎視眈眈；進而，早已佈局了大江聯潛伏在南方，隨時可以把內憂和外患一起點燃。中原王朝的內亂，勢必導致外敵入侵。正是在這樣的情境下，武曌才要改變初衷，與邪帝龍鷹進一步合作。她早就知道，龍鷹沒有爭權奪利的野心，且地位超然，不會激化國內矛盾，有可能為她消除內憂外患。

問題是，武曌還有第五種身分，即生命個體。無論擁有怎樣的魔功與權力、富貴與榮耀，隨著年華老去，必定百感叢生。當龍鷹告訴她，席遙放棄了道尊競爭，而全心全意去探索開啟仙門，對武曌產生了巨大的震撼和影響。即便她不會全力追求開啟仙門，也會迫切意識到此生不會永垂不朽，總有一天要離開人世。面對生命規律，皇帝也無可奈何，意識到這一點，武曌不再一意孤行，而是開始妥協。是向狄仁傑等擁護唐朝正統的大臣妥協，更是向生命規律妥協。於是，她恢復了兒子李顯的太子地位，並設計武氏與李氏多重聯姻，確保未來李氏掌握政權後，武氏子弟仍有存活機會。就這樣，武曌改變了歷史，卻也被歷史與現實改變。

《日月當空》及「盛唐三部曲」的突出特點及其重要成就，是大大提升了武俠小說的認知複雜度。通常的武俠小說，大多正邪分明，好壞善惡一目了然。若能寫出白道之中也有若干壞蛋，而邪魔群體也有若干善良人，那就算是難能可貴的版本升級。而黃易的小說常常超越簡單化的道德判斷，從而寫出政治的複雜性和人性的複雜性。

在政治上，沒有永久的敵人，也沒有永久的盟友，端看某時某地的某人的身分如何、立場如何、相互關係如何。進而，在人性方面，欲望衝動及目標達成、陣營局限與立場選擇，常常因時、因地、因境甚至因心思改變而產生極為複雜的變化。政治的複雜性加上人性的複雜性，使得黃易書中的人物關係出現極大變數，其故事情節也就更加不可預測。

簡單的例子是，大江聯是突厥人佈局在漢人心腹地帶的一個重要組織，開始出現時是以販賣人口為主業，且有製造天下大亂並利用天下大亂的政治圖謀，按漢人立場說，這一組織毫無疑問是邪惡組織。但龍鷹以范輕舟的身分進入大江聯總壇，很快就發現這一組織內部情形極為複雜，首先是以小可汗台勒虛雲為首的突厥化漢人及魔門傳人勢力，與以寬玉為首的漢化的突厥人之間的矛盾衝突，雖有共同的政治目標，即製造並利用中原王朝的政治混亂；但其具體目的卻各不相同，寬玉為的是突厥民族的整體利益，而小可汗台勒虛雲則為的是魔門小團體利益。

進而，在突厥化漢人團體內部，亦有各種不同的立場紛爭，既有台勒虛雲這樣的魔門弟子，也有高奇湛這樣的墨家傳人，他們之間也有目標分歧及權位之爭。進而，即便是魔門內部，仍有更為複雜的目標與路徑之分，既有正宗的西域魔門，也有邪氣的玉女宗，更有以香霸為代表的犯罪集團。更不必說，這裡還有像宋言志這樣的臥底，像萬俟姬純這樣的游離分子，與其他政治團體一樣，大江聯內部的權力與人事紛爭極為複雜，讓龍鷹扮演的范輕舟極為頭痛，更讓讀者眼花繚亂，不到最後，難明究竟。

另一個例子是，龍鷹與法明的關係，也是隨著時間和利益關係變化而變化。二者一是邪帝，一是僧王，同為魔門高手，卻有截然不同的政治立場，當龍鷹當眾誅殺薛懷義，剪除法明羽翼，即形成一山難容二虎、帝、王不共戴天之勢。法明多次刺殺龍鷹，龍鷹當然也想將法明置於死地。但因武曌的存在，二人不得不約束自己的行為。為了保護李顯，對付共同的敵人即西域魔教，這二人又攜手合作，法明扮作閻皇方漸離、龍鷹扮作毒公子康道生，到襄陽去誅殺刺客。

在攜手過程中，法明與龍鷹之間產生了古怪的友情，用法明的話說，即使不是好友，卻肯定成了知己。所以如此，固然是龍鷹告訴法明有關開啟仙門的消息，亦因龍鷹心地純淨而態度坦誠，有化敵為友的神奇魅力；同時也證明，法明並非毫無人性的魔王，而是擁有人類共性及其相應的個體複雜性。所以，在《日月當空》的結尾，才會有法明與龍鷹的二度合作，即刺殺李顯。刺殺行動雖然以失敗告終，但這兩人的關係卻發生了根本性改變。不到最後，誰也無法預判這兩人的關係究竟有怎樣的結局。

若要說本書的不足，那就是龍鷹與慈航靜齋的端木菱的關係，不過是《覆雨翻雲》中韓柏與秦夢瑤、《大唐雙龍傳》中徐子陵與師妃暄關係的調和，缺乏新意。「盛唐三部曲」中的龍鷹似更為粗野，居然對端木菱說：「仙子也有老子是你夫君的感覺嗎？」這樣的對白，顯然過分，不合身分，更不合時宜。

《龍戰在野》

「盛唐三部曲」並不當真是三部曲，其實是一部書，《日月當空》、《龍戰在野》、《天地明環》只不過同一部書的三個組成部分。如果要給這部書取個書名，毫無疑問應該是《龍鷹傳奇》，因為三部曲講述的是一個完整且連續的故事。

《龍戰在野》是「龍鷹傳奇」故事的中段，內容有兩個部分，第一部分是攘外，即排除外患，講述龍鷹秘密率領千人部隊（其中一半是大周軍隊，另一半是吐蕃軍隊）赴漠北追殺馬賊邊遨，改變北部少數民族政權的相互關係，安定北部邊疆，並取得突厥寶藏的故事。第二部分是安內，即確保大周皇帝武曌與大唐太子李顯的政權交接，防止以台勒虛雲為首的域外魔教攪亂中原、竊取大唐政權的陰謀，確保中原政局穩定和社會安全。

第二部分又包括兩個故事，一個故事是龍鷹扮作范輕舟前往飛馬牧場參加馬球節；另一個故事是龍鷹回到洛陽，在錯綜複雜的政治權力鬥爭中，確保武曌如願離開人世、李顯如願登上皇位。在這段書中，其實還有兩條故事線索，一是龍鷹的「造皇」計畫，即為武則天的孫子李隆基成為未來的中興之主而精心佈局，這也是本書最重要的一個設計，武曌急於修練武功、打開仙門，對政治權力已經不感興趣，但為了政權後繼有人，也為了聖門和她本人的榮耀不會被徹底顛覆，同意龍鷹的「造皇」之計，約定五年為期，武曌和龍鷹聯手佈局。

另一線索是為徹底瓦解突厥人組織的大江聯，分裂漢化的突厥人和突厥化的漢人兩個集團，龍鷹以范輕舟的身分與突厥國師寬玉合作，將大江聯中的突厥人送回北方故土，此計畫簡稱「南人北徙」計畫。由龍鷹牽頭，得到了寬玉、武曌、楊清仁等多方合作，由范輕舟的替身劉南光、寬玉和武曌指派的專員大將軍方均等人實際執行。在《龍戰在野》中，「造皇計畫」和「南人北徙」計畫都在秘密進行，並非書中的主要故事情節，沒有被明寫。

書中明寫的，是攘外和安內的故事。無論是攘外，還是安內，主人公都是龍鷹，協助者仍然是武曌皇帝和胖公公，主人公沒有變化。變化的是故事的內容，即龍鷹奮鬥的目標。真正的變化有以下幾點。

其一，是龍鷹率領多國部隊，不僅包括丁伏民率領的五百大周士兵，以及林壯率領的五百吐蕃士兵，還包括漢人高手風過庭、吐火羅的覓難天、龜茲的荒原舞、小高，天山族達達和古竹、回紇的虎義、勝渡、方雄廷、史奇，高昌的君懷朴、于闐的容傑、克倫雅巴的管軼夫、疏勒的權石左田、黠戛斯的軍醫樂轉蓬、天竺的烏素、柔然的皇甫常遇和皇甫嬋善、白魯族的桑槐，波斯的博真，以及大明尊教原子符太。

龍鷹不僅有天賦的軍事奇才，更有過人的人格魅力，把大唐西域的幾乎所有被突厥人壓迫的民族都聯合起來，對抗共同的敵人默啜可汗。更妙的是，對付突厥軍隊的軍事行動，最終演變成尋寶行動，由於寶藏就是突厥前代可汗的墓葬，所以尋寶取寶本身就是對突厥可汗的精神打擊。而軍事目標突然變為尋寶遊戲，不僅顯示出作者神秘莫測的敘事技巧，更有出人意料的傳奇效果。

其二，《龍戰在野》中最突出的新增因素，是大明尊教原子符太的出現。

首先，符太的出現，改變了「龍鷹團隊」的構成。在《日月當空》中，龍鷹團隊核心成員是風過庭和萬仞雨，龍、萬、風組成的團隊幾乎無敵。而在《龍戰在野》中，萬仞雨並沒有參加攘外行動，只有風過庭一人參加，由於風過庭要獨當一面，因而龍鷹團隊的核心就變成了龍、符組合，這一新的組合，出現新的氣象、新的趣味。

其次，由於符太是西域大明尊教原子，且從小受到教中長老的欺凌，使得符太這一人物邪氣十足，一眼可知他不是什麼好人。更重要的是，由於符太從小受邪教薰陶，受盡磨難而練成了血手超級武功，自命聰穎過人而不可一世，與社會及所有人類疏離，有明顯的「反社會」或「反人類」心理傾向。龍鷹的傳奇經歷引起了他的好奇心，龍鷹的才能讓他震驚，龍鷹的友情讓他第一次建立了親切的人際關係。

要而言之，是龍鷹幫助他完成了「社會化」歷程，讓這個憤世嫉俗且蔑視人類的孤獨症患者，成了龍鷹團隊的核心成員，也是龍鷹團隊中最受人矚目的新星。龍鷹改變了符太的人生軌跡，也改變了他的人生觀及其精神世界。從符太出現的那一刻起，直到《龍戰在野》結束，這個人物一直在改變過程中。而符太改變的歷程，也正是這段故事中讓人印象最為深刻的情節線索。

其三，《龍戰在野》的另一新增因素，是敵手的增加，即在攘外行動中出現的玉女宗掌門人無瑕。一開始，無瑕和無彌兩位美女出現在風度翩翩的傑天行身邊，後來知道這個傑天行是域外魔教「鳥人」寄塵子，無瑕是他的身邊人。

再後來，又知道無瑕並不是寄塵子的下屬，而是他的合作者，無瑕在魔教的地位高於寄塵子，而不是相反。後來多次遇到無瑕，為龍鷹的故事增添了許多變數，變數的出現，當然是因為要描寫龍鷹在域外的活動，域外活動需要有新的敵手，除突厥默啜可汗及其直接下屬之外，還需要有更加靈動且更加神秘的敵手，所以，無瑕便應運而生。

進而，無瑕的出現，也為龍鷹故事增添了「色」彩，女色是龍鷹故事中不可缺少的因素。無瑕既美如天仙，卻又不可捉摸，正如《大唐雙龍傳》中的陰癸派高手婠婠之於寇仲、徐子陵。從某個角度看，無瑕的出現，可以說是婠婠的「再生」。最後，由於無瑕不僅出現在域外，還出現在龍鷹出現的任何敵方，也就是說，無瑕不僅與默啜有關、也與大江聯有關，更與台勒虛雲有關。所以，無論是在域外，還是在飛馬牧場，或是在神都洛陽，凡是龍鷹出現的敵方就有無瑕的蹤影。

奇妙的是，隨著無瑕對龍鷹糾纏和調查的深入，龍鷹也愈來愈覺得無瑕雖然與台勒虛雲有關，但卻不是台勒虛雲的下屬，而是他的合作者。這也就是說，無瑕及其玉女宗，是大江聯魔教、漢化突厥人之外的第三勢力。這就使龍鷹的敵手變得愈發複雜，從而使故事情節有更多的可能性。無瑕與龍鷹的關係，也就有多種可能性。使得這個故事的情節發展有更多的選擇。

其四，《龍戰在野》的又一變化，是情色描寫的大幅減少。在全部十八卷書中，新增「龍鷹女郎」總共只有二人，一是柔然族的皇甫嬋善，一是飛馬牧場的商月令。其餘如秘族的萬俟姬純、龜茲的花秀美、奚族的王妃姿娜和侍衛長泰婭，都不過是《日月當空》情色故事的延續而已。

值得注意的是，皇甫嬋善主動獻身，書中並沒有描述具體場景，沒有大做文章，而是一筆帶過。龍鷹與奚族王妃姿娜和侍衛長泰婭的關係，也是點到為止。無瑕與龍鷹是敵非友，關係似近而實遠，當然更沒有多少情色文章可作。唯一的例外，是飛馬牧場的場主商月令與龍鷹的關係，稍費筆墨，但也並非大肆渲染情色，而是多寫心動，口頭調情多於實際行動。所以如此，一是因為龍鷹「成長」了，不似剛剛出道時那樣耽於美色，因為有人雅、美修娜芙、小魔女狄藕仙等佳人相伴，龍鷹不再是「色中餓鬼」，而是學會了控制自己的情欲衝動。

二是，《龍戰在野》中的龍鷹，從行動的人變成了思想的人，隨著對自己、對外界的認知越來越深入，他的色心魔種愈來愈被道心所影響，因而有自我克制的意識與毅力。最後，還有一個未必不重要的原因，那就是，在故事的這一階段，作者已不需要太多情色或色情調料。

其五，由於符太的出現，龍鷹的形象也出現了新的側面或新的維度。龍鷹固然改變了符太，符太其實也改變了龍鷹。如果說龍鷹在《日月當空》中只是一個學習者和行動者，自從在《龍戰在野》中遇到符太之後，他就變成了生命的體驗者、感知者和思索者。而他出現這一新的維度，與符太的出現有極大的關係。

符太之所以沒有與人類的共情，失去對人類的關愛，主要原因是大明尊教的傳統薰陶及他從小所受的歧視折磨，但更重要的原因是他覺得自己比其他人更聰明、感受更多、追問更多、思索更多，而他感受和思索的問題，其他人幾乎從未想過。直到他遇到龍鷹，才算是找到真正的對話者和交心的人，而符太也成了龍鷹的真正知音者。

在小說中，龍鷹經常與符太談人生，說他自己經常追問「我是誰」；有意思的是，又說符太想得太多，變成了「局外人」（加繆式存在主義者）。很快龍鷹就與符太分享了仙門故事，並且從中獲得了思索生命的新角度。例如，龍鷹對符太說：「什麼是好，什麼是壞，我大概可以提供一個答案，就是當你能超越自己，超越生命，處於一個鳥瞰的角度，當可看清楚生命裡的一切。哈，說了等於沒說，但至少可讓我們曉得自己的局限。」（第四卷第十三章）

對此，符太也有自己的體會，書中符太對皇甫常遇說：「人生在世，最引人入勝的是什麼呢？就是去經驗從未經驗過的事物，或是去完成近乎沒可能完成的使命。」（第四卷第十一章）

符太十分羨慕龍鷹的冒險經歷，龍鷹假扮醜神醫王庭經、玩命郎范輕舟、毒公子康道生的經歷，被符太解釋為：可以體驗不同的角色及其生命經驗。這些言論，不僅打動了龍鷹，實際上也提醒了龍鷹，讓他從簡單的行動者，變成了複雜的行動反思者和目標追問人，進而經常對自己的行為和心理進行觀測與反思。由此，使得龍鷹這一人物形象，與其他的武俠小說主人公有了真正的不同。

其六，《龍戰在野》的結尾，女皇武曌借千黛之死而遁世之際，僧王法明、道尊席遙趕來幫助邪帝龍鷹和原子符太，守護武曌的秘密，安定政治局勢，直到將千黛和武曌安全地送入乾陵地宮之中，這一結局看似出人意料，實際上是勢所必然。因為女皇武曌、僧王法明、道尊席遙、邪帝龍鷹、原子符太這五個人有一個共同點，他們都分享了一個秘密，那就是有人曾打開「仙門」，這使得他們都想超越人生的局限，追問生命的究竟。他們的身分似乎大都與邪、魔有關，卻都是書中真正的求道者，他們有共同的目標，那就是追問生命真相、追尋終極價值。他們都是真正的超人。

《龍戰在野》的問題或缺陷。

小而言之，如第七卷第十五章，端木菱不知道玉無瑕的身分、更未必知道大江聯小可汗台勒虛雲的身分，只憑有人在外探查或監視，就對龍鷹說：勢必是台勒虛雲和玉無瑕要聯手殺她，且還會將殺她的罪責歸咎於閻皇、毒公子兩人。結果果如她之所料，台勒虛雲和玉無瑕兩人假扮閻皇方漸離和毒公子康道生前來刺殺。問題是：端木菱是怎樣預測到這一情況的？難道她當真可以未卜先知？

又如，台勒虛雲負傷之後，一下說楊清仁是協調大江聯的核心人物，另一下又說洞玄子才是協調大江聯的核心人物（參見第十三卷第六章）。究竟哪一個人是協調大江聯的核心人物？具體說，究竟是洞玄子負責協調大江聯，還是楊清仁負責？作者似乎沒有拿定主意。實際上，書中對這兩個人物始終沒有正面描寫，可見作者對這兩個人物的重要性並沒有作認真衡量，才會出現前後矛盾。

較大的問題是，《龍戰在野》的故事有人為拉長、人為「添亂」的痕跡。在攘外故事結束之後，龍鷹到飛馬牧場的故事情節，占三分之一左右篇幅，是否有此必要？有些成問題。要點是：龍鷹為什麼非去牧場參加馬球節不可？不去的理由很多，其一，龍鷹知道「范輕舟」的身世、名聲、才華、風度都無法與楊清仁相比，追求商月令幾成鏡花水月，因而失去了追求商月令之心。其二，龍鷹明知道去牧場之路有天大風險，知道台勒虛雲、無瑕、楊清仁等人必然會中途攔截，沒有必要去冒這樣的風險。其三，武曌並沒有讓他去牧場，且女帝已經知道並且同意龍鷹提出的讓大江聯中的突厥人離開中原，下一步就是要策劃具體行動計畫，此時，龍鷹不把自己的主要精力放在突厥人大遷徙計畫上，而去牧場冒險，實在沒有理由，更無必要。

其四，寬玉非但沒有命令他去牧場，且提醒他不要去牧場，龍鷹去牧場非但不是迫不得已，反而可能有暴露自己龍鷹身分的危險。那麼他為什麼一定要去飛馬牧場？為什麼到了飛馬牧場後隨時準備開溜？結論很明顯，即：有關飛馬牧場的整個情節段落，都是作者故意為之，目的是敷衍篇幅。雖然作者說，龍鷹到牧場後，由於跟楊清仁達成了「南人北徙」計畫，且結識了北方的貴族如宇文朔和乾舜、南方貴族如越浪和敖嘯等，似乎收穫良多。但這些收穫不過是作者為龍鷹的牧場之行找補理由，要策劃「南人北徙」計畫，及結交南北放的貴族勢力，其實在任何地方都可以，不必是飛馬牧場。

進而，龍鷹回到神都洛陽的故事段落，也明顯地被人為地拉長了。既然武曌已經同意將自己的皇帝權位交給兒子李顯，而張柬之等朝臣及宇文朔等民間勢力都支持李顯接班，按理說，這件事應該不會太難，不至於要花這麼多篇幅去說。小說的設計，是說台勒虛雲有陰謀，要製造混亂，乘機將楊清仁推上皇帝寶座。如果是這樣，武曌應該有對應之策，最簡單的辦法是，讓龍鷹、法明聯手將楊清仁殺掉就是。若此法不可行，她自己也可以親自動手，或由她和龍鷹聯手。

女皇威權蓋世，要殺一個人應該是件簡單的事，殺人後怎麼說，也應該難不倒這位富有政治經驗的女皇帝。又，台勒虛雲如何把楊清仁推上皇帝寶座？作者說，武曌和龍鷹都不清楚，惟其不清楚，才顯得對手高明、形勢不容樂觀。實際上，這並不是真正的問題，因為台勒虛雲的陰謀，無非是製造動亂、渾水摸魚。問題是，他們能夠製造什麼樣的混亂呢？

在書中，作者讓台勒虛雲、楊清仁等人與太子李顯合作，似乎要借太子登基之事大做文章。如前所述，既然武曌願意太子接班，而太子李顯也願意接班，那麼還有什麼動亂因素？書中說，是因為武曌要借千黛之死而避世，從而產生很多不確定因素，容易引起動亂。實際上，這也未必是真正的問題，武曌難道不知道自己死後，李顯會恢復大唐？既然如此，何不在千黛死前就將皇位傳給李顯？李顯得到皇位之後，台勒虛雲或楊清仁還有什麼可亂？真正的問題不在武曌或龍鷹，而是作者故意要「製造」問題，讓讀者跟著作者設定的路線走，讓龍鷹感到問題重重，似乎難以把握。

最典型的例證是，太子李顯之子李重潤被毒殺，龍鷹似乎面對世界末日，這其實是作者故意渲染。實際上，李重潤之死，龍鷹怎麼可能如此沮喪？因為他也與台勒虛雲一樣，有超然地位，身在局中，心在局外。按照作者設計，台勒虛雲最厲害之處是他地位超然，即「心底無私天地寬」，作者似乎忘記了，龍鷹同樣如此，甚至比台勒虛雲更加超然。誰繼承王位，李重潤死或不死，都與龍鷹沒有關係，他為什麼如此壓抑緊張？真正的原因只能是：作者要敷衍情節，把事態弄得過分嚴重。

《龍戰在野》人為地將故事線索拉長，其技術手段是讓故事情節停滯，而讓主人公龍鷹「感受」和「思考」，讓讀者感受主人公的感受，為主人公擔心，從而讓故事情節持續停滯成為懸念。龍鷹從行動的人變為思考的人，不斷思索環境、思索形勢、思索人生、思索自己的內心，當然也思索仙門、思索「道心種魔大法」、思索生命轉世，故意製造出大量「填充物」，將故事篇幅拉長。在這些「填充物」中，只有恰如其分的關於自我與生命部分有敘事與思想雙重價值，玄幻部分固然可以成為故事情節的「建築材料」，但卻並不能算是「思想成果」。關於環境的緊張感受，如上文所述，那不過是作者故意拉長篇幅的一種手段而已。

《天地明環》

《天地明環》是「盛唐三部曲」的第三部，即《龍鷹傳奇》這部大書的第三段，講述唐中宗李顯登基到唐睿宗李旦禪位給唐玄宗李隆基共八年間歷史故事（西元七〇五—七一二年）。這部書沒有完成，只寫到唐中宗李顯臨死前數月，就因作者黃易病逝而中止。

《天地明環》沒有完成，當然是作者和讀者的最大遺憾。好在，作者已經創造了龍鷹這個天下無敵的主人公，後面的故事即可想而知。作者是在歷史的縫隙中寫作，並不改變歷史，而是按照歷史的順序及其時間表安排自己的傳奇主人公的活動程序。所以，即使書沒有寫完，我們也知道後面還有更精彩的故事，即：

一、龍鷹與台勒虛雲、無瑕合作刺殺九卜女，進一步打擊田上淵及其北幫勢力；二、韋皇后和宗楚客發動宮廷政變，害死唐中宗李顯；三、李旦、李隆基、長公主太平、河間王楊清仁聯合發動唐隆政變，掃除韋后和宗楚客；四、在李旦登基之後，龍鷹與台勒虛雲及大江聯的衝突就會上升為主要矛盾，龍鷹肯定會抽空去嶺南消滅符君侯領導的拐賣人口集團，同時設法消滅香霸集團，以便削弱台勒虛雲的支持力量。五、必須造勢，讓唐睿宗禪位給自己的兒子李隆基。大江聯創始人寬玉肯定也參與了掃除台勒虛雲及其勢力的行動。六、很可能龍鷹還會有一次打擊突厥可汗默啜的軍事行動，確保李隆基開創盛唐時代。七、龍鷹的結局：或是帶著自己心愛的妻妾們退隱到飛馬牧場，或是與僧王法明、道尊席遙一起打開仙門，破碎虛空，離開人世。

龍鷹故事的最後結局，即龍鷹的人生最後選擇是這部書的最大懸念。肯定有人會關注龍鷹與無瑕、萬俟姬純、端木菱幾位美女的關係，這些雖然無關大局，這些內容更難猜測，或許有出人意料的精彩。

《天地明環》是龍鷹傳奇中「造皇計畫」的關鍵部分。本故事分為三個段落，第一個段落是保護大唐證據穩定，龍鷹率領自己的團隊去北疆及河套地區與突厥可汗默啜打仗，創造戰爭奇蹟後回南詔休養。與此同時，唐中宗登基之後，韋皇后垂簾聽政，獨攬大權，與宗楚客聯合，決定遷都長安，並迫使太子李重俊發動宮廷政變，宗楚客和韋皇后乘機掃除武三思等異己勢力。

第二部分是，龍鷹化身為范輕舟來到長安，與宗楚客支持的北幫展開鬥爭，與台勒虛雲及大江聯聯合與宗楚客政治勢力鬥爭，消滅北幫田上淵的有生力量，並促使唐中宗李顯與皇族聯合對抗皇后與宗楚客的政治陰謀集團，將皇帝候選人李隆基推上政治舞臺。第三段就是乘韋皇后、宗楚客發動宮廷政變時，將他們掃除；進而與台勒虛雲、楊清仁的勢力較量，最終將李隆基推上皇帝寶座。算起來，這部書雖然寫到第廿三卷第一章，但應該還有三分之一的內容沒有寫出，除非作者採用簡筆，否則至少還需要十卷以上的篇幅才能將這個故事講完。

與《日月當空》、《龍戰在野》相比，《天地明環》的內容，一方面是延續著前面的主要線索，即一步步地實現「造皇計畫」，在不為人知的情況下，培養和鼓勵李隆基，並在合適的時機把他推上皇帝寶座。另一方面，這一段故事情節也增加了新的線索，包括新的敵手如宗楚客、田上淵，新的盟友如武三思、台勒虛雲、香霸，新的隊友如宇文朔、高力士等，這就使得小說保持一貫性的同時也保持新鮮感。以下分別說。

先說增添了新敵手，即宗楚客和北幫首領田上淵。這兩個人在前一卷中已經出現，宗楚客出現在李顯身邊，是在房州時，只不過，當時龍鷹的主要敵手是台勒虛雲及其大江聯，還沒有多少精力關注宗楚客，而宗楚客也沒有顯露出他的作用和壓力。但到李顯作為太子回到洛陽以後，情況就不一樣了；而在李顯登上皇帝寶座，尤其是都城由洛陽遷往長安之後，宗楚客的地位進一步提升到反派一號位置，變成了龍鷹「造皇計畫」最主要的敵手。

書中多次說明，這個宗楚客就像先秦時代的呂不韋，具有「政治投資眼光」和魄力，在李顯落難時就開始他的投資，而李顯當上皇帝之後則是他開始收穫的時候。本書故事開始，他可以與武三思分庭抗禮，而決定性的一步，則是他和韋皇后沆瀣一氣，迫使太子李重俊發動宮廷政變，而他則乘此機會一舉消滅李重俊和武三思兩大集團。宗楚客成為大唐首相，成為長安最有權力的人，也是最具野心的人，成為龍鷹最大敵手。

但龍鷹傳奇畢竟是武俠小說，而不是純粹的歷史小說，所以，在增添宗楚客為第一敵手的同時，小說中把北幫幫主田上淵也提升為主要敵手。書中假設，宗楚客與田上淵是一對雙打組合，前者照管江山部分，後者照管江湖部分，前者為後者提供目標及保護，後者為前者提供財力及武力支援。由於宗楚客是歷史人物，虛構空間不大，而田上淵是作者虛構的人物，可以作隨心所欲的構想，使得田上淵這一人物的重要性提升到前所未有的高度。

雖然在《龍戰在野》中，北幫龍堂堂主樂彥曾出現在飛馬牧場，作為北幫幫主田上淵的代表，尋求與范輕舟合作，但那時田上淵並沒有正式出面，作者是要將他保留到《天地明環》中才出面。在《天地明環》中，龍鷹最主要的敵手是田上淵。田上淵也有故事可寫，首先是他的身分之謎，就有故事可說，他是北幫的幫主，但還有另一個身分即大明尊教前原子。

他身懷五彩石，而妲瑪夫人來中原的主要目的正是要為本門取回五彩石；又由於他野心勃勃而且霸氣驕橫，製造了獨孤善明慘案、黃河幫陶過慘案，將黃河幫、竹幫等江湖勢力壓迫得透不過氣來，與范輕舟（龍鷹）無法共存，對龍鷹的「造皇計畫」更是有巨大的影響和威脅。在李重俊政變中，就是他率領北幫高手攻入武三思府邸，滅了武三思一門。

為了讓田上淵有足夠資格和成為龍鷹的敵手，作者還不斷為他補充實力，一開始，龍鷹／范輕舟只知道北幫三位戰帥，即郎征、白牙（練元）、善早明，以及兩位堂主即龍堂樂彥、虎堂堂主虛懷志。但後來又陸續出現更多高手，如夜梟尤西勒、參禪師，如（突騎施）撥沙缽雄、照干亭，後來又發現有九卜女芭薇格麗，最後又發現還有來自康國的「蔥嶺之妖」埃簡九野望。用龍鷹的話說，就是田上淵的實力總是「深不見底」，這使得龍鷹與田上淵的衝突與戰爭一場接一場，殺尤西勒只是一個序幕；而殺戰帥白牙即水盜練元，則成了一場正規的戰爭；接下來將是針對九卜女的伏擊戰，以及針對九望野、田上淵及北幫主幹的艱苦戰爭，可惜書沒有寫完，我們無法得窺全貌。

在《天地明環》中，龍鷹不僅有了新的敵手，且有了新的盟友即武三思、台勒虛雲。在此前，武三思集團、台勒虛雲集團都是龍鷹的主要敵手，到了《天地明環》中，他們都成了龍鷹的盟友。理由很簡單，那就是政治上沒有永恆的敵人，也沒有永恆的朋友，一切都以功利目的為前提，昨日的敵人可以變成今日的盟友；而昨日的盟友也可以成為今日的死敵。宗楚客曾經巴結武三思，所以武三思和宗楚客都是龍鷹的敵人；如今宗楚客與武三思展開了爭權奪位的鬥爭，逐漸勢不兩立，於是宗楚客成了主要敵人，而武三思則成了龍鷹的盟友。

進而，台勒虛雲也有其「造皇計畫」，即要把河間王楊清仁推上皇帝寶座，台勒虛雲的造皇計畫與龍鷹的造皇計畫雖然針鋒相對，但由於都是暗中籌畫，目前仍無人看出底細端倪，所以在眼下，台勒虛雲與龍鷹非但不相衝突，反而能夠通力合作，針對他們的共同敵人武三思和宗楚客。武三思去了，宗楚客還在，龍鷹和台勒虛雲的合作就可以繼續下去。雖然武三思、台勒虛雲都是龍鷹的盟友，但武三思和台勒虛雲卻不是盟友，仍然是敵人。

龍鷹周旋在武三思、宗楚客、田上淵、台勒虛雲等集團勢力之間，既顯出政治鬥爭的複雜性，也使得故事情節更加錯綜迷離。除了政治沒有永恆敵友之外，對龍鷹而言，與武三思、台勒虛雲結為盟友，還有一個重要的原因，那就是龍鷹對政治畢竟不是十分內行，所以需要武三思、台勒虛雲這樣的懂得政治的人籌畫並把關，才能在與宗楚客的政治角力中不至於手忙腳亂。

進而，《天地明環》中的龍鷹團隊又增加新成員，除了將西域多國高手召回暗中組織「多國部隊」之外，主要增加了兩人，一是宇文朔、一是高力士。宇文朔是宇文家的年輕骨幹，對關中高門影響極大，他一個人就兼有萬仞雨、風過庭兩人之長，一面是對關中高門有更大影響，另一方面則是可以與風過庭一樣成了唐中宗時期的皇宮首席劍客。

《天地明環》中，讓龍鷹團隊的兩大骨幹萬仞雨、風過庭在南詔洱海邊長期度假，而由宇文朔成為龍鷹團隊的新成員，首先是出於實際需要，萬仞雨、風過庭畢竟是女皇武曌時代的英雄，在大唐復辟後難有用武之地，甚至可能沒有容身之地，因而必須有人替代他們。其次，是要創造新鮮感，風過庭和萬仞雨的特長及貢獻已為人熟知，需要宇文朔這樣的新鮮血液作為補充，創造新的故事和新風景。最後，宇文朔與符太、龍鷹的化敵為友，即從敵對狀態過度到敵友難分狀態，又從敵對陣營過度到同一戰線，再在並肩作戰過程中成為生死與共的摯友，這一過程本身就是精彩故事，即使重複再三，仍然十分動人。

龍鷹團隊中，更重要的新成員是年輕太監高力士。高力士形象的塑造，是這部書中最大的驚喜。高力士是著名歷史人物，在任何歷史書中，高力士的形象恐怕都無法與《天地明環》中的高力士形象相比。這是因為，一般的歷史書或文藝作品中，即使寫到高力士這個人，通常都不大可能會為這個人物設身處地，不大會有作者會站在太監閹人的實際立場，去設想和體驗一個年輕聰穎且希望自己的一生過得有意義且有價值的太監可能會有怎樣的心思、怎樣的夢想、怎樣的行為。

而在《天地明環》中，高力士形象可謂光彩照人。在這部書中，高力士是胖公公和武曌聯手打造的宮廷精英，他的存在可以說是「造皇計畫」的重要組成部分，如果沒有高力士，就很難說「造皇計畫」是否真能獲得成功。胖公公的高明之處，首先在於選才，一旦認準高力士是可造之才，便開始了極為獨特的培訓計畫，包括三個部分：

一是胖公公從不與高力士打交道，武曌也故意冷落他，以便他能在李顯復辟之後不至於因為他與女皇過於親密而失去立足之地。

二是讓高力士在皇宮中受到冷落，不會因過早站隊而被視為某個政治勢力的一部分，從而獲得超然地位，以便他獲得自由活動的空間。

三是讓榮公公和湯公公對他進行嚴格培訓，讓他獲得第一流的宮廷生存智慧、政治洞察力，和——更為重要的——樹立理想抱負、實現生命價值。之所以說最後一點最為重要，是因為讓高力士成為自主之人，即他參加「造皇計畫」是為實現自己的人生理想和生命價值，而不是為別人的理想而奮鬥，這樣，他的行為動力就會更加充足，行為方式會更加自由靈動。

高力士給人的第一印象，是超級馬屁精，他的阿諛逢迎、溜鬚拍馬的能力，與金庸小說《鹿鼎記》的主人公韋小寶相比，是有過之而無不及。這或許是一種天賦，但更是一種長期訓練出來的生存能力，皇宮之中的太監與宮女若沒有這樣的能力，非但難以飛黃騰達，甚至難以生存，只要溜鬚逢迎不到位，就可能隨時受罰，甚至可能會被處死。高力士超群出眾的溜鬚才能，是在最困難的情境下表現出來的，即獲得最不拘禮節、最不受逢迎、最「冷酷無情」的符太的好感。高力士與符太打交道的那些段落，真可謂精彩紛呈，最不受拍馬的符太居然會對高力士刮目相看，可見高力士拍馬逢迎的本領超群。高力士與符太對話，讓人拍案叫絕。

更為難能可貴的是，高力士不僅有超群的逢迎溜鬚能力，和超群的察言觀色能力及對他人心理的深刻洞察力，而且還有高度的政治敏感和政治洞察力——符太要考察高力士，給他出難題，讓他在皇族子弟中找出「可造之才」，他真的在一段不長的時間內就找到了刻意韜光養晦的李隆基。這種政治敏感性和人格洞察力，是高力士通過考驗而正式參與「造皇計畫」的基礎。從此，高力士不僅成了符太的弟子，成了龍鷹「造皇計畫」團隊成員，也成了龍鷹、符太、李隆基的真正「戰友」。在「造皇計畫」中，高力士功不可沒，如龍鷹所感：「高力士為『長遠之計』下的苦心和努力，是夜以繼日的水磨功夫，須多大的決心、毅力和耐性。高力士做到的，沒人辦得到。他營造出來的諸般假象，蒙蔽了韋后，令宗楚客掌握不到真正的情況。」（**第廿二卷第二章**）

高力士是徹頭徹尾的政治中人，如龍鷹所感：「高力士確是另一個胖公公，一切從實際和功利出發，不問六親，只求成功。他一字不提李顯的生死，僅著眼於如何利用李顯性格上的弱點，向李隆基提供最大的效益。感覺有點像讓李隆基踏上李顯的屍體，登上皇座。這種狠辣，是龍鷹永遠也學不來的。」（第廿二卷第二章）

但這只是高力士的一個側面，即政治側面，他能做到的龍鷹做不到，表明他的政治段位高於龍鷹。說到底，龍鷹只是業餘的政治參與者，而高力士則是真正的專業政治人。政治，尤其是專制政治確是殘酷無情，也只有無情者才能深度參與；也可以反過來說，參與太深者必然無情也只能無情。

高力士還有另一面，那就是他同樣具有濃厚的人類情感，他對符太、龍鷹、李隆基、榮公公和湯公公等人的感情，不僅真摯，而且深刻。當他對龍鷹說自己與「當代最偉大的人物並肩戰鬥」時的那次流淚，就是最好的證明。值得注意的是，無論他付出了多大努力、立下多大的功勞，面對符太、龍鷹和李隆基時，他永遠保持著弟子、晚輩、下屬的身分，永遠表現出低人一等；而他無論說什麼高見，哪怕是為他人指點迷津（在書中他曾多次為對宮廷政治所知不多的符太和龍鷹指點迷津），他永遠都要先感謝對方賜教、感謝對方給他說話的機會，讓對方感覺高人一等。

這樣做及這樣說，已經成了高力士的言語習慣和行為習慣，看起來既感精彩，又感心酸。總之，高力士是這部書中最成功的藝術形象。可惜天不假年，作者沒有完成這部作品，高力士在唐隆政變前後所發揮的作用還沒有來得及充分展示。

《天地明環》還有一個重要看點，是本段故事的寫法有一個重要變化，那就是龍鷹讓符太撰寫《醜醫實錄》。在本段故事之前，千黛接替龍鷹扮演醜神醫，為了讓龍鷹回歸後能夠天衣無縫地繼續以醜神醫的身分活動，所以千黛撰寫了《行醫實錄》，讓龍鷹閱讀。一方面是為了讓龍鷹知道他不在期間接觸過哪些人、做過哪些事，以防回來之後難以接續；另一方面是千黛的醫術及醫學知識顯然要比龍鷹高得多，她寫下的不僅是行醫實錄，實際上也是一部醫書，讓龍鷹和符太從中學到了很多醫學專業的知識與技能。在《天地明環》中，龍鷹不在洛陽及長安期間，由符太扮演醜神醫，準確掌握洛陽及長安宮廷政治鬥爭的資訊，所以讓符太繼續撰寫《醜醫實錄》，這一著作，成了小說敘事一個重要特點。

簡單說，就是龍鷹離開期間，洛陽及長安宮廷發生的故事需要交代。這一部分內容以符太撰寫的《醜醫實錄》形成呈現。按理說，符太的經歷可以獨立成章，即用平行蒙太奇形式將它們展現出來，即讓符太故事、龍鷹故事各自成章。但那樣做，勢必會讓本書第一主人公龍鷹經常無法露面，而且在敘述形式上也沒有用《醜醫實錄》這樣讓人眼界打開。這樣做的好處，首先是大大豐富了敘述方式，讓龍鷹從主人公變身為讀者，與讀者一起重新經歷符太的經歷，關鍵是確保龍鷹始終「在場」。

其次，這部《醜醫實錄》不僅是要講述龍鷹不在場時發生的故事，同時也是符太與龍鷹的一種潛在「對話」，因而書中常常出現「龍鷹混蛋，你明白我的感受嗎」之類的句子，讓人莞爾。再次，龍鷹成了那一段故事的讀者，即那一段宮廷歷史的旁觀者，還可以對符太的生活經歷作出恰當的點評，對李顯王朝的政治局勢作出仔細分析，從而形成一種非常特別且有奇效的敘事方式。

又次，這部《醜醫實錄》，不僅交代了符太的經歷，同時也塑造了符太的形象，並且規範符太的行為，因為要將自己的行為記錄下來，所以不得不三思而行，因為符太不屑於說謊，也不願意對龍鷹說謊，所以不僅在寫作的時候實話實說，而且在行動的時候也不得不因此而規範自己的行為，這使得符太的「社會化」過程歷歷在目，比社會學家或人類學家的現場記錄更加真實可靠。

此說的證據是，如書中所寫（龍鷹的認知）：「《實錄》對症下藥，使符太對自己作出全面深入的自省，是符太書之於紙的『思想』。當須通過文字，將心底的想法和感受表達出來，首先要組織紊亂和支離破碎的內在天地，令唯一閱讀者明白他在寫什麼，本身便是一個深思的歷程，逼得符太不得不全面檢討他的所作所為。於符太這個從不反省自己的人來說，乃是破題兒第一遭的創舉。」（第四卷第五章）

又次，《醜醫實錄》還有一個奇妙的作用，是不僅增加了龍鷹對宮廷政治鬥爭實際的瞭解和理解，同時也增加了龍鷹休憩與反思的機會，如書中所述，「到符太醜神醫的天地裡打個轉，頗有服下忘憂草般的妙用，抽離現實、重返，煥然一新。」（第九卷第九章）

最後，《醜醫實錄》還有一個一般人意想不到的作用，那就是幫助符太提升其武學修為及思想境界，如書中所述：「龍鷹有個直覺，每當符太提起毛筆，立即進入一奇異境界，既非旁觀者，亦非書裡人，而是無人無我，忘情地將所思所想，應之於手，天然流露，就好像不是他自己寫的。那亦是一種特別的修行，可惠及他武學上的修養。」（第十六卷第十八章）

由此可見，《醜醫實錄》的撰寫和閱讀，是作者精心安排的一種敘事策略，同時也是一種具有特殊效果的敘事技巧。正因如此，龍鷹改變了閱讀方式，即不是一口氣將它讀完，甚至也不再是過去那樣一目十行地閱讀，而是非常認真、非常仔細且非常有規律——須按作者的安排即作品敘事需要——地閱讀。龍鷹在洛陽開始讀《實錄》，以龍鷹讀書一目十行的速度，從洛陽揚州途中應該能夠看完，但作者卻只讓龍鷹看一頁，似乎洛陽到揚州只需半小時。這是作者有意安排，目的是要製造出兩個不同的敘事時空，甚至在龍鷹到了長安、與符太見面之後，仍在閱讀《醜醫實錄》。所以，龍鷹在本書開始不久就開始閱讀《醜醫實錄》，直到十四卷第六章才將符太撰寫的內容全部讀完。

出人意料的是，當龍鷹回到長安並與符太見面之後，非但繼續抽空閱讀《醜醫實錄》，而且龍鷹還要符太繼續寫《醜醫實錄》（**第十三卷第十八章，龍鷹要求符太這樣做，第十五卷第十四章裡由符太將《長安續錄》交到龍鷹手裡。第十六卷第十七章，龍鷹開始看續篇，主要內容是：太子李重俊政變前的宮廷情況**）。這就能更清楚地看出，作者是把符太撰寫、龍鷹閱讀《醜醫實錄》當作一種特別重要的敘事方式來安排。

進而，還有第三種變化，即龍鷹在場，隨時可以與符太說話，例如符太與柔夫人最後一段交往時，龍鷹仍然要符太撰寫《實錄》，說這樣他才能瞭解得更細，才好「指點」對方怎麼去做。於是出現了一個小小的奇觀，即第十八卷第十六章，符太給龍鷹送上《實錄》，且陪龍鷹看《實錄》，還一邊看一邊討論《實錄》。

《天地明環》還有一個重要看點，是龍鷹在追殺鳥妖的過程中，突然採取了一種他稱為「天網不漏」的奇妙對策。所謂「天網不漏」，即「天網恢恢，疏而不漏」的簡要說法，這本來是一種象徵性的說法，表明古人對「天」的敬畏以及對「天命」或「天譴」的宗教式信念。在追殺鳥妖而找不到鳥妖蹤跡時，龍鷹突然提出這個命題，並且把它作為對付鳥妖的一種策略，也就是什麼都不做，讓龍鷹團隊的每個成員按照自己內心最突出的衝動去做，而把效用及結果交給天命，由老天爺去決定。

看起來，這是一種匪夷所思的策略，為智者所不取，因為《孫子兵法》中說：「多算勝，少算不勝，而況於無算乎？」但結果卻出人意料，在龍鷹追蹤鳥妖失敗之際，鳥妖竟然出現在「龍鷹團隊」的眼前，並被飛箭射死。此後，龍鷹把「天網不漏」這一策略進行推廣，不僅運用到符太與柔夫人的「情感戰場」，即讓符太按照自己的內心衝動去做；而且推廣到「造皇計畫」之中，即在無法準確把握敵情、更無法預測未來時，讓高力士按照自己的想法去大膽行動。其結果，居然也都「不算而勝」，不僅符太與柔夫人的愛情取得了雙贏的美好結局，而高力士的政治籌畫也同樣取得了意想不到的好結果。

龍鷹成為傳奇英雄的「秘訣」，說起來可能會讓人難以置信，他的初級秘訣是：想不通就去睡覺，留待明天再說；高級秘訣是：找不到方法就不找，按自己內心衝動去做。這兩種秘訣，看起來不可能有任何理論支撐，實際上卻有，那就是：讓自己保持鬆弛，等待並捕捉靈感與機遇。說起來，這很可能也是黃易小說寫作的重要秘訣。不難猜想，當他寫不下去的時候，就會去睡覺，待明日再說；當他無法佈局謀篇之時，就乾脆採取「天網不漏」行動，放任自己的思緒，信筆寫去，直到靈感迸發，照亮全篇。在絕境中迸發出的靈感，很可能比挖空心思的謀劃更加巧奪天工。

《天地明環》的最後一個重要看點，是對男女關係的進一步探索。在《日月當空》中，龍鷹如同種馬，對美女來者不拒，「龍鷹女郎」可車載斗量。而在《天地明環》中，龍鷹的行為已大為改觀，在離開妻妾的日子裡，他只是與上官婉兒再次發生性關係，從而重新界定了他與上官婉兒的社會關係。與此同時，最讓他心動的是獨孤倩然和無瑕，前者是友非敵，且向他多次發出召喚，龍鷹與她之間再無隔閡，隨時可以與她交歡。但即便是這樣，龍鷹居然總是抽不出空來，更有意思的是，某晚抽出了空，但卻被獨孤倩然要求「講故事」到二人先後沉沉睡去。

此後直到第廿三卷第一章，龍鷹與獨孤倩然的關係仍然僅限於摟摟抱抱而已；與無瑕的關係也是如此，到這個階段，他們早已化敵為友，只是無法確定是否真愛，因而限於打情罵俏。這是什麼樣的關係？又是什麼樣的愛情？作者並沒有簡單地為它定義，仍在繼續探索之中，作者沒有被任何有關情感關係概念所束縛，而是自由且深入地探索男女關係的實質與真相。龍鷹與獨孤倩然、龍鷹與無瑕，以及符太與妲瑪、尤其是符太與柔夫人之間的感情，有誰能說得清楚？連龍鷹、符太這樣聰穎敏感的主人公都無法琢磨、無法定義的情感關係，別人又怎能說清楚？正是因為說不清楚，才更加值得探索，也值得體驗。作者對這些始終曖昧不明的情感關係的書寫，是這部書中最突出也最奇妙的一大藝術貢獻。

高皋小說述評

高皋，生平不詳。[1] 一九六〇年代末至一九八〇年代中期，在香港《武俠世界》雜誌發表了大量作品，後多由香港武林出版社出版單行本，作品有：《霹靂刀》、《無弦弓》、《血扇》、《血衣》、《斷劍殘鉤》、《狂飆》、《瘋雷狂雨動江湖》、《白羽令》、《風雨殘陽》、《破山一刀》、《留香帖》、《臘鼓》、《血濺江南》等。

《無弦弓》

我看的版本是香港武林出版社版，上下兩冊，共四九九頁，一九七二年秋季初版。封面上有「新派武俠小說」字樣。

《無弦弓》[2] 講述卜靖江湖歷險故事。其父白衣儒俠卜三省被人殺害，卜靖隨大荒老人學藝後進入江湖尋找仇人，捲入江湖爭霸衝突中，被潛龍幫主公孫如筠領導的白道二幫、四派聯盟追殺。殺人王夏岱贈他血刀及《血刀秘笈》，被江湖黑白兩道追殺，後成為天刑門主，與白娥、小晴、費如煙、黃瑛等美女有情感及兩性關係，最後領導天刑門、長春谷、綠林、丐幫消滅了公孫如筠的霸道聯盟。

小說有古龍風格影響痕跡，句子和段落相對短小，敘事節奏明快。

小說最大看點，是江湖社會複雜紛紜，難以簡單識別。正道之中未必全都是好人，例如潛龍幫主公孫如筠；邪道之中未必是壞人，例如殺人王夏岱。但也並非黑白顛倒，即俠道中仍有好人，例如丐幫幫主；而邪道中仍有惡人，例如惡醫郎放僻。更複雜的是，很多人在黑白兩道的灰色地帶，例如四至美人杜秋娘。最普遍的現象是，江湖中的毀譽口碑，未必全都名副其實，例如主人公卜靖在很長時間內都被人當作血刀惡魔。天刑門主的血刀被視為邪惡表徵，無弦弓主人被視為救世大俠，實際上恰恰相反，無弦弓的第一代主人實是天刑門的叛徒。血刀主人的天刑門與無弦弓主人的天刑門孰真孰假、孰善孰惡，在於不同組織有其不同的集體認知與認同；而判斷黑白善惡的標準，當是個人的心性與行為。

主人公卜靖的經歷是最好的例證：他有無弦弓鞘，卻不是無弦弓傳人；褚逸民要他學習《玄黃真解》，他也拒絕了；夏岱送他血刀和《血刀秘笈》，他欣然接受，理由是，血刀可以為惡，亦可行善，善惡在於人為而非刀與刀法。後來才知道，血刀秘笈、無弦弓法、玄黃真解全都是天刑門的傳統武功。有人持之作惡，也有人用以行善。無論修煉何種武功，卜靖始終是卜靖，始終保持俠義心腸和正道行為。他曾一度被杜秋娘所騙，與百弼莊主白彥虎單打獨鬥，導致白彥虎被杜秋娘偷襲受傷；當他意識到對付白彥虎的並非忠良之後時，立即反戈一擊，幫助白彥虎避難逃生。

他曾被當作洗劫百弼莊的元凶、被當作血刀魔怪、被徹底汙名化，以至於成了天下之敵，但他始終保持自己的善良天性和俠義行為準則（**當然在第一次使用血刀時有過度殺戮嫌疑，但他也立即警覺**），最終贏得了許多武林同道的理解、尊重和支持。更直接的證據，是白娥、小晴、費如煙、黃瑛等女性，開始時無不與他為敵，在瞭解真相之後則全都毫不猶豫地投入他的懷抱，願意與他並肩戰鬥，甚至不惜為他犧牲。卜靖的行為與個性，感召力驚人。

小說的另一看點，是白娥的經歷與個性。作為武林名家百弼莊主白彥虎的獨生女兒，白娥嬌寵任性，行為肆無忌憚，小說開頭就是她故意挑釁卜靖，看起來簡直就是一個魔女，實際上不過是孤傲的卜靖刺激了她的自尊，她的挑釁未嘗不可以理解為情感挑逗的另類形式。

當卜靖拯救了她的父親，白娥冒險前往王官莊為卜靖洗刷罪名，表現了她善良正直的秉性。而當她覺得卜靖不願對她敞開心扉，她就立即離開而不願與他同行。直到在異國他鄉被卜靖拯救，她才情不自禁，要與卜靖同生共死。小說中最具匠心的安排，是讓白娥成為無弦弓的傳人，即成為天刑門主卜靖的死敵，面對無法和解的死局，白娥選擇犧牲自己、拯救卜靖，叮囑卜靖放過她父親（**她以為父親是卜靖的仇人**）。白娥之死，是小說中最出人意料也最震撼人心的一幕，讓白娥獨特個性及其美麗形象長留人間，永垂不朽。

書中黃瑛的故事也值得一說。她是自己帶著十二個婢女投入卜靖陣營，並與卜靖並肩戰鬥，成了卜靖的妻子；但她的父親公孫如筠卻是丈夫卜靖的殺父仇人。更重要的是，生父公孫如筠強暴了她的母親，公孫如筠究竟是她的父親還是她的仇人？也可能正因為無法與公孫如筠共處——從道義上說，公孫如筠是白道領袖卻又是霸道梟雄；從私情上說，公孫如筠既是她的生父，也是母親的仇敵——才毅然離開潛龍幫大本營，投入卜靖陣營。

公孫如筠是卜靖的殺父仇人的消息，是黃瑛主動提供的；但她卻害怕丈夫去找公孫如筠復仇，這段心理活動真實而感人；小說結局，是公孫如筠逃亡，即卜靖無法報仇，也是精彩的設計，既表現了公孫如筠其人的怕死與奸猾，也讓卜靖避免了殺害妻子之父的尷尬。

小說的不足之處，一是殺手王夏岱的轉變及與卜靖結拜論交鋪墊得不夠；二是已嫁人的女孟嘗費如煙鳳冠霞帔與卜靖舉行婚禮，有人為痕跡；三是百谿莊主白彥虎的故事沒有結局：他如何成了潛龍幫副幫主、當了副幫主後又如何？他的弟子諸葛棻、黃瑛為何成了公孫如筠的弟子？書中沒有交代；四是懂得《玄黃真解》的血手褚逸民被作者遺忘：他是如何被潛龍幫所抓獲，怎麼會教諸葛棻等人玄黃真解武功？他的《玄黃真解》從何而來？他與天刑門有怎樣的關係？這些重要疑問，書中都沒有交代，讓人遺憾。

【注釋】

1香港作家西門丁曾對顧臻說過，此人可能是臺灣人，曾在香港工作。

2高皋：《無弦弓》，上下集，四九九頁，香港，武林出版社，一九七二年秋。

◆吳道子小說述評◆

吳道子，祖籍廣東恩平，生於香港，曾擔任香港多家銀行及財務機構經理，後全力投入寫作，為《東方日報》、《新報》、《快報》、《華僑日報》等撰寫專欄及小說連載，武俠小說有《蛇齒蜂針》、《魔蹤倩影》、《刀劍風雲錄》等。

《刀劍風雲錄》

《刀劍風雲錄》[1]講述主人公岳峰的傳奇人生故事，在書中，他的名字是丘如錚、金峰，這正是他傳奇人生的一部分。原因是他的師父無名聖僧從小教他武術、醫術、易容術，同時教他民族認同，希望他反滿抗清，至少不要做滿清異族的鷹犬；而他父親卻是滿清漢人大將軍，且逼迫他做官走仕途。所以，十七歲的岳峰離家出走，流浪江湖，以給人治病為業。因練功走火入魔，傷了筋脈，且患傷寒，差點病死客鄉，幸得東方無忌拯救，對此他一直感恩。

在洞庭十三英夥同九龍幫高手入侵東方世家時，化名丘如錚的岳峰及時出現，打敗入侵者，拯救了東方世家。東方無忌要將女兒東方依依許配給他，東方依依對他也有極大好感，但因他傷勢未癒且喪失了性功能，不得不辭婚逃離東方世家。其時，武林中有人組織「論刀大會」，並建立金刀盟，向「黃山論劍」的武林正宗傳統挑戰，丘如錚（即岳峰）被金刀盟主王白石（即關東大俠皇甫磊）邀請擔任金刀盟主，丘如錚率領金刀盟挫敗了白道武林的攻擊，找出並擊斃了謀殺東方無忌的內奸東方無憂，為金刀盟成員謀得了武林合法地位，最後攜東方依依、葉小蒨兩位夫人浪跡江湖。

本書最大的創意，是構想了反傳統的「論刀大會」——從金庸《射鵰英雄傳》的「華山論劍」開始，武林中「論劍」大會層出不窮，但從未有過論刀大會——武林帶劍者大多身分高貴，而帶刀者則多為底層武士，包括許多黑道、綠林中人。論刀大會及其隨之成立的金刀盟，吸引了大批黑道、綠林的帶刀者，諸如玉面郎君文二郎、黃河老妖、霹靂刀宋剛、黑煞神君歐陽志、大力刀王王銘、七步追魂上官秉堅、刀過無痕柳如風、黑燕子施青、落星追魂刀余振邦等等，無不是黑道或綠林中人，但金刀盟的盟主卻不是黑道，而是鼎鼎有名的關東大俠皇甫磊。他出資建立金刀盟的目的，並非爭霸武林，也不是要與白道英雄對抗，而是要讓帶刀者有所歸屬，同時有所約束，獲得合法身分地位。其想法與做法，屬於開武林新風，是真正的俠者行為。

本書的看點也在於此，岳峰即丘如錚的人生選擇，實際上是受了作者現代觀念的支配。書中有三對矛盾，一是漢民族與滿清民族的矛盾，二是武林白道與黑道或所謂正道與邪道的矛盾，三是帶劍者即武林上層與帶刀者即武林中下層的矛盾。岳峰處於三大矛盾的糾結之中，他的人生選擇具有明顯的象徵意義。在漢民族與滿清統治者矛盾中，岳峰的最初選擇是逃避，後來的選擇是彌合，即從單純的民族認同走向了國家認同，不再把漢族與滿族當作不可調和的仇敵。所以，在得知父親不再逼他做官之後，他答應母親會經常回家，這也就意味著，解決了民族矛盾心結之後，父子、母子關係也恢復正常。

進而，在黑道與白道、武林上層帶劍者與武林中下層即帶刀者的矛盾中，他的選擇也出人意料，即答應擔任金刀盟主，並不是要與帶劍者作對；更不是要加入黑道或邪道，恰恰相反，他和皇甫磊的目的一致，即是要把武林黑道、邪道、魔道中人引向合法正道。之所以做出如此選擇，有一條不可忽視的重要理由，那就是白道中人並非都是正道中人，正如黑道中人並非都是邪魔外道。

有力的證據是，武當是名門正派，但門下也有不肖弟子試圖猥褻強姦女性；東方世家、黃葉山莊雖是白道世家，但東方無憂為奪權而毒害兄長，葉長青為當大莊主而試圖殺害結義兄長黃天龍。漢族、滿族，白道、黑道，用劍、用刀，都只是標籤符號，每個群體中都有好人也都有壞人，端看群體中的個人行為如何，而不能根據群體標籤論是非。小說的這一主題思想，明顯有現代觀念，其認知複雜度遠遠超出了傳統武俠小說的認知水準。

事物的多面性，在七色彩虹草的藥用功能中也有所體現。人們都知道它有催情作用，認為它只是高級春藥原料，是「壞草藥」；但卻不知道它其實也可以作藥引，可以催化其他藥物的藥用功能，它也有「好藥」成分。更妙的是，葉小蒨在岳峰（即丘如錚）昏迷的危急時刻，用七色彩虹草加人參王，居然徹底治癒了他的老傷，當然也讓她和他春情衝動，情不自禁地發生了性關係，從而擺脫了紈褲子弟黃玉麟，找到了她的終生幸福。

書中黃玉麟形象也很有意思，他是黃葉山莊大莊主黃天龍之子，是武林世家的繼承人，雖無大惡，卻有典型的紈褲特徵，自我中心而情緒偏激，對丘如錚的判斷就明顯是出於主觀武斷，葉小蒨越是誇獎丘如錚，他對丘如錚的厭惡就越是明顯。最後，他也因此而徹底失去了青梅竹馬的表妹葉小蒨。

本書的不足之處，是有些情節寫得過於簡單。例如東方無憂為了奪權而不惜毒害自己的哥哥東方無忌，葉長青為了奪權而試圖誅殺結義兄長黃天龍，事雖並非完全不可能，但書中所寫卻是太簡單。丘如錚拯救了東方世家，東方依依對丘如錚的好感是必然的，但說東方依依從此死心塌地地愛上丘如錚，非他不嫁，寧可幸福短暫（丘如錚當時以為只有兩年可活）乃至沒有性生活也在所不惜，這也同樣是簡單化了。當然，小說篇幅有限，對這些次要故事線索只能簡化處理。

【注釋】

1 吳道子：《刀劍風雲錄》，香港，藝林出版社有限公司，一九九五年初版。

◆敖飛揚小說述評◆

敖飛揚，原名劉惠軍，一九九六年秋開始小說寫作。是香港《武俠世界》第四代作家，[1]武俠小說有《名劍》、《保鏢》、《燕子劍》、《斷魂刀》、《小狂兒》、《十年恩仇》及長篇小說《魔劍傳說》、《如來佛掌》、《悲劍危城》等。

《如來神掌》

《如來神掌》分上下冊，上冊書名為《如來神掌：火雲邪神》，下冊書名為《如來神掌：萬佛朝宗》，講述主人公古漢魂的傳奇故事。本書故事精彩、情節曲折、文筆簡練，可讀性強，且有寓言性。本書第一看點，是主人公的成長經歷及其形象與心理變化，古漢魂是火雲手古如風的兒子和武功傳人，但古漢魂卻是由方千山養大，九歲時才回到古如風身邊，且一心要為義父方千山報仇，要殺生父古如風。即便如此，古如風仍然悉心教授兒子武功，讓他到二十歲時自主選擇要不要殺父。二十歲生日前夕，古漢魂離開了太白山火雲寨，開始行走江湖，遇到美少女孫碧玲，一見鍾情，但孫碧玲卻是個權力狂。

第一看點，是主人公的成長經歷及其形象與心理變化，從童年到青年即從紅髮到白髮，從「火雲邪神」到「萬佛朝宗」，始終不失赤子之心，「古漢魂」之名顯然有象徵意義。看點二，是野心勃勃的孫碧玲形象刻畫，孫碧玲一生摯愛不是任何人，而是武林盟主之位，她曾如願以償，卻也因此而死於非命。看點三，是陽傲天形象與命運，在上冊中，他是「正義聯盟」的領導人；在下冊中卻搖身一變為魔教新任教主，其權力狂心理始終未變。看點四，是古漢魂與孫碧玲有緣無分，其義子龍劍飛與孫碧玲女兒裘玉華喜結連理，女兒裘玉華的性格和命運與母親孫碧玲截然不同。

《悲劍危城》

《悲劍危城》[2]講述主人公陳少南的亂世人生及其悲情故事。小說第一層是復仇故事，陳少南的父親陳牧之被明朝錦衣衛千總孫德洪所殺，陳少南矢志復仇，但因孫德洪詐稱是闖王權將軍劉宗敏麾下千總洪德孫，導致陳少南找錯了方向，而後孫德洪投降滿清成為多鐸親王的侍衛長；又因孫德洪的武功高強，號稱修羅刀，陳少南不是對手，因而復仇難以如願，直到最後才出人意料地同歸於盡。

小說第二層是悲劇愛情故事。陳少南在復仇途中，救了被蒙面人圍攻的少女李秀，她是闖王麾下制將軍李岩的妹妹，且有未婚夫張三郎，陳少南不得不主動退出。後因發現圍攻李秀的蒙面人是闖王的丞相牛金星部下，且有針對李岩的陰謀，趕去報告消息，紅娘子讓他與李秀率人向李岩通報，救了張三郎，被牛金星部隊圍攻之際，張三郎選擇與敵廝殺，而將李秀託付給陳少南，陳少南與李秀的感情逐漸深化，但張三郎死裡逃生，陳少南再次離開。但張三郎、李秀再次找到陳少南，於是三人一起陷入情感漩渦中：張三郎因舅舅牛金星是殺害李岩的主謀而對李秀心懷愧疚；陳少南則因李秀與張三郎曾有婚約而止步不前；李秀在陳少南和張三郎兩人之間難做抉擇，三人相互關心禮讓，形成情感死結。

小說第三層是亂世人生故事，時當明朝末年，明王朝風雨飄搖，闖王李自成迅速攻入北京，而吳三桂借清兵入關遏制李自成，導致滿清入主京城，並揮師南下。與此同時，闖王李自成、權將軍劉宗敏、丞相牛金星自毀長城，殺害制將軍李岩，形成明軍、清軍、闖軍和紅娘子部隊三方四面的混戰局面，百姓苦難深重。從小說開始時的高家集，到開封、鄭州、保定、武漢，直到最後的揚州城，到處都是「悲劍危城」，陳少南、張三郎乃至紅娘子、明朝督軍史可法都無法挽狂瀾於既倒，只能成為這一歷史悲劇的見證人。

由於仇家孫德洪先是明朝錦衣衛都副指揮使，後是滿清親王多鐸的侍衛長；而情人李秀則是闖王麾下制將軍李岩的妹妹，主人公陳少南的這一段人生經歷與亂世歷史的三方四面緊密關聯。寧可玉碎，還是選擇瓦全？是擺在陳少南等人面前的一道重大考題。

書中最令人震撼的一幕，是陳少南親眼目睹了師門泰山派的二千餘人全都選擇瓦全，即投降保命，如陳少南的師父即泰山派掌門人天照道人所說：保全性命乃是人之常情。與其他武俠小說的浪漫想像不同，即便在危城揚州，也沒有幾個熱血漢人武林高手助陣，顯然是大多數漢族武林人都像泰山派武士一樣選擇了瓦全人生。相比之下，這部《悲劍危城》顯得更加真實，也更加悲沉。

也正因如此，小說最後，當陳少南為了成全張三郎與李秀的愛情和婚姻，也為了自己復仇志願，選擇重回清兵佔領的揚州，與屠城清兵展開拼死大戰，並與孫德洪同歸於盡——多鐸親王為了保護自己，下令射殺拼死爭鬥的陳少南和孫德洪——陳少南的玉碎，其價值雖然無法與民族英雄史可法殉城相提並論，但也同樣驚心動魄，同樣可歌可泣。

小說中的陳少南、張三郎、李秀、紅娘子等人的形象都有精彩之處，但最精彩的人物形象卻不是他們，而是書中的一個相對次要的人物閻王劍上官楚。此人是泰山派弟子，卻當了明朝錦衣衛千戶檔頭，作惡多端——小說序幕中正是他率人襲擊李岩、紅娘子夫婦，後因與另一千戶孫德洪爭權，被孫德洪斬斷一臂，打落黃河中。

經歷九死一生歸來，孫德洪已成了滿清多鐸親王的侍衛長，而上官楚則成了純粹的武林復仇者。後來才知道，他竟是泰山派掌門人天照道人的兒子，十五年前為了給母親報仇，殺了天照的正妻和幼子一家後投奔了錦衣衛，九死一生的上官楚充滿了英雄氣概，而這一惡人的臨終懺悔也更加動人心弦。上官楚的人生是被命運扭曲，最後的死亡結局則讓人感嘆唏噓。值得注意的是，天照道人並沒有恨這個兒子，對其扭曲人生予以充分理解，上官楚死去當晚，天照道人也安然辭世——天照道人的內心世界，成了小說中最大的「留白」。

小說中的另一看點，是闖王李自成之死。當李自成下令誅殺李岩之際，紅娘子雖然滿懷悲憤，但卻不主張報仇，不僅是害怕「弒主」惡名，更重要的不願傷害拯救百姓的起義大業；當李自成不斷倒行逆施，充分顯示出獨夫的惡行，紅娘子決定採取報復行動，率人到九宮山埋伏。但李自成並沒有死於紅娘子、張三郎、陳少南之手，而是死於自己的侍衛之手；所以如此，是因為李自成對不聽號令的侍衛率先大開殺戒，引起侍衛的極度不滿，群起而攻。此時的李自成已陷入瘋狂，而侍衛們攻殺李自成，既非為民除賊，亦非為投降領功，而純粹是為了保命。這一具有戲劇性的場景，不僅十分真實，也有一定的寓言價值。

【注釋】

1 沈西城先生在《江湖再聚：武俠世界六十年》中曾專門介紹過敖飛揚，見該書第一八四—一八五頁，香港，中華書局（香港）有限公司，二〇一九年。

2 敖飛揚：《悲劍危城》（全新編修版），香港，飛揚出版社，二〇一六年。

◆馬榮成、丹青漫畫小說述評◆

馬榮成，原名馬榮城（一九六一—），原籍廣東潮陽，香港著名漫畫家。十五歲踏入漫畫行業，早期作品有《魔鬼實驗》、《五兄弟》、《風流》等，代表作有《中華英雄》、《風雲》系列、《黑豹列傳》等。

丹青的生平資料暫缺。

《風雲》

《風雲》原是漫畫作品，一九八九年七月，漫畫家馬榮成宣布創辦天下出版有限公司，出版《天下畫集》漫畫書，從第五期開始連載《風雲》。從此連載廿四年，直到二〇一三年，馬榮成宣布封刀。《天下畫集》開始為週刊，後來改為旬刊，而後改為雙週刊，最後改為月刊。《風雲》出版三集（三個系列）。

馬榮成一九八二年以《中華英雄》漫畫成名（該漫畫曾改編為電影），張藝謀導演的電影《英雄》亦是其漫畫改編的作品。

《風雲》有兩個主人公，即聶風和步驚雲。這部作品之所以熱銷數十年而成香港武俠文化的重要代表作之一，是因為作品講述了這兩位主人公的苦難命運、奇異的人生遭遇、截然不同的個性，以及充滿傳奇色彩的成長歷程。

聶風的父親聶人王號稱北飲狂刀，是武林中大名鼎鼎的一代刀王，本書開始時，主人公聶風年方六歲，聶人王已經歸隱田園，寧願做一個普通的農夫。聶人王歸隱的原因有二，一是因娶了美女顏盈，希望與她長相廝守，不讓她成為武林仇恨的犧牲品（**身在武林難免殺戮與仇恨，難保家人安全**）；另一原因則是聶家歷代都有人瘋狂，似是家族遺傳病，聶人王想避免發瘋，於是歸隱田園，希望在簡單而平淡的農事勞動中了此一生，避免因過多殺戮而導致瘋狂——這是具有深刻寓意的一個設計，武林中的殺戮者很難說是真正的正常人——所以，他讓兒子從小學習《冰心訣》，學會管控自己的情緒，而不教兒子武功、刀法，甚至不讓兒子觸碰自己的寶刀「雪飲」。

為了平靜的生活，聶人王百般隱忍，袁氏兄弟來為父報仇，他寧可讓對方將泥巴投在自己的臉上也絕不動手；劍術高手斷帥前來找他比武，他讓兒子去赴約，請對方來家裡做客喝粥。不幸的是，他的這種隱忍行為非但得不到妻子顏盈的理解，反而惹怒了妻子，妻子期望嫁給武功蓋世的大英雄，沒想到丈夫竟成了一個膽小怕事的懦夫。

顏盈是個美麗的女子，但卻說不上聰慧，只是一個資質平庸且戀慕虛榮的普通女性。否則，她就不會因對丈夫的失望而拋棄年僅六歲的兒子聶風而與人私奔。聶人王亦因妻子私奔而陷入瘋狂，瘋狂地毀家，瘋狂地殺人，瘋狂地流浪奔走。如此一來，年僅六歲的主人公聶風從此陷入無法控制的人生困境之中，小小年紀就開始追隨父親流浪江湖，且要隨時面對父親的瘋狂暴力。好在，聶風從小練習

《冰心訣》——更重要的原因是得到父母足夠的關愛滋養——從小就心地光明而聰慧，從小就有君子之風。

本書的另一主人公步驚雲的身世同樣——也可以說是更加——悲慘。他的父親步淵亭是一個鑄劍師，為了找鑄劍精鐵遠赴西域，兒子出生時也不在家。三年後回家時卻又很快病逝，母親玉濃把對丈夫的不滿發洩到兒子頭上。藉口父親死兒子沒哭，將步驚雲痛揍一頓。步驚雲愈發沉默，而母親對他愈發忌恨，以至於改嫁霍步天時，也沒讓夫家派人專門關照自己的兒子。甚至在霍步天主動說出應該關心步驚雲時，母親玉濃仍然漠不關心——母親玉濃的做法也許是一種生存策略，因為步驚雲不通人情世故，所以欲擒故縱，換取霍步天的同情憐憫之心。

霍步天確實有同情憐憫之心，開始是愛屋及烏，娶了玉濃，對其子也有相應的關注體貼。在霍梧覺、霍桐覺兄弟欺負霍驚覺即步驚雲時，他毫不猶豫地責打自己的兒子，保護了步驚雲。當他發現步驚雲的驚人天賦，將霍家劍毫無保留地教給步驚雲，就更是從內心裡把步驚雲當作霍家劍的繼承人。

步驚雲經歷了一連串的不幸，先是母親病逝，後是霍步天一家被天下會的蝙蝠、赤鼠率人滅門。步驚雲並非沒有人性，在母親生病時，他看似漠不關心，實際上卻是去找野人參給母親；霍步天對他的關心，他也記憶於心，並付諸行動，要獵一隻白狐送給霍步天作生日禮物，且決心在這一天改變對霍步天的稱呼（喊一聲爹）。

步驚雲性格陰冷，因為他遭遇的環境夠陰、夠冷，從小缺乏陽光照耀，只有陰冷沉澱於心中，陰冷沉默實際上是步驚雲的自我保護膜。同時，步驚雲也是執拗的，因為很少與人交流，只能自己想當然，若非執拗，如何能活下來？如此，這個孩子的命運更加令人擔心掛念。

在霍家莊遭焚時，他得到黑衣人的救助，但黑衣人看出他內心戾氣，沒有收他為徒，要把他送到不虛大師處接受佛法薰陶。雖然是好意，但被步驚雲誤讀，執拗的步驚雲決定離開。直到有一天，他在天山下的天蔭城裡看到天下會招收弟子的榜文，決定進入天下會當學徒，並乘機接近雄霸、瞭解雄霸，以便有一天殺了雄霸為繼父霍步天報仇。——步驚雲在天下會的每一天都是一個懸念，他能不能報仇？如何報仇？成了本書最大的懸念。

在本書第四冊，作者又推出第三位小主人公，即南麟劍首斷帥之子斷浪。出場時，小傢伙只有八歲——比出場時六歲的聶風、出場時五歲的步驚雲大——比如今十一歲的聶風、十三歲的步驚雲要小。剛開始時，他是個善良而天真的孩子，也許所有孩子都是如此善良和天真，但出場不久就遭遇了生命磨難，倒不是他父親斷帥與聶人王比武，而是在死奴抓住斷浪要逼迫斷帥交出火麟劍時，斷帥說寧可兒子被殺也不願交出火麟劍，這是他的第一大挫折（**因為不懂得，所以容易成為心理癥結**）。

第二個挫折是他父親和聶人王一起消失在凌雲窟的火海中，小小年紀就失去了父母（**母親在生他不久就已經去世**），成為孤兒，當然是不幸。

第三個不幸更大：雖然他和聶風一起被天下會徒眾所救，但他和聶風的命運從此殊途，聶風成了雄霸的第三個弟子，聶風本人不以為然、甚至不同意，但雄霸仍然要逼他成為弟子；而斷浪則被貶為奴，甚至，若不是聶風為他求情，他差點被雄霸處死。如果生來為奴，或許更容易忍受；如果只有大家一起為奴，或許也同樣容易忍受。偏偏是聶風鴻運當頭，而斷浪霉運聯翩，這就有些難以忍受了。

在《風雲》漫畫裡，斷浪這個角色是狡猾奸險之人，而在《風雲》小說中，作者才有機會將這個人物的性格發展和心理變化寫出。這符合文學之道。作者說，寫斷浪這個人物，是為了映襯聶風與步驚雲的關係，這也是一個非常好的理由。（參照馬仔為第四冊寫的《後記‧風雲浪》）在小說中，作者的技法運用得當。從第五冊開始，斷浪受到無雙城主獨孤一方的誘惑，這是他性格與命運改變的開始。

在第四冊中，由於聶人王要挑戰斷帥，雄霸知道這一消息，則派步驚雲前往打鬥地點，以便漁翁得利，取得雪飲刀、火麟劍，其真正結果，是讓聶風和步驚雲這兩大主角——加上斷浪就是三大主角即「風雲浪」——會面。聶風對步驚雲的感激，步驚雲對聶風的行為，書中都寫得很好。接下來是聶風、斷浪被天下會眾所救，來到天下會，且聶風被雄霸收為第三弟子，從此與步驚雲成了同門師兄弟，他們之間的關係就成為讀者關注的新重點。他們的故事也可分、可合。

作者在不斷求變，從第七冊開始《搜神》故事，聶風、步驚雲長大了，分別是十七歲、十九歲。第七冊是漫畫版中從未出現過的故事，專為小說而作。

這段故事情節總體上有點扯，與漫畫故事的情節主幹也不相干。其中神話不過是將《白蛇傳》故事作另類演繹和拼湊。說白素貞不是白蛇，而是搜神宮大神的獨生女，故事中女主角白衣少女雪緣則是白素貞的替身，雖然神奇卻無意味。

這段故事的可取之處，一是阿鐵與阿黑的兄弟情，阿鐵為阿黑搶狗飯而受傷，阿黑為阿鐵報仇殺狗；阿鐵試圖成全小情與阿黑，而阿黑卻為要成全哥哥的婚事而避讓小情，頗有感人之處。而後阿黑被大神官抓獲並服用獸藥，不僅失憶，而且失去人類情感與本性，則是出人意料且令人懸念。

又成大主角步驚雲和聶風關係的另一種對比和映襯。其二，書中情感描寫，雪緣對阿鐵（步驚雲）的愛雖然極盡隱忍，卻有些做作，倒不如小情與阿鐵、阿黑的若有若無來得自然。其三，書中武功描寫有創意，例如雪緣用自己的淚作劍，運用「移天神訣」打傷大神官。這一武功描寫可謂神乎其神。

作者曾預告說，《搜神》只是一個中篇，但實際上卻越寫越長，從第六集末尾到第十二集結束，這個故事已有將近二十萬字（至少有十八萬字），但還沒完。很顯然，作者是沿著這條線索越走越遠，中間還重構了十殿閻羅孟元帥即孟山的故事，阿鐵即步驚雲是帶著孟山發明的炸藥去搜神宮的。但在第十二集結束時，炸藥仍然沒有發揮任何作用。神究竟是誰？成了又一個懸念。而關於步家——幾乎可以稱為「神族」，因為這個家族中出現過劍神、刀神、拳神、神、不哭死神（這是步驚雲的綽號）——的傳奇也越寫越奇、越寫越神。或許有人覺得這樣的故事很好看，但卻沒有多少人性內涵可以品味。

更重要的是，小說作者的創新插敘，實在太長，破壞了《風雲》作為一部小說的整體結構，小說開頭所寫步驚雲到天下會臥底復仇，聶風為救災民而與雄霸達成協議，即要為雄霸和天下會出力，風、雲兩人的關係及其命運才應該是這部小說的主線。《搜神》故事離開這一主線越來越遠。在第十二集中，聶風和步驚雲雖然再次見面，但步驚雲已是阿鐵的「前生」，這讓人莫名其妙。

此書我沒有看全，也不知道一共有多少集，眼下難以作整體性評說。

◆喬靖夫小說述評◆

喬靖夫（一九六九－），畢業於香港城市理工大學，曾做過新聞翻譯、電腦遊戲開發、編劇、歌詞創作，後從事專業創作。小說作品有《幻國之刃》、《熾天使》、《惡魔斬殺陣》、《冥獸酷殺行》、《殺人鬼繪卷》、《殺禪》八卷、《武道狂之詩》十二卷、《誤宮大廈》、《東濱街道故事集》、《香港闕機》、《詭異十二章》等。

《幻國之刃：超劍士殺人事件》

《幻國之刃：超劍士殺人事件》[1]講述主人公康哲夫的人生冒險故事：他是美國中央情報局（CIA）特聘冷兵器專家，調查一起間諜謀殺案，遇到女畫家媞莉亞，而被朔月國劍士襲擊，繼而被CIA特工追捕，最後與朔月國第一劍士鬥劍並脫險。這個故事很難歸類：其中有間諜，但並非間諜小說；有謀殺案偵查，卻非偵探小說；有愛情，卻非愛情小說；它被標注為「動作幻想小說」，但這並非標準分類。作者說：「我心目中的好作品有兩個條件：能夠超越『類型』，及擁有完整的『世界觀』。」[2]從上述分析看，這部書達成了作者的目標。

把這部書收入香港武俠小說史，首先要解決一個問題：它是不是武俠小說？說它是，有幾個理由。一是書中有武，小說中雖出現槍炮火器，但故事中人的搏鬥方式仍是劍術格鬥，主人公及其對手全都不用槍，只用劍，屬於傳統武功技擊。二是書中有俠，主人公康哲夫雖是做過雇傭兵、CIA分析員、凶殺案調查員，但內心卻堅守俠義精神，守孝道、明是非、重然諾、尚愛心、不殺人。三是書中有古，小說雖是當代背景故事，但真正的內容卻是一個失去國土的古代王國及其遺民的復國努力，向過去時代致敬。四是書中有武俠之源，作者說，這部書其實是一部「別傳」，[3]目的是要寫《武道狂之詩》，而《武道狂之詩》是武俠小說。

《幻國之刃》是一部非典型武俠小說，糅合間諜、偵探、言情、幻想等多種小說要素而不拘泥於某個特定類型，是武俠小說變革的一種探索和嘗試。本書最大看點，是幻想虛構的朔月之國及其遺民。朔月之國本是太平洋上的一座新月形島嶼，千餘年前因地震和海嘯沉沒，島國居民逃往世界各地。但這些遺民認同自己的血脈，認同自己的族裔，一直在為復國而努力，不僅有自己的語言、典籍、習俗，而且有自己的政治組織、經濟實力和軍事建制。

本書故事緣起，就是朔月國劍士謀殺了香港的兩面間諜兼黑市軍火商陳長德，並欲取而代之。朔月之國有雙重含義，一是「原初」，即追根溯源，嚮往古典精神，試圖恢復；另一含義則是「看不見的國家」，或曰影子王國——該國的臨時「首都」居然在美國紐約曼哈頓一座大樓的夾層中，誰也不知道這一夾層、這一首都、這一國家的存在——所以這個國家的遺民，都有雙重乃至多重身分，例如高橋龍一郎，既是日本高橋重工的董事長，也是朔月王國的內閣部長；而本書女主人公媞莉亞，既是一個畫家，也是朔月王國的公子媞麗安羅吉。

有意思的是，作者寫作此書，虛構這個消失了的古國，一方面是嚮往古典精神，但另一方面卻並不認同其復國目標——本書主人公康哲夫拒絕加入朔月國，就是重要證據。這是現代人的矛盾，即尊重古典，甚至嚮往古典，但並不想要回到過去。作者對此有很深的思索，這也是作者所說「完整的世界觀」的具體表現。

本書另一看點，是主人公的經歷與個性。康哲夫是華裔美國人，出生於紐約唐人街，少年時開始拜華裔劍術家顧楓練劍，畢業於麻省理工學院數學系，在他畢業之際，母親生命垂危，需要巨額手術費，所以他毫不猶豫地放棄研究生學業，加入雇傭軍前往非洲作戰。母親去世加上對殺戮的厭惡，康哲夫染上毒癮，並準備自殺，是其好友、日本高橋重工公司繼承人高橋龍一郎拯救了他，讓他離開雇傭軍，並到日本寺廟中戒毒，重生後成為ＣＩＡ特聘分析員。

正因為他曾經煉獄，所以格外珍惜和平的日常生活，外表如堅硬甲胄，內心則柔軟仁慈，有驚人的格鬥技能，卻嚮往平凡的人生，珍惜人間友情和愛情。康哲夫逃離ＣＩＡ而追尋媞莉亞，是為了愛情；康哲夫拒絕加入朔月國而堅持要將媞莉亞帶走，同樣是為了愛情，而不願接受雙重身分、表裡不一的價值觀，而只想過單純的生活，做單純的人。這位曾經的麻省理工高材生、曾經的雇傭兵、曾經的毒蟲，早已長大成人，成了一個人生戰士，其戰鬥目標並非顯赫功名，而是讓自己成為平凡人。

本書又一看點，是康哲夫與媞莉亞的愛情。媞莉亞本是朔月國的公主，主動接近康哲夫，是受高橋龍一郎的委派，在康哲夫身邊臥底，以便隨時取得間諜謀殺案調查的資訊。媞莉亞當真愛上了康哲夫，理由是，康哲夫是個自律極嚴而內心充滿憂傷的男人，這種男人具有不可抵抗的魅力。康哲夫愛上媞莉亞，同樣有非常的理由，是因為她是第一個直接觸碰其內心傷痛的女子，既是情人，更像母親。

在得知媞莉亞在他的公事包裡安裝了竊聽器之後，康哲夫非但沒有報復她，而是放走她，讓她帶走重要證物《朔月王國傳說》，甚而逃離ＣＩＡ，追尋媞莉亞，則有更深的原因，那就是追尋自己所愛成了康哲夫活下去、活得有意義的人生目標。雖然書中的愛情線索寫得並不特別令人信服，但主人公的心意卻很明顯。

又一看點，是最後那場決鬥的處理方式，即康哲夫與朔月國先鋒提督喀爾塔的決鬥，康哲夫有機會殺死對方，但卻未下殺手，自己反而受傷；而喀爾塔最後也因此放棄了進攻，讓康哲夫帶走了媞莉亞。這一戰誰也沒有輸，康哲夫贏得了媞莉亞，也贏得了自由；而喀爾塔則贏得了尊嚴，也贏得了道義。此人是陳長德謀殺案、達圭謀殺案的凶手，卻也是朔月國復國遺民的英雄。

本書的不足，是書中康哲夫逃離ＣＩＡ的動機略顯牽強，一是為愛情而背叛職業倫理，恐怕違背此人的道德良知；二是媞莉亞是真正的間諜，親近他的動機顯然不純，康哲夫如何能堅信雙方的愛情？更不必說，康哲夫和媞莉亞雖然獲得了愛情和自由，卻仍然要隱姓埋名，過雙重身分的生活，這生活不可能正常。

【注釋】

1 喬靖夫：《幻國之刃：超劍士殺人事件》，上下冊，香港，鐵道館，一九九六年初版，二〇〇〇年再版。
2 喬靖夫：《幻國之刃：超劍士殺人事件．初版後記》下冊第一八四頁，香港，鐵道館，二〇〇〇年。
3 喬靖夫：《幻國之刃：超劍士殺人事件．初版後記》下冊第一八四頁，香港，鐵道館，二〇〇〇年。

◆徐振小說述評◆

徐振，字躍飛，原名徐焯賢（一九七三－），著有豪將系列即《天王逆子》、《野狂雷》、《北國行》、《大帝不惑》，《追尋年代》、《校園推理會》，以及武俠小說《浩然一劍》、《十五少》等，後從事專業出版工作。

《浩然一劍》

《浩然一劍》[1]講述浩然、浩婷兄妹復仇故事，他們的父親浩雲在朝中做官，被太監湯冠害死，所以他們一心要刺殺湯冠。浩然兄妹得到了鎮安府主人譚得時的幫助，譚得時擔心湯冠會發動政變，對皇上不利，所以邀請武林高手來京商議對付湯冠，湯冠則派出高手攔截譚得時邀來的武功高手。浩然兄妹報仇的最大障礙，恰是他們的大哥姬滅——姬滅是化名——他是湯冠手下的第一高手，不僅將受邀前來的西門、依依夫婦打傷，更將親弟弟浩然打成重傷。但浩然堅持報仇，不顧傷重不治，傷湯冠一臂；浩婷用刺秦劍刺穿大哥姬滅的手心、刺向湯冠的眉心。最後，浩婷與大哥四目相對，心中惘然，不知該怎麼辦才好。

本書看點之一，是浩然決心復仇，以至於躲避和拒絕雲凌的愛情，而雲凌在浩然重傷之際，堅持替浩然完成復仇重任，堅持與帶傷復仇的浩然一起闖入皇宮，不惜犧牲自己，雲凌的愛情震撼人心。

看點之二，是浩然、浩婷兄妹與大哥姬滅的矛盾衝突，浩然、浩婷堅持復仇，而大哥姬滅則要阻止弟、妹復仇，他們各有自己的想法且都堅持己見，誰也說服不了誰，只能刀劍相對、同胞相殘。

看點之三，是姬滅的妻子紅修羅秦裘與浩然的女友雲凌之間相互打鬥，而又惺惺相惜的那一段：她們都知道兄弟媳婦和女友之間不該如此，但又不得不如此；她們對對方都有好感，且在危難時相互救助，說對方是「戰士」，從而超越通常女性的自我定位，有現代女性主義味道。

看點四，是湯冠屬下「風花雪月」四大高手中的「月」即謝小月綁架了浩婷——實際上是不忍傷害她——造成了書中一大變數，即謝小月和浩婷兩情相悅，謝小月勸謝婷不可報仇，但臨死前將自己的內力輸送給浩婷，又幫助乃至推動了浩婷報仇。

看點之五，是書中武打的場面一個接一個，讓人目不暇接，書中人物始終處在行動中，從而使得小說敘事非常簡練，而節奏也非常明快，毫不拖泥帶水。

復仇故事是武俠小說最常見的模式，這部小說的與眾不同之處，是挑戰武俠小說的常規，對浩然、浩婷兄妹的復仇行為的提出質疑。大哥姬滅阻止浩然、浩婷報仇，並不是為虎作倀，更不是泯滅親情，真正的目的是要保護弟弟和妹妹不因復仇而枉自送命；深層原因是他不贊同復仇，認為「報仇只不過是譚得時他們加諸我們身上的枷鎖」（第一四八頁），他要好好地過自己的生活，且希望弟弟和妹妹也有機會過好自己的人生。所以，他只打傷弟弟浩然，而沒有殺害浩然；最終面對妹妹浩婷將他右手掌刺穿，他也沒有對妹妹下重手，因為那是他妹妹。

父母被害，子女該不該為父母報仇？這是一個哈姆雷特式的倫理難題，通常的武俠小說中多會認為應該復仇，即「父仇不報，枉為人子」；作者徐振卻另有想法，即「把『復仇』簡約為生存的意義」[2]，亦即把是否復仇提高到生命價值層面進行思考和呈現。作者的觀點很明顯，即為父母報仇並不能讓父母活過來，正如浩婷刺向湯冠眉心後也覺得：父母、謝小月都死了，復仇有什麼意義呢？同理，浩然在打傷湯冠一臂後，得知自己武功盡廢，反而徹底放下了復仇的包袱，說自己已經心滿意足，再也不會報仇了。

我欣賞這部小說，並不是因為它寫得有多好，而是因為這部小說的作者有自己的想法、有自己的追求。凡是有想法、有追求的作家作品，都值得重視。

就事論事，這部小說寫得並不十分成功，原因恰恰是因為作者把自己的想法強加給筆下人物，以至於書中有些重大情節關鍵寫得並不清楚，例如，姬滅是否有復仇之心？書中提供了兩種答案，一是利用湯冠復仇，首先向皇帝復仇，其次才是向湯冠復仇（**這樣才能解釋他為什麼化名為湯冠服務、甘當湯冠的打手**）；另一答案是完全不想報仇，即他對雲兒所說，復仇是譚得時等人強加給他們的枷鎖；若按這一結論看，姬滅為何死心塌地地保護自己的仇人湯冠就無法讓人信服了，不為父母報仇是一回事，而甘當父仇的走狗則是另外一回事。

姬滅說要好好過自己的人生，就是甘當仇人的走狗的人生嗎？進而，姬滅對弟弟浩然肯定有親情，但這種親情有多深？為什麼他將浩然打傷到只有三個月可活的程度？若是單純為了阻止弟弟報仇、為了讓弟弟好好地過自己的人生，他最多也只能將弟弟打得暫時無法行動為極限，何以下如此重手，竟要讓弟弟短命？

進而，書中還有兩大問題沒有說清楚，一是姬滅、浩然、浩婷的父親浩雲究竟是怎麼死的？是不是湯冠直接迫害致死？是皇帝下令處死？還是湯冠唆使皇帝下令將他處死？或是湯冠出於個人目的親手將浩雲夫婦害死？浩雲不同的死法、不同的死因，與浩然、浩婷兄妹復仇行為的合理性密切相關，但作者沒有提供具體資訊，只是抽象地反對復仇，這其實是對真實人性的不理解、不尊重。二是，譚得時邀請好手來京對付湯冠，是幫助浩然兄妹復仇？還是為了保護自己不被湯冠所害即所謂先下手為強？抑或是他想將朝廷中的權力之爭與幫助浩然兄弟復仇結合起來？

這一情節之所以重要，是要讓讀者判斷，譚得時是不是利用了浩然兄妹當自己的權力鬥爭工具？是不是譚得時將「復仇的枷鎖」套在浩然兄妹頭上？若潭得時是主動幫助浩然兄妹復仇，那他就是一個有正義感的好人；若他是利用浩然兄妹作為自己的權力鬥爭工具，那他就是一個別有用心的梟雄。作者似乎並未把潭得時刻畫成梟雄或惡人，遺憾的是沒有說清楚他邀人的目的：他說邀人來京是為了保護皇帝不被湯冠所害；但湯冠卻說自己「沒有想過發動任何兵變」（第九十八頁）。那麼，潭得時是怎樣的人？湯冠又是怎樣的人？

【注釋】

1 徐振：《浩然一劍》，香港，振然出版社，二〇〇一年七月。

2 徐振：《浩然一劍・後記》第一五九頁，香港，振然出版社，二〇〇一年。

◆張鋒小說述評◆

張鋒（一九六七－），香港作家，喜歡打電玩、看動畫、旅行和寫作。

《獵殺天讎》

《獵殺天讎》[1]是張鋒的第一部武俠小說，講述劍浩劫後的屍鎮少年阿舜跟隨鐵劍鬼項鐵海前往北方大雪山、西方半月城、南方海濱神魚灣歷險故事。阿舜的最初目的，是尋找特種雪蓮和夜光杯為妻子綾真治病；但經過溶洞一劫，阿舜和項鐵海都受重傷而心性改變，回到屍鎮治好了綾真，但卻燒死了他深愛的綾真、也拋棄了深愛他的靈斯，又一次踏上了命運旅途，迎接第二次劍浩劫。

《獵殺天讎》的最大看點，是架空歷史，憑想像構建了古代世界，這世界分為四個部分，即東方大地、西方大漠、北方大山、南方大海。阿舜的故鄉是東方大地上的屍鎮，屍鎮是由一場劍浩劫形成的，即一群武林人在這裡爭奪武林至寶「天讎」而發生衝突，被官兵圍剿，積屍上千，從而成為屍鎮。

另一看點，是主人公阿舜的天賦、性格與命運。首先，阿舜極其善良且有義氣。阿舜出場時年方十歲，卻以拉板車謀生，因為他有一個十六歲的妻子綾真，而且妻子有病。因為在第一次劍浩劫時，有官軍將領從屍體堆中找出交給綾老爹收養，從小得到綾真父女的照顧，綾老爹去世時，七歲的阿舜就答應娶十三歲的綾真為妻，要照顧她一生一世，是所謂滴水之恩湧泉相報。

阿舜答應跟項鐵海冒險，也正是想去遠方尋找靈藥，治好綾真的疾病。其次，阿舜有驚人的武術天賦和勇氣。阿舜從未練武，但卻無師自通，在對付群馬寨土匪時就已顯露無遺，所以劍士項鐵海要收他為徒，劫持他離開了屍鎮。在旅途中，阿舜的武術天賦時常靈光閃爍，看破劍士莫折腰的武功弱點，破解白爺爺遺留下的劍招，學會項鐵海的輕功、老石頭的內功、神魚公子的激浪五招，都是他天賦超群的確證。

再次，阿舜不僅有過人的武術天賦，且勇氣、心智、意志無不超群。在大雪山破解白爺爺的生死秘密，在半月城破解半月湖神的秘密，在南海神魚堡拒絕成為神魚公子的繼承人，都是證明。最後，阿舜的人生被無形的命運操控。阿舜身分成謎——很可能是劍中大盜之子——命運更成懸念，在他遇險逢難之際，總有來自內心深處的「天雠」的呼聲讓他不安，來自第一次劍浩劫，又要面對第二次劍浩劫，他不願做神魚公子的工具和替代品，卻無法逃脫命運的指掌。溶洞中的遭遇，就是確切的證明，善良的阿舜在經歷溶洞劫難後心性大變，回到屍鎮後竟燒死綾真、拋棄靈斯，即可見不可抗拒的命運力量。

又一看點，是奇幻與人性的獨特呈現。書中有大量奇幻或玄幻因素，例如大雪山白爺爺豢養的白鹿王、白猿王、白鵰王，居然學會了白爺爺的武功，為白爺爺報仇；半月湖邊的無頭劍士及湖神傳說；南海神魚公子的神魚丹，余驚濤在深海中與神魚為伍，余破茫在污泥中藏身一年後死而復生，等等。

但在這一切的背後，卻是真實的人性書寫，白爺爺看起來如同雪山之神，但卻被山下的商人李大樹、獵人嚴木、嚮導郝伯華聯手傷害，他並非長生不死，更非山神。半月湖神也非神祇，湖邊的無頭劍士也並非神蹟，是流放在此地的破元帥，即老石頭為了護佑居民而製造的驚人景觀，且最後老石頭也以身殉，成了第十三尊無頭劍士。南海神魚堡父子兄弟相殘，無非是由於心中的執念和權力欲望。劍浩劫的形成，也不過是人類貪婪，行者與僧皇寺「地鑰」劍的故事，則是為了揚名立萬而不惜打開地獄之門——這顯然是一個象徵——與項鐵海挑戰武林名家的動機如出一轍。主人公阿舜安於平凡而被命運綁架，成為傳奇主人公，那是命運不可測，也是人性的悲哀。

第四個看點，是書中若干人物，如屍鎮的陳四變身富貴爺，雪影村的商戶李大樹、半月城的鐵匠庸廬、妓女如妻、水晶球算命少女靈斯、南海神魚堡的余飛浪、余破茫、余驚濤及其父親神魚公子。

本書弱點，是作者敘事技法尚不成熟，敘事筆法新鮮但稚嫩，且故事中的若干片斷交代不清，例如阿舜和項鐵海在溶洞中的遭遇，就因故意製造懸念而導致敘事「事故」。進而，阿舜這個十歲少年走江湖、顯神奇的故事，如何講述得讓人信服，也還有待斟酌。

【注釋】

1 張鋒：《獵殺天雠》，共三集，香港，東立出版集團有限公司，二〇〇二年初版。

中國香港武俠名家名作大展（下）

作者：陳墨
發行人：陳曉林
出版所：風雲時代出版股份有限公司
地址：10576台北市民生東路五段178號7樓之3
電話：(02) 2756-0949
傳真：(02) 2765-3799
執行主編：朱墨菲
美術設計：吳宗潔
行銷企劃：林安莉
業務總監：張瑋鳳

初版日期：2022年9月
版權授權：陳墨
ISBN：978-626-7153-18-5

風雲書網：http://www.eastbooks.com.tw
官方部落格：http://eastbooks.pixnet.net/blog
Facebook：http://www.facebook.com/h7560949
E-mail：h7560949@ms15.hinet.net
劃撥帳號：12043291
戶名：風雲時代出版股份有限公司

風雲發行所：33373桃園市龜山區公西村2鄰復興街304巷96號
電話：(03) 318-1378
傳真：(03) 318-1378
法律顧問：永然法律事務所 李永然律師
　　　　　北辰著作權事務所 蕭雄淋律師

行政院新聞局局版台業字第3595號 營利事業統一編號22759935

定價：550元

國家圖書館出版品預行編目資料

香港武俠名家名作大展 / 陳墨著. -- 初版. -- 臺北市
: 風雲時代出版股份有限公司, 2022.07　冊； 公分

ISBN 978-626-7153-18-5（下冊：平裝）. --
1.CST: 武俠小說 2.CST: 文學評論

857.9　　　111009548